《黄賓虹全集》編輯委員會編

黄賓虹全集

9

書法

山東美術出版社·浙江人民美術出版社

主　編・王伯敏
分卷主編・王宏理

目次

導語·舒和之致

書法之初，肇于自然。仰觀天文，俯法地理，視鳥獸之迹，與土之宜。近取諸身，遠取諸物，畫卦結繩，至造書契，依類象形，因謂之文。

——黄賓虹《畫談》

當我們步步深入探究畫家黄賓虹的世界，會發現這個世界的靈魂或謂根基，却在于他的文字學和書法觀。在黄賓虹的著述中，常有這樣言簡意賅的論述：『畫先于書，訣在書法。』這裏的『畫』，是指上古圖飾和象形字，『書』指文字。又：『釵股、漏痕、枯藤、墜石，畫中筆法，由寫字來。』這時的『畫』，才是繪畫，『寫字』即書法。由此，他再明白不過地表明了書法在他心目中的位置，以及他對漢文字和書法于繪畫是怎樣一種關係的基本看法。所以，儘管黄賓虹的書法造詣獨特而高標一幟，我們若首先從他『畫先于書』等觀念入手，瞭解他論説『筆法』的特別思路，再來看他『作草以求舒和之致』這樣的審美旨趣，或許能得到一個較爲完整的認識。

黄賓虹撰文論『書畫同源』，總不忘重申六朝的陸探微如何將漢代張芝以來的『一筆書』變而爲『一筆畫』，『故知書畫用筆同法』。北宋，『蘇、米書法入畫始成雅格』。元趙孟頫與錢選將『書畫同源』的討論，推至畫中用筆有『隸體』即『士氣』這一層面。及至明董其昌，甚至有『草隸奇字入畫』的探索。這裏其實是説一個『書畫相通』即『用筆同法』的傳統，而這一傳統在清二百年間已有迷失衰亡之虞。黄賓虹生于清同治年間，正是乾嘉樸學引發出金石學興盛之際。從少年起，金石學的研習即伴隨着他的成長及修學過程。游學江淮十載，居滬上三十年間，也親歷了金石學給書法和繪畫帶來的種種變革。黄賓虹的思考不斷推向周密和成熟，他最終確定金石學興盛是近代畫壇復興的學術背景和學術推動力。在他的著述中，每以金石學的學術立場來評騭近古畫史的進程：『道、咸畫家勝四王、八怪，因金石發明，眼界漸高，得筆墨之趣亦多。』又：『《藝舟雙楫》係包慎伯得鄧石如之傳，而發明書法秘訣，前人所不言，在于各人心領神悟。此書出版，書畫秘鑰盡顯，所以，道、咸中文藝高于前人。』

金石學如何能使畫家『眼界漸高』，又如何成爲啓開畫壇中興之『秘鑰』呢？不同于一般的文字學、印學專門家，特具一雙畫家慧眼的黄賓虹，關注的重點首先放在尋找『六書』中『象形』一法的淵源上。他從考古發現中，尋獲上古三代『書畫難以分別』的證明，也即從『書畫用筆相通』上溯到『書畫同源』這一更爲本原的論題中去。在給弟子劉作籌的信中，黄賓虹曾很興奮地通告曰：『甲骨殷契及鐘鼎古文中，圖騰一類，有字有畫，畫在古文之先，爲最近考古家所公認。』在四川時，得一『巴蜀王』大圓印，黄賓虹考訂爲東周時物，尤貴其文可爲『書畫未分之證』。黄賓虹還將三代銅器中的紋飾，甚至『夏玉』即新石器晚期的良渚、龍山等文化遺存中的刻劃符號，亦看作文字的雛形，作爲『六書』中『象形』之濫觴。作爲畫家，黄賓虹如此關注、强調圖文未分時期『畫在書先』的古物遺證，其實在這書與畫的源頭上，他已找到了它們之所以相通的内核。

黄賓虹在給朋友弟子們的信中，常常提到『中國文字，其形尤爲中國特采，民族精神，胥在乎此』。從古紋飾、古文字中拈出一個『形』字，揭而爲書畫同源之證明，尤亟稱爲『民族精神』之所在，是畫家黄賓虹獨有的立場和獨到的視野。儘管黄賓虹没有用『造型』這個詞，但外來藝術所顯示的异樣的造型空間觀，已突兀地出現在國人面前。自小就是摹寫高手的黄賓虹，必然會以一個擅長辨别形態和把握造型方式的心智和眼光，以『民族精神』這樣沉厚、深邃的哲思，自覺地思考中國畫學『藝術語言模式』本原的問題。而這，才能發見中國畫學復興的歷史依據和内在動因。

黄賓虹用這一『秘鑰』打通了文字學到書法到山水畫之間的通道。同時，這也是我們打開黄賓虹藝術世界的『秘鑰』所在。對此，他有一段極生動的叙述：

『吾嘗以山水作字，而以字作畫。』

『凡山，其力無不下壓，而氣莫不上宣，故《説文》曰：「山，宣也。」吾以此爲字之努，筆欲下而氣轉向上，故能無垂不縮。凡水，雖黄河從天而下，其流百曲，其勢莫不準于平，故《説文》曰：「水，準也。」吾以此字爲之勒，運筆欲圓，而出筆欲平，故能逆入平出……』

此正所謂『道法自然』，是以對自然生命的感悟來動態觀照漢字的空間構成，還有書寫過程中主客體兩相融契的精神。

接下來，是如何『以字作畫』：

『凡畫山，山中必有隱者，或相語，或獨哦，欲其聲之可聞而不可聞也，故吾以六書會意之法行之；凡畫山，山中必有屋，屋中必有人，屋中之人，欲其不可見而可見也，故吾以六書象形之法行之。凡畫山，不必真似山；凡畫水，不必真似水，欲其察而可識，視而見意也，故吾以六書指事之法行之。』

這段夫子之道，差不多已泄露了他的全部秘密。書畫同源，書畫『同筆同法』，于黄賓虹却完全不是抽象的理念。解讀他的山水畫，他的書法，尤其大篆書，讀過這段話，應該可以知其用心所在了。無論是早期的不避平淡甚至稚弱，還是晚年的老健而適性隨情，都與當時雄强霸蠻和矯飾造作的時尚大异其趣，貫穿始終的則是一種回到本真的努力。在寫篆隸體書法風氣很盛的上海，黄賓虹那種經由體味、揣摩上古三代先民本然姿態而出的率真的書寫，實屬特立獨行。學問家余紹宋稱黄賓虹的大篆書『并世無兩，豈惟并世，蓋自明以來所鮮見』。余紹宋還指出，當時人往往用小篆筆法或草隸體勢作大篆，是未能研究甚至未能得見大篆即春秋戰國前『未立法而法自然』時的文字書法，若以所謂的『篆法』來着意描畫，或以爲刻意頓挫即爲『金石味』，便失之偏頗了。

一方面，黄賓虹倚重金石學學術背景；另一方面，他也看到金石學給書法帶來觀念和風格的『解放』意識，讓風格更趨多樣化的時候，筆綫的形態即筆意更加無法規定。在這樣的景况面前，明確『法理』的現實要求再次産生了。黄賓虹在一九三五年所撰《畫法要旨》中提出『五字筆法』，即是對這樣要求的積極回應。『五字筆法』的提出有一個過程，這裏簡述如下：

一爲『平』，如錐畫沙，起訖分明。用筆翻騰使轉，終根于平實。二爲『留』，如屋漏痕。積點成綫，筆意貴留，綫條沉着而質厚。三爲『圓』，如折釵股，圓融無礙而絶去圭角。四爲『重』，如枯藤墜石，貴舉重若輕，氣勝于力。五爲『變』，轉換不滯，順逆兼施，更兼得古人法而超出古法之外。

這些似乎不會讓人感到太新鮮。歷代書論中，涉及這五個字及『錐畫沙』『屋漏痕』等説法的早已耳熟能詳。而黄賓虹的理論貢獻在哪裏呢？其一，他不僅將歷代書論中的筆法論説删繁就簡，攝其所要臚列于此，且讓它們指向了合乎自然理趣而生生萬變的『力』，亦即筆綫質量這一命題。其二，書論中的『五字筆法』，在這裏直接變成了『畫法要旨』。書、畫不僅『同筆同法』，書法用筆還不容置疑被提至最高位置。這是以往未之見的。

對漢字空間造型理念與書法即畫法的重申，明確揭示了中國藝術精神的本原性。至此，我們可以看到，黄賓虹反復申述『書畫同源』與『書畫相通』之内在關聯和延宕遷變，確實是有深意的。更重要的是，『五字筆法』以『變』爲最後一法。大千世界本以萬變爲特性，這最後的果敢一擊，叩開了開放之門，『超出古人之法』也就有了可能。

黄賓虹以往被人稱道的多是大篆書。但檢視其留存的遺作，最大量的却是草書，且大都無款無印，爲或録或臨古人書迹的練習稿。八十歲前後，他在給朋友陳柱尊的信中，舉翩翩飛動的蝴蝶須經『飽葉、吐絲、成繭自縛』終而脱化飛去爲譬喻，自謂其繪畫正在欲脱未脱時期。而日課則謂：『每日趁早晨用粗麻紙練習筆力，作草以求舒和之致，運之畫中，已二十年未間斷之，但成篇幅完畢者罕見。』這段話，解釋了他大量草書書稿之來龍去脉。作草書的目的，是爲練腕以求作畫筆力也即筆墨綫條質量。從黄賓虹與朋友的信札往還中，還可知黄賓虹收藏或關注的明人書法包括『啓禎諸賢』手札或詩文稿，如祝允明、徐渭、漸江、楊延麟、『東林八賢』等等，無論過手還是收藏，都是黄賓虹或臨或録的對象，現今也都能一一在他的書法遺稿中找到。這也再次證明，黄賓虹首先將明人遺迹作爲基本研習對象，由此再上溯或生發開去。

從黄賓虹致陳柱尊信也可知，六十歲前後，黄賓虹開始探究改變之前繪畫中相對單薄的用筆之法，這是他每日于粗麻紙上練草書的目的所繫。没有這一行程，很難設想他的努力能成功。在他『黝黑如夜山』的畫幅中，若無包含這種『作草』之功，如何能從密致中見出虚靈通透？而其晚年甚是自矜的『簡筆畫』裏，忽忽幾筆極爲得手的綫條若神龍出没，内中亦是『作草』之功的支撑。黄賓虹晚年書作中，也寫漢隸、章草并有章草融入行草的練習。注重『隸意』，或因爲明人草書過于圓熟流利可能有虧古質而作的一種彌補和矯正。而他論筆法及與人交談中，也一再推崇元人錢選『士氣即隸體』的見解。大篆求其質，草書以增文，隸與章草兼有文、質，文質彬彬，是爲君子。黄賓虹于畫求『冲淡』，于書求『舒和』，是集古篆、隸、草諸優長，于每日孜孜揮寫中涵蓄而來。經年纍月，尤其他進入晚年後信手而成的書寫如題畫款、文札等，均是至性至情的流露。其迹率意而舒和，離落參差，皆入法理，風神款款中，得蒼茫而清新韵致，一如其所畫，融入自然的呼吸而一無挂礙。進入這樣的境界，藝術即自然，即天籟。書法回到了人自身的本真，黄賓虹的書法觀、藝術價值觀也真正獲得了實現。

臨古書稿圖版

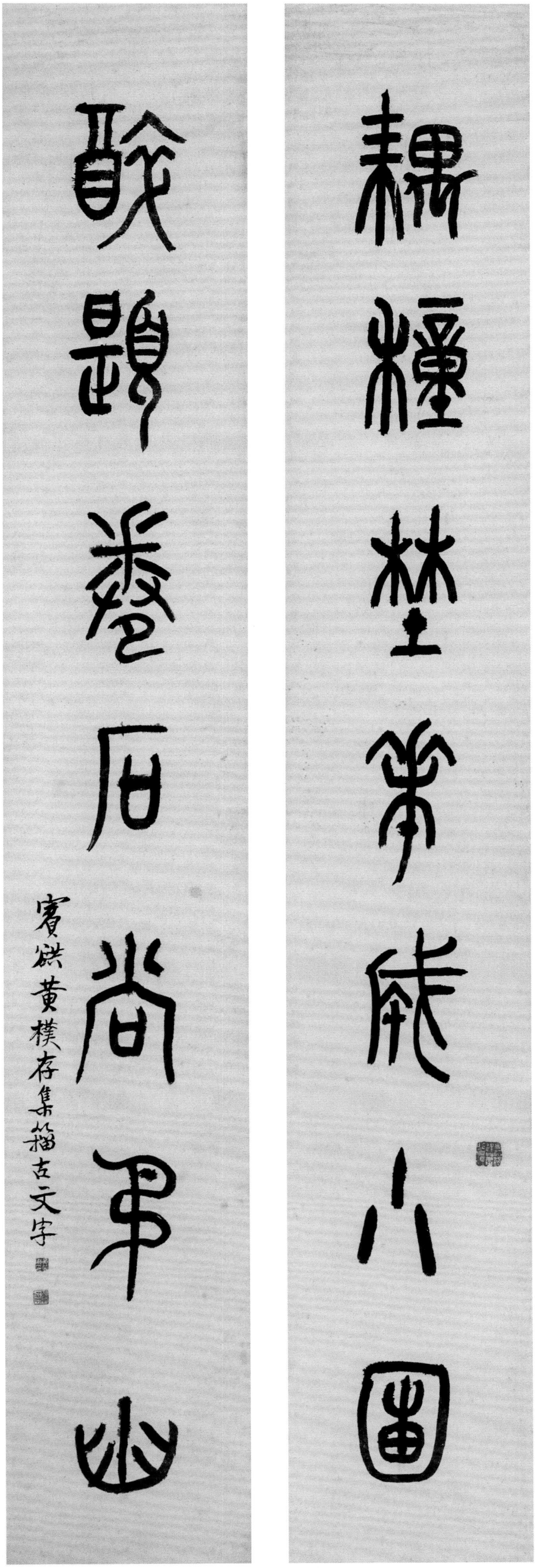

集大篆文字七言聯　紙本　縱一七八厘米　橫二七厘米　安徽省博物館藏

釋文：耦種野花成小圃　醉題卷石當矛山　賓鉷黃樸存集籀古文字

鈐印：高蹈獨往蕭然自得　黃質私印　黃賓虹

集大篆文字七言聯　紙本　縱一三五·五厘米　橫二〇厘米　安徽省博物館藏

釋文：存罇晨興星在樹　雕欄夜靜月移花　集商周金文　丁卯四月　黃賓虹篆

鈐印：高蹈獨往蕭然自得　黃質之印　散木

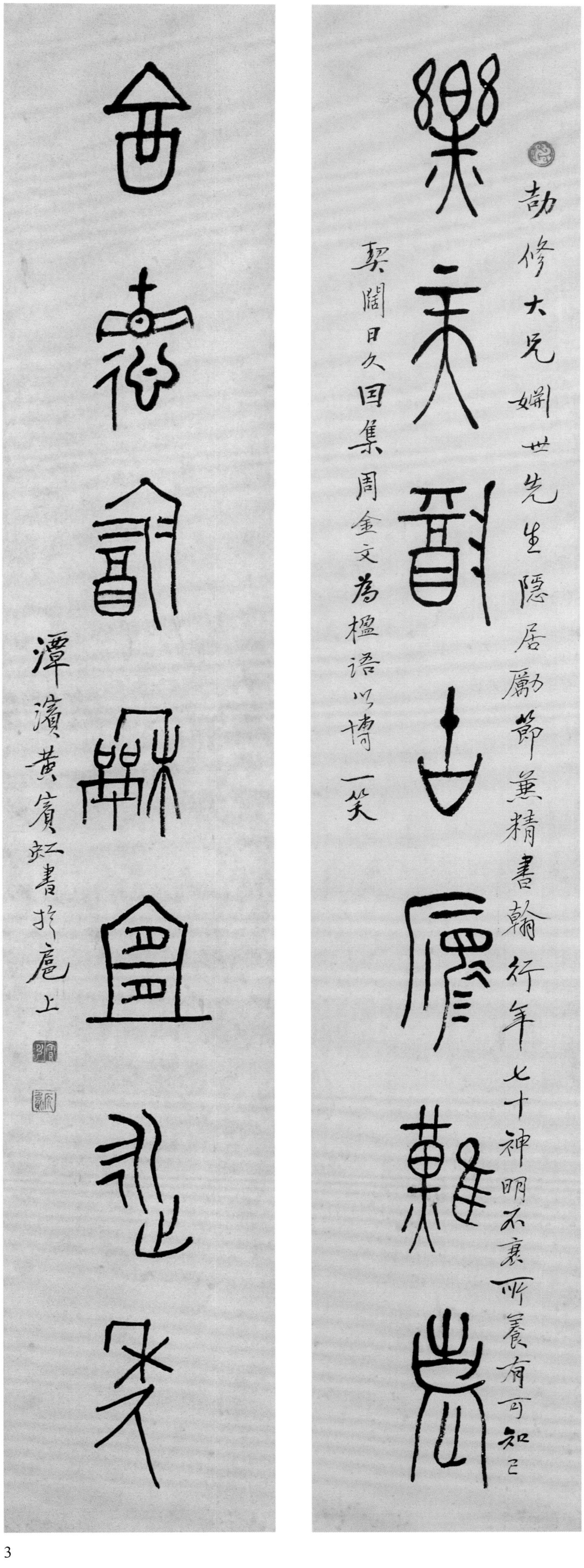

集大篆文字七言聯　紙本　縱一五七·五厘米　橫二七厘米　一九三〇年作　安徽省博物館藏

釋文：樂天尊古應難老　吉德飲和宜永年　劼修大兄姻世先生隱居勵節　兼精書翰

行年七十　神明不衰　所養有可知　契闊日久　因集周金文爲楹語以博一笑　潭濱黃賓虹書于滬上

鈐印：賓弘　原名質

集大篆文字五言聯　紙本　縱八二·五厘米　橫二二厘米　一九三二年作　温州市博物館藏

釋文：山林熟魚鳥　田舍樂桑麻　集周金文　曦晨先生正　壬申臘月　黄賓虹

鈐印：賓弘　賓弘　黄賓虹

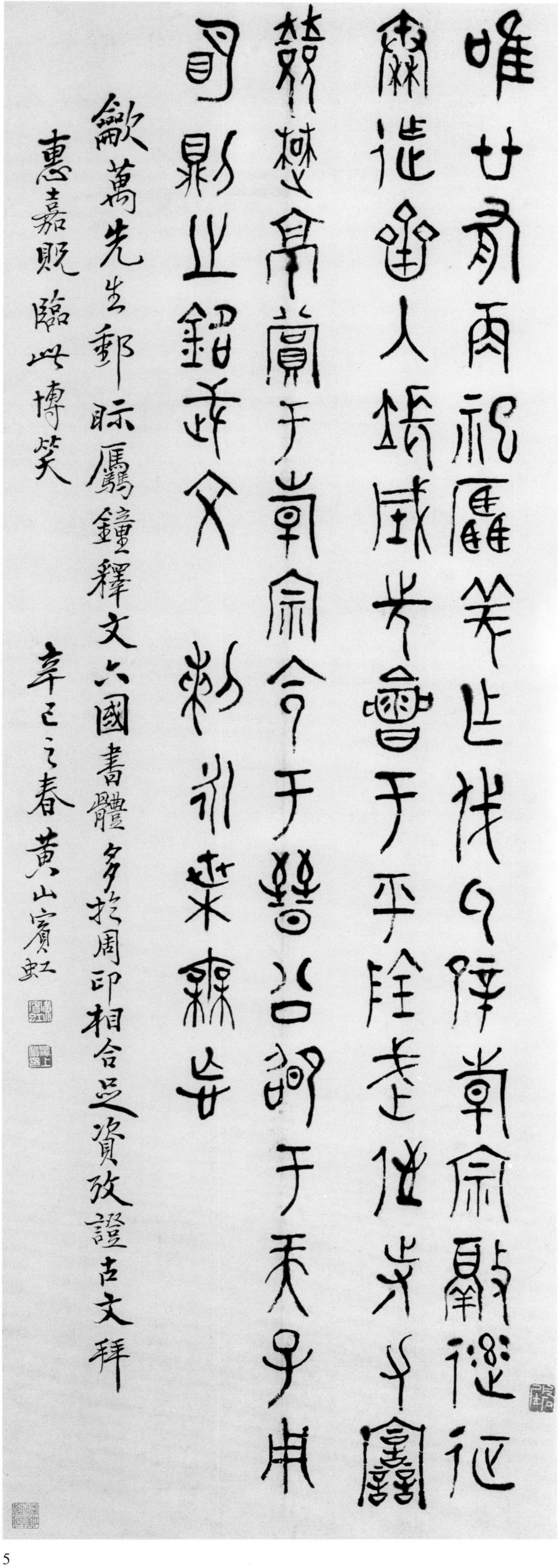

臨厵羌鐘銘文 紙本 縱一一一厘米 橫三八·五厘米 一九四一年作 浙江省博物館藏

釋文：唯廿有二祀 厵羌作伐氒闢韓宗敞率征 秦迮齊入張城 先會于平陰 武侄（寺）侍力嵩厵楚京 賞于韓宗令于晉公邵于天子 用明則之銘 武文□剌永枼無忘 吹萬先生郵視厵鐘釋文 六國書體多于周印相合 足資考證古文 拜惠嘉貺臨此博笑 辛巳之春 黃山賓虹

鈐印：片石居 黃賓虹 潭上質印

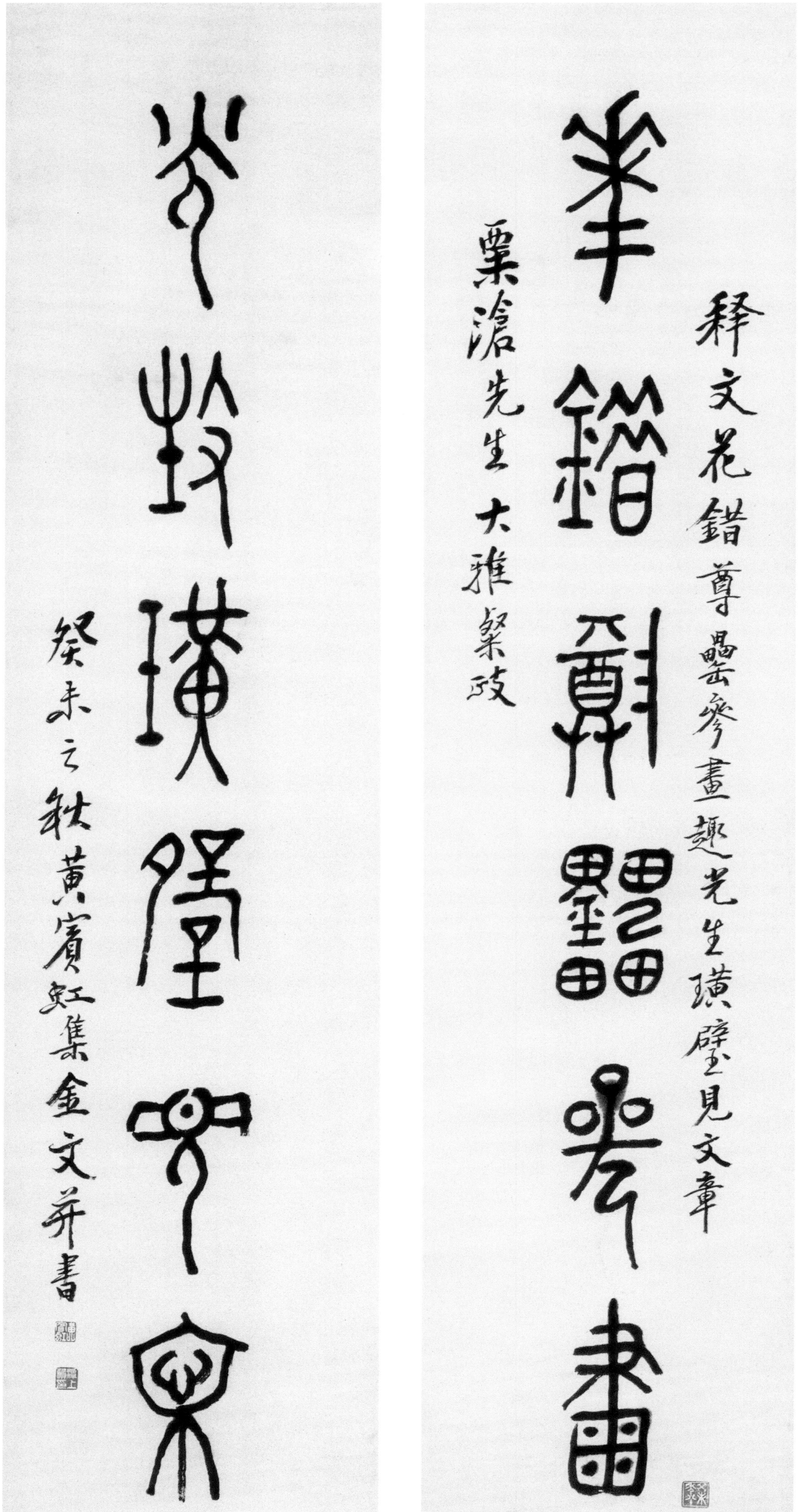
释文花错尊罍参画趣光生璜璧见文章
粟滄先生大雅粲政
癸未之秋黄賓虹集金文并書

集大篆文字七言聯　紙本　縱一二五厘米　橫二八厘米　一九四三年作　浙江省博物館藏

釋文：花錯尊罍參畫趣　光生璜璧見文章　粟滄先生大雅粲政　癸未之秋　黄賓虹集金文并書

鈐印：癸未年八十　黄賓虹　潭上質印

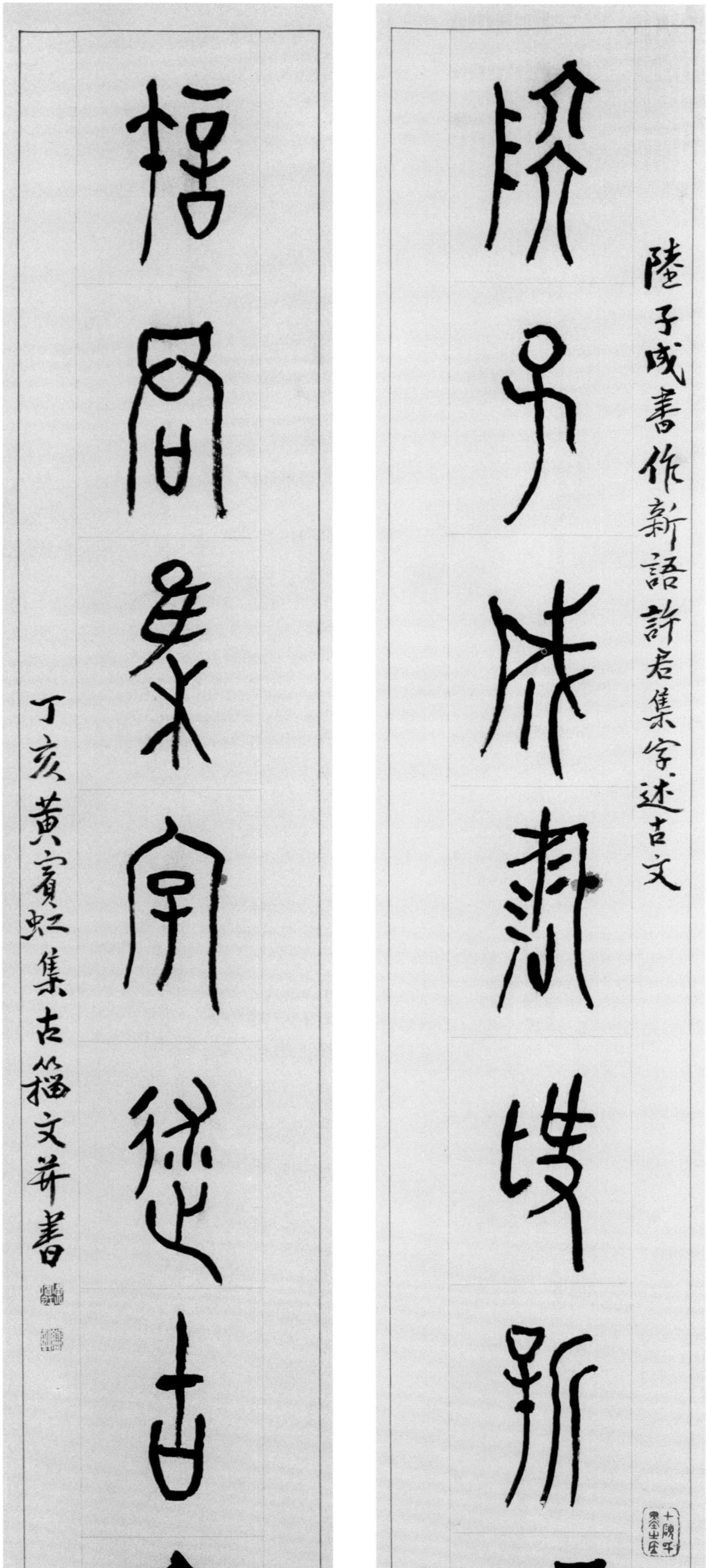
陸子成書作新語許君集字述古文
丁亥黃賓虹集古籀文并書

集大篆文字七言聯　紙本　縱一三九厘米　橫二四·一厘米　一九四七年作　浙江省博物館藏

釋文：陸子成書作新語　許君集字述古文　丁亥　黃賓虹集古籀文并書

鈐印：十硯千墨之居　黃賓虹　緑雪軒

釋文鹿疑樵子南華夢龍宿郊民北苑圖
維濟先生博粲
己丑八十六叟賓虹集古籀文字并書

集大篆文字七言聯　紙本　縱一二九厘米　橫二四·一厘米　一九四九年作　私人藏

釋文：鹿疑樵子南華夢　龍宿郊民北苑圖　維濟先生博粲　己丑　八十六叟賓虹集古籀文字并書

鈐印：冰上鴻飛館　黃賓虹印　黃山山中人

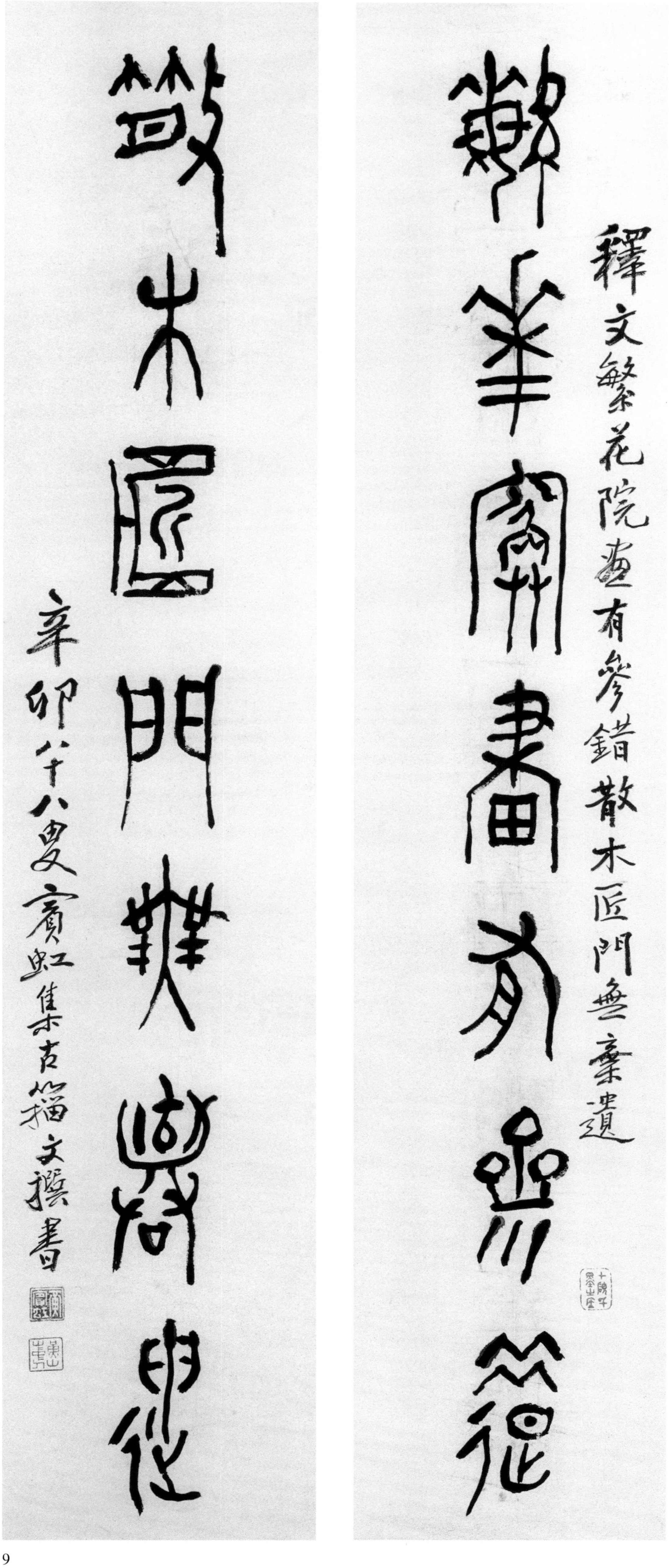
釋文繁花院畫有參錯散木匠門無棄遺
辛卯八十八叟賓虹集古籀文撰書

集大篆文字七言聯　紙本　縱一三八・八厘米　橫二七・四厘米　一九五一年作　浙江省博物館藏

釋文：繁花院畫有參錯　散木匠門無弃遺　辛卯　八十八叟賓虹集古籀文撰書

鈐印：十硯千墨之居　黄賓虹　黄山山中人

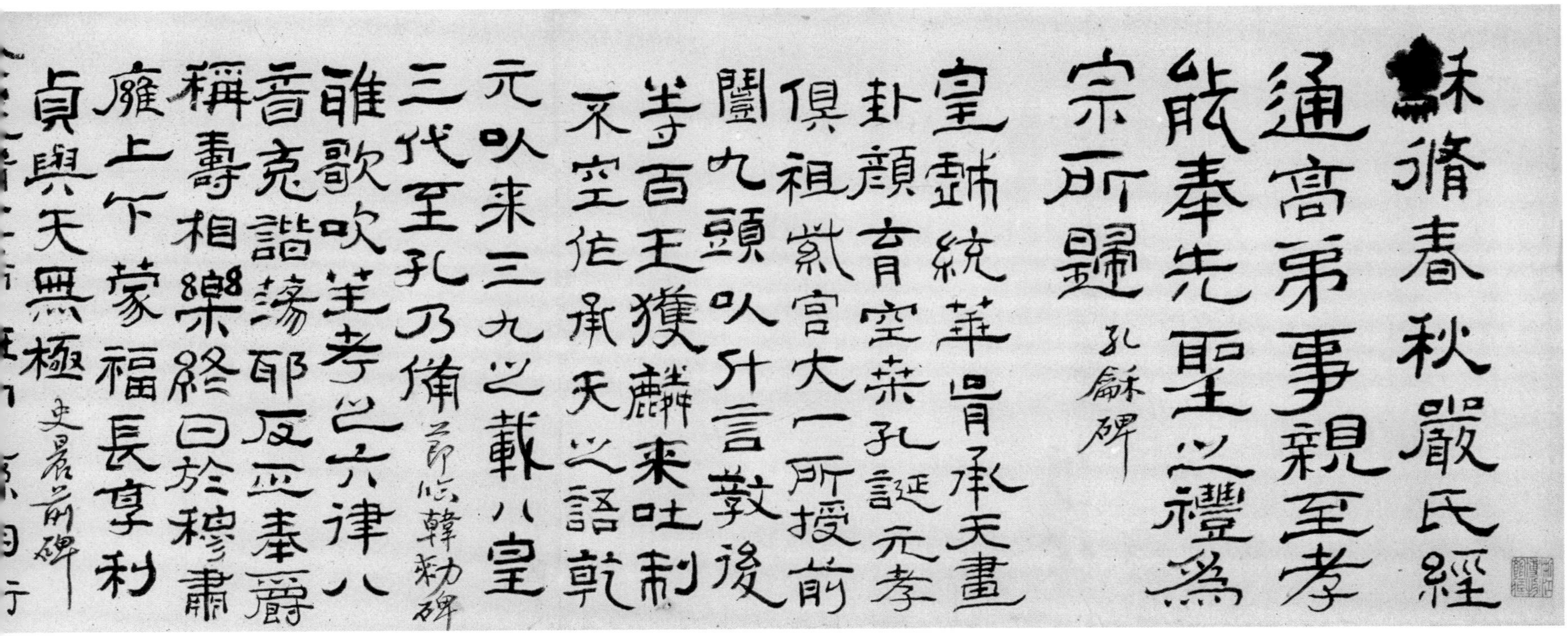

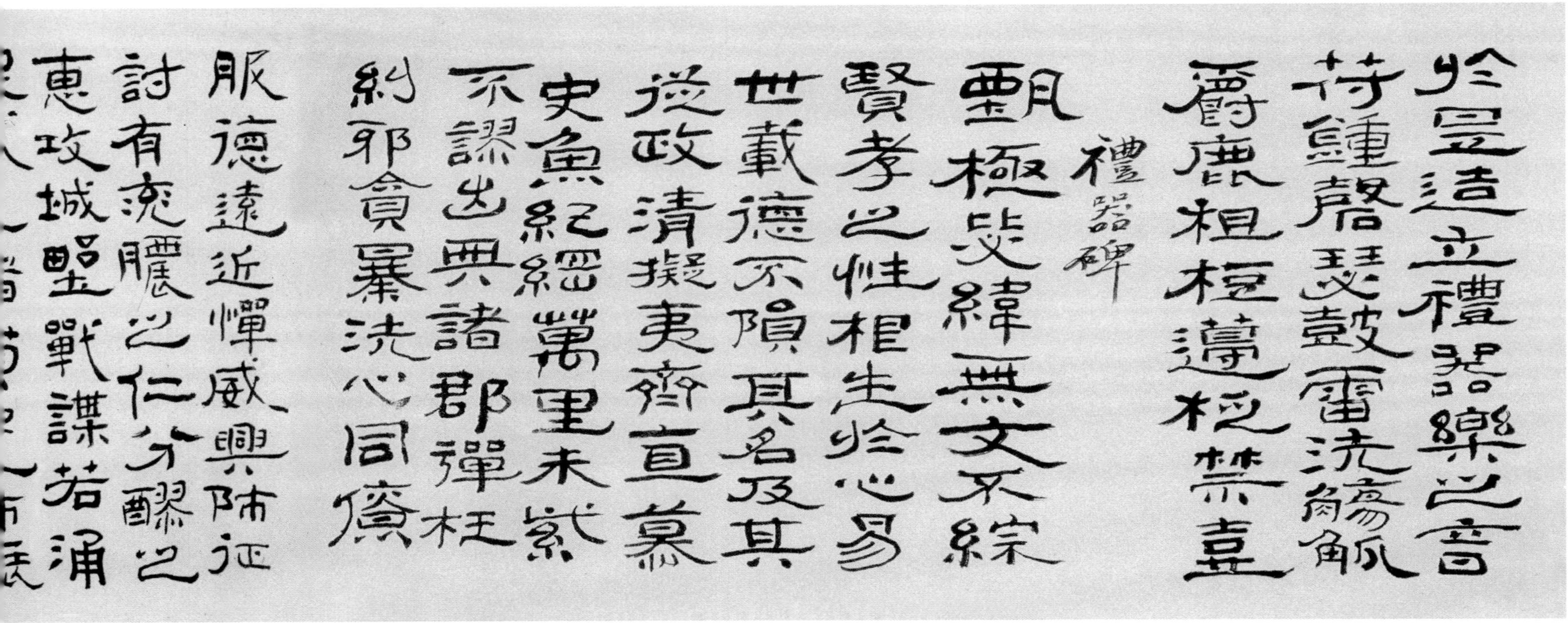

臨漢碑 紙本 縱二九·五厘米 橫八九厘米 三幅

浙江省博物館藏

釋文：鯀修春秋嚴氏　經通高弟　事親至孝　能奉先聖之禮

爲宗所歸

孔鯀碑

皇戲統華胥　承天畫卦　顏育空桑　孔誕元孝　俱祖紫宮

大一所授　前闓九頭　以升言教　後等百王　獲麟來吐

制不空作　承天之語　乾元以來　三九之載　八皇三代　至孔乃備

節臨韓敕碑

雅歌吹笙　考之六律　八音克諧　蕩邪反正　奉爵稱壽

相樂終日　于穆肅雍　上下蒙福　長享利貞　與天無極

史晨前碑

于是揖五瑞　斑宗彝　鈞衡石度量　秩群祀于無文

順天時以布化　既乃緝熙聖緒　昭顯上帝　追考五代之禮

修百王之事　因魯史而删春秋　就大師而正雅頌

孔羨碑

只傳五教　尊賢養老　躬忠恕以及人　兼禹湯之罪己

田畯喜于荒圃　商旅交乎險路　會鹿鳴于樂崩　復長幼于酬酢

孔宙碑

五鳳二年魯卅四年六月四日成

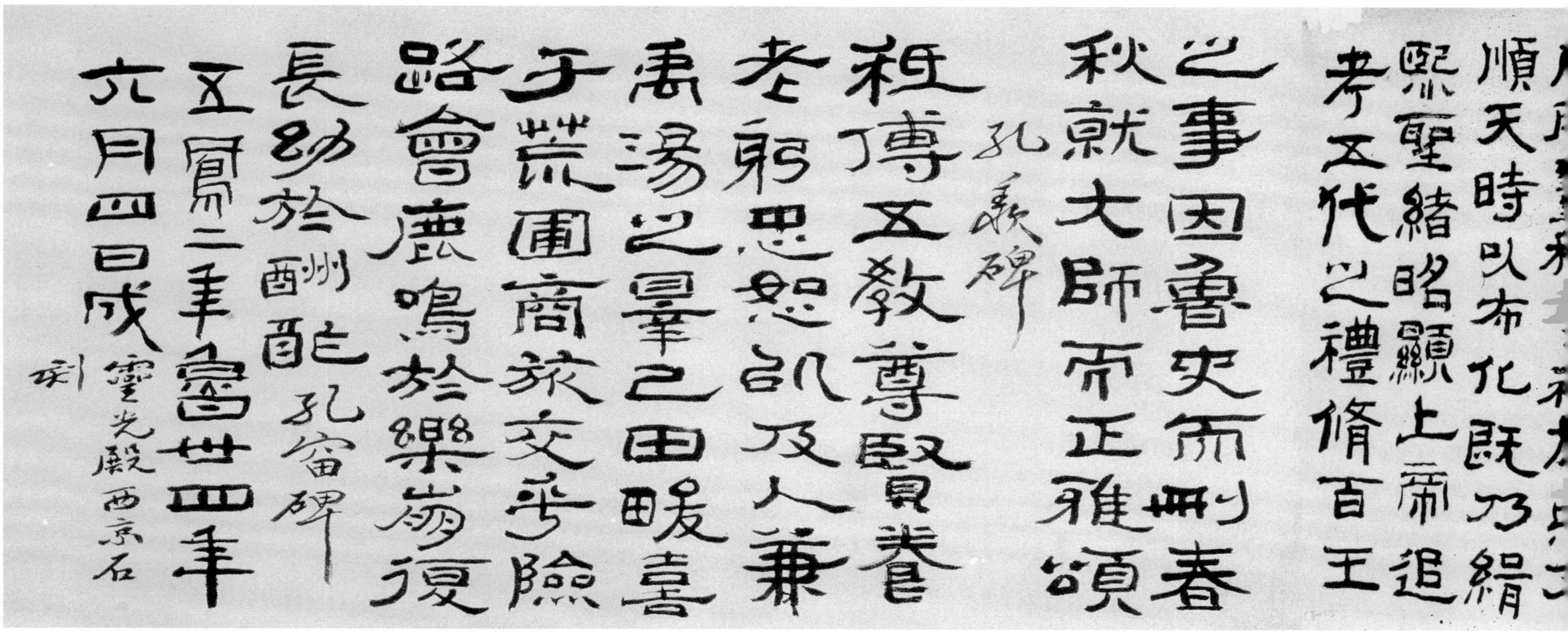

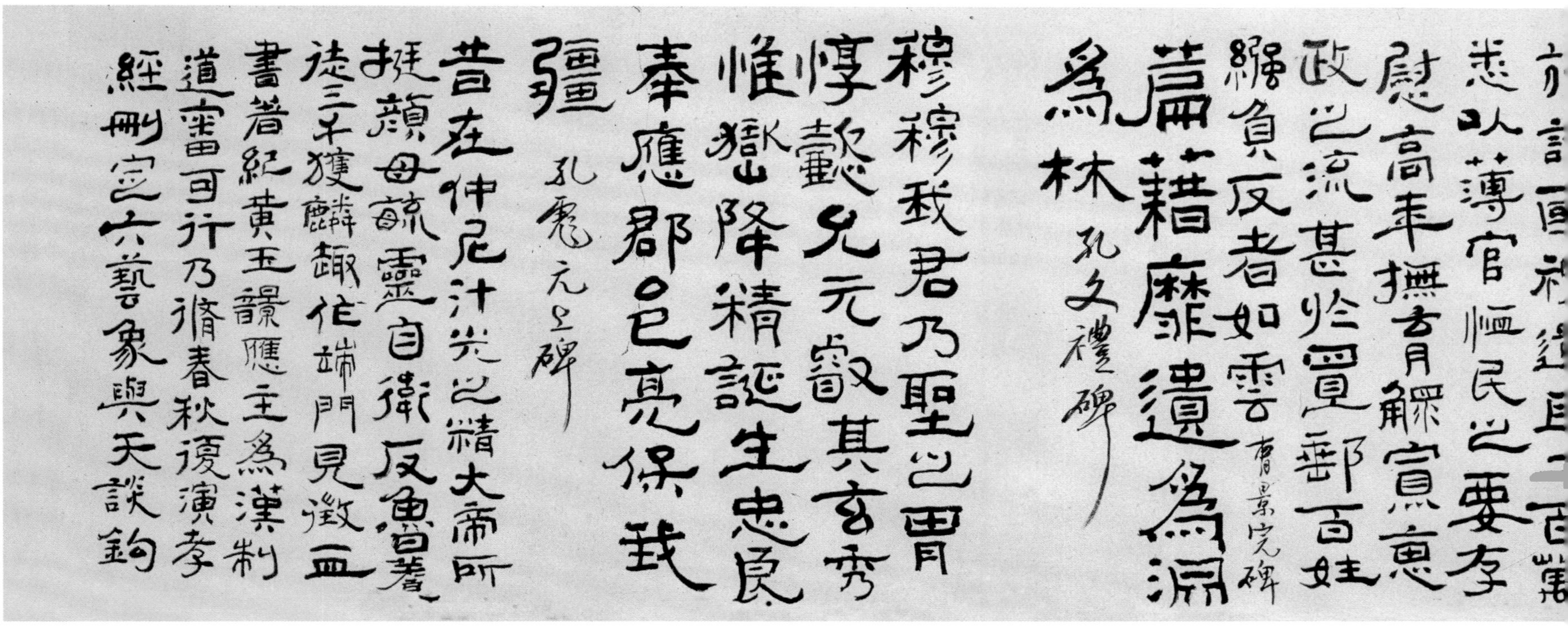

靈光殿西京石刻

于是造立禮器　樂之音符　鍾磬瑟鼓　雷洗觴觚　爵鹿俎豆

籩柉禁壺

禮器碑

甄極毖緯　無文不綜　賢孝之性　根生于心　易世載德

不隕其名　及其從政　清擬夷齊　直慕史魚　紀綱萬里

朱紫不謬　出典諸郡　彈枉糾邪　貪暴洗心　同僚服德

遠近憚威　興師征討　有兖膿之仁　分醪之惠　攻城野戰

謀若涌泉　威牟諸賁　還師振旅　諸國禮遺　且二百萬

悉以薄官　恤民之要　存慰高年　撫育鰥寡　惠政之流

甚于置郵　百姓襁負　反者如雲

曹景完碑

篇籍摩遺　爲淵爲林

孔文禮碑

穆穆我君　乃聖之冑　惇懿允元　睿其玄秀　惟岳降精

誕生忠良　奉應郡邑　亮保我疆

孔彪元上碑

昔在仲尼　汁光之精　大帝所挺　顔母毓靈　自衛反魯

養徒三千　獲麟趣作　端門見徵　血書著紀　黄玉響應

主爲漢制　道審可行　乃修春秋　復演孝經　刪定六藝　象與天

談　鈎

已事因魯史而刑春
秋就大師帝正雅頌

孔羨碑

袓博五教尊叡養
老弱思恕凱及人兼
虜湯之暈己田暖喜
于荒圍商旅交爭險
路會鹿鳴於樂崩復
長沙於酉酢孔宙碑
五冩二年富世四年
六月四日成　靈光殿西京石

剡

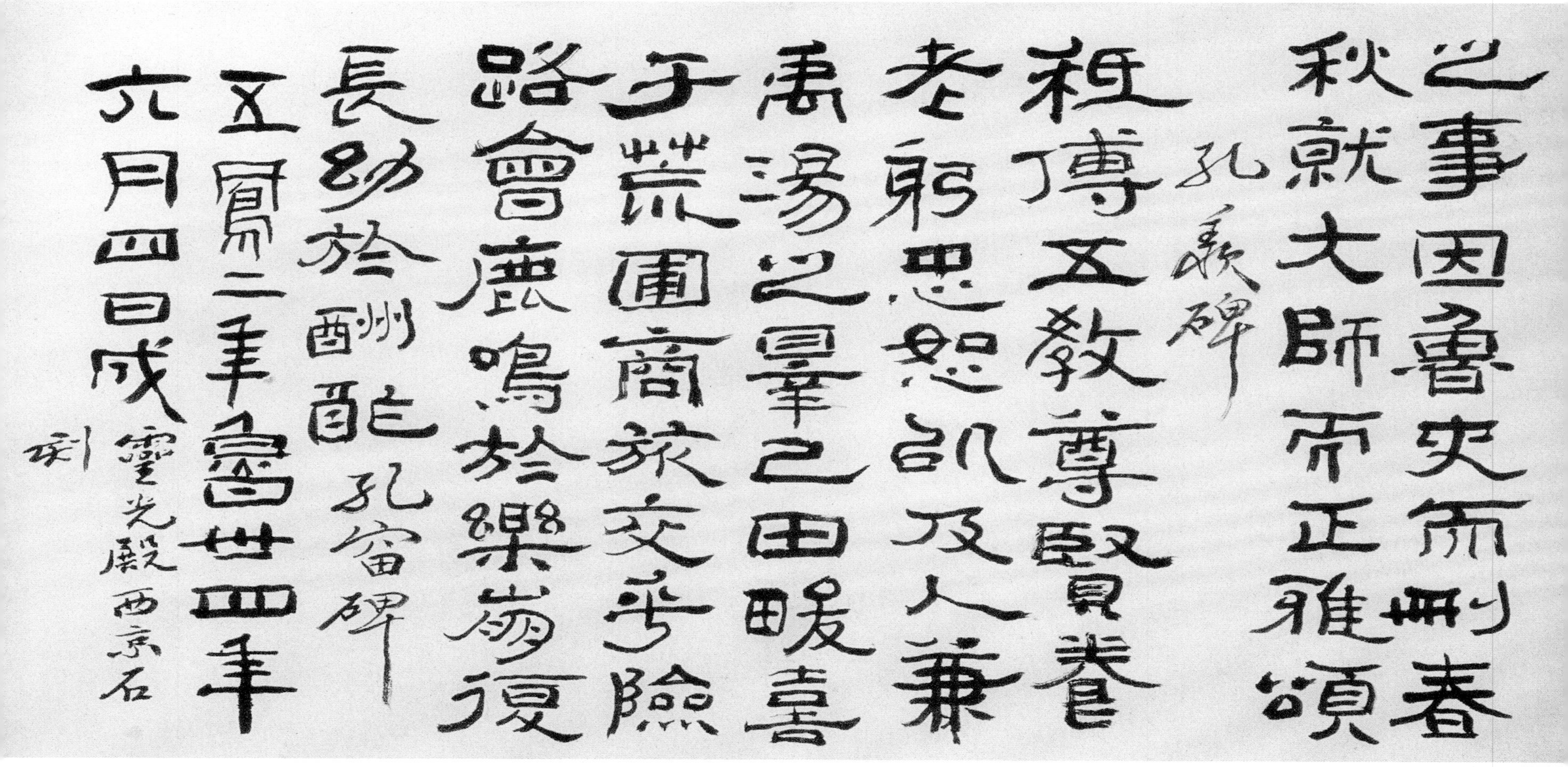

臨漢碑（局部）

於是造立禮器樂之音
符鍾磬瑟鼓雷洗觴觚
爵鹿柤梪籩柉禁壺

禮器碑

甄極毖緯無文不綜
賢孝之性根生於心易
世載德不隕其名及其
從政清擬夷齊直慕
史魚紀綱萬里朱紫
不謀出典諸郡彈枉
糾邪貪暴洗心同僚

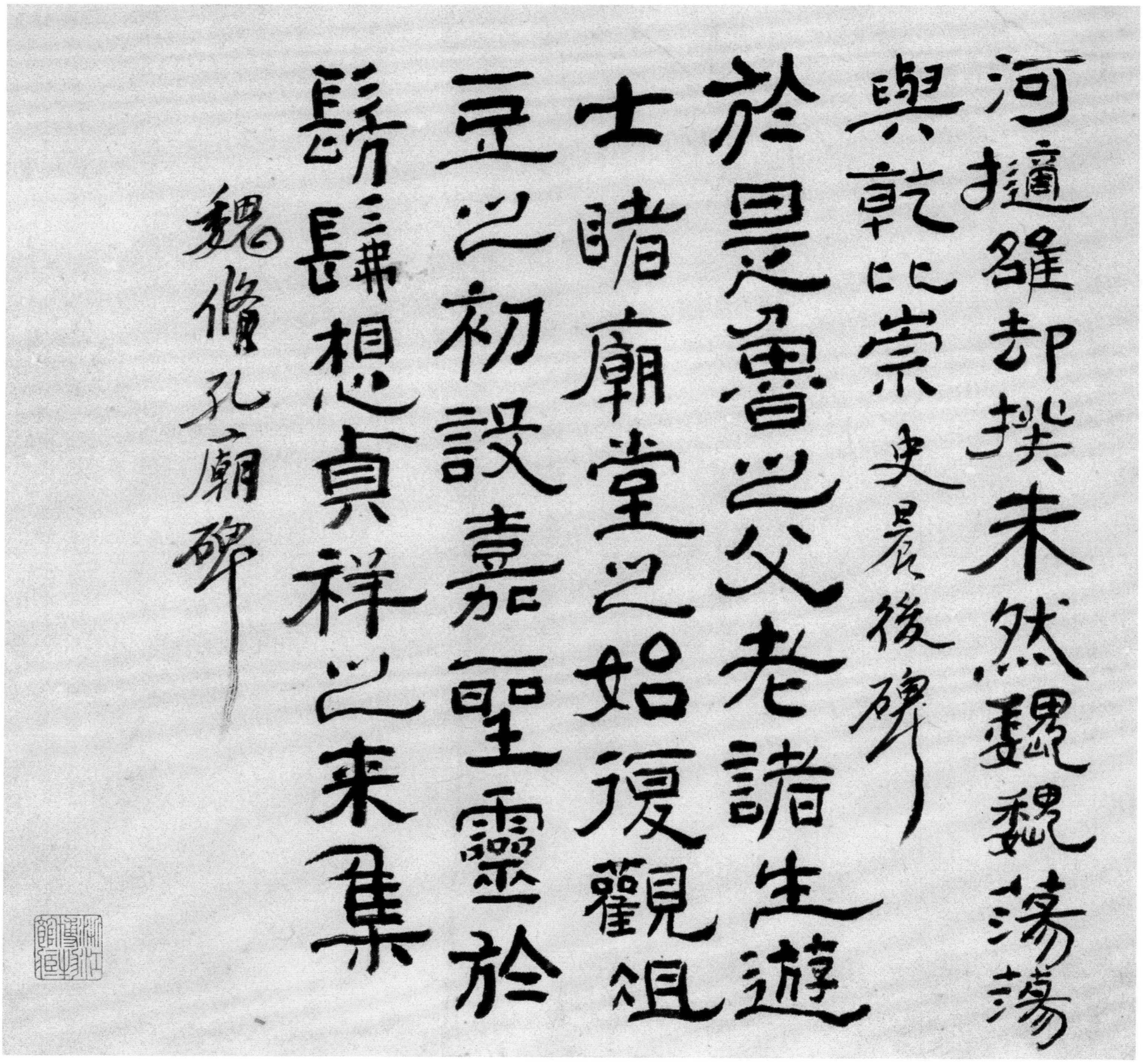

臨隸書碑　紙本　縱二九厘米　横三一厘米
浙江省博物館藏
釋文：河擿洛　却揆未然　魏魏蕩蕩　與乾比崇
史晨後碑
于是魯之父老諸生游士　睹廟堂之始　復觀俎豆之初
設嘉聖靈于仿佛　想貞祥之來集
魏修孔廟碑

臨隸書碑（局部）

與章仁宗史晨後碑

於是魯之父老諸生遊
士睹廟堂之始復觀俎
豆之初設嘉聖靈於
髣髴想貞祥之來集

魏修孔廟碑

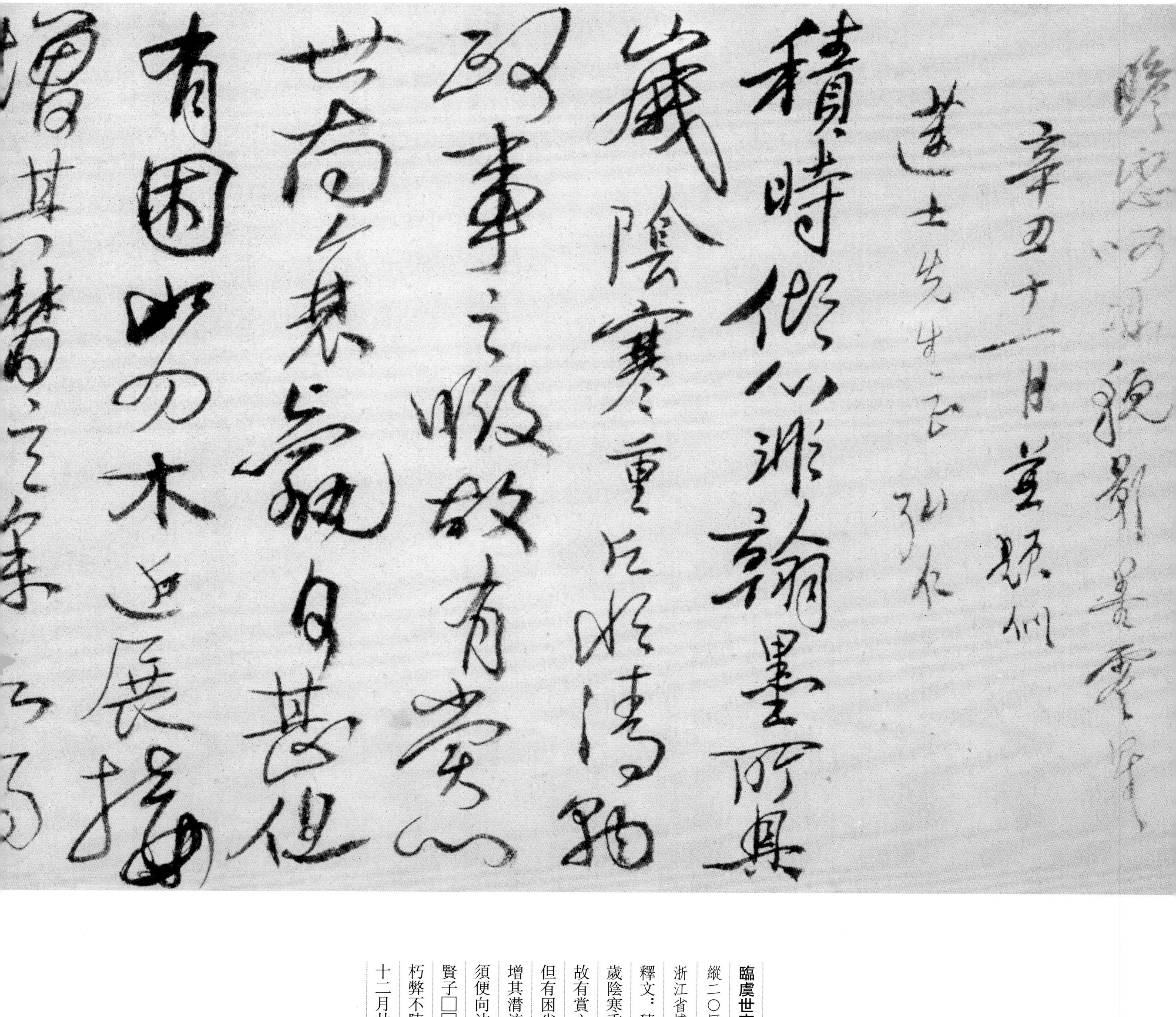

臨虞世南積時帖　紙本

縱二〇厘米　橫四八厘米

浙江省博物館藏

釋文：積時傾心　非翰墨所具

歲陰寒重　願恒清□　政事之暇

故有賞心　世南衰羸何甚

但有困劣木（未）近展接

增其潸泫　深敬明德

須便向沾數草　慰其延首

賢子□□　具見

朽弊不陳萬一　虞世南呈

十二月廿五日

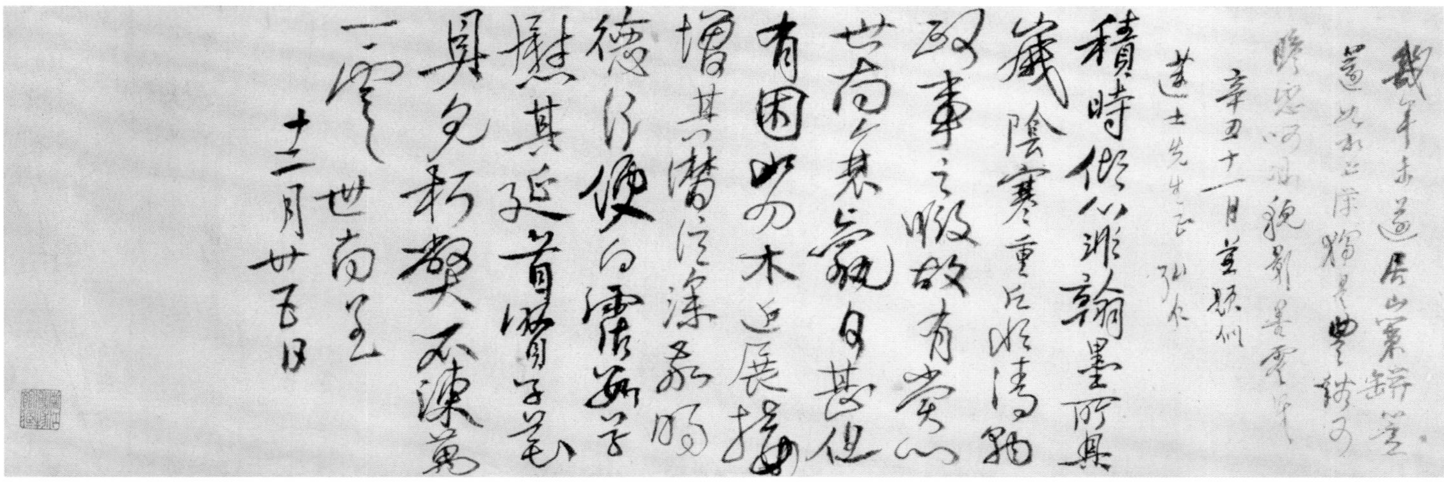

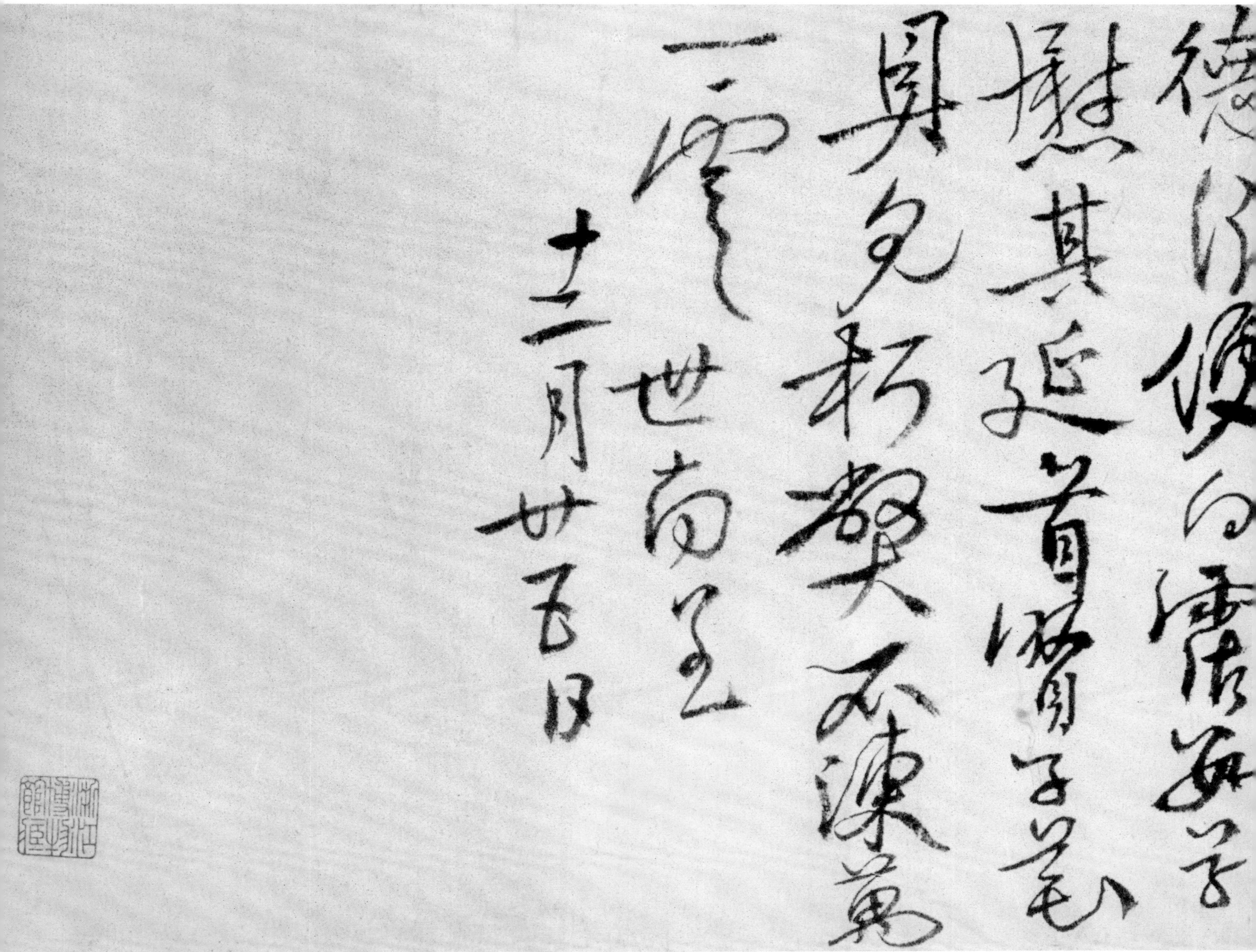

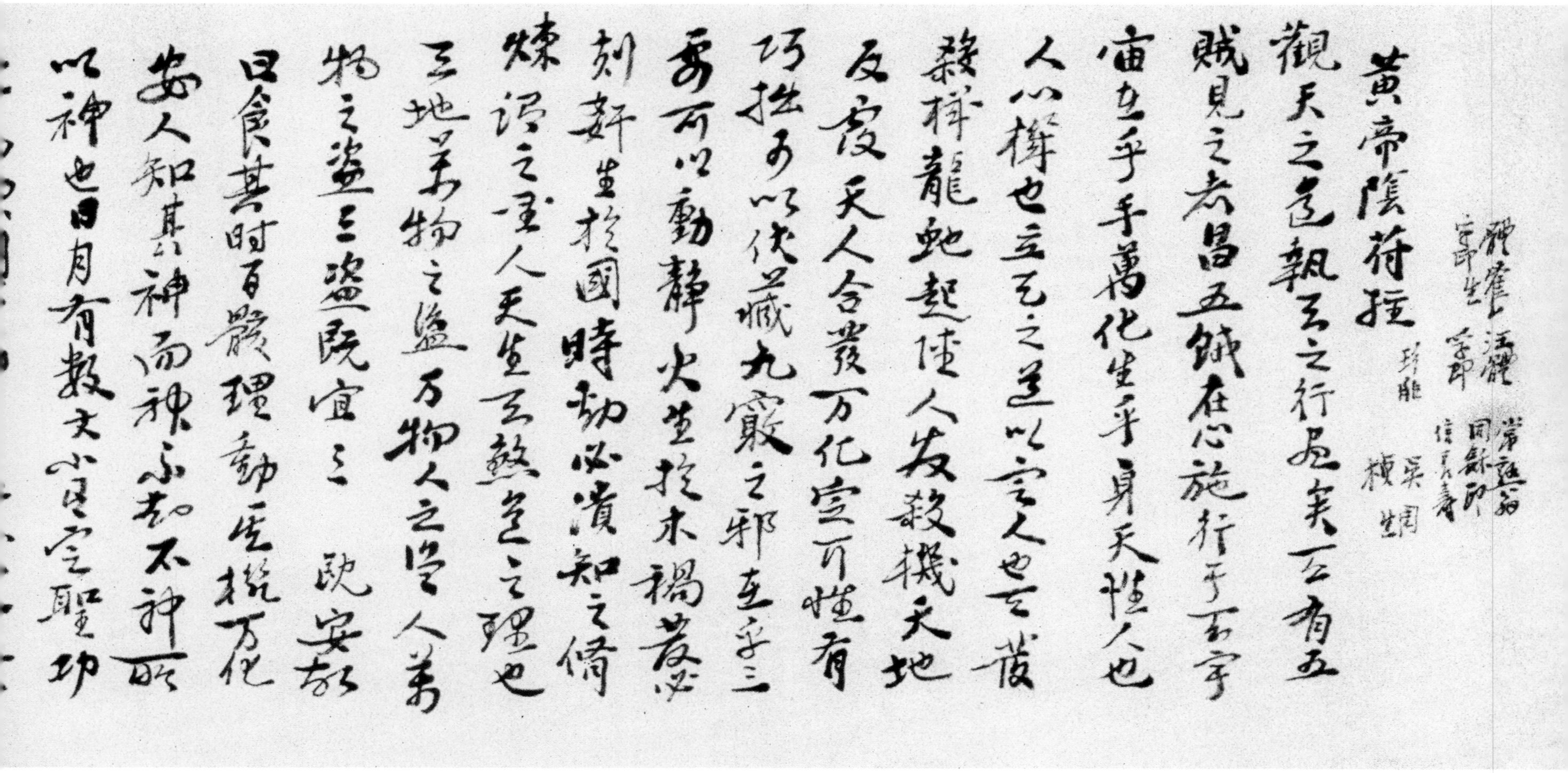

臨褚遂良書黃帝陰符經　紙本　縱一七·五厘米　橫一四〇厘米　浙江省博物館藏

釋文：黃帝陰符經

觀天之道　執天之行　盡矣　天有五賊　見之者昌　五賊在心　施行于天　宇宙在乎手　萬化生乎身

天性　人也　人心　機也　立天之道　以定人也　天發殺機　龍蛇起陸　人發殺機　天地反覆　天人合發

萬化定耳　性有巧拙　可以伏藏　九竅之邪　在乎三要　可以動靜　火生于木　禍發必剋　奸生于國

時動必潰　知之修煉　謂之聖人　天生天煞　道之理也　天地　萬物之盜　萬物　人之盜　人　萬物之盜

三盜既宜　三（才）既安　故曰　食其時　百骸理動　其機萬化　安人知其神　而神不知　不神所以神也

日月有數　小大有定　聖功生焉　神明出焉　其盜機也　天下莫能見　莫能知　君子得之固躬

小人得之輕命　瞽者善聽　聾者善視　絕利一原　用以十倍　三返晝夜　用師萬倍　心生于物死于物

機在目　天之無恩而大恩生　迅雷烈風莫予蠢然　至樂性餘　至靜性廉　天之至私　用之至公

禽之制在氣　生者死之根　死者生之根　恩生于害　害生于恩　愚人以天地文理聖　我以時物文理哲

自然之道靜　故天地萬物生　天地之道侵　故陰陽勝　陰陽相推而變化順矣　至靜之道　律曆所不能契

爰有奇器　是生萬象　八卦　甲子　神機　鬼藏　陰陽相勝之術　昭昭乎　進乎象矣　褚遂良

躬小人得之輕命瞽者善聽
聾者善視絕利一原用以十倍
三返晝夜用師萬倍心生於物
死於物機在目天之無恩而大
恩生迅雷烈風莫不蠢然至
樂性餘至靜性廉天之至
私用之至公禽之制在氣生者
死之根死者生之根恩生於害
害生于恩愚人以天地文理聖我
以時物文理哲自然之道靜故天
地萬物生天地之道浸故陰陽
勝陰陽相推而變化順矣至
靜之道律曆所不能契爰有
奇器是生萬象八卦甲子神機
鬼藏陰陽相勝之術昭昭乎進
乎象矣

褚遂良

觀津杜華

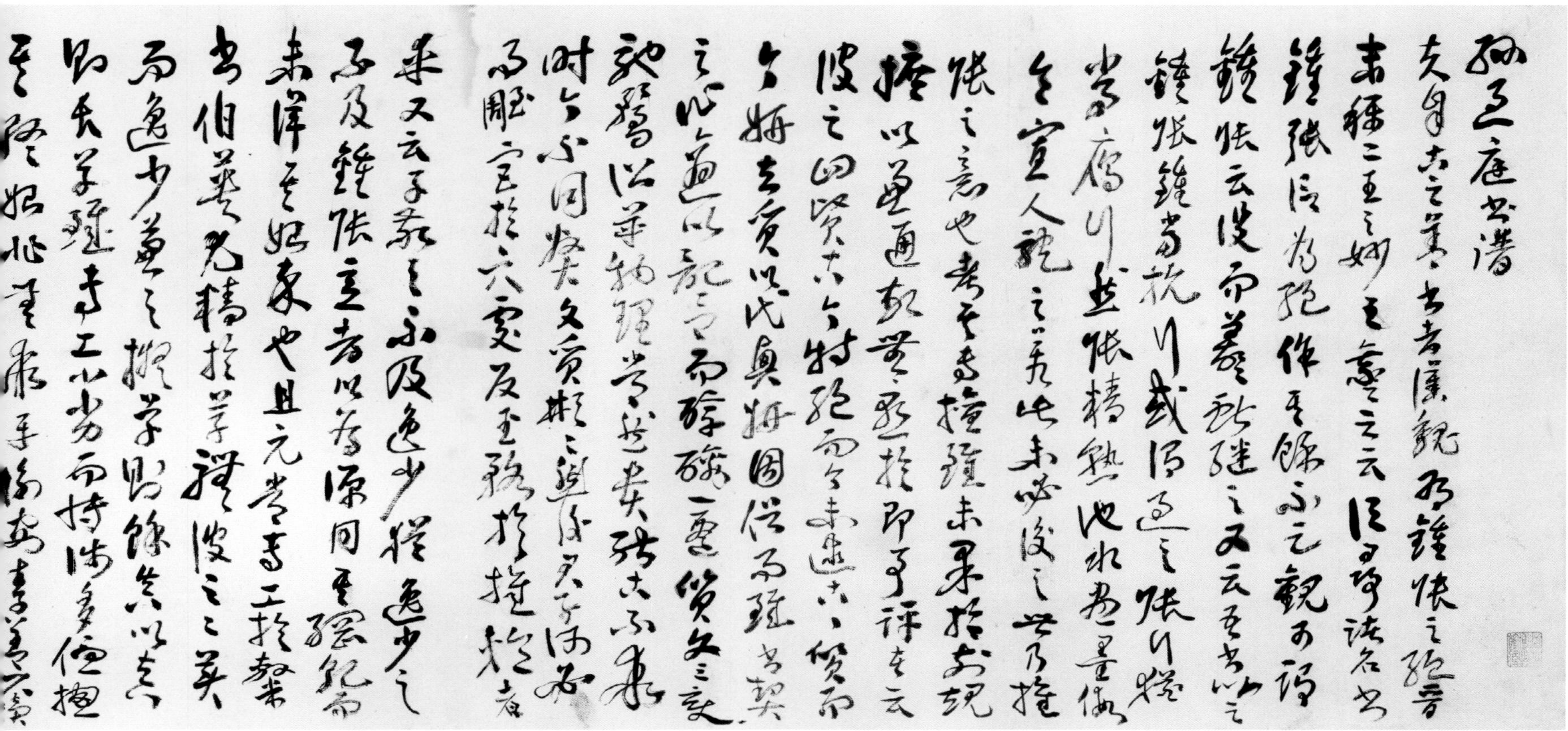

臨孫過庭書譜 紙本 縱三九厘米 橫五六·五厘米 三幅 浙江省博物館藏

釋文：孫過庭書譜

夫自古之善書者 漢魏有鍾張之絶 晋末稱二王之妙 王羲之云 頃尋諸名書 鍾張信爲絶作（倫）其餘不足觀

可謂鍾張云没而羲獻繼之 又云吾書比之鍾張 鍾當抗行 或謂過之 張行猶當雁行 然張精熟 池水盡墨

假令寡人耽之 若此未必後（謝）之 此乃推張（邁鍾）之意也 考其專擅 雖未果于前規 摭以兼通

故無慚于即事 評者云 彼之四賢 古今特絶 而今未逮古 古質而今妍 夫質以代興 妍因俗易

雖書契之作適以記言 而醇醨一遷 質文三變 馳騖沿革 物理常然 貴能古不乖時 今不同弊 文質彬彬

然後君子 何必易雕宫于穴處 反玉輅于椎輪者乎 又云 子敬之不及逸少 猶逸少之不及鍾張

意者以爲評同（得）其綱紀 而未詳其始卒也 且元常專工于隸書 伯英尤精于草體 彼之二美而逸少兼之

擬草則餘真 以（比）真則長草 雖專工小劣 而博涉多優 總其終始 非無乖互 謝安素善尺牘

而輕子敬之書 子敬嘗作佳書與之 謂必存録 安輒題後答之 甚以爲恨 安嘗問（子）敬 公（卿）書何如右軍

答云故當勝 安云物論殊不爾 敬又答 時人那得知（敬）雖權以此辭折安所鑒 自稱勝父 不（亦）過乎

且立身揚名事資尊顯 勝母之里 曾參不入 以子敬之豪翰 紹右軍之筆札 雖復粗傳楷則 實恐未克箕裘

况乃托記神仙 耻崇家範 以斯成學 孰愈面墻……余志學之年 留心翰墨 味鍾張之餘烈 挹羲獻之前規

極慮專精 時逾二紀 有乖入木之術 無間臨池之志 觀夫懸針垂露之奇（异）（奔雷墜石之奇）鴻飛獸駭之姿

鸞舞蛇驚之態 絶岸頽峰之勢 臨危據槁之形 或重若崩雲 或輕如蟬翼 導之則泉注 頓之則山安

纖纖乎似初月之出天崖 落落乎似猶衆星之列河漢 同自然之妙有 非力運之能成 信可謂智巧兼優 心手雙暢

翰不虚動 下必有由 一畫之間 變起伏于峰杪 一點之内 殊衄挫于毫芒 况云積其點畫 乃成其字

曾不傍窺尺牘 俯習寸陰 引班超以爲辭 援項籍而自滿 任筆爲體 聚墨成形 以（心）昏擬效之方

手迷揮運之理 求其妍妙 不亦謬哉

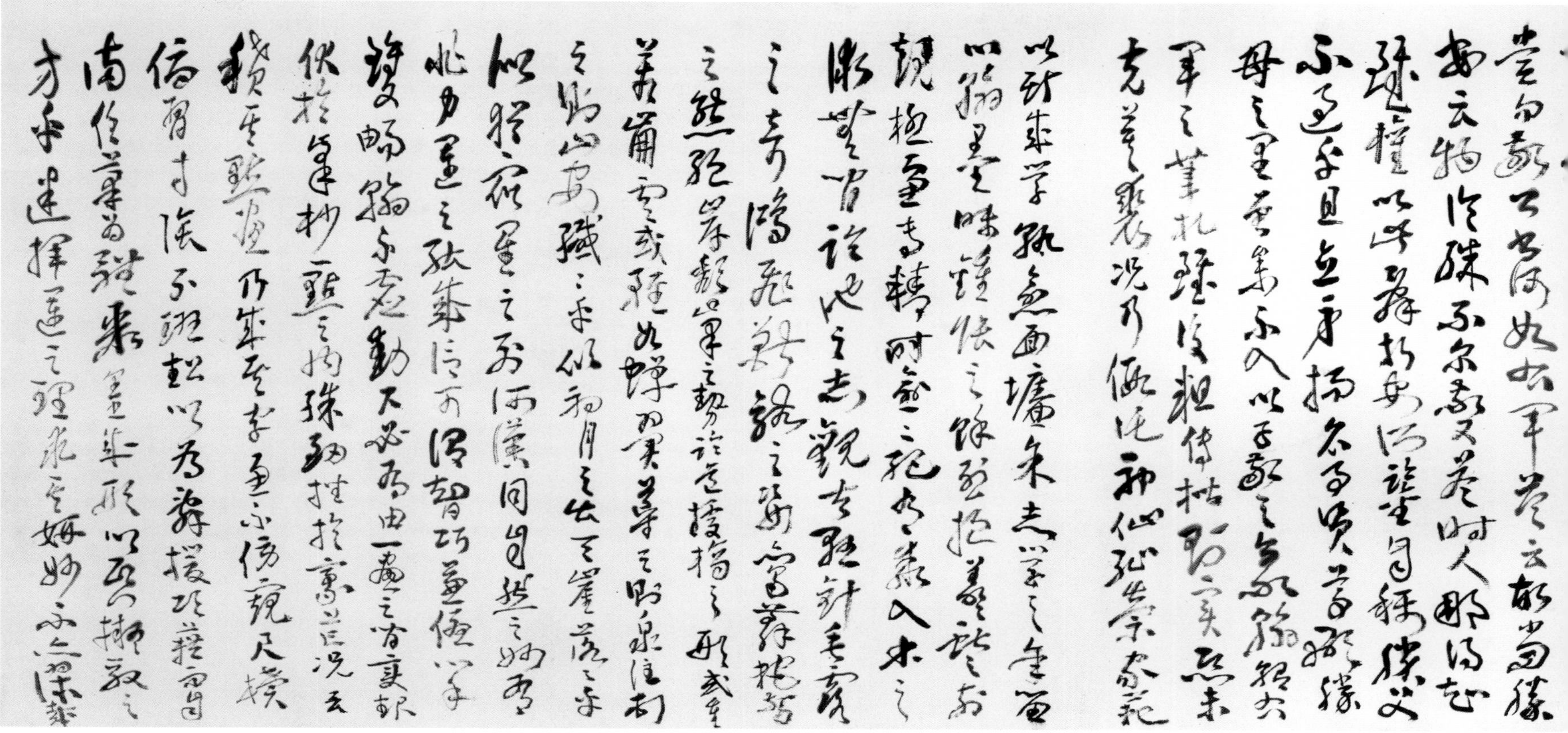
嘗問敬卿書何如右軍答云故當勝
安云物論殊不爾子敬又答時人那得知
敬雖權以此辭折安所鑒自稱勝父
不亦過乎且立身揚名事資尊顯勝
母之里曾參不入以子敬之豪翰紹右
軍之筆札雖復粗傳楷則實恐未
克箕裘況乃假託神仙恥崇家範
以斯成學孰愈面牆余志學之年留
心翰墨味鍾張之餘烈挹羲獻之前
規極慮專精時逾二紀有乖入木之
術無間臨池之志觀夫懸針垂露
之異奔雷墜石之奇鴻飛獸駭之資鸞舞蛇驚
之態絕岸頹峰之勢臨危據槁之形或重
若崩雲或輕如蟬翼導之則泉注頓
之則山安纖纖乎似初月之出天崖落落乎
猶眾星之列河漢同自然之妙有
非力運之能成信可謂智巧兼優心手
雙暢翰不虛動下必有由一畫之間變起
伏於鋒杪一點之內殊衄挫於毫芒況云
積其點畫乃成其字曾不傍窺尺牘
俯習寸陰引班超以為辭援項籍而自
滿任筆為體聚墨成形心昏擬效之
方手迷揮運之理求其妍妙不亦謬

夫自古之善書者漢魏有鍾張之絕

末稱二王之妙王羲之云頃尋諸名書

鍾張信為絕倫其餘不足觀可謂

鍾張云沒而羲獻繼之又云吾書比之

鍾張鍾當抗行或謂過之張草猶

當雁行然張精熟池水盡墨假

令寡人耽之若此未必謝之此乃推

張邁鍾之意也考其專擅雖未果於

前規摭以兼通故無慚於即事

評者云彼之四賢古今特絕而今不

逮古古質而今妍夫質以代

興妍因俗易雖書契之作適以記言

而淳醨一遷質文三變馳騖沿革

物理常然貴能古不乖時今不同弊

所謂文質彬彬然後君子何必…

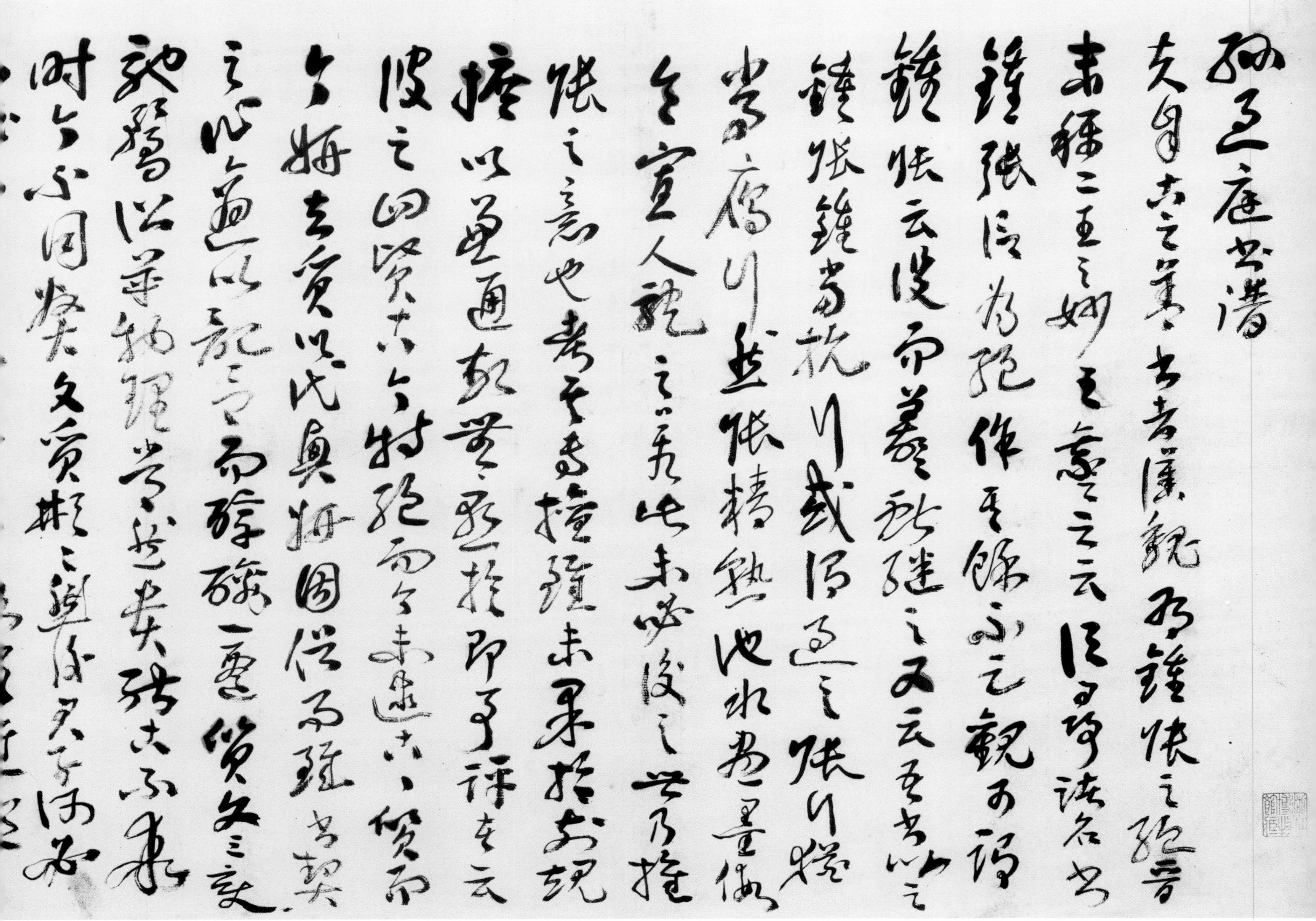

臨孫過庭書譜（局部）

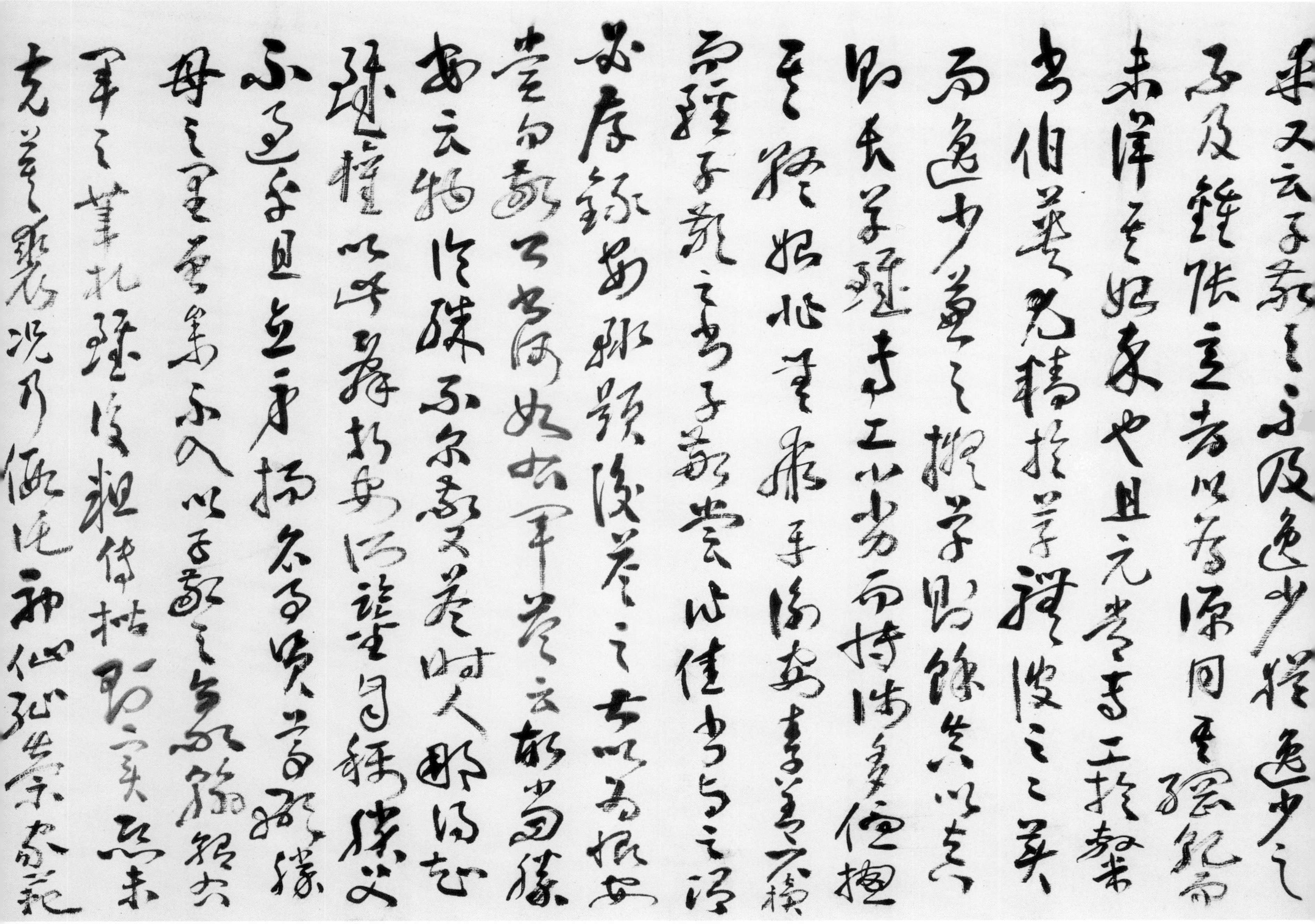
矣又云子敬之不及逸少猶逸少之
不及鍾張意者以為評得其綱紀而
未詳其始卒也且元常專工於隸
書伯英尤精於草體彼之二美
而逸少兼之擬草則餘真比真
則長草雖專工小劣而博涉多優總
其終始匪無乖互謝安素善尺牘
而輕子敬之書子敬嘗作佳書與之謂
必存錄安輒題後答之甚以為恨安
嘗問敬卿書何如右軍答云故當勝
安云物論殊不爾子敬又答時人那得知
敬雖權以此辭折安所鑒自稱勝父
不亦過乎且立身揚名事資尊顯勝
母之里曾參不入以子敬之豪翰紹右
軍之筆札雖復粗傳楷則實恐未
克箕裘況乃假託神仙恥崇家範

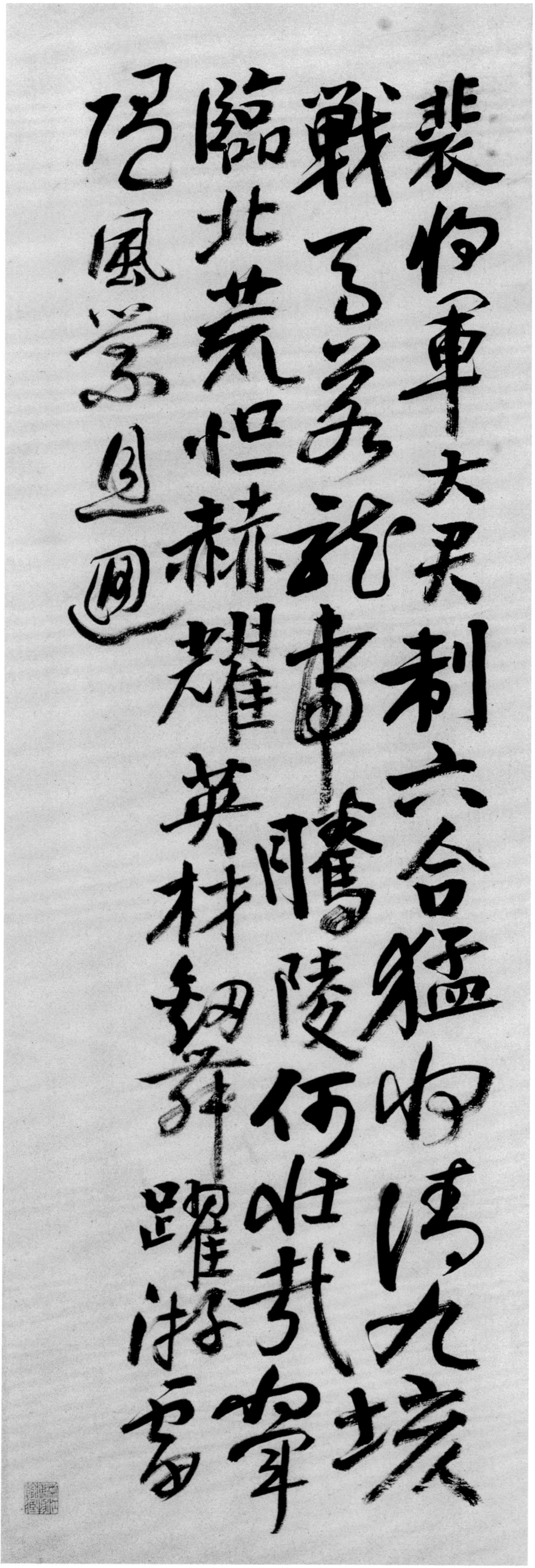

臨顏真卿裴將軍詩　紙本　縱八八厘米　橫二九厘米　兩幅　浙江省博物館藏

釋文：裴將軍

大君制六合　猛將清九垓　戰馬若龍虎　騰陵何壯哉　將軍臨北荒　烜赫耀英材　劍舞躍游電

隨風縈且迴　登高望天山　白雪正崔嵬　入陣破驕虜　威聲雄震雷　一射百馬倒　再射萬夫開

匈奴不敢敵　相呼歸去來　功成報天子　可以畫麟臺

遥望天山白雲閒正雀寇入侵破
驕雲勇威聲雄震雷一射百孒倒
千射萬支開匈奴不飛敵相保功
走功第捷了子而盡麒麐虐

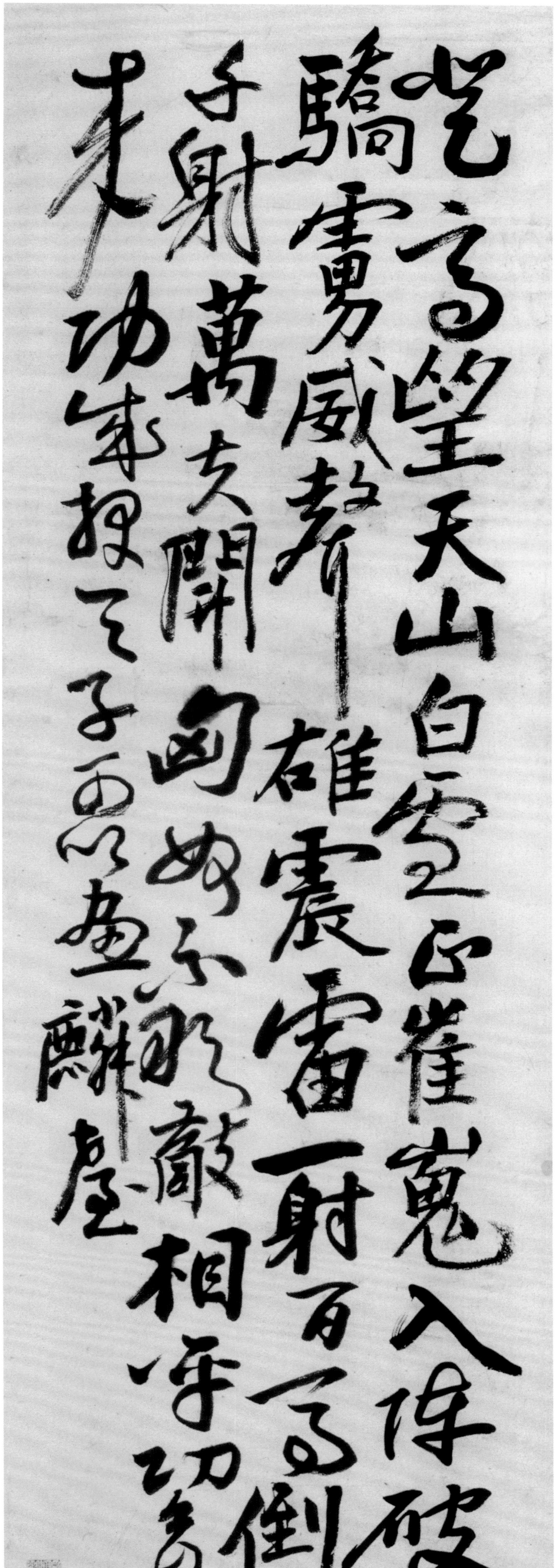

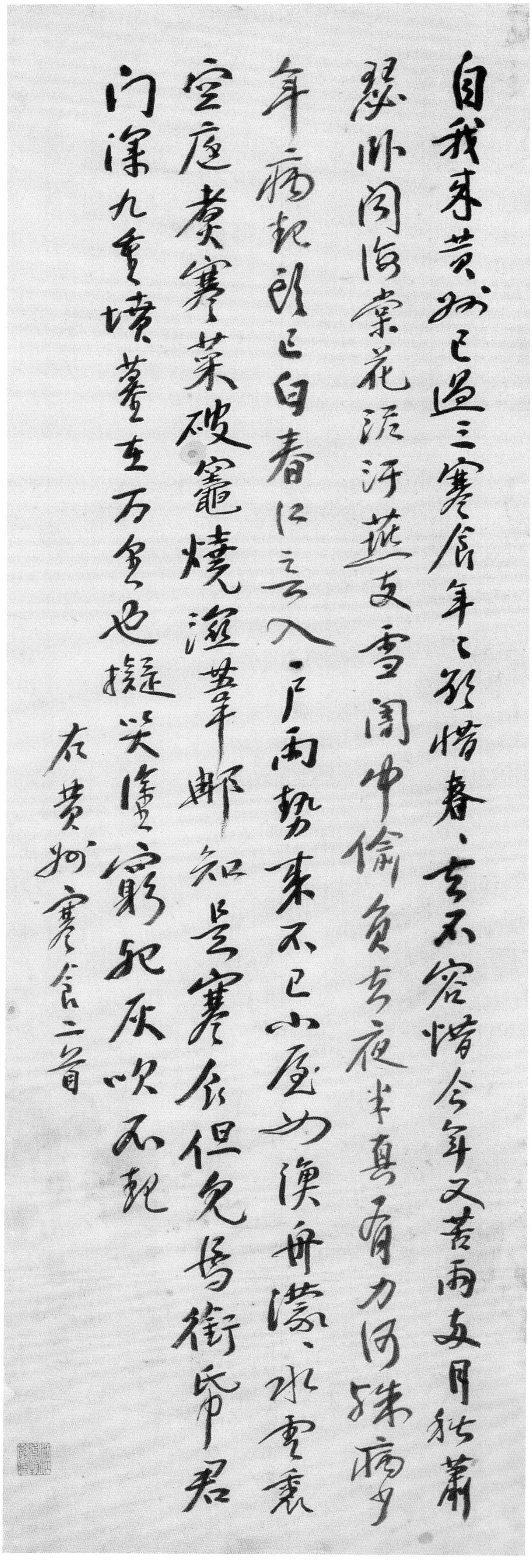

臨蘇軾寒食詩　紙本　縱九〇厘米　横三〇厘米　浙江省博物館藏

釋文：自我來黄州　已過三寒食　年年欲惜春　春去不容惜　今年又苦雨　兩月秋蕭瑟　卧聞海棠花　泥污燕支雪　闇中偷負去　夜半真有力　何殊病少年　病起頭已白　春江欲入户　雨勢來不已　小屋如漁舟　濛濛水雲裏　空庖煮寒菜　破竈燒濕葦　那知是寒食　但見烏銜紙　君門深九重　墳墓在萬里　也擬哭塗窮　死灰吹不起　右黄州寒食二首

臨蘇軾寒食詩（局部）

自我来黄州已过三寒食年年
瑟卧闻海棠花泥污燕支雪
年病起头已白春江欲入
空庖煮寒菜破灶烧湿
门深九重坟墓在万里也

十纸说

福州纸浆硾亦能岁久余往见杭州俞氏张长史恶札禅师不合为糊者是也入水亦不透越陶竹万杵在油拳坚薄可爱余年五十始作此纸谓之金版也

捣细者不在唐澄心之下自康王教纸道入灰品遂不及康王展之则不灰揣手油拳不浆湿则硾硾如浆然不柔久唐人浆硾六合慢麻纸书经明透岁久水濡不入今人以油拳篊经为

可写经用小便浸稻稌班然也天阴便臭又连嘉班佳品虽硾硾亦不成康王作纸钱纸遂天下道利存故俗更不作好纸在掐上循纸上岭峤梅纸品在池上循韶藤皆有纸而韶大行于岭南不入墨如循也

唐硬黄宾虹书旨

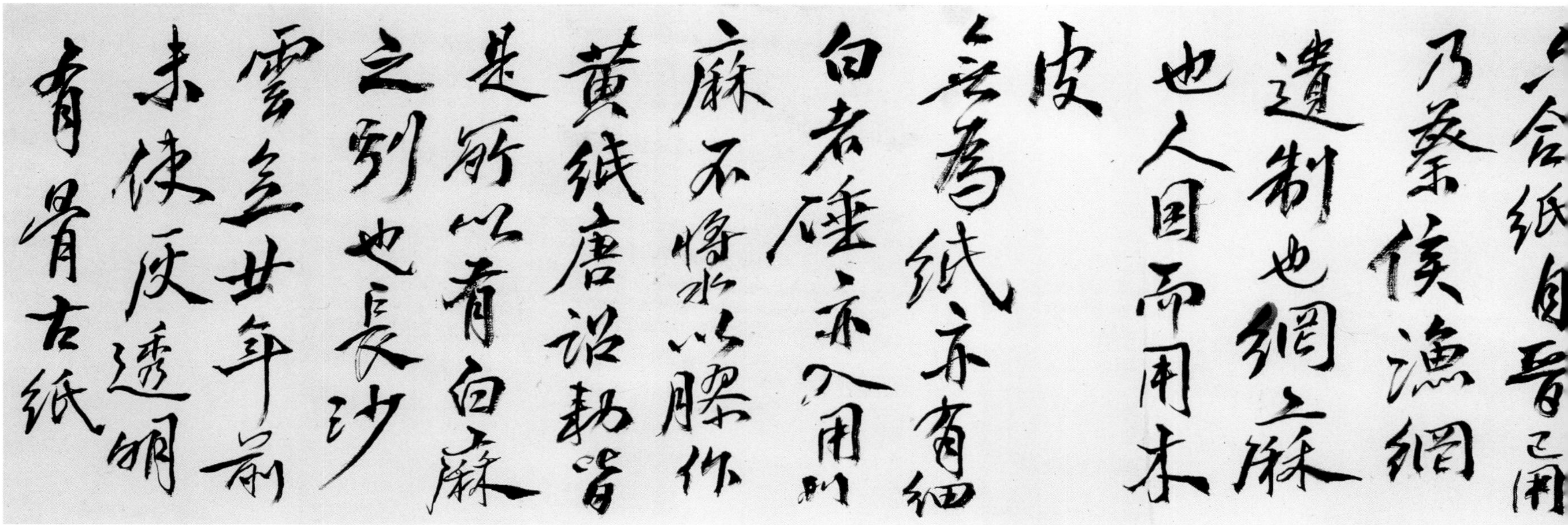

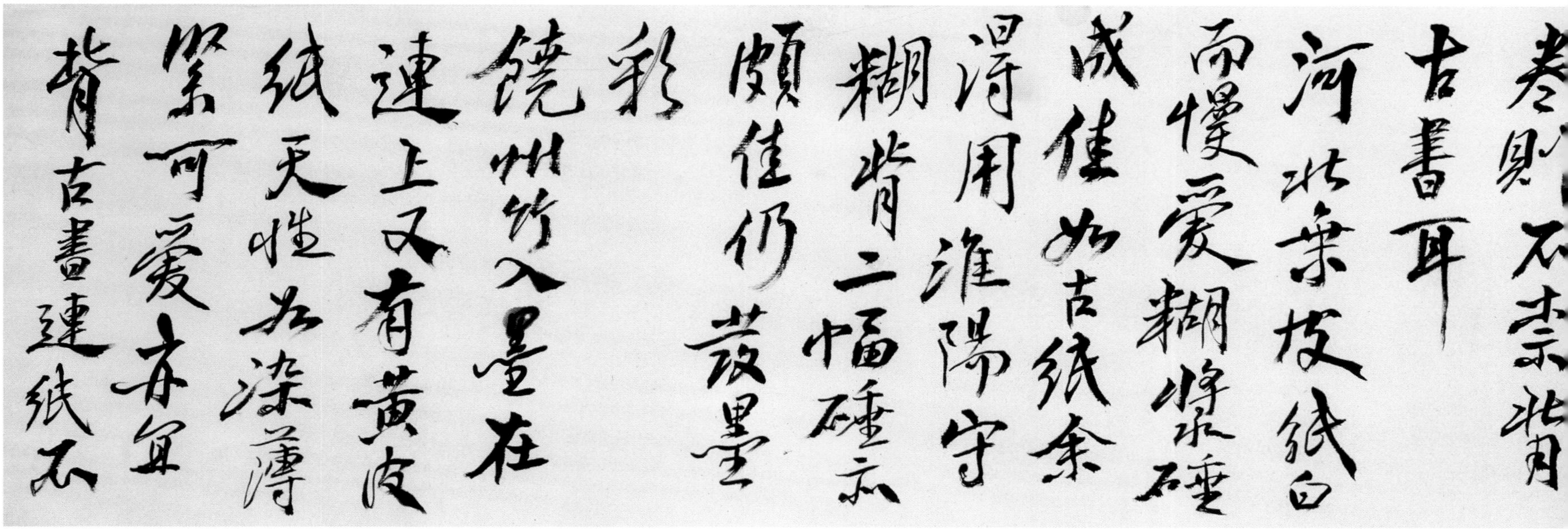

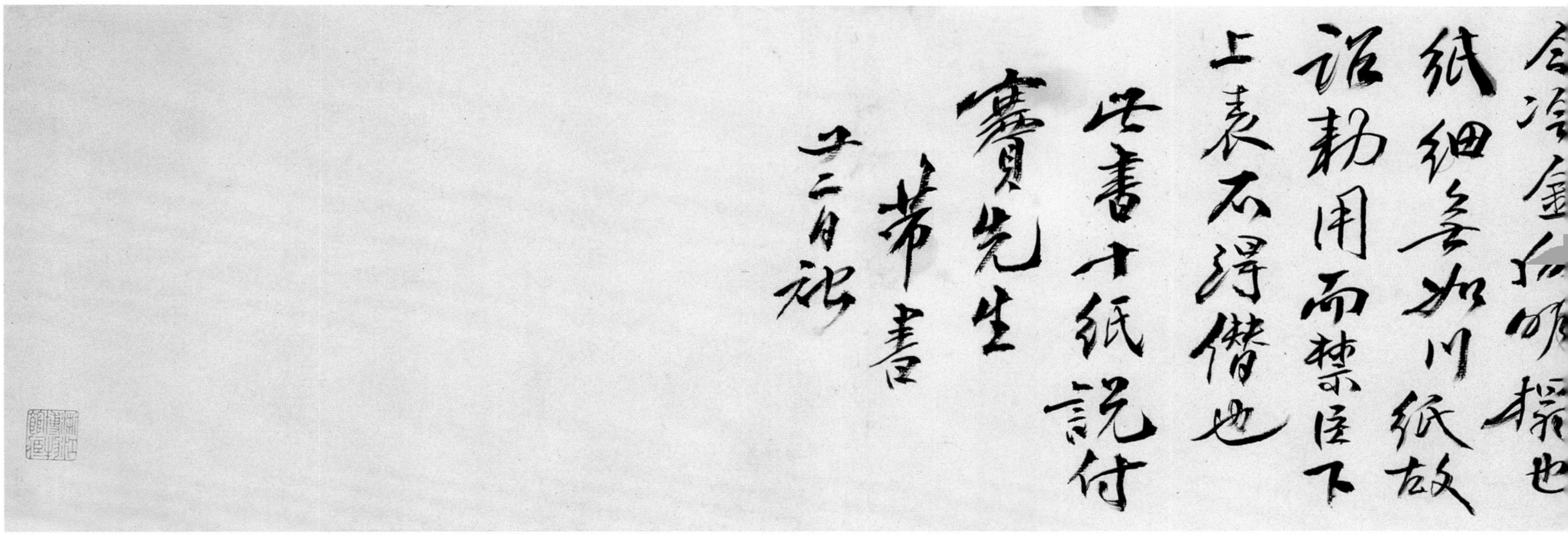

臨米芾行書十紙説

紙本　縱一九厘米　橫五九厘米　六幅

浙江省博物館藏

釋文：十紙説　福州紙漿　錘亦能歲久
余往見杭州俞氏張長史悪扎（札）禪師不合爲
婚主者　是也　入水亦不透　越陶竹萬杵
在油拳緊薄可愛　余年五十　始作此紙
謂之金版也　六合紙　自晋已用
乃蔡侯漁網遺制也　網　麻也　人因而用木皮
無爲紙　亦有細白者　錘亦入用　川麻不漿
以膠作黄紙　唐詔敕皆是　所以有白麻之別也
長沙雲□廿年前未使灰　透明有骨　古紙擣細者
不在唐澄心之下　因康王教紙匠入灰品　遂不及康王
展之則石灰滿手　油拳不漿　濕則錘能如漿
然不奈久　唐人漿錘六合慢麻紙書經
明透　歲久水濡不入　今人以油拳策經爲卷
則不奈背古書耳　河北桑皮紙
白而慢　愛糊漿　錘成　佳如古紙　余得用淮陽守糊
背二幅　錘亦頗佳　仍發墨彩
饒州竹入墨在連上　又有黄皮紙　天性如染
薄緊可愛　亦宜背古書　連紙不可寫經
用小便浸稻幹　非竹也　天陰便臭　又連蠹
非佳品　雖錘亦不成　康王作紙錢　紙遂
天下近利厚　故俗更不作好紙　在筠上
循紙上　嶺嶠梅紙　品在池上　循韶藤
皆有紙　而韶大行于嶺南　不入墨如循也
唐硬黄摹書　皆今泠金向明拓也　紙細無如川紙
故詔敕用　而禁臣下上表　不得僭也　此書十紙説付
寶先生　芾書　廿二日□

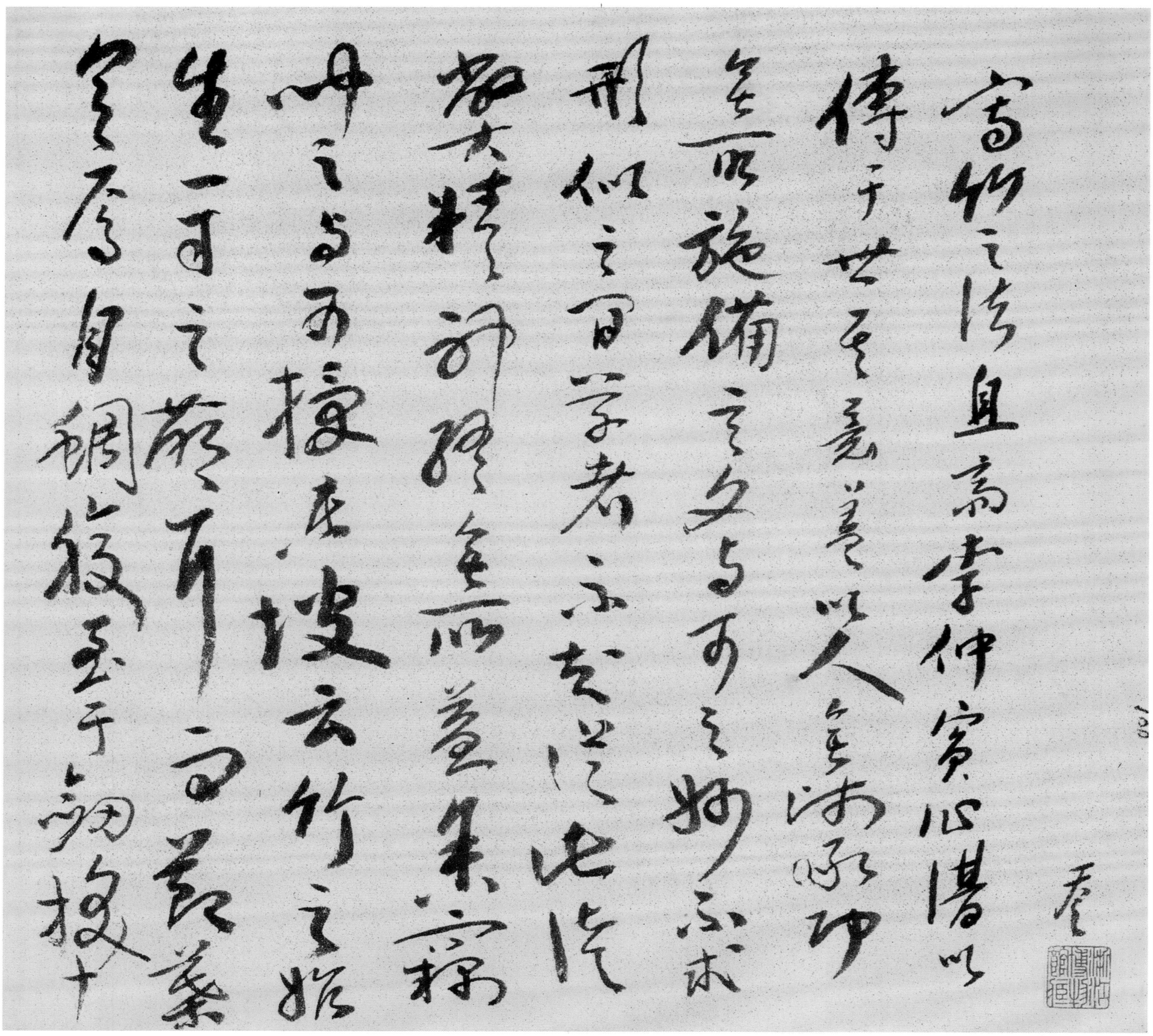

臨元人草書寫竹之法　紙本　縱三〇·五厘米　橫六四厘米

浙江省博物館藏

釋文：寫竹之法　息齋李仲賓作譜　以傳于世　其意蓋以人無師承
功無所施　備言文與可之妙　不求形似之間　學者不知　從此徒弊精神
終無所益　余竊聞之與可授東坡云　竹之始生　一寸之萌耳　而節葉具焉
自蜩腹至于劍拔十尋者　生而有之也　今畫者乃節節而爲之　葉葉而纍之
豈復有竹乎　故寫竹之頃　必先得成竹于胸中　振筆直遂　以追其所見
如兔起鶻落　少縱則逝矣　東坡云　與可之教余如此　余不能然也
而心識其所以然　不能然者　內外不一　心手不相應　不學之過也
且東坡天資穎敏過人者　尚不能然　況後之庸下者乎　此後學所當知
至正十八年二月廿六日書

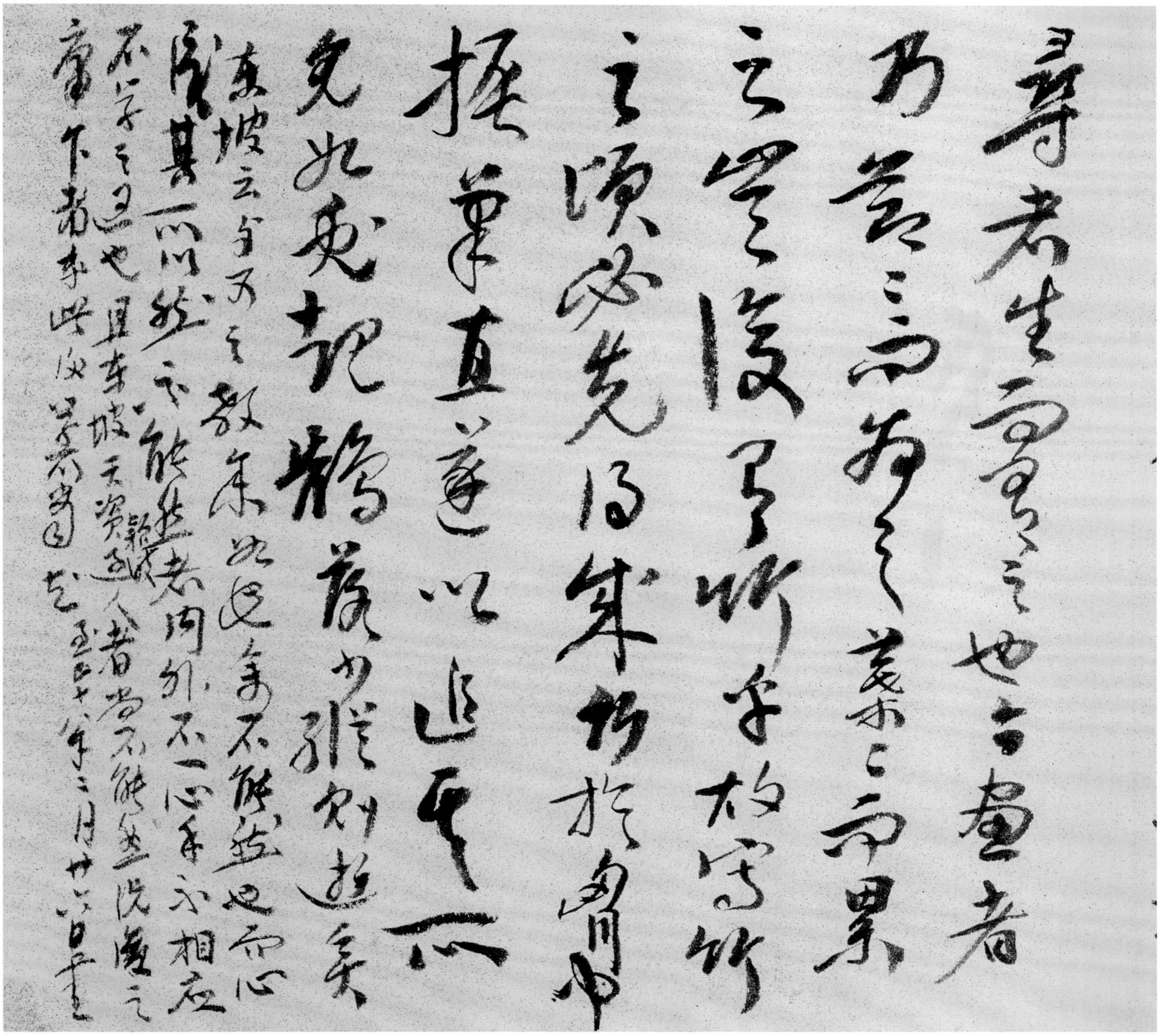

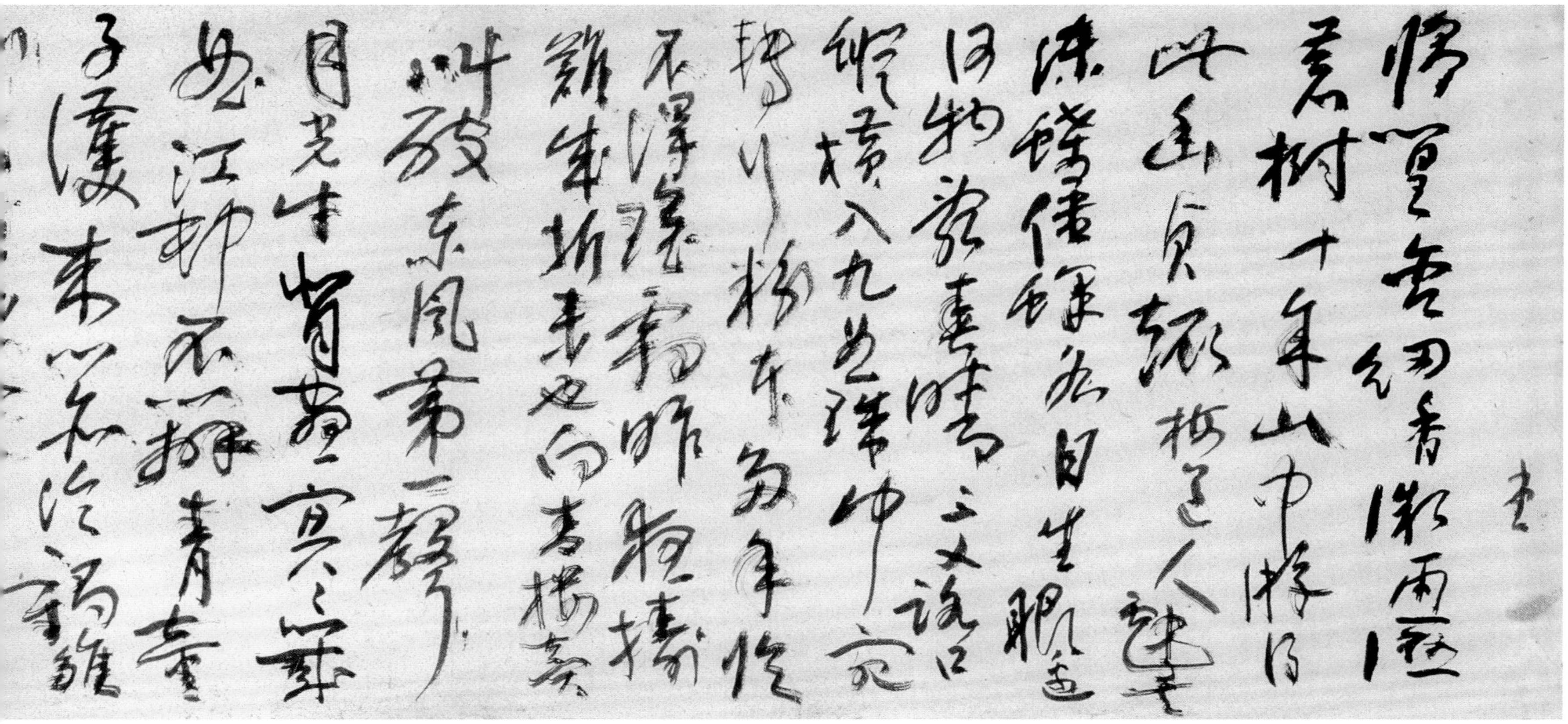

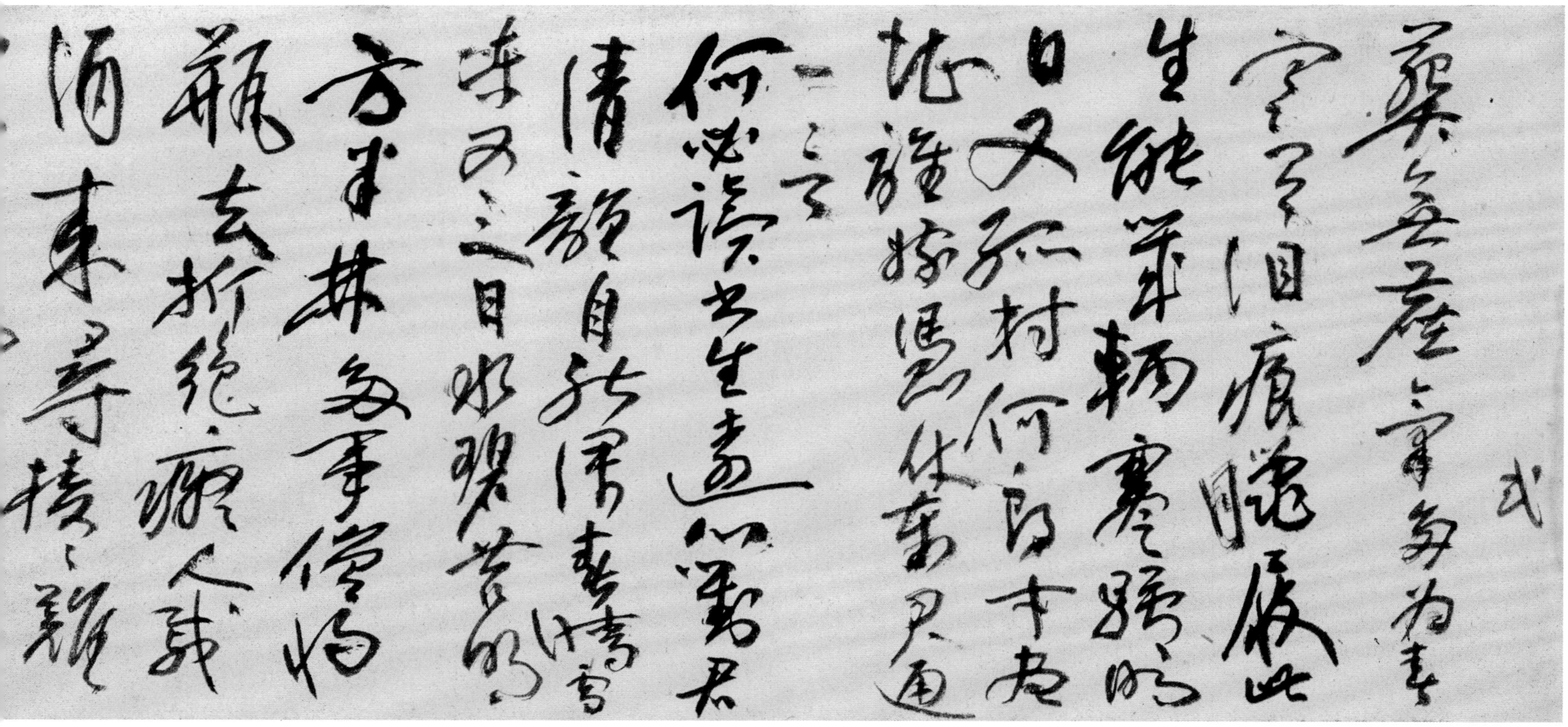

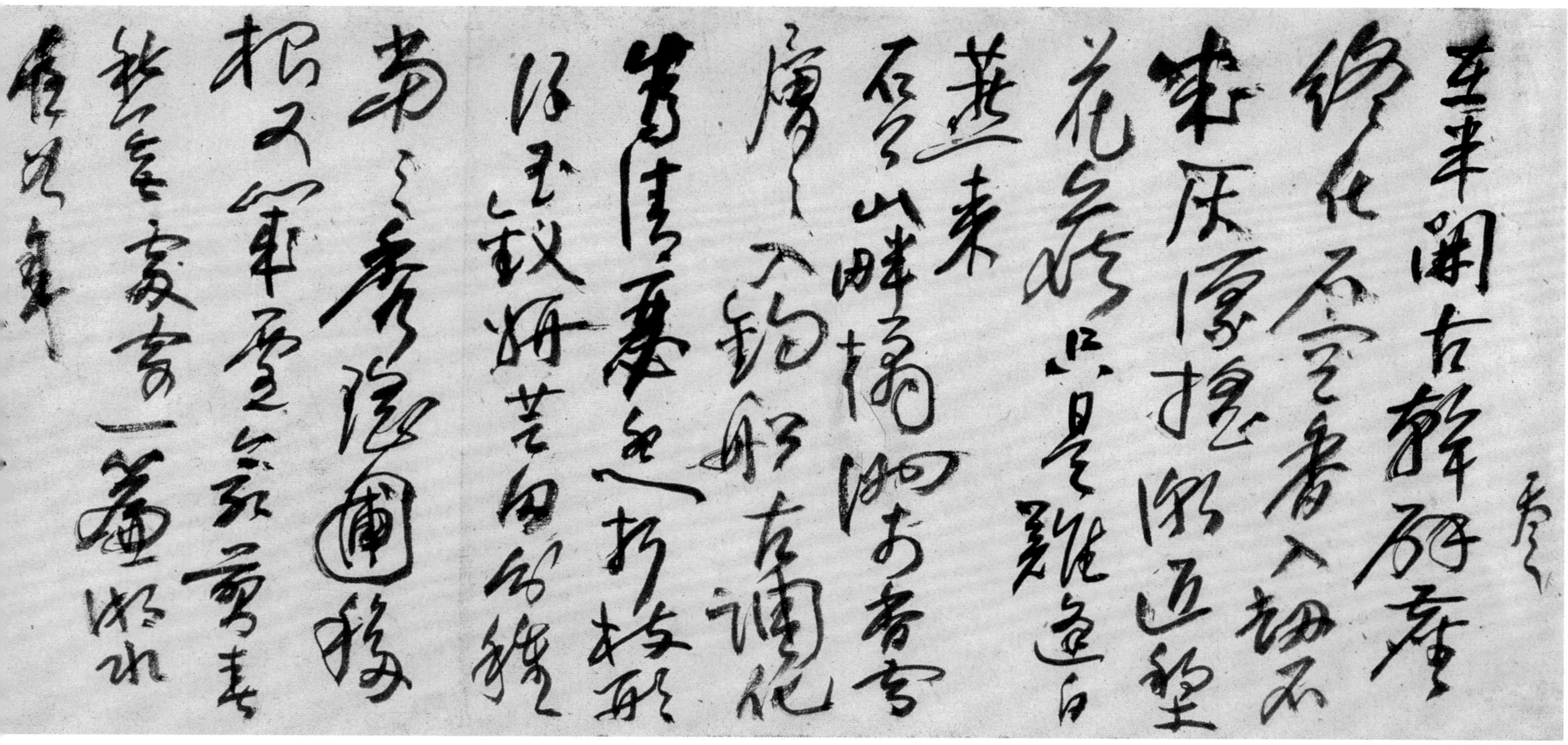

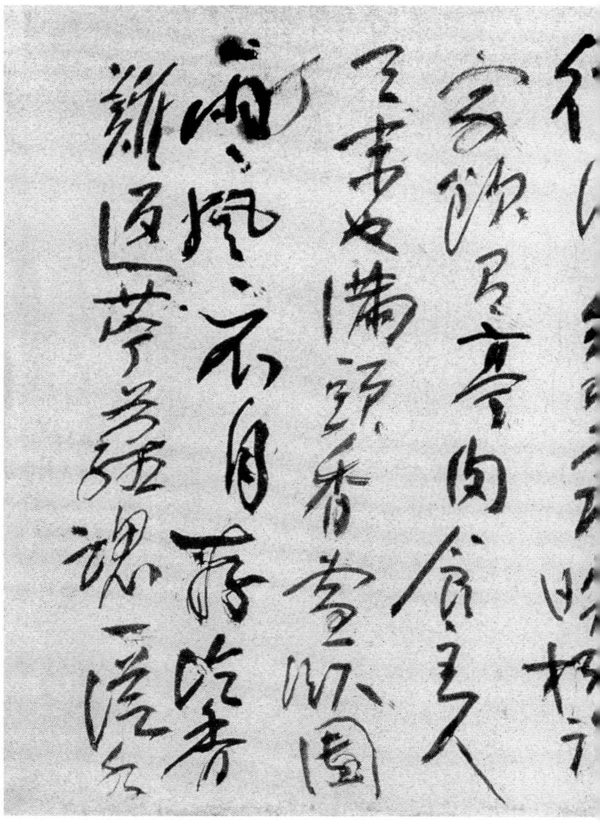

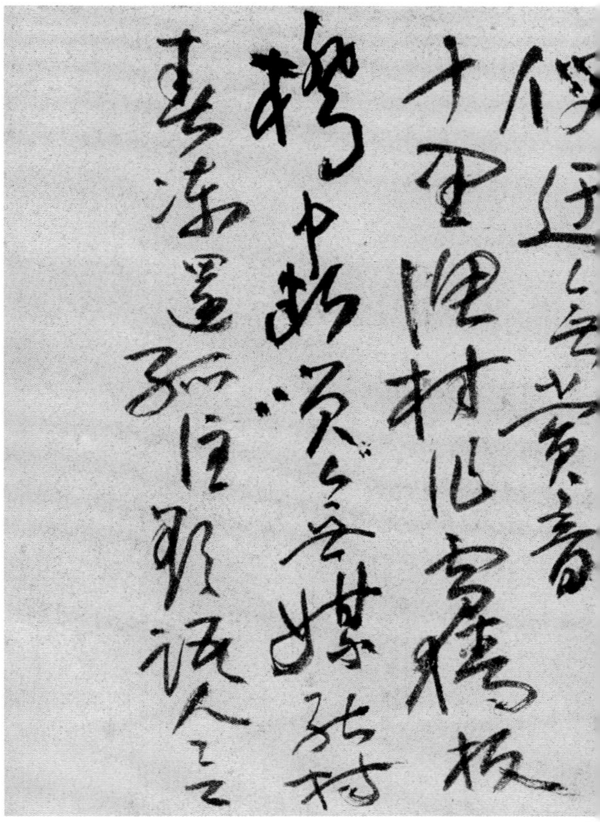

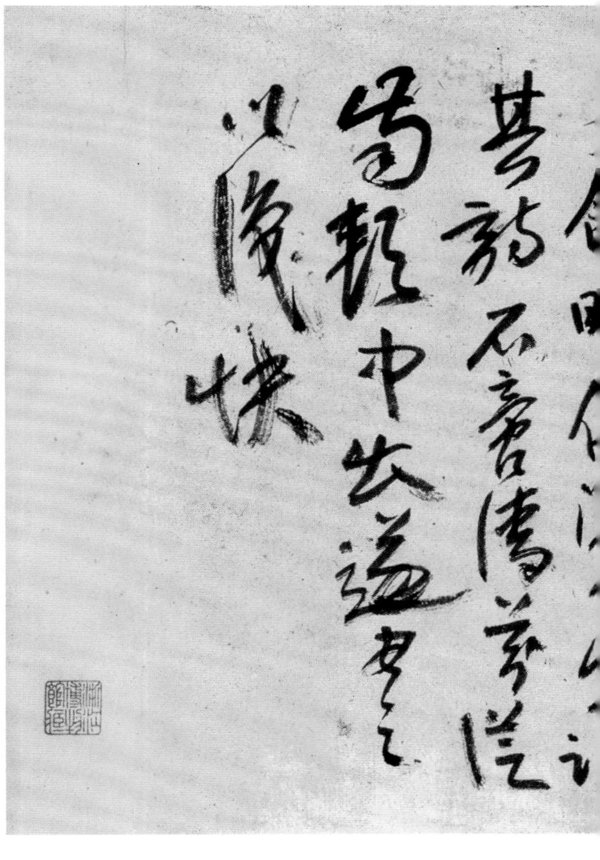

臨吴鎮草書　紙本　縱二六厘米　橫七七厘米　三幅　浙江省博物館藏

釋文：修篁含細香　微雨濕蒼樹　十年山中游　得此幽貞趣　梅道人戲書　凍蝶僵蜂各自生
眼邊何物亂春晴　三叉路口縱橫入　九曲珠中宛轉行　粉本多年臨不得　瑶霜昨夜搗難成
折來也向青樓賣　叫破東風第一聲　月光牛背畫冥冥　幾曲江村不辨青　童子護來心亦冷
鷄雛分得性俱靈　尋春一徑行多露　映樹誰家飲有亭　肉食主人天末也　滿頭香雪卧園丁
雨雨風風不自存　冷香難返苧蘿魂　一從水葬無塵氣　多爲春寒有泪痕　臘屐此生能幾輛
蹇驢明日又孤村　何郎才盡堪誰嫁　憑仗東君通一言　何必讀書生遠心　對君清韵自能深
春晴雪凍又三日　水碧苔明方半林　多事僧將瓶去折　絶痴人載酒來尋　棱棱難寫高寒照
除却倪迂無賞音　十里漁村作雪猜　板橋中斷笑無媒　能持春凍還孤住　欲語人言在半開
古幹辟塵終化石　空香入劫不成灰　漂摇漸近梨花候　只是難逢白燕來　石公山畔橘洲前
香雪層層入釣船　古調化爲清瑟怨　折枝形得玉釵妍　芝田分種當三秀　瑶圃移根又幾遷
欲剪春愁無處寄　一簾湘水落如年　右徐十岳所作詩也　余于史館暇偶閲全集　讀其詩不啻
清芬從齒頰中出　遂書之以識快

臨吴鎮草書（後頁局部）

葉無庭宇多為春
窗空旧痕暁展此
生機栄枯寒骄鶴
日又孤村何名十九
花辞将遇鳥仕素見通
何必讀書生尽畫第天
清顏自好素書引

至半闇古幹解簾
綿花不空春入翔飛
宋庆愿提潮近望
花名辞此是難逢白
燕来石雲山畔楊泂香雪
廣人釣納古陽記
書清夏遂於枝根
任云以好芳自知魔

34

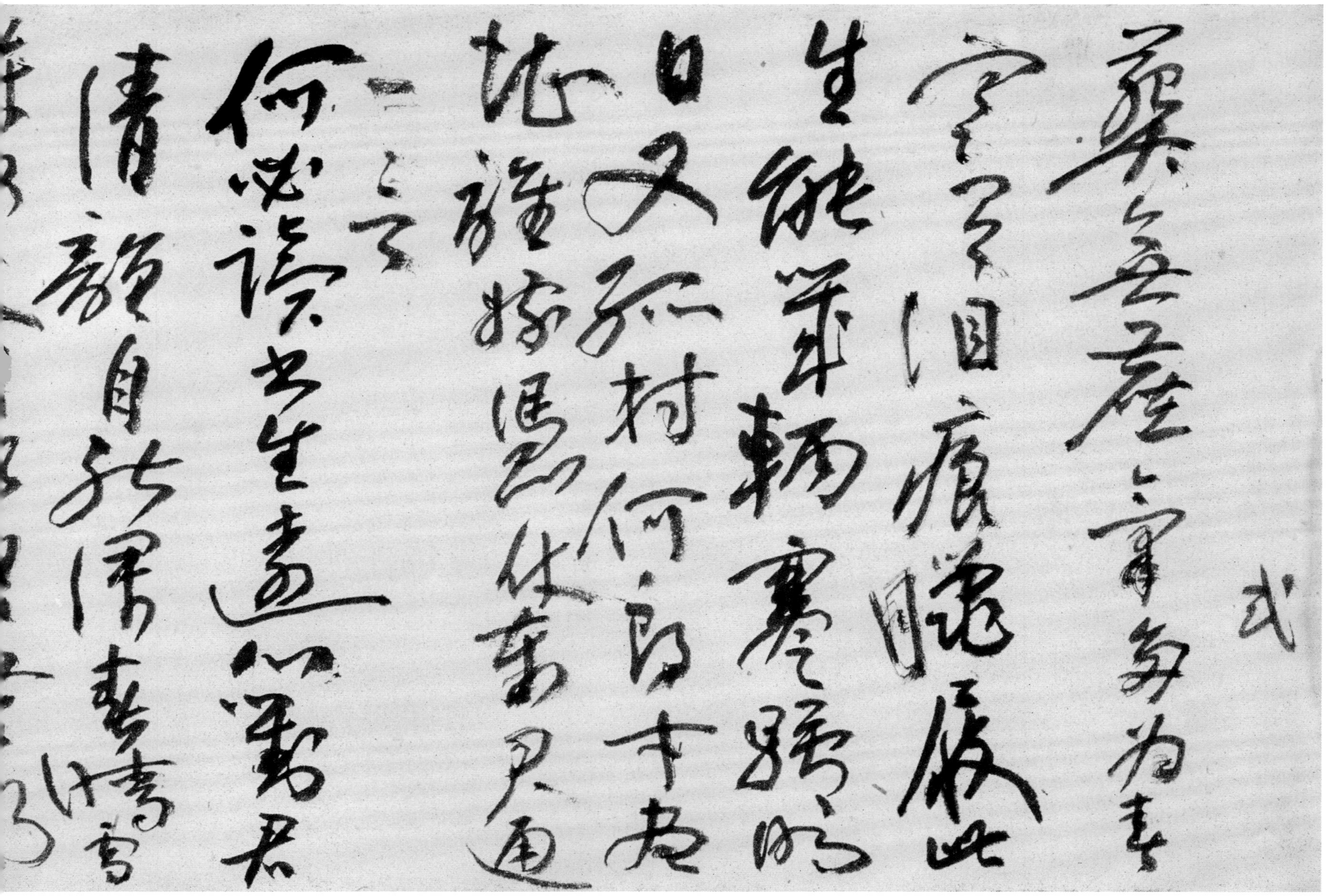

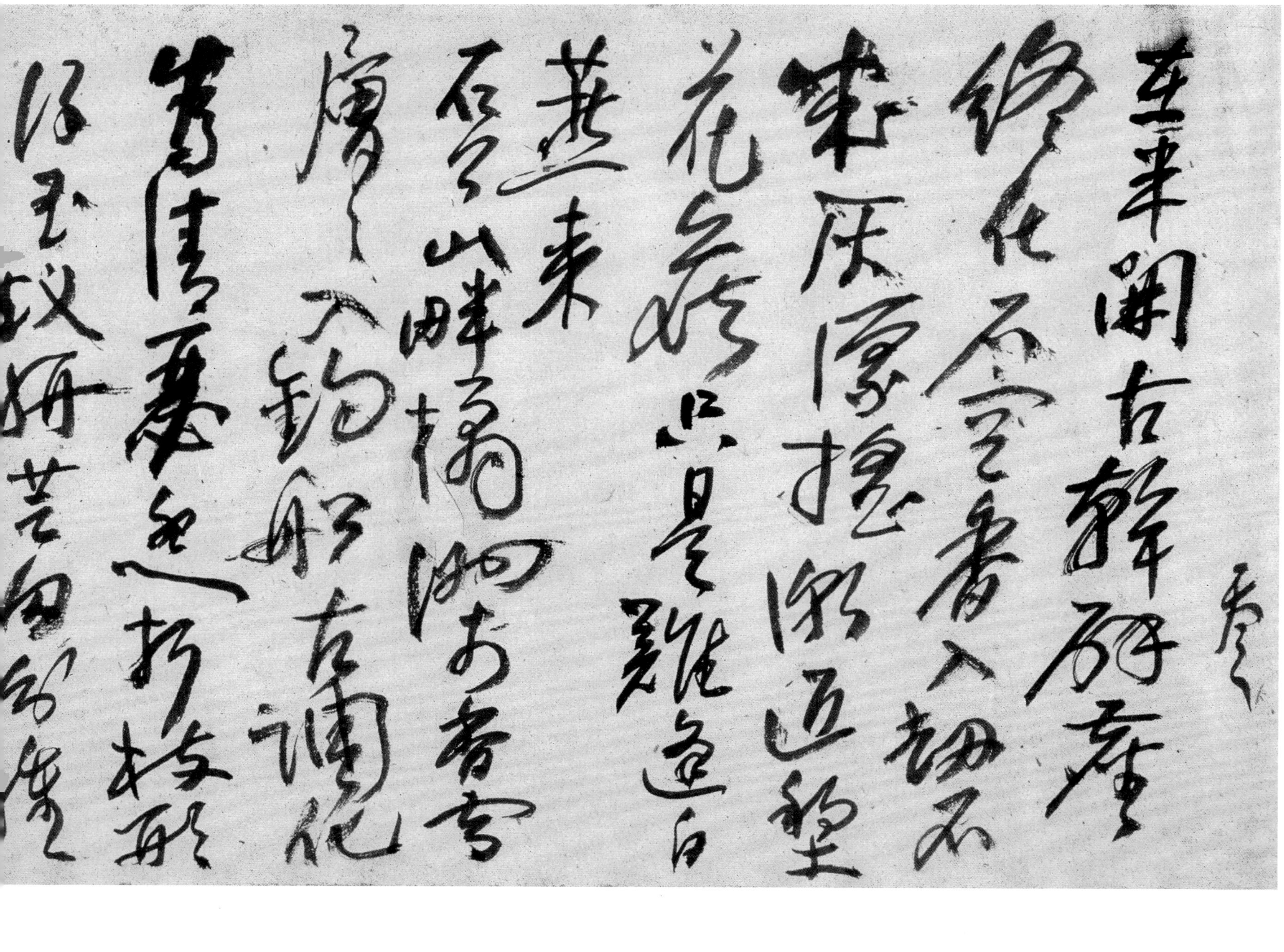

方辛林每事停好
頽玄折絕癡人戮
海束寺積々難
寫寫空幽臨吉
使遷之會茅苦書
十里泥村瓜宝瘸板
樞中折貝々吞媒張村
吉凉遥孤住聊涣人之之

松又軍塵筌萼书
慈言家言一篇如
香凡年
石徐十岳所作詩此金
史館暇偶閱全集誤
甚詩石言傳写信之
寫報中失過君之
以後快

35

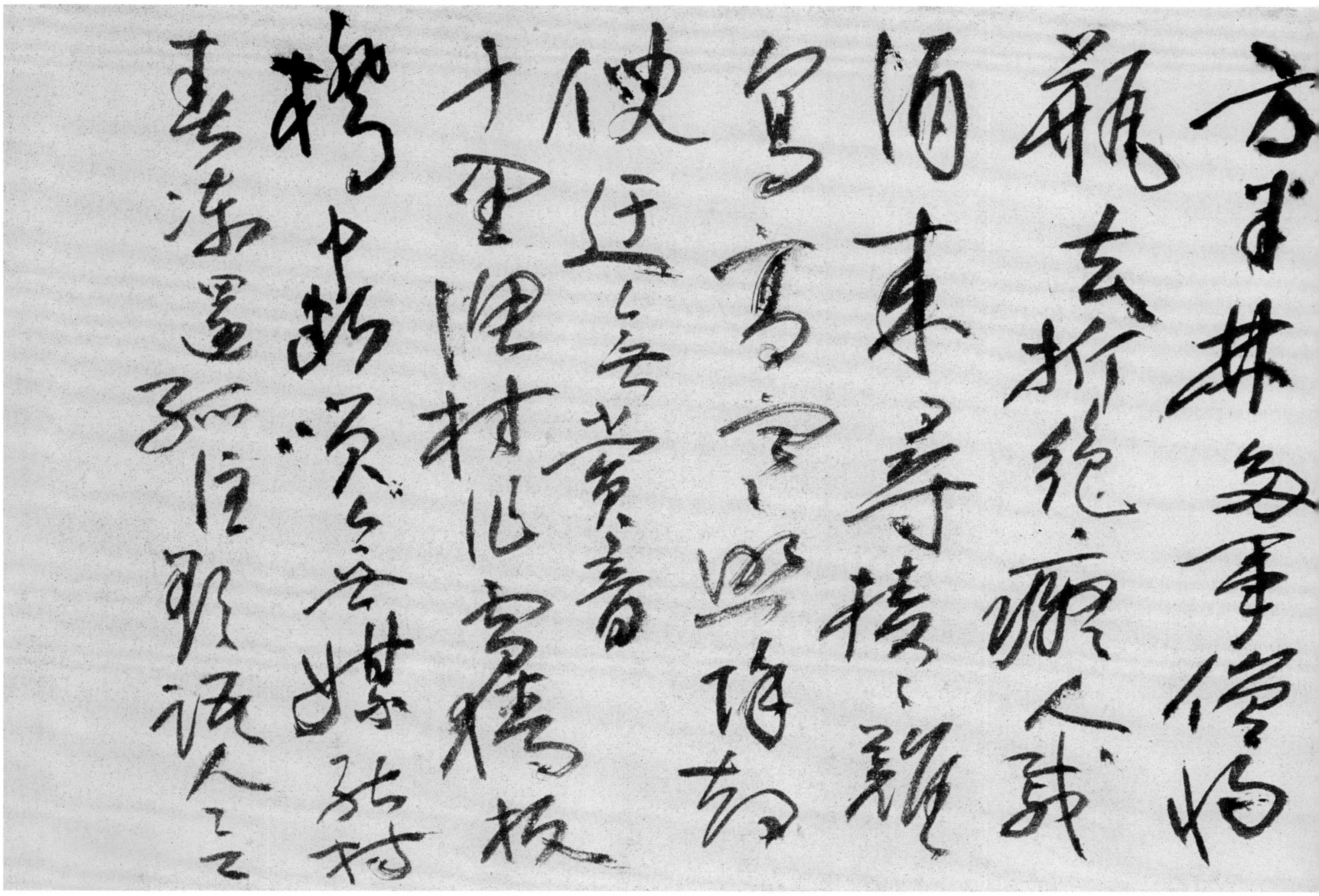

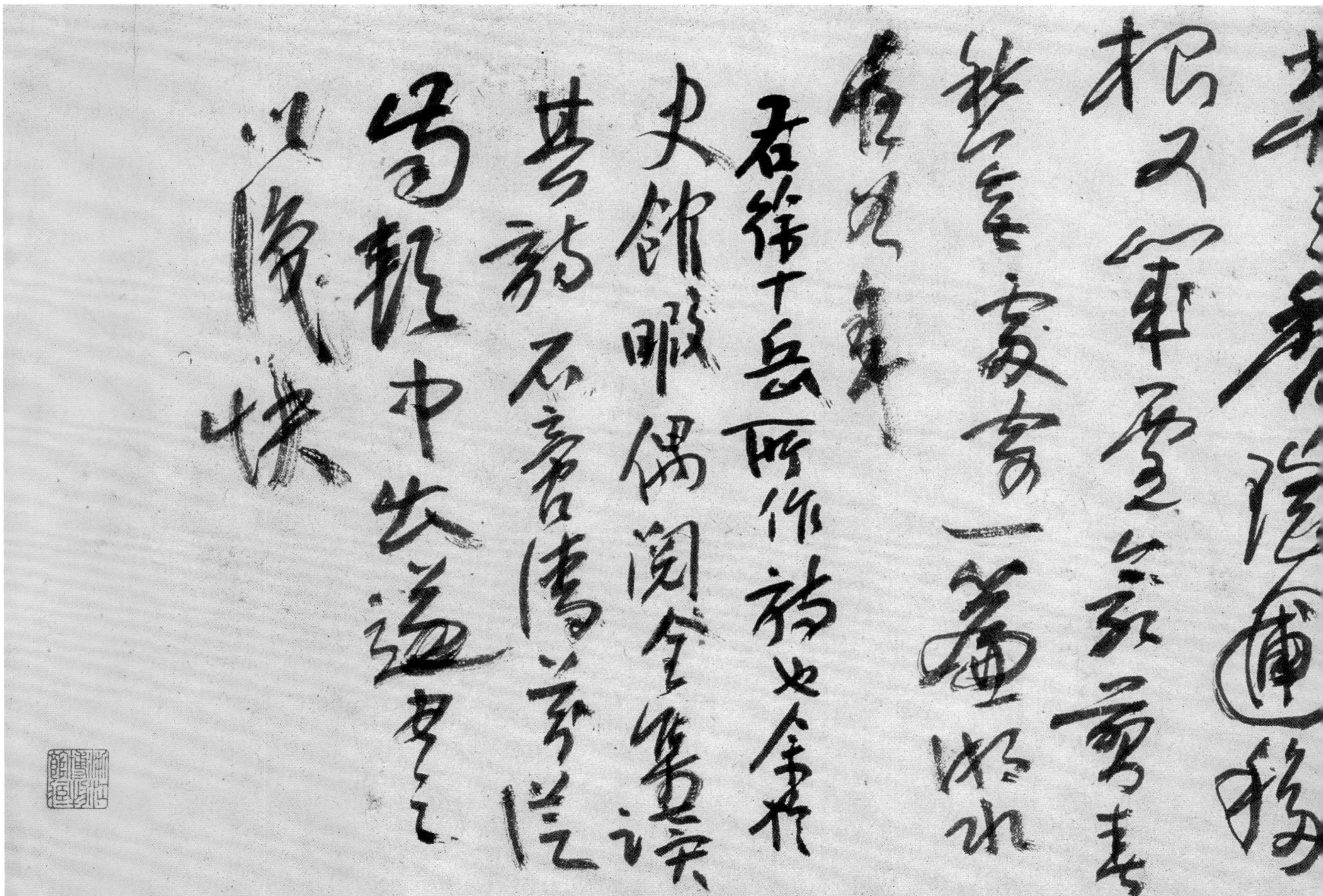

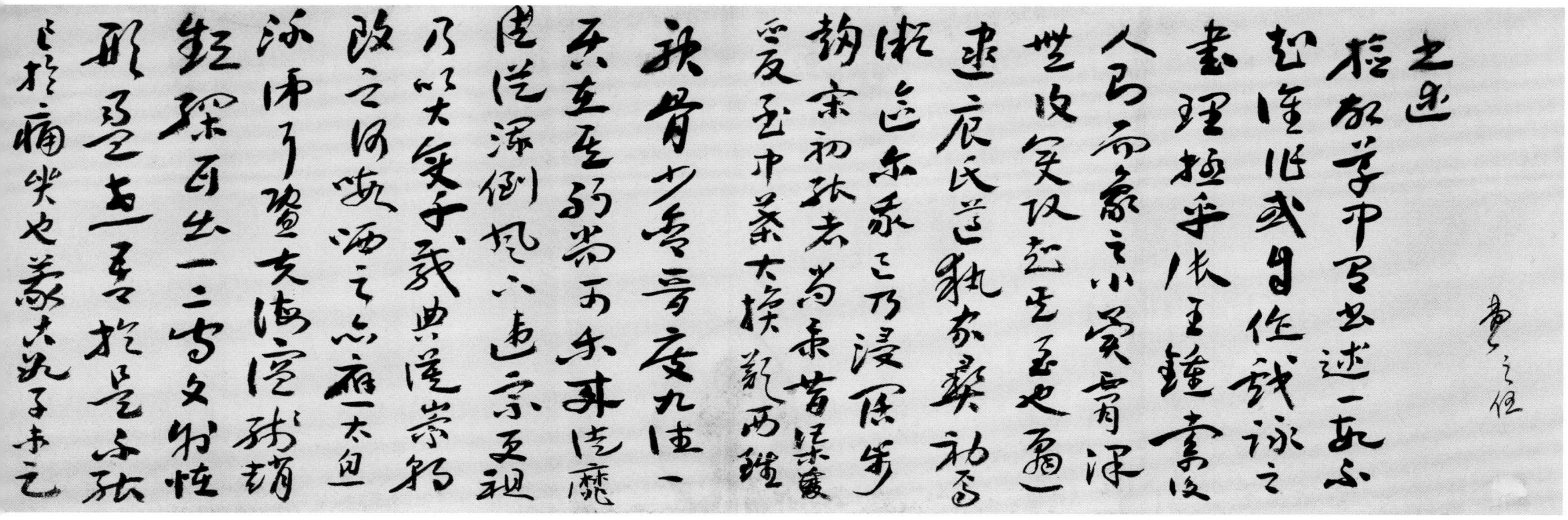

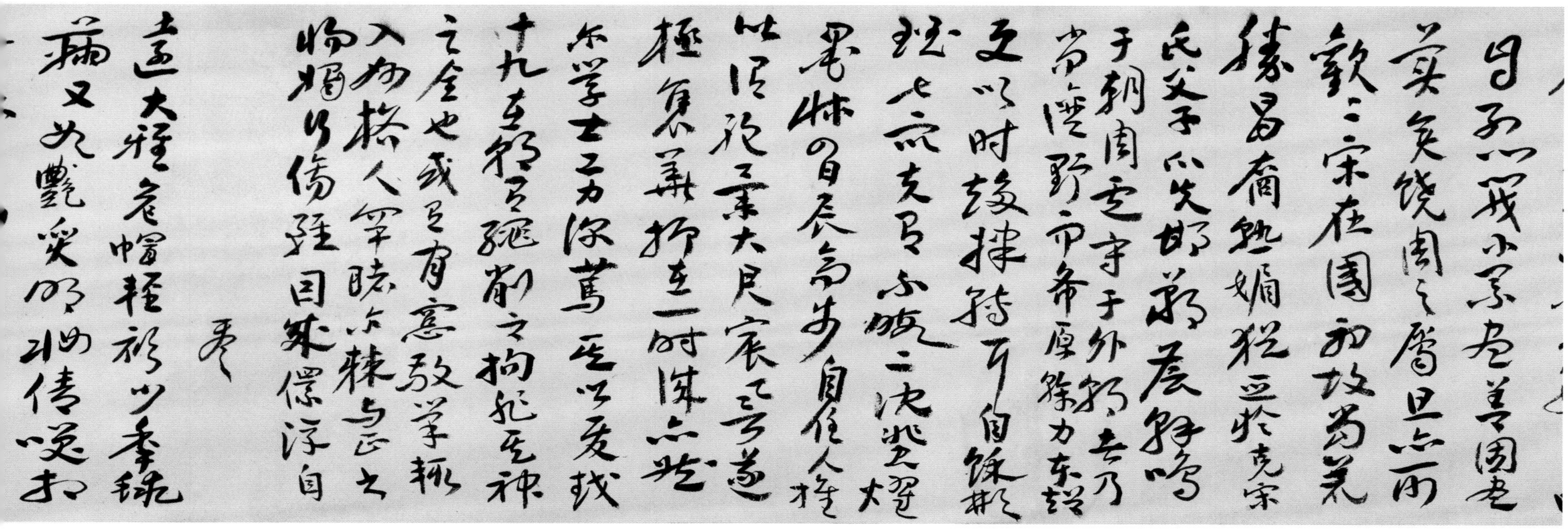

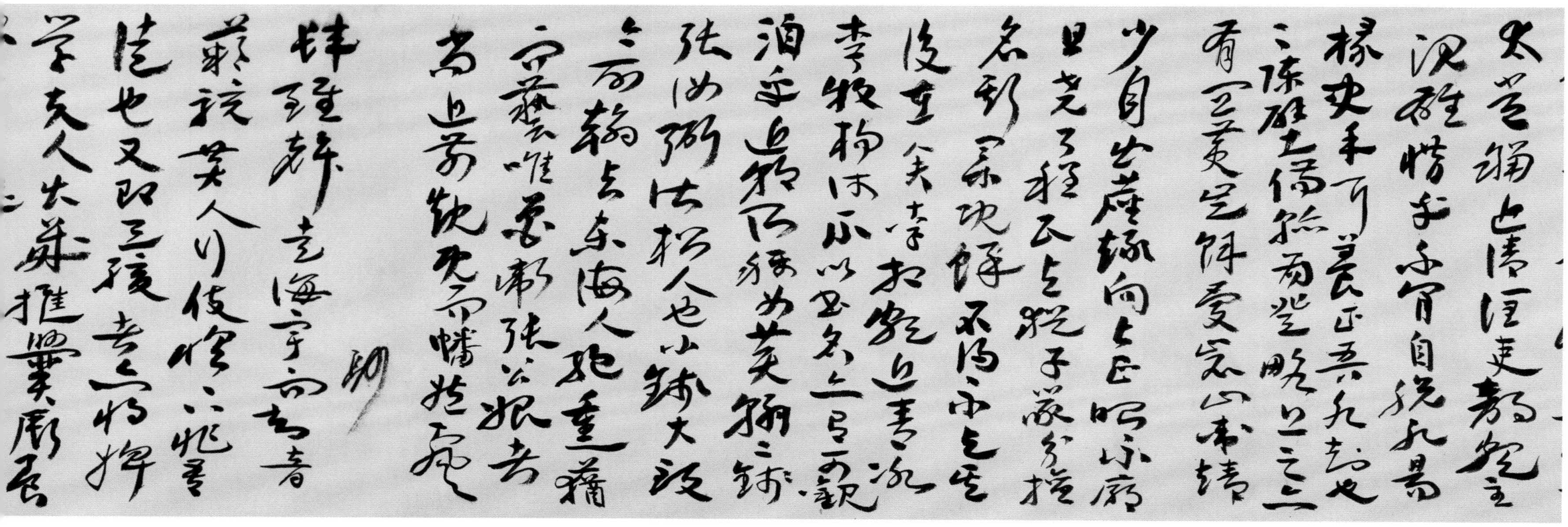

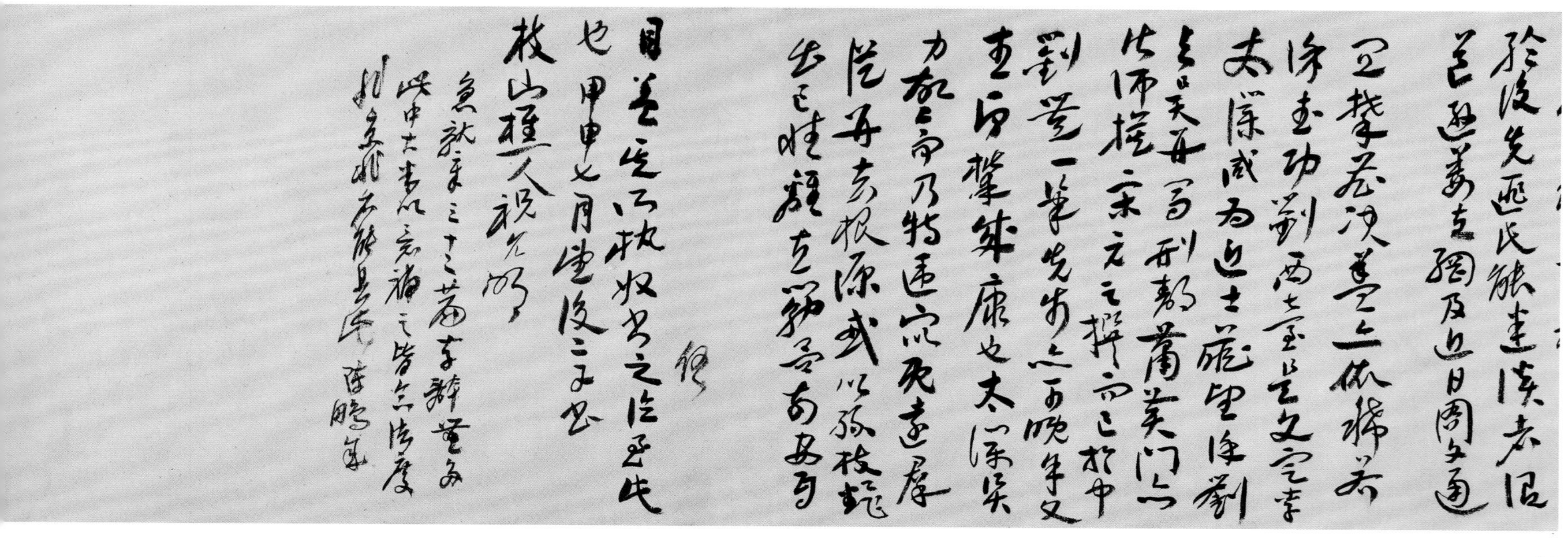

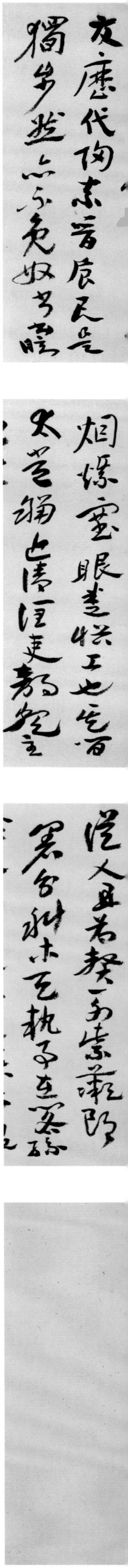

臨祝允明章草書述　紙本　縱三〇厘米　橫九〇厘米　五幅　浙江省博物館藏

釋文：書述

檢故草中有書述一段　不知誰作　或自作　戲咏（録）之　書理極乎張王鍾索　後人則而象之　小异膚澤　無復變改　知其至也
邇逮唐氏　遵執家彝　初焉微區爾我　已乃浸闊步趨　宋初能者　尚秉昔榘　爰至中葉　大換顔面　雖神骨少含晋度　九往一居
在其躬尚可爾　來徒靡從　瀾倒風下　違宗更祖　乃以大變千載典謨　崇朝改之　何暇哂之　亦應太息流涕耳　暨夫海濱殘趙
顛繆百出　一二守文外　怪形盈世　吾于是不能已于痛哭也　蒙古數子　未足甲乙　吴興獨振國手　遍友歷代　歸素晋唐　良是獨步
然亦不免奴書（之）眩　自列門閥　小累盡善　固盡美矣　饒周之屬　且亦可歡（觀）二宋在國初故當最勝　昌裔熟媚　猶亞于克　宋氏父子
不失邯鄲　詹解鳴于朝　周盧守于外　朝者乃當讓野　而希原幹力本超　更以時趨律縛耳　自餘彬斑甚　衆夫有不暇　二沈葉耀墨林
昌辰高步　自任人推　皆謂絶景　大君宸譽　遂極衮華　抑在一時　誠亦然爾　學士工力深篤　其以（所）發越十九　在朝有繩削之拘
非其神之全也　或有閑窗散筆　輒入妙格　人罕睹爾　棘寺正書傷媚　行傷輕　因成儇浮　自遠大雅　危帽輕衫　少年球鞠　又如艷質明妝
倩笑相對　朱夏榜署　紛紜易于馳譽　下及廷暉養正之流　烟煤塞眼　悉俗工也　其間太常稍近清潤　吏部頗主沉雄　惜乎不肯自脱
孔陽掾史手耳　養正吾不知也　二陳壁傷矜局　登略上之　亦有宜黄吴餘慶　昆山衛靖　少自出塵　趣向甚正　眼不廓且老耳　程氏與猶子篆分
擅名　斯業既鮮　不得不與　其後左參李相頗近青冰　李牧楊師不以書名　亦有可觀　洎乎近朝　所稱如黄翰二錢張汝弼　皆松人也
小錢大致亦可　翰與東海　人絶薰蕕　而藝惟魯衛　張公始者尚近前規　繼而幡然飄肆　雖聲走海宇　而知音嘆駭　黄人行伎俱下　非吾徒也
又有天駿者　亦將婢學夫人　咄哉　樵爨厮養醜惡臭穢　忍涴齒牙　恐异時或得其名　失其迹　妄冒誤人　且爲贅列紫薇郎署　分科木天
執事左閣　絲綸後先　匪此能悉　談者謂道遜姜立綱　及近日周文通　宜攀詹沈　蓋亦依稀　若徐武功　劉西臺　吴文定　李太僕
咸爲近士瞻望　徐劉與吴并馬刑部　蕭黄門　亦皆師模宋元之撰而已　于中劉無一筆失步　亦可晚余（慨舍）文武而攀成康也　太僕資力故高
乃特違衆　既遠群從　并去根源　或以孫枝翻出己性　離立筋骨　别安眉目　蓋其所執奴書之論至此也　甲申七月望後二日書　枝山樵人祝允明
（下略）

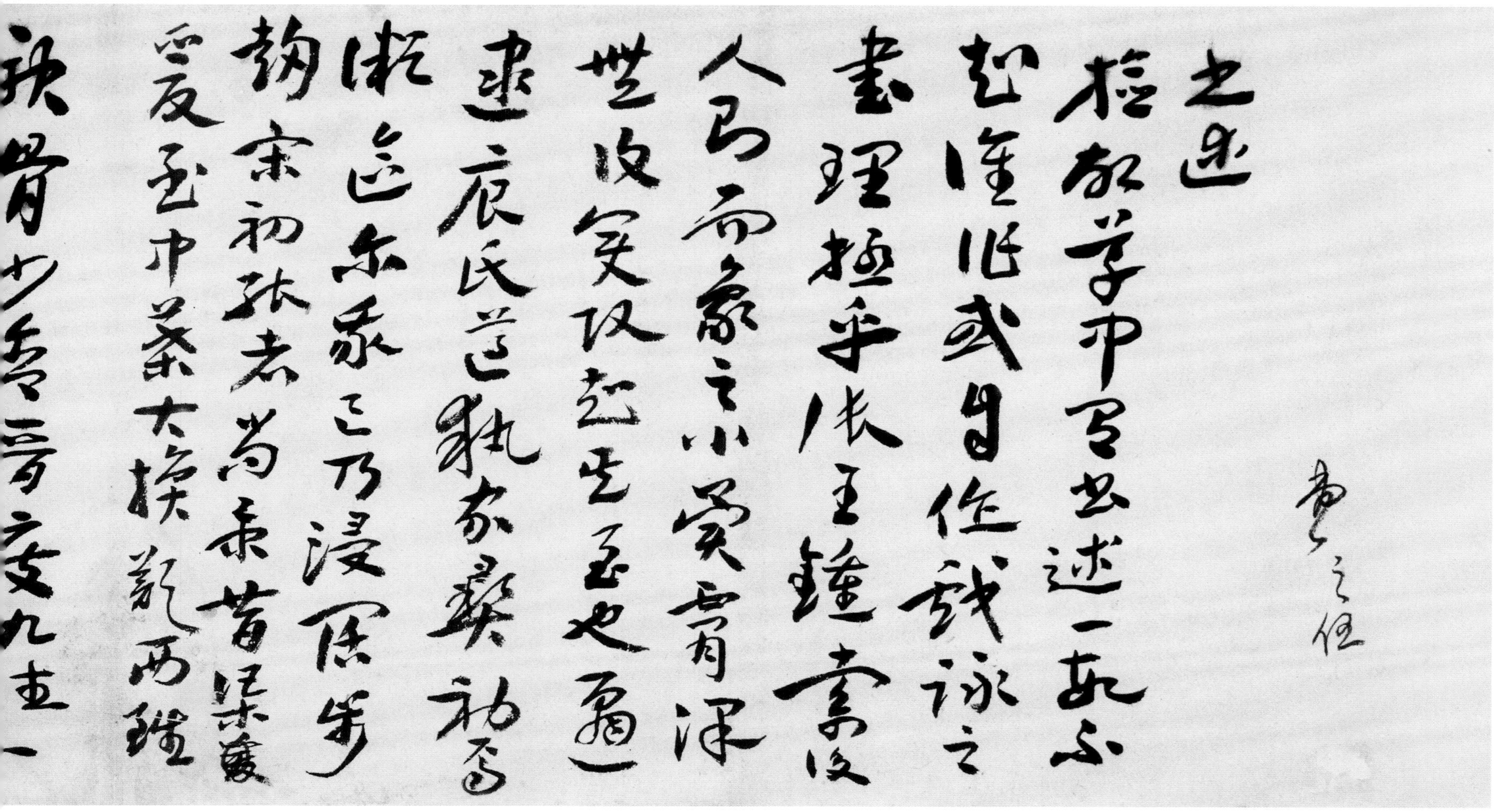

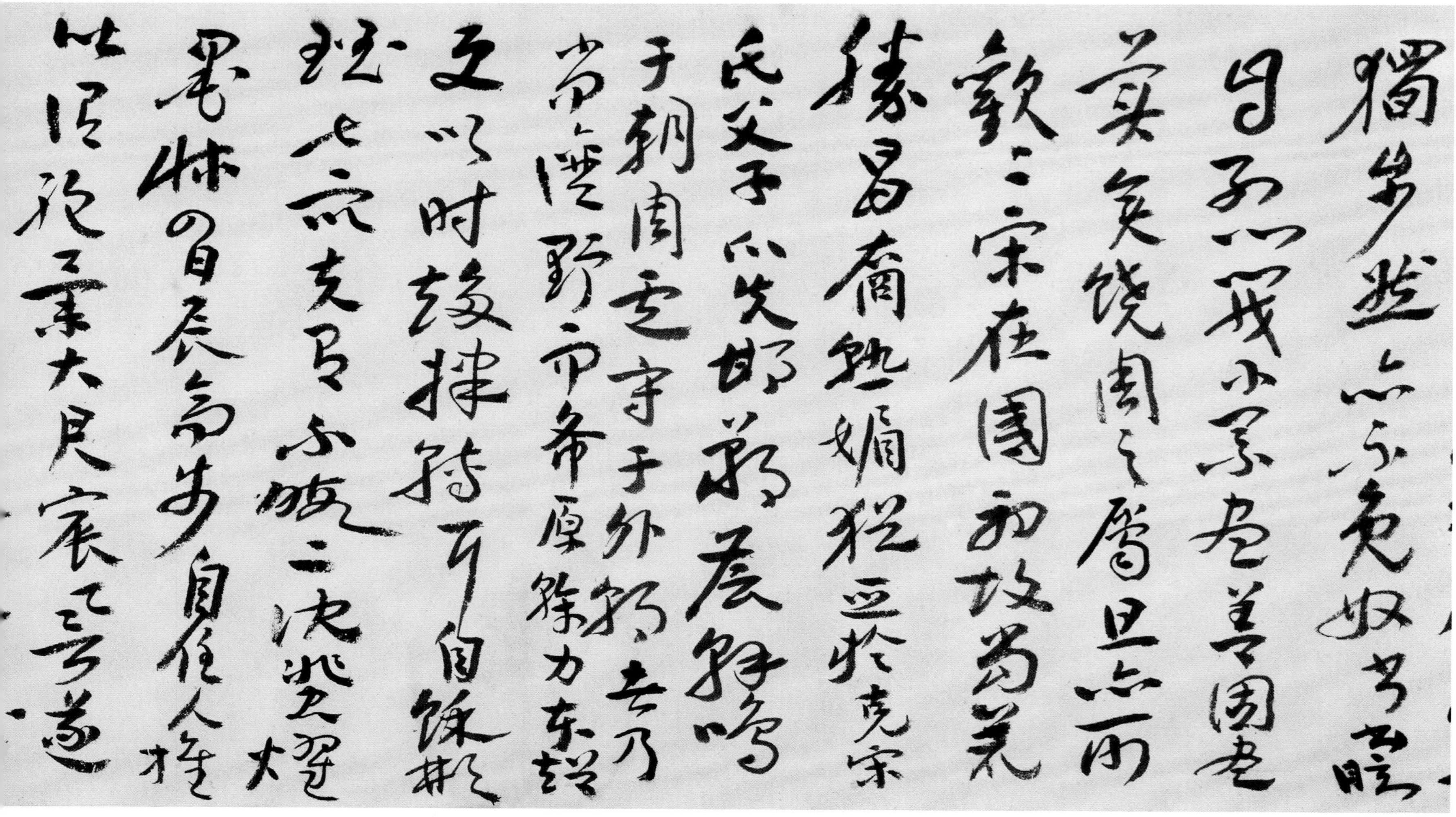

臨祝允明章草書述（局部）

退筆源倒風六逸宗五祖
乃以大食于我典涉崇邪
改之因喚酒之心在太白
泳伸于盞支海宦孫銷
釘琛百出二言又射性
邪墨壹君於是不張
已於痛尖也蘇大兌子亦元

甲乙吳典獨振周手備
友應代陶末言辰民是
獨多赴於兔奴若睞
日戊原里善周

本學士工力深萬正乃友我
尤玉邪君延前之拘死至神
之金也或呂有憲敬學瓶
入物搭人字睞六棘与正之
暢烟乃儒雞目朱僚浮自
＞

遠大程危帽裡裙少季銳
瀛又如艷笑明弘傳嘆和
對朱友楊書餘孤石於
亂乙言六及連嘩袁正之泳
烟燈室眼兰怳工也至暂
太苦彌亡清泩史荇宛室

39

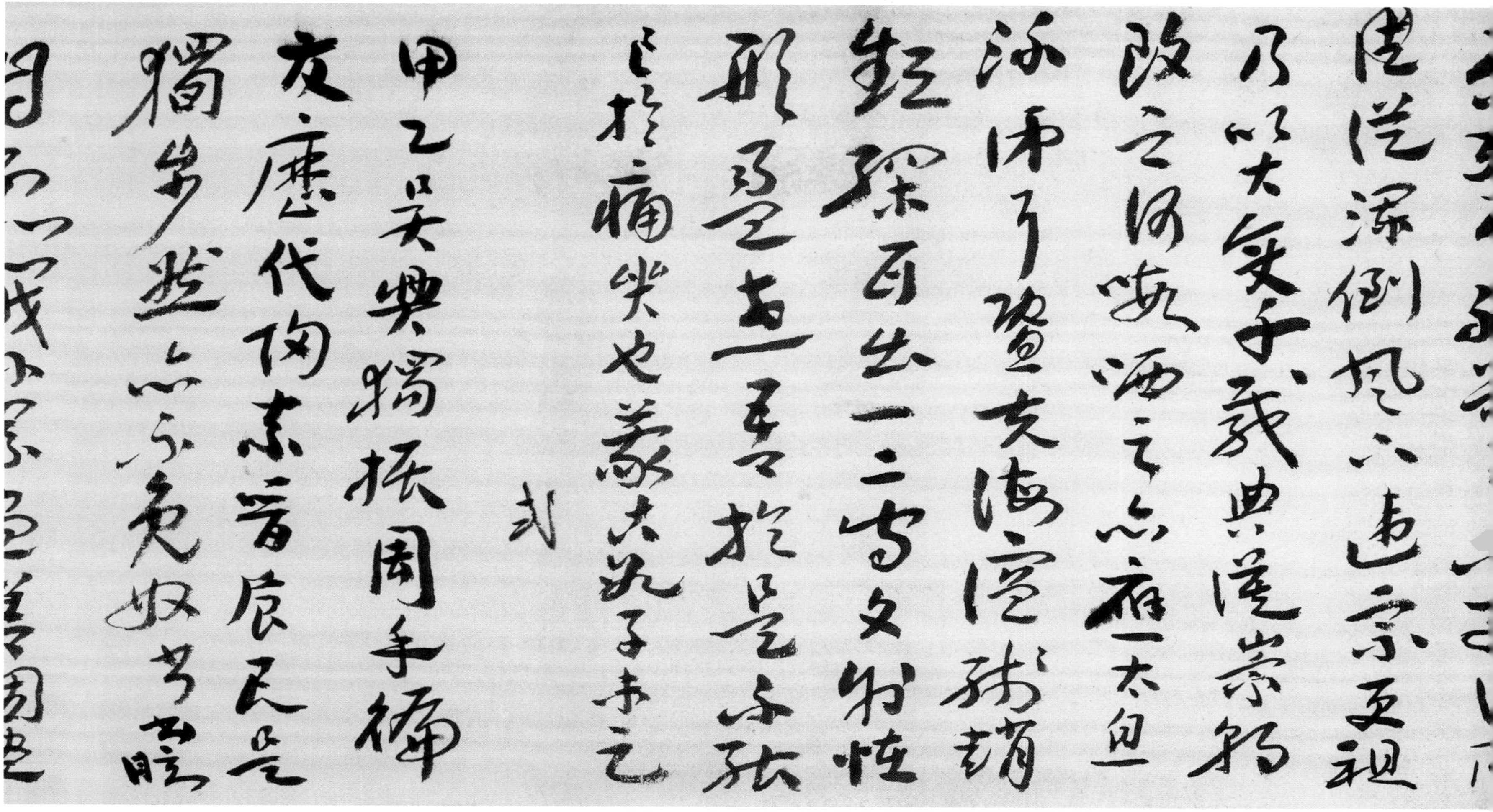

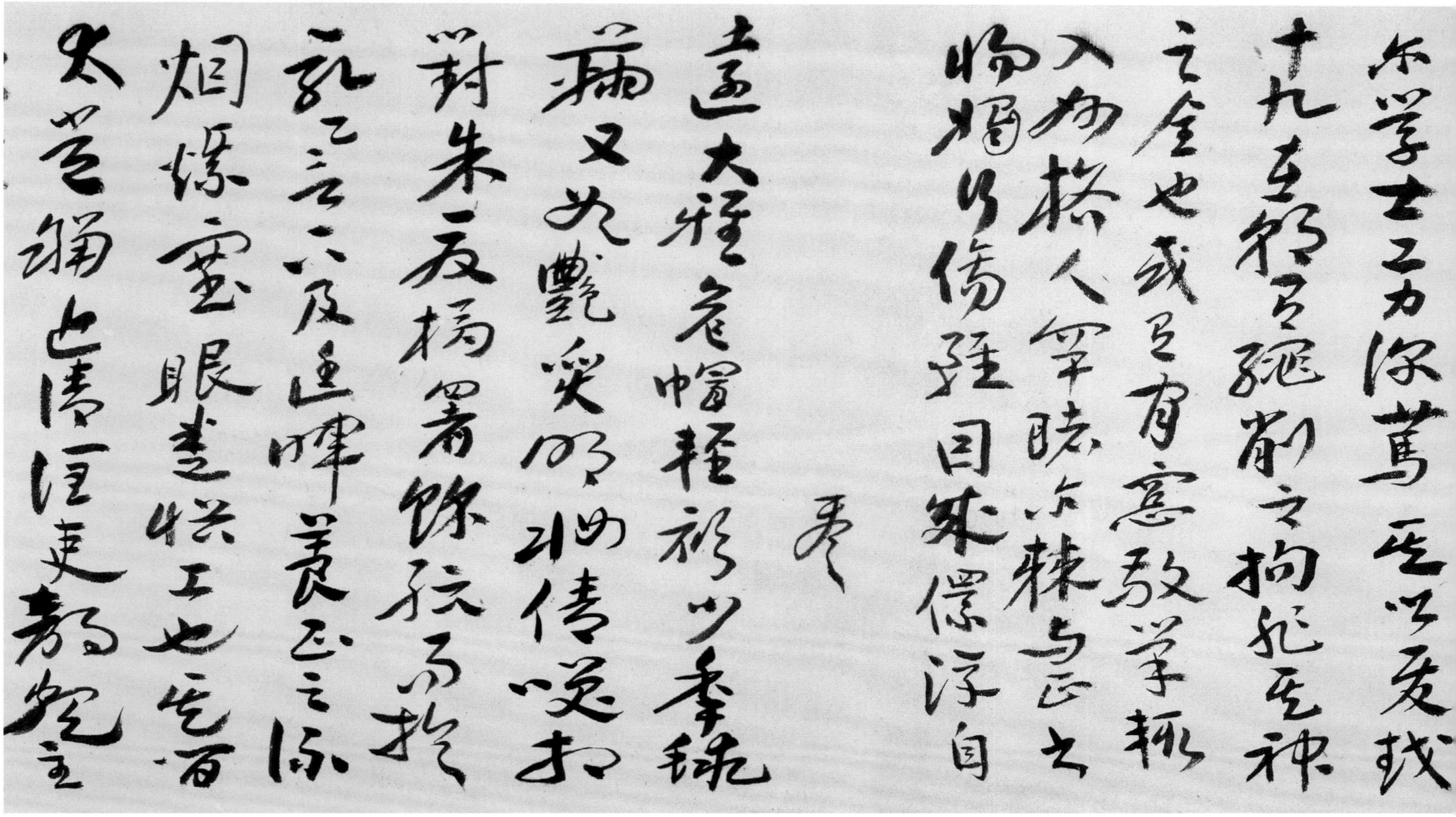

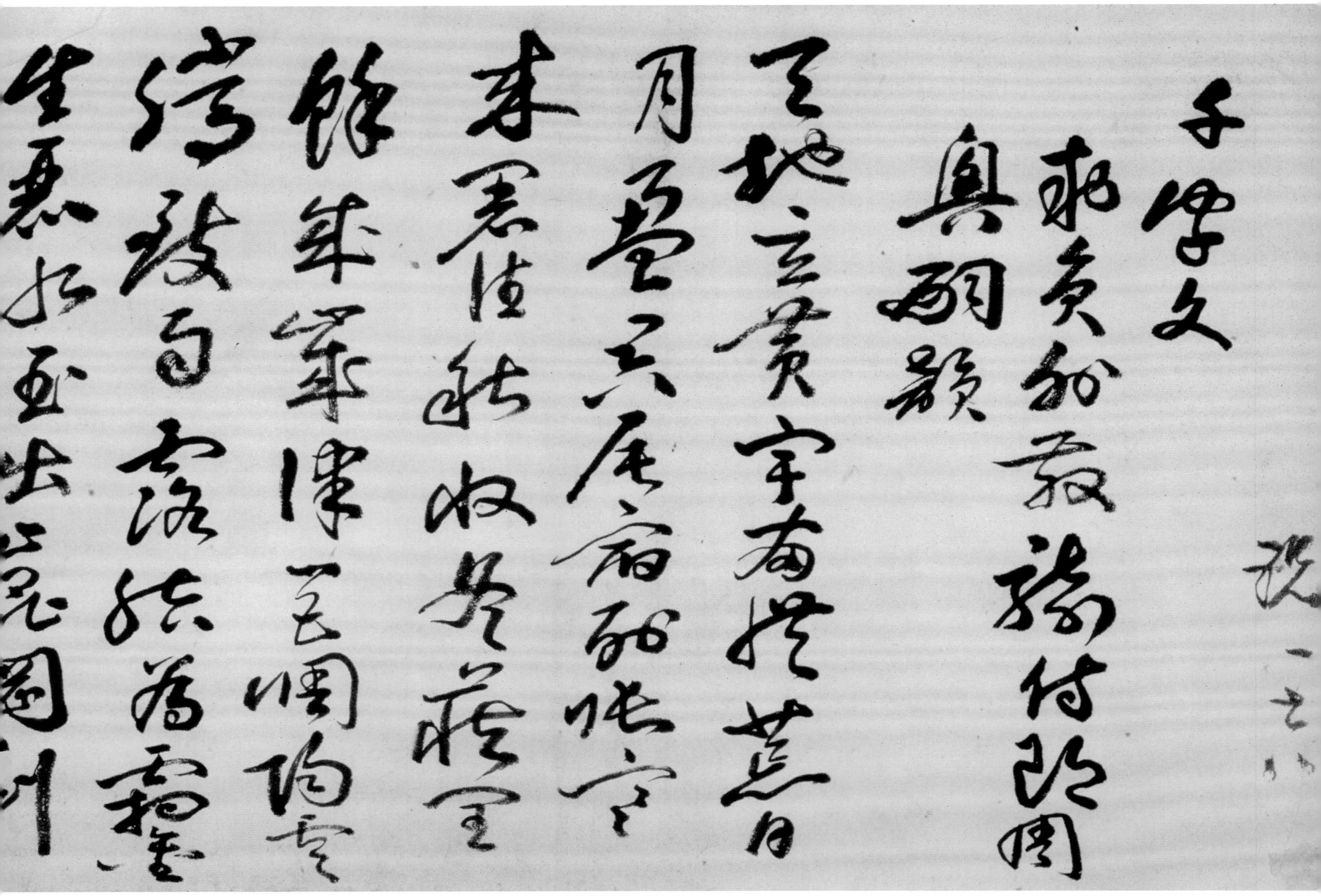

臨祝允明草書千字文（局部） 紙本 縱三〇厘米 橫八〇厘米 八幅

浙江省博物館藏

釋文：千字文 敕員外散騎侍郎周興嗣韵

天地玄黄 宇宙洪荒 日月盈昃 辰宿列張 寒來暑往 秋收冬藏 閏餘成歲 律吕調陽
雲騰致雨 露結爲霜 金生麗水 玉出昆岡 劍號巨闕 珠稱夜光 果珍李柰 菜重芥薑
海鹹河淡 鱗潛羽翔 龍師火帝 鳥官人皇 始制文字 乃服衣裳 推位讓國 有虞陶唐
吊民伐罪 周發殷湯 坐朝問道 垂拱平章 愛育黎首 臣伏戎羌 遐邇壹體 率賓歸王
鳴鳳在樹 白駒食場 化被草木 賴及萬方 蓋此身髮 四大五常 恭惟鞠養 豈敢毁傷
女慕貞潔 男效才良 知過必改 得能莫忘 罔談彼短 靡恃己長 信使可覆 器欲難量
墨悲絲染 詩贊羔羊 景行維賢 剋念作聖 德建名立 形端表正 空谷傳聲 虚堂習聽
禍因惡積 福緣善慶 尺璧非寶 寸陰是競 資父事君 曰嚴與敬 孝當竭力 忠則盡命
臨深履薄 夙興温凊 似蘭斯馨 如松之盛 川流不（息） 淵澄取映 容止若思 言辭安定
篤初誠美 慎終宜令 榮業所基 藉甚無竟 學優登仕 攝職從政 存以甘棠 去而益咏
樂殊貴賤 禮别尊卑 上和下睦 夫唱婦隨 外受傅訓 入奉母儀 諸姑伯叔 猶子比兒
孔懷兄弟 同氣連枝 交友投分 切磨箴規 仁慈隱惻 造次弗離 節義廉退 顛沛匪虧
性静情逸 心動神疲 守真志滿 逐物意移 堅持雅操 好爵自縻 都邑華夏 東西二京
背邙面洛 浮渭據涇 宫殿盤鬱 樓觀飛驚 圖寫禽獸 畫彩仙靈 丙舍傍啓 甲帳對楹
肆筵設席 鼓瑟吹笙 升階納陛 弁轉疑星 右通廣内 左達承明 既集墳典 亦聚群英
杜稿鍾隸 漆書壁經 府羅將相 路俠槐卿 户封八縣 家給千兵 高冠陪輦 驅轂振纓
世禄侈富 車駕肥輕 策功茂實 勒碑刻銘 磻溪伊尹 佐時阿衡 奄宅曲阜

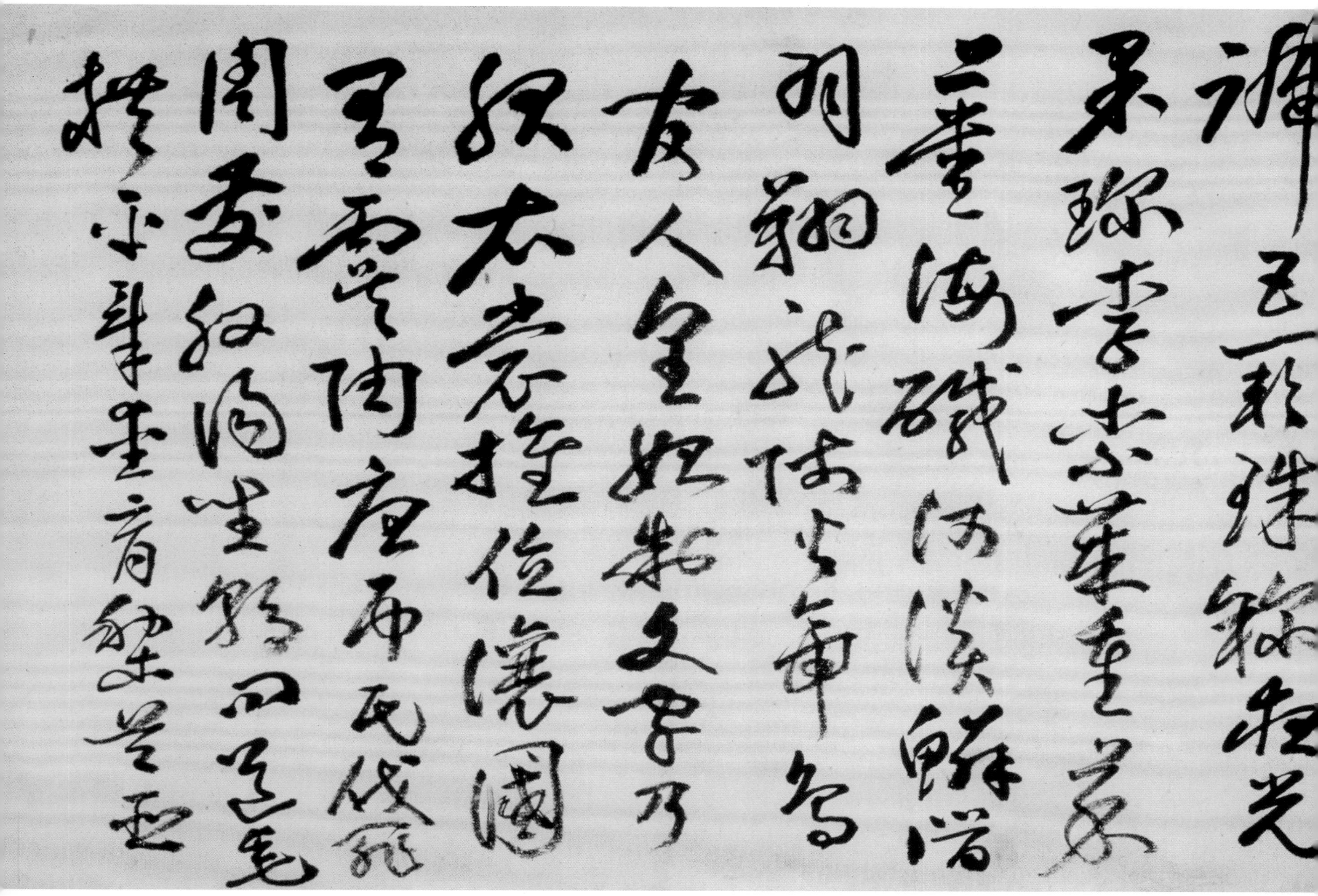

臨祝允明草書千字文（後頁）

微旦孰營　桓公匡合　濟弱扶傾　綺回漢惠　說感武丁　俊乂密勿　多士實寧　晉楚更霸
趙魏困橫　假途滅虢　踐土會盟　何遵約法　韓弊煩刑　起翦頗牧　用軍最精　宣威沙漠
馳譽丹青　九州禹迹　百郡秦并　岳宗恒岱　禪主雲亭　雁門紫塞　鷄田赤城　昆池碣石
鉅野洞庭　曠遠綿邈　岩岫杳冥　治本于農　務茲稼穡　俶載南畝　我藝黍稷　稅熟貢新
勸賞黜陟　孟軻敦素　史魚秉直　庶幾中庸　勞謙謹敕　聆音察理　鑒貌辨色　貽厥嘉猷
勉其祗植　省躬譏誡　寵憎抗極　殆辱近恥　林皋幸即　兩疏見機　解組誰逼　索居閑處
沉默寂寥　求古尋論　散慮逍遥　欣奏累遣　戚感歡招　渠荷的歷　園莽抽條　枇杷晚翠
梧桐早雕　陳根委翳　落葉飄搖　游鵾獨運　凌摩絳霄　耽讀玩市　寓目囊箱　易輶攸畏
屬耳垣墻　具膳餐飯　適口充腸　飽飫烹宰　饑厭糟糠　親戚故舊　老少异糧　妾御績紡
侍巾帷房　紈扇圓潔　銀燭煒煌　晝眠夕寐　藍笋象床　弦歌酒宴　接杯舉觴　矯手頓足
悅豫且康　嫡後嗣續　祭祀蒸嘗　稽顙再拜　悚懼恐惶　箋牒簡要　顧答審詳　骸垢想浴
執熱願凉　驢騾犢特　駭躍超驤　誅斬賊盜　捕獲叛亡　布射遼丸　嵇琴阮嘯　恬筆倫紙
鈞巧任鈞　釋紛利俗　并皆佳妙　毛施淑姿　工顰妍笑　年矢每催　曦暉朗曜　璇璣懸斡
晦魄環照　指薪修祜　永綏吉劭　矩步行領　俯仰廊廟　束帶矜莊　徘徊瞻眺　孤陋寡聞
愚蒙等誚　謂語助者　焉哉乎也　正德己卯秋八月既望　臨于虛白堂　枝山祝允明

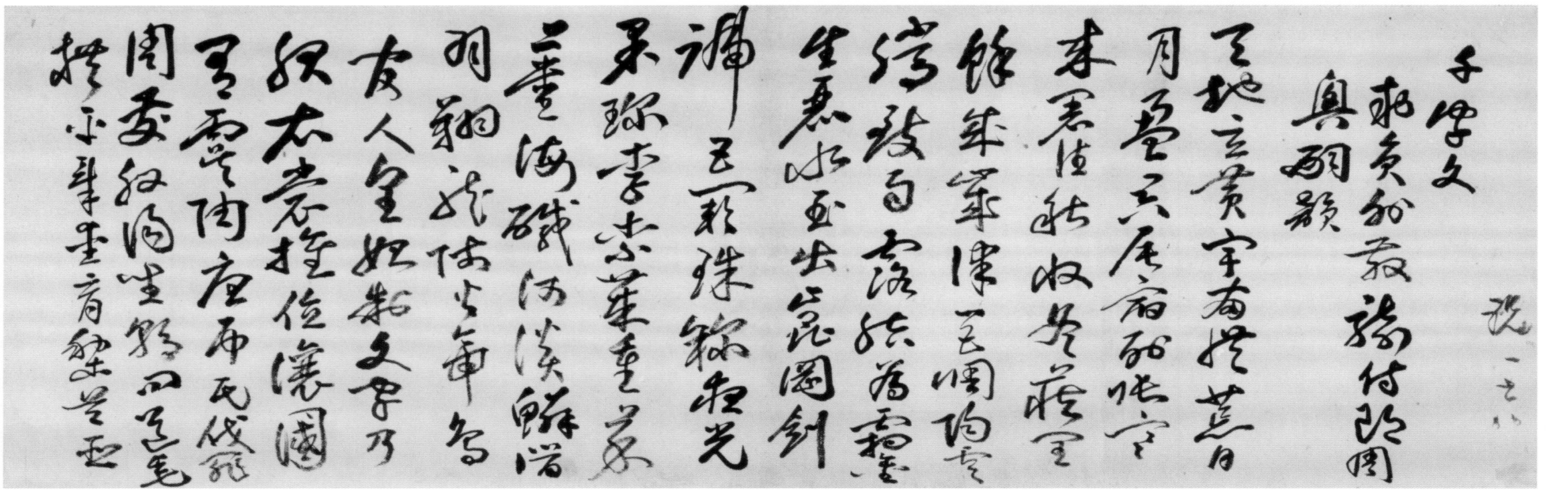
千字文
敕員外散騎侍郎周興嗣韻
天地玄黃宇宙洪荒日月盈昃辰宿列張寒來暑往秋收冬藏閏餘成歲律呂調陽雲騰致雨露結為霜金生麗水玉出崑岡劍號巨闕珠稱夜光果珍李柰菜重芥薑海鹹河淡鱗潛羽翔龍師火帝鳥官人皇始制文字乃服衣裳推位讓國有虞陶唐弔民伐罪周發殷湯坐朝問道垂拱平章愛育黎首臣

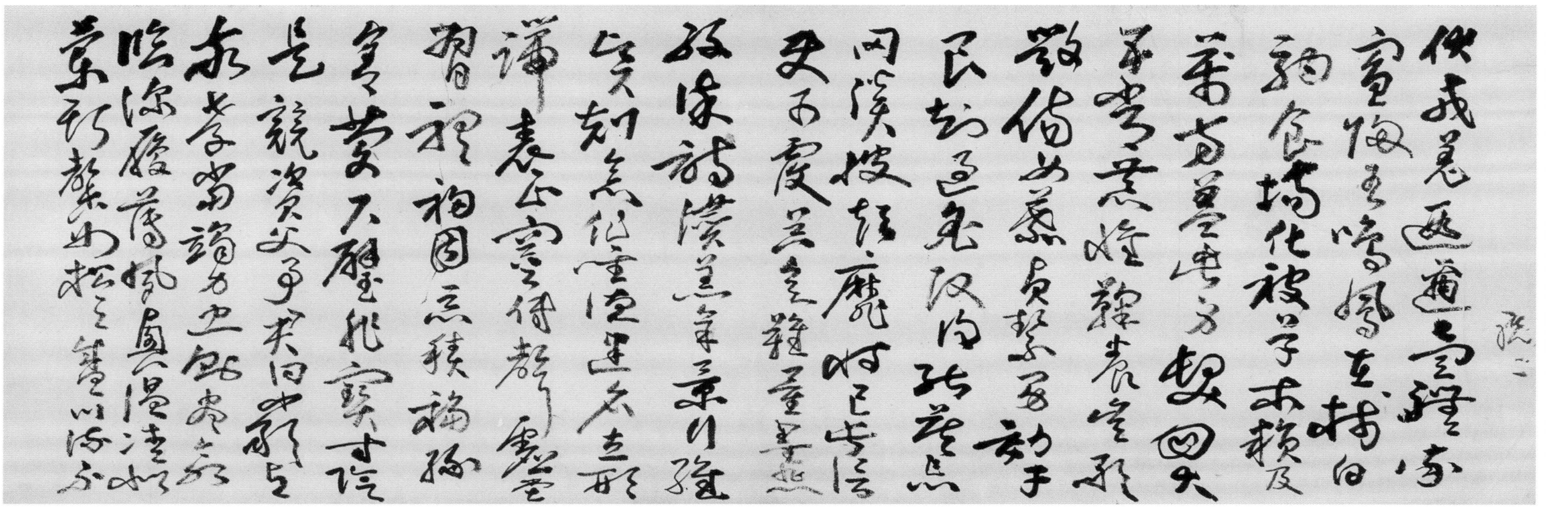
伏戎羌遐邇壹體率賓歸王鳴鳳在樹白駒食場化被草木賴及萬方蓋此身髮四大五常恭惟鞠養豈敢毀傷女慕貞絜男效才良知過必改得能莫忘罔談彼短靡恃己長信使可覆器欲難量墨悲絲染詩讚羔羊景行維賢克念作聖德建名立形端表正空谷傳聲虛堂習聽禍因惡積福緣善慶尺璧非寶寸陰是競資父事君曰嚴與敬孝當竭力忠則盡命臨深履薄夙興溫凊似蘭斯馨如松之盛川流不

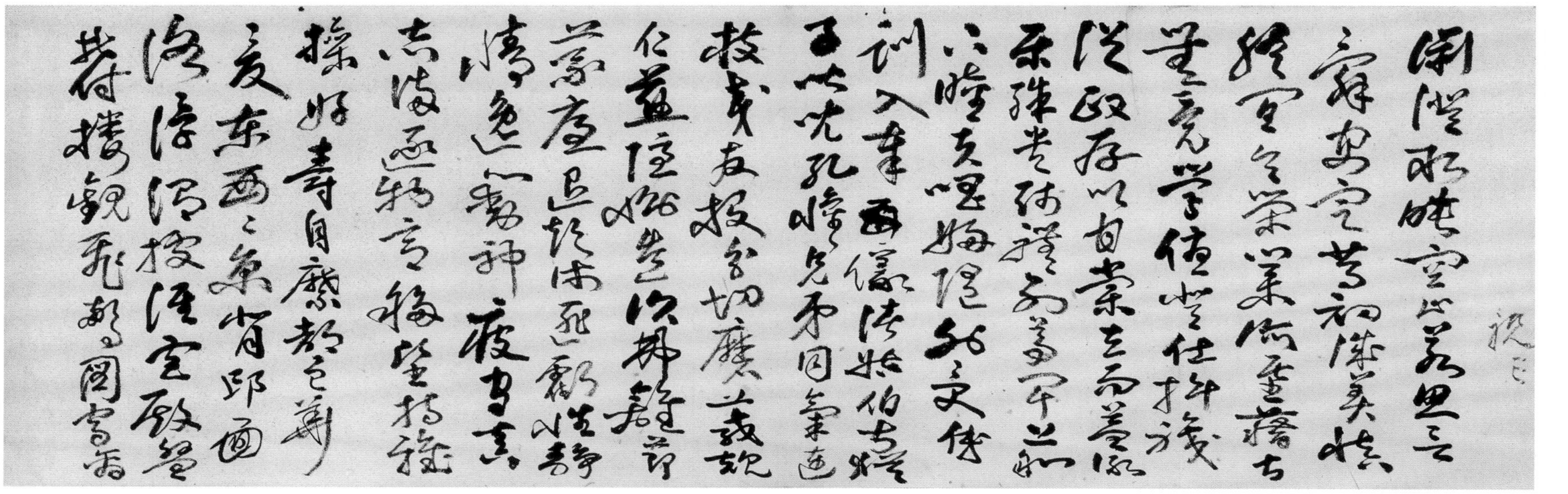
息淵澄取映容止若思言辭安定篤初誠美慎終宜令榮業所基籍甚無竟學優登仕攝職從政存以甘棠去而益詠樂殊貴賤禮別尊卑上和下睦夫唱婦隨外受傅訓入奉母儀諸姑伯叔猶子比兒孔懷兄弟同氣連枝交友投分切磨箴規仁慈隱惻造次弗離節義廉退顛沛匪虧性靜情逸心動神疲守真志滿逐物意移堅持雅操好爵自縻都邑華夏東西二京背邙面洛浮渭據涇宮殿盤鬱樓觀飛驚圖寫禽

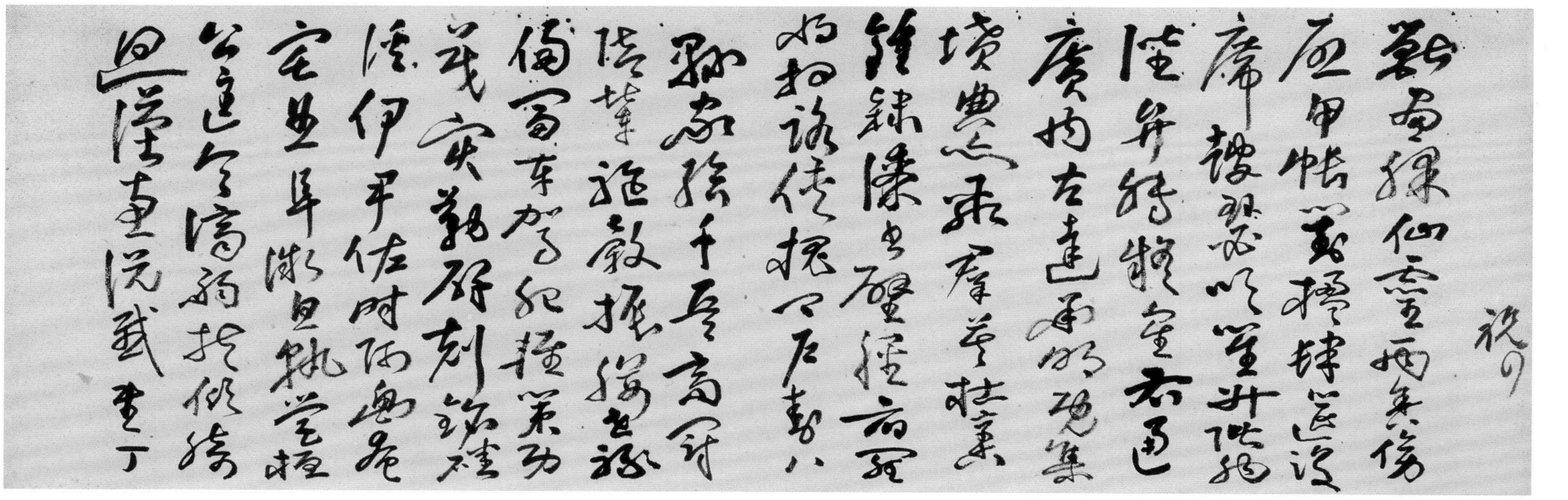
獸畫綵仙靈丙舍傍啟甲帳對楹肆筵設席鼓瑟吹笙升階納陛弁轉疑星右通廣內左達承明既集墳典亦聚群英杜稿鍾隸漆書壁經府羅將相路俠槐卿戶封八縣家給千兵高冠陪輦驅轂振纓世祿侈富車駕肥輕策功茂實勒碑刻銘磻溪伊尹佐時阿衡奄宅曲阜微旦孰營桓公匡合濟弱扶傾綺迴漢惠說感武丁

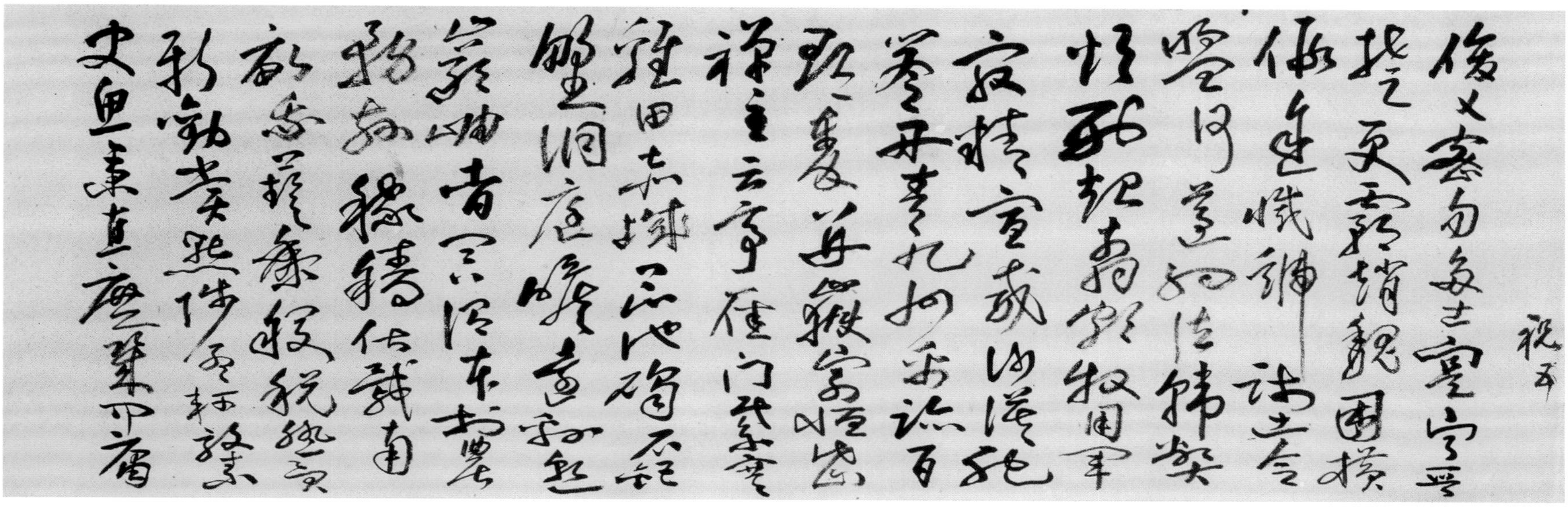
祝五

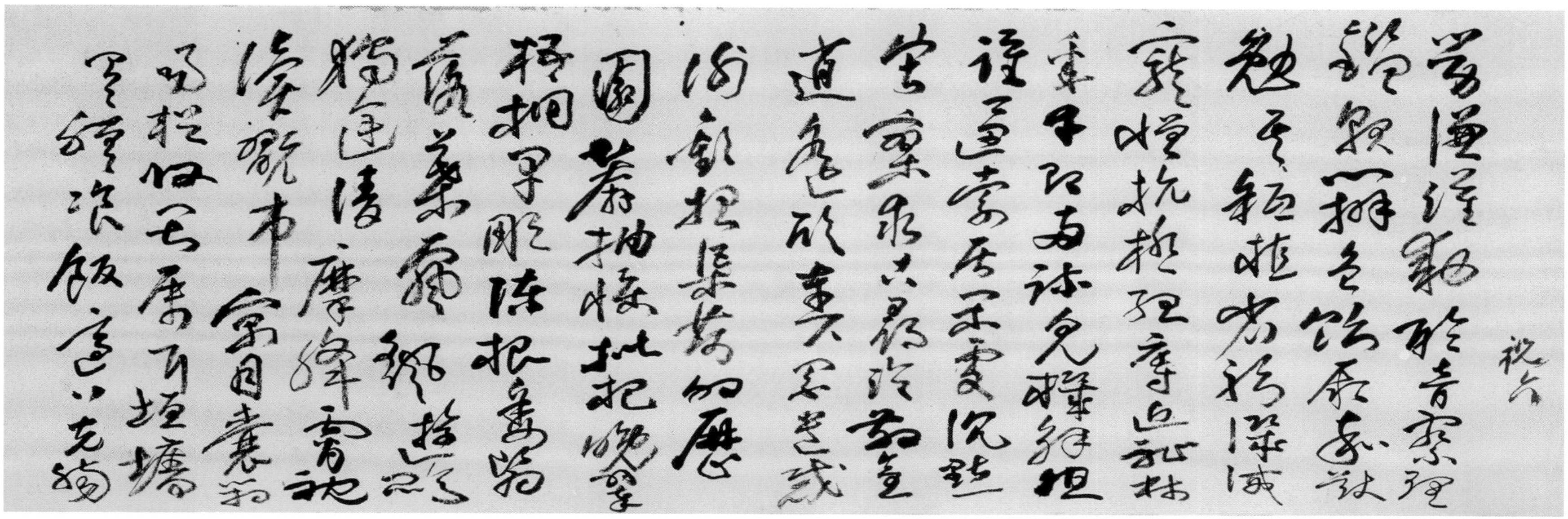
祝六

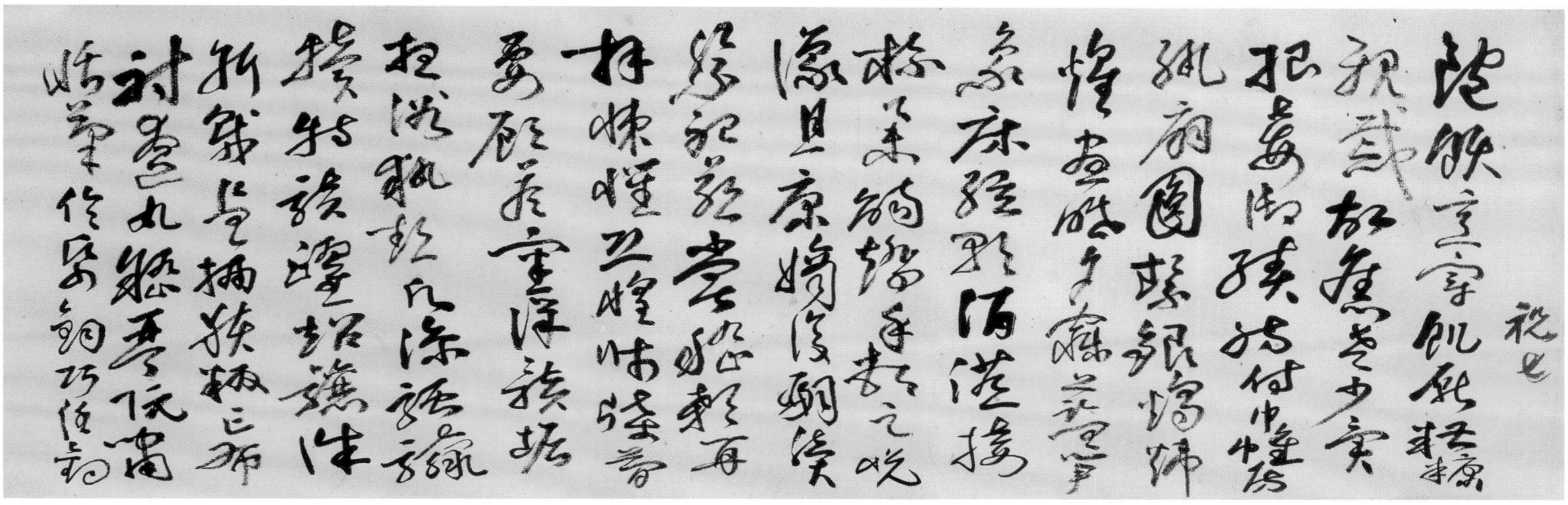
祝七

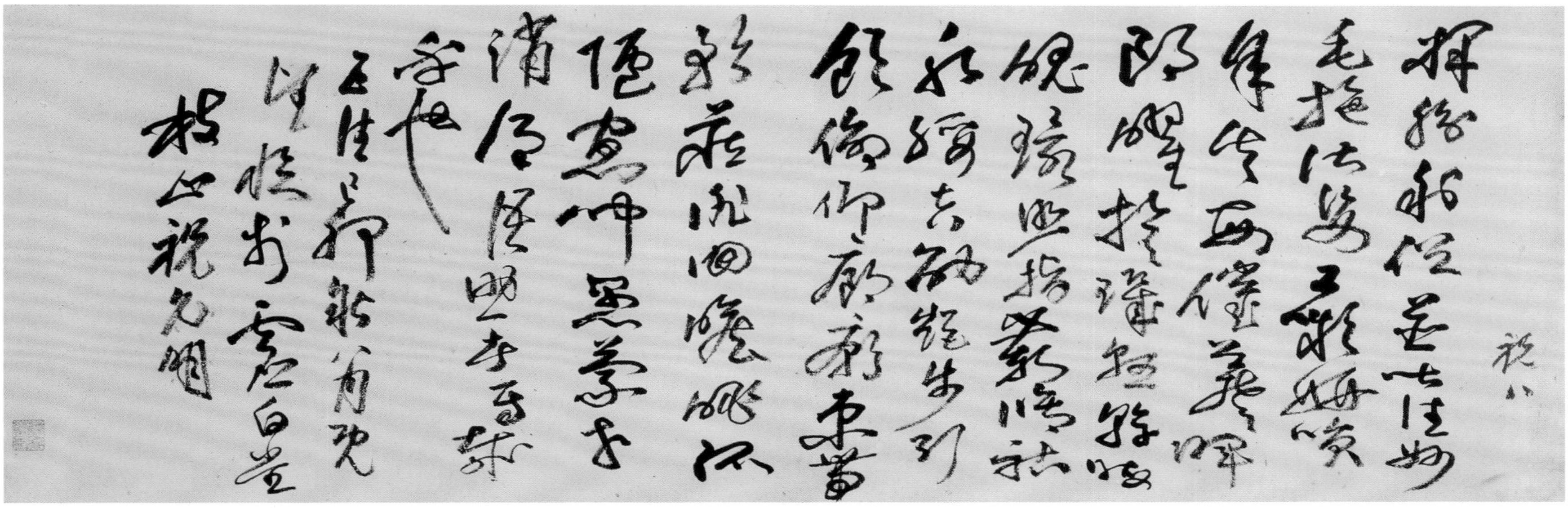
祝八
枝山祝允明

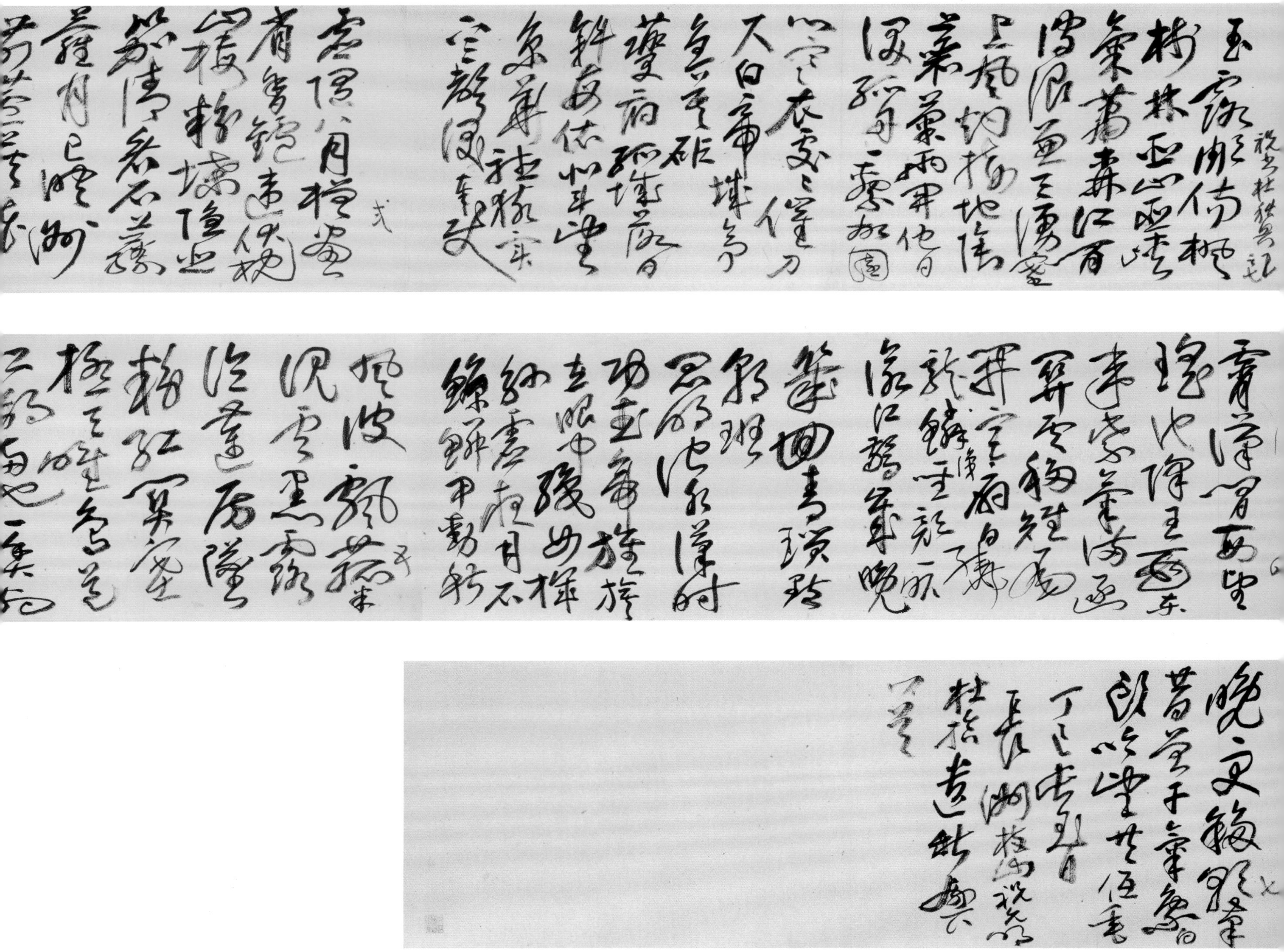

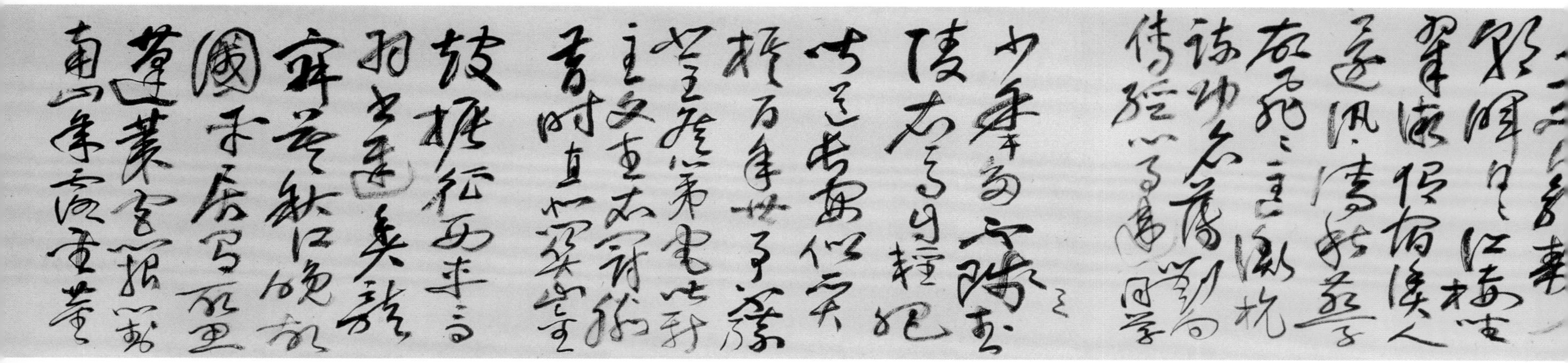

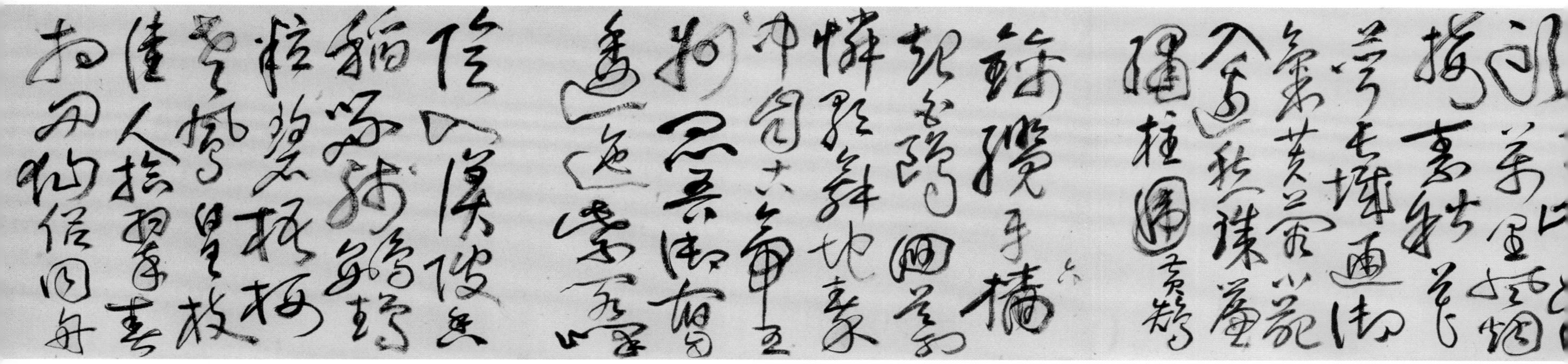

臨祝允明草書杜甫詩　紙本　縱二八·五厘米　橫八八厘米　七幅

浙江省博物館藏

釋文：玉露雕傷楓樹林　巫山巫峽氣蕭森　江間波浪兼天涌　塞上風烟接地陰
叢菊兩開他日泪　孤舟一繫故園心　寒衣處處催刀尺　白帝城高急暮砧
夔府孤城落日斜　每依北斗望京華　聽猿實下三聲泪　奉使虛隨八月槎
畫省香爐違伏枕　山樓粉堞隱悲笳　請看石上藤蘿月　已映洲前蘆荻花
千家山郭靜朝暉　日日江樓坐翠微　信宿漁人還泛泛　清秋燕子故飛飛
匡衡抗疏功名薄　劉向傳經心事違　同學少年多不賤　武（五）陵衣馬自輕肥
聞道長安似弈棋　百年世事不勝悲　王侯第宅皆新主　文武衣冠勝昔時
直北關山金鼓振　征西車馬羽書遲　魚龍寂寞秋江晚　故國平居有所思
蓬萊宮闕對南山　承露金莖霄漢間　西望瑤池降王母　東來紫氣滿函關
雲移雉尾開宮扇　日繞龍鱗識聖顏　一卧滄江驚歲晚　幾回青瑣點朝班
昆明池水漢時功　武帝旌旗在眼中　織女機絲虛夜月　石鯨鱗甲動秋風
波飄菰米沉雲黑　露冷蓮房墜粉紅　關塞極天唯鳥道　江湖滿地一漁翁
瞿塘峽口曲江頭　萬里風烟接素秋　花萼長城通御氣　芙蓉小苑入邊愁
珠簾綉柱圍黃鶴　錦纜牙檣起白鷗　回首可憐歌舞地　秦中自古帝王州
昆吾御宿自逶迤　紫閣峰陰入渼陂　香稻啄殘鸚鵡粒　碧梧栖老鳳凰枝
佳人拾翠春相問　仙侣同舟晚更移　彩筆昔曾干氣象　白頭吟望共低垂
丁巳長至日　長洲枝山祝允明杜拾遺秋興八首

臨祝允明草書杜甫詩（後頁局部）

玉露凋伤枫
树林巫山巫峡
气萧森江间
波浪兼天涌塞
上风云接地阴
丛菊两开他日
泪孤舟一系故

[illegible]

贰

虚随八月槎
画省香炉违伏枕
山楼粉堞隐悲
笳请看石上藤
萝月已映洲
前芦荻花

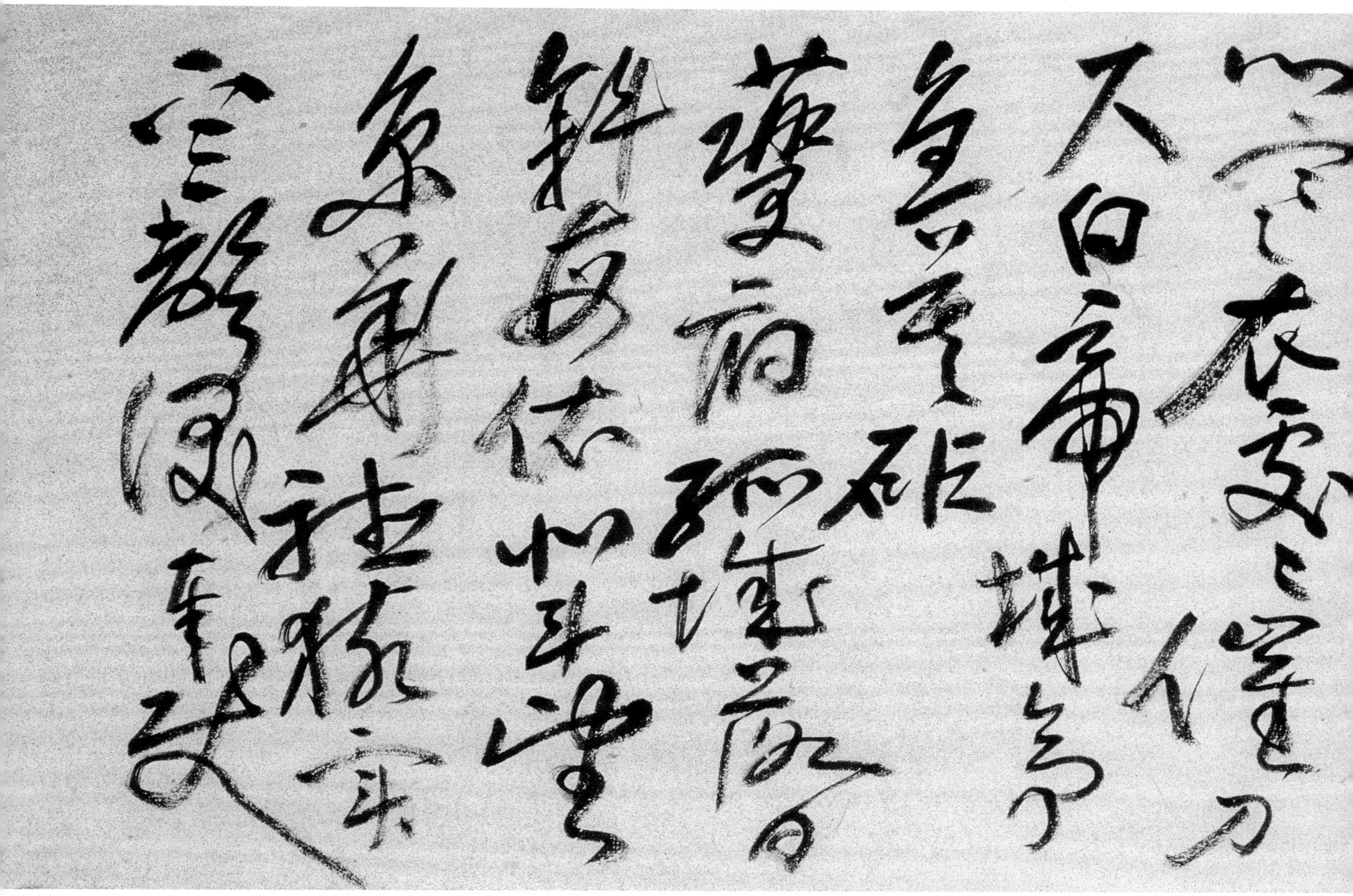

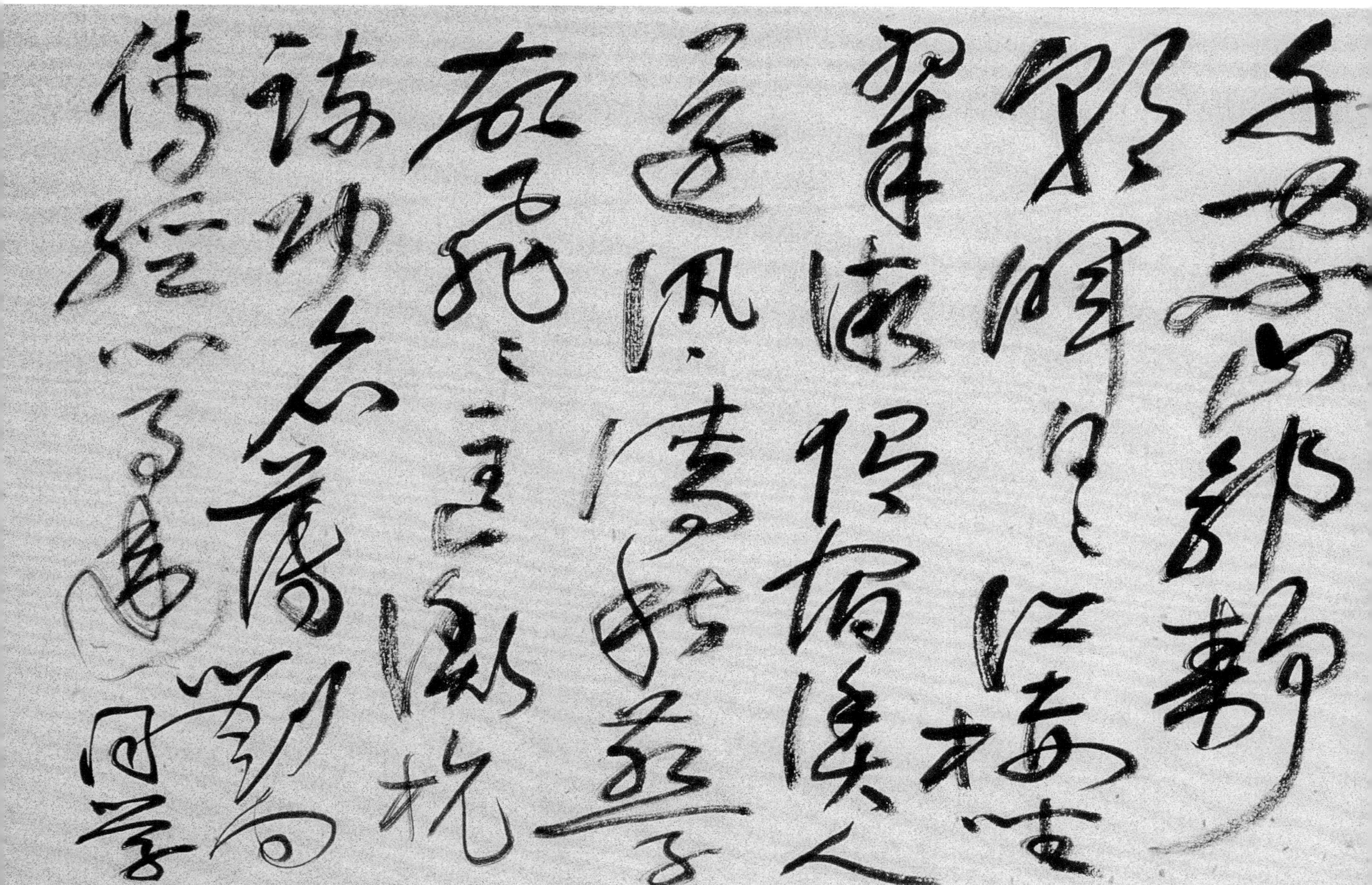

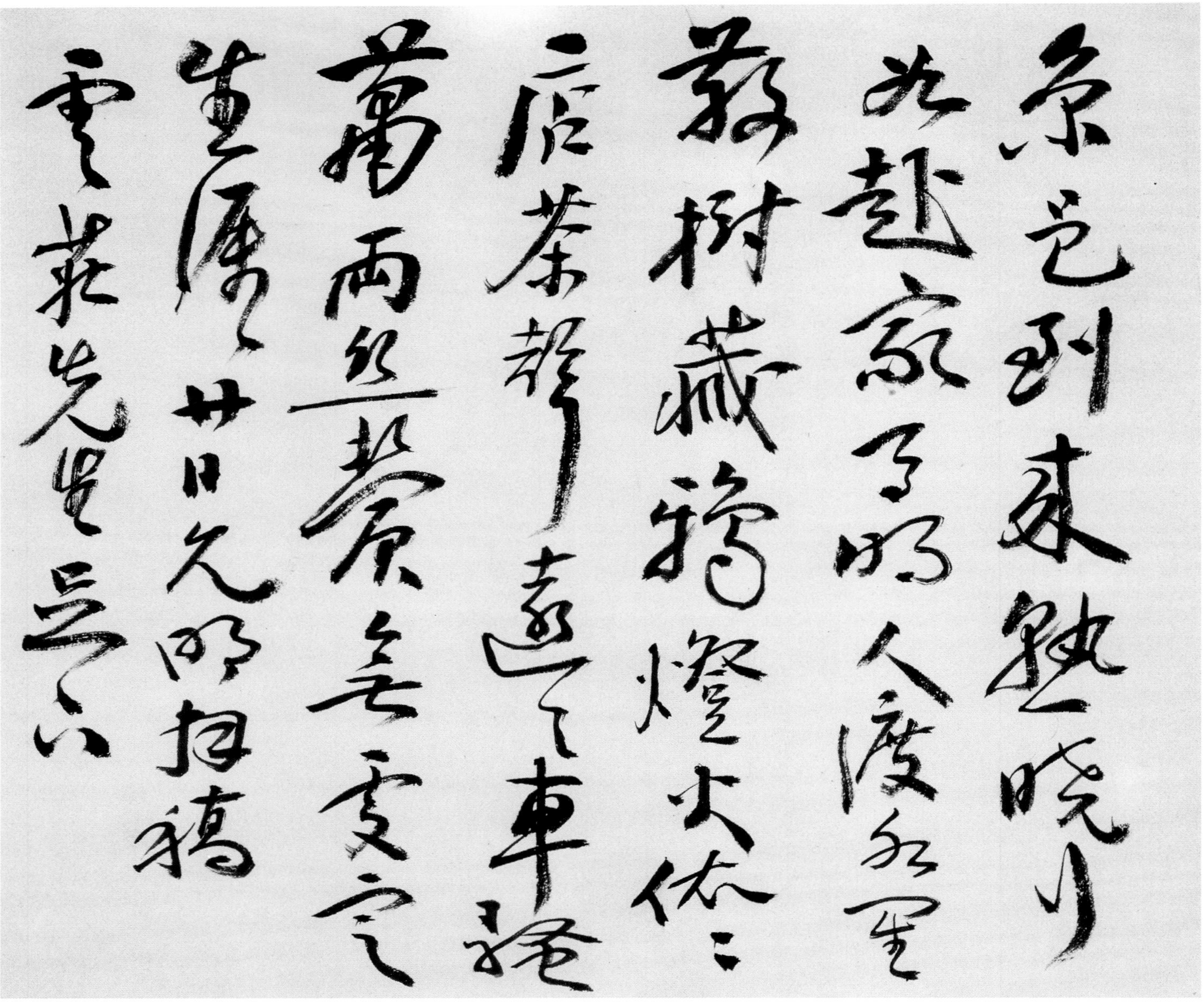

臨祝允明行草書　紙本　縱二三厘米　横二五·五厘米

浙江省博物館藏

釋文：京邑到來熟　曉行如赴家　月明人渡水

星散樹藏鴉　燈火依依店　茶聲遠遠車　騷蕭兩絲鬢

無處定生涯　廿日　允明拜稿雲莊先生足下

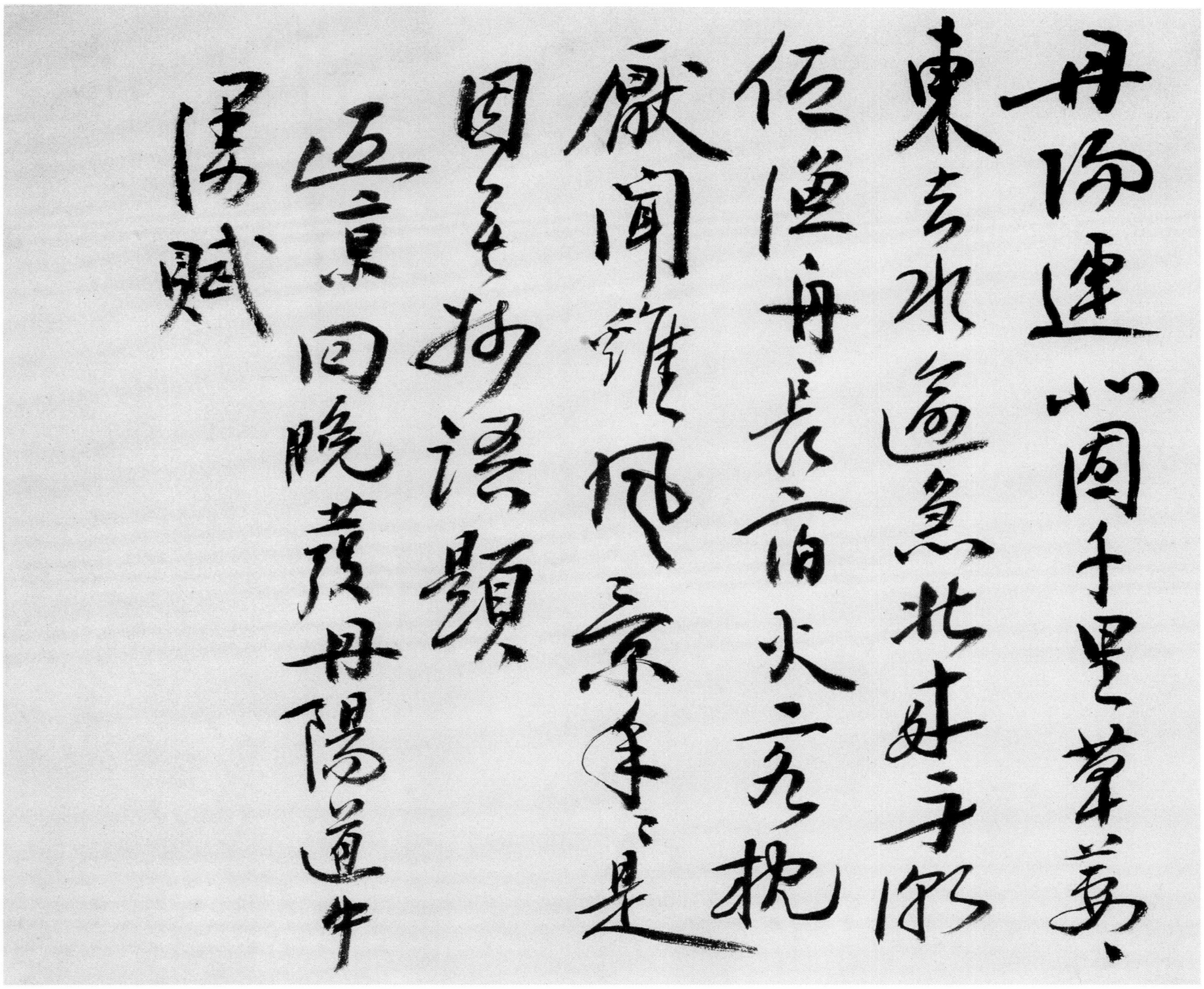

臨祝允明行草書　紙本　縱二三厘米　横二五・五厘米

浙江省博物館藏

釋文：丹陽連北固　千里草萋萋　東去水逾急

北來身漸低　漁舟長宿火　客枕厭聞鷄　風景年年是

因無妙語題　近京回晚發丹陽道中漫賦

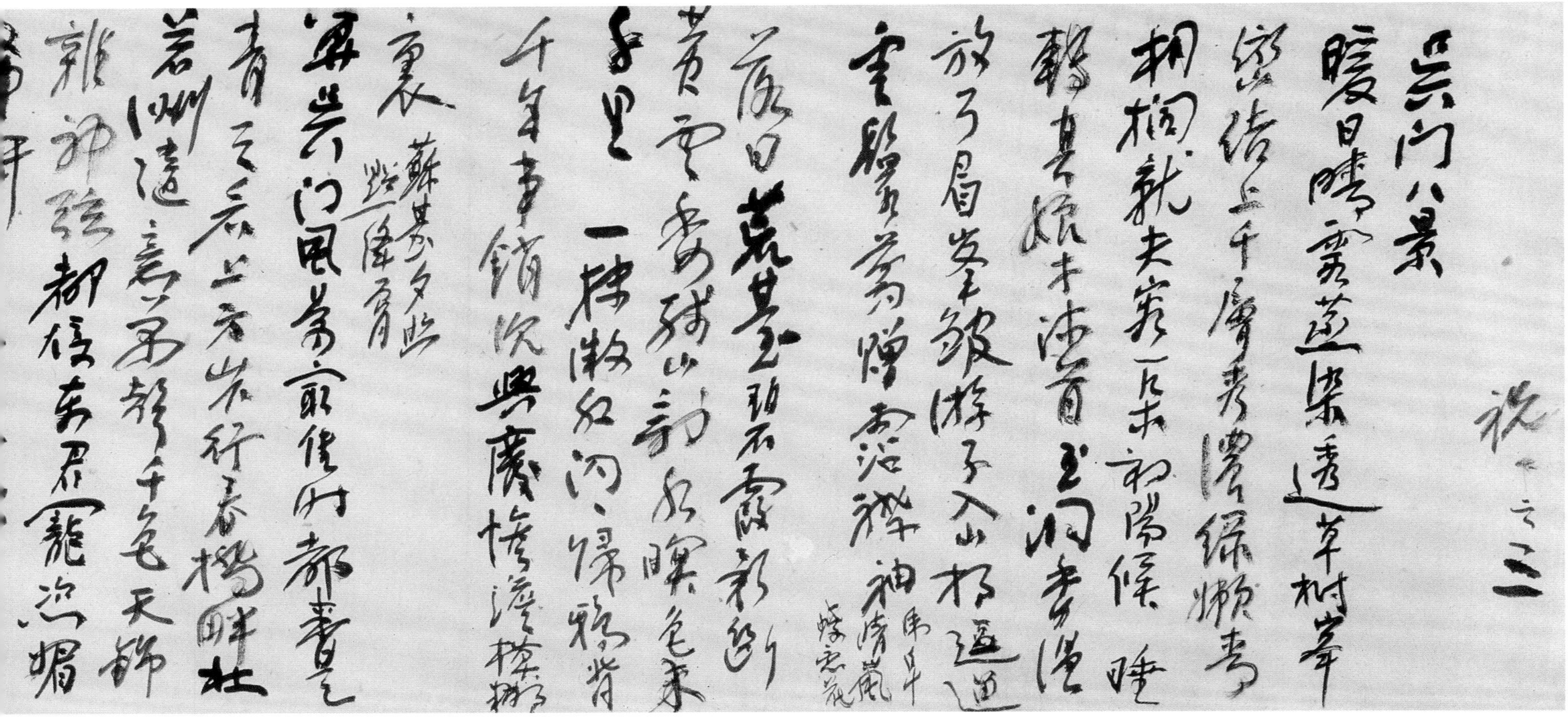
吳門八景

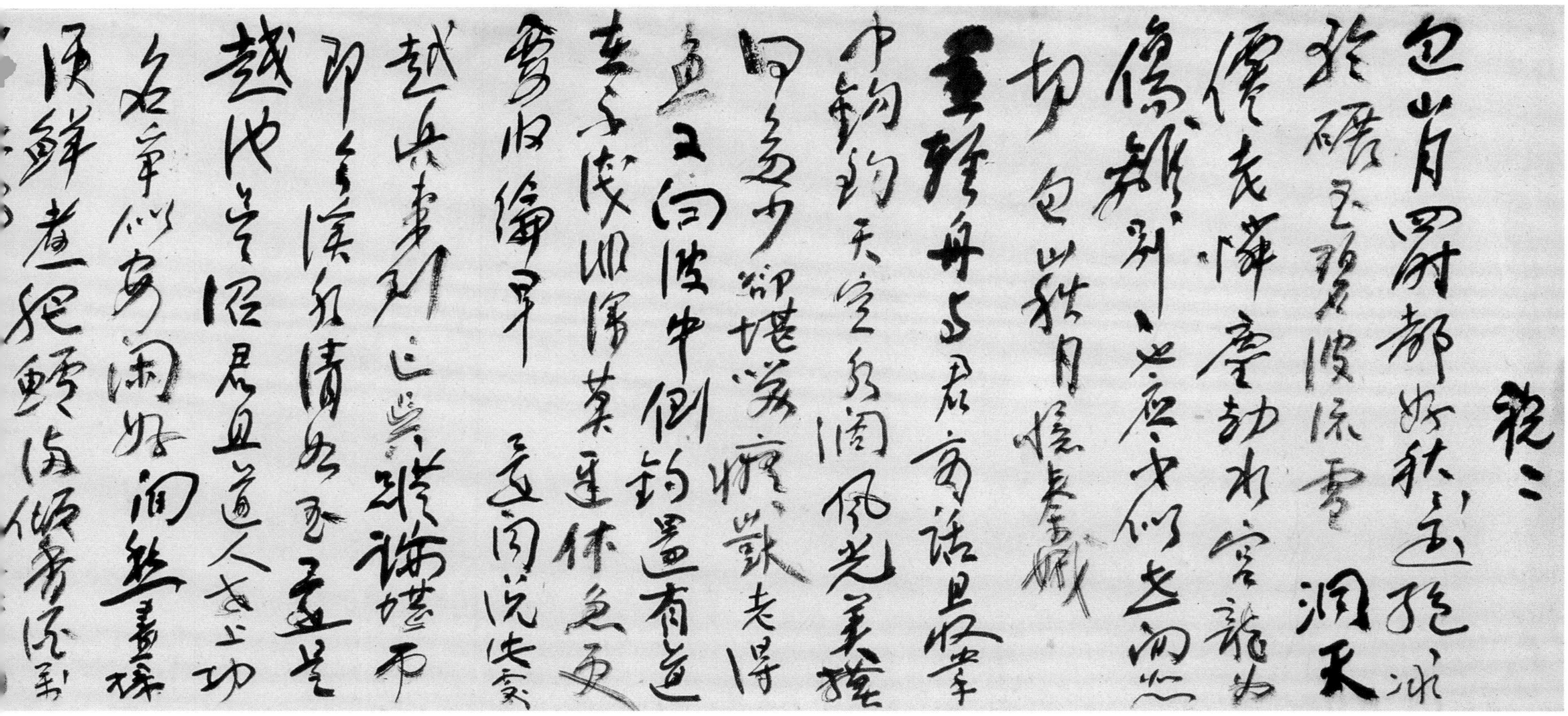

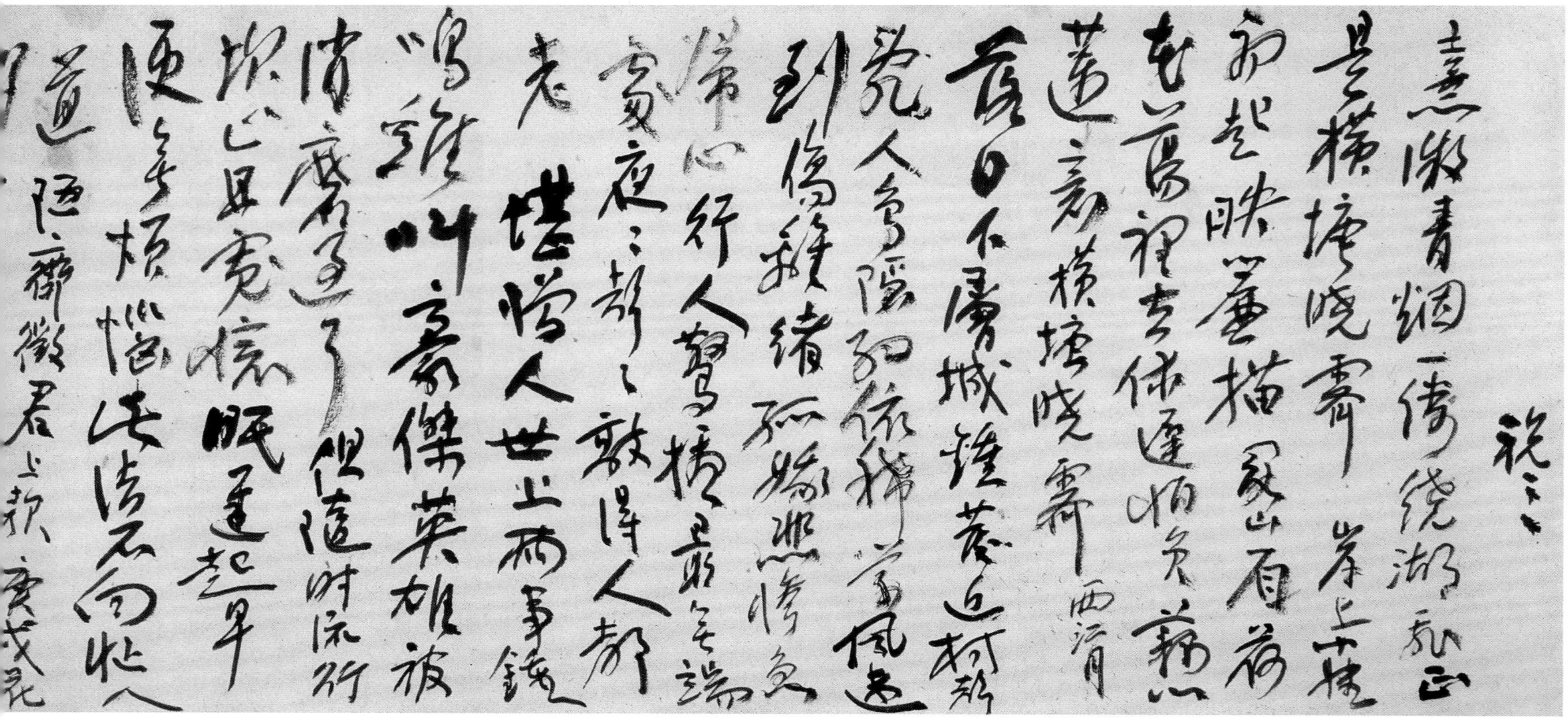

臨祝允明草書吳門八景　紙本　縱二八厘米　橫八四厘米　三幅

浙江省博物館藏

釋文：吳門八景

暖日晴霞蒸染透　草樹峰巒　結上千層秀　濃綠懶青相擱就　夫容一朵初陽候　睡轉真娘未沐首　玉洞香温　放了眉峰皺　游子入山相逗留　雲鬟剪贈沾襟袖

虎阜晴嵐蝶戀花

落日荒臺　碧霞影斷黃雲委　殘山剩水　瞑色來千里　一抹微紅　閃閃歸鴉背　千年事銷沉興廢　慘澹模糊裏

蘇臺夕照點絳唇

算吳門風景最佳時　都來是青天　看上方山下　行春橋畔　杜若洲　隨意萬聲千色　天錦雜神弦　都倚東君寵　恣媚布妍　還看冶郎游女　競紅妝素飾　竹橋花船　任高歌爛醉醉倒錦窩前　幸吾儂　三生有分　得生來此地作游仙　而今後　願天從我　歡賞年年

上方春色八聲甘州

包山月　四時都好秋還絶　秋還絶　冰輪碾玉　碧波流雪　洞天仙老憐塵劫　水宮龍女傷離別　傷離別　也應不似　世間悲切

包山秋月憶秦娥

并輕舟與君商話　且收掌中鈎釣　天空水闊風光美　摸河多少　却堪笑痴呆老　得魚又向波中倒　釣還有道　在不淺非深　莫遲休急　更要收綸早　還聞説　此處越兵來到　亡吳踪迹堪吊　即今溪水清如玉　還是越池吳沼　君且道　人世上　功名爭似安閑好　閑愁盡掃　便鮮煮肥鱸　滿傾香酒　萬事醉都了

越溪漁話摸魚兒

風高浪大日昏黃　天際飛蓬一寸長　隱隱歌聲送夕陽　路微茫　認得先生門帝莊

南昌歸帆憶王孫

水面小風輕快　樹頭凉日熹微　青烟一縷繞湖飛　正是橫塘曉霽

岸上小娃初起　映簾描罷山眉　荷花蕩裏去休遲　怕負藕心蓮意

橫塘曉霽西江月

落日下層城　鐘發近村聲亂　人鳥隱約　依稀草風違倒　傷離緒

孤娥悲慘　急歸心　行人驚擾　最無端處　夜夜聲聲　敲得人都老

堪憎人世上兩事　鐘鳴鷄叫　豪杰英雄被消磨過了　但隨時流行坎止　且寬懷　眠遲起早便無煩惱　此法不向忙人道

陋齋徵君上款

庚戌花朝　祝允明在月波樓書　弘治三年庚戌　公習鄉貢　月波樓　南濠陳氏臨水小樓

陳祝有世姻　陳子魚交文徵仲王雅宜　兄弟往來　又汝南周光

別號青嶼外史　萬曆乙亥題跋

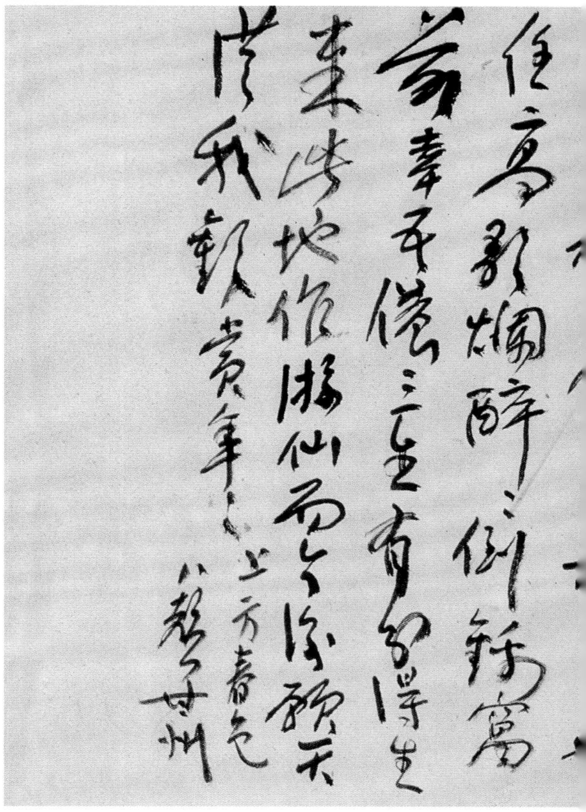

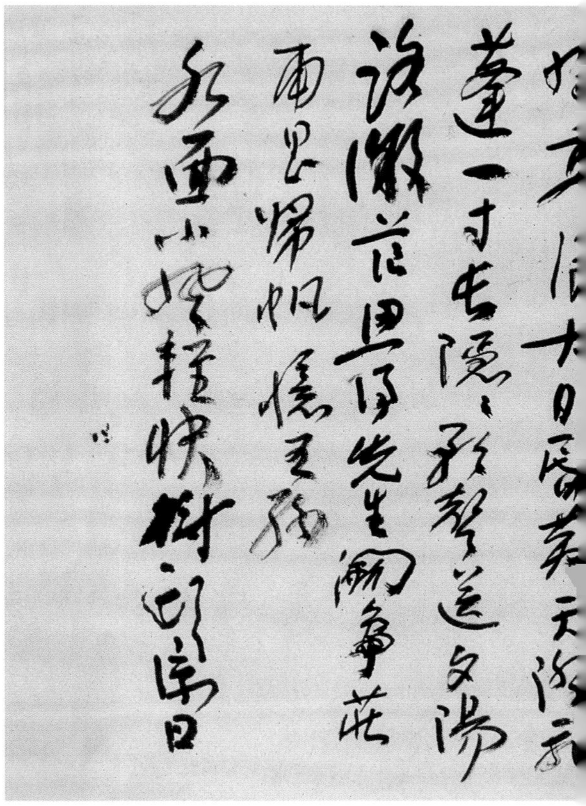

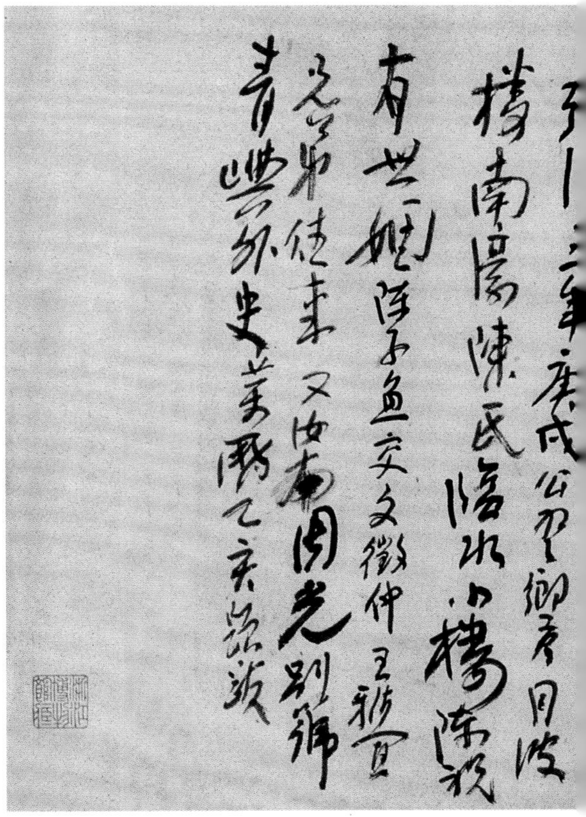

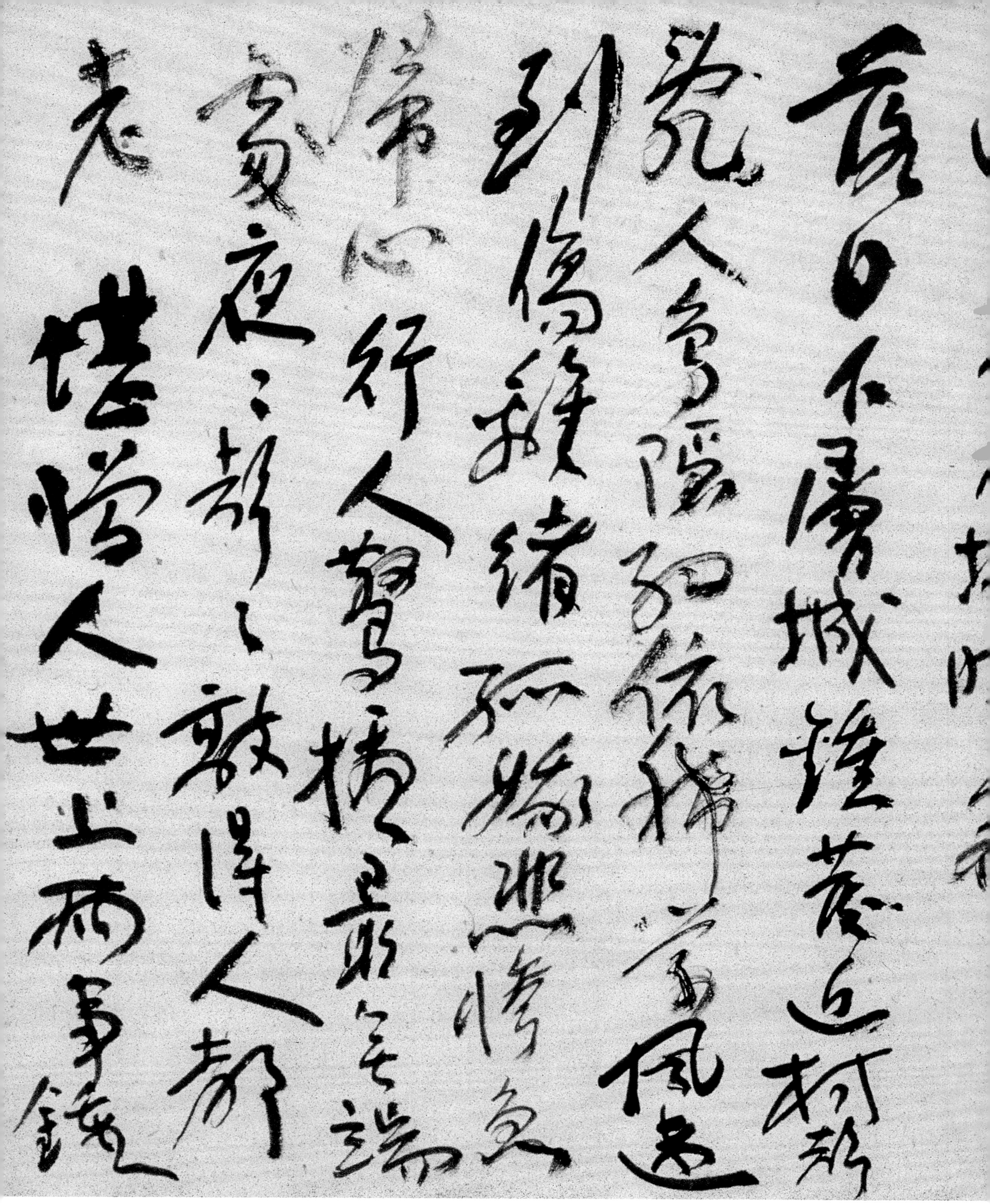

臨祝允明草書
吴門八景（局部）

鸣筝州豪傑英雄被

情愿道了供養時流所

地已显宽痕眠迟起早

便么烦恼长情不向她人

道随隐微君上報庚戌花

朝稅元明在月波楊古

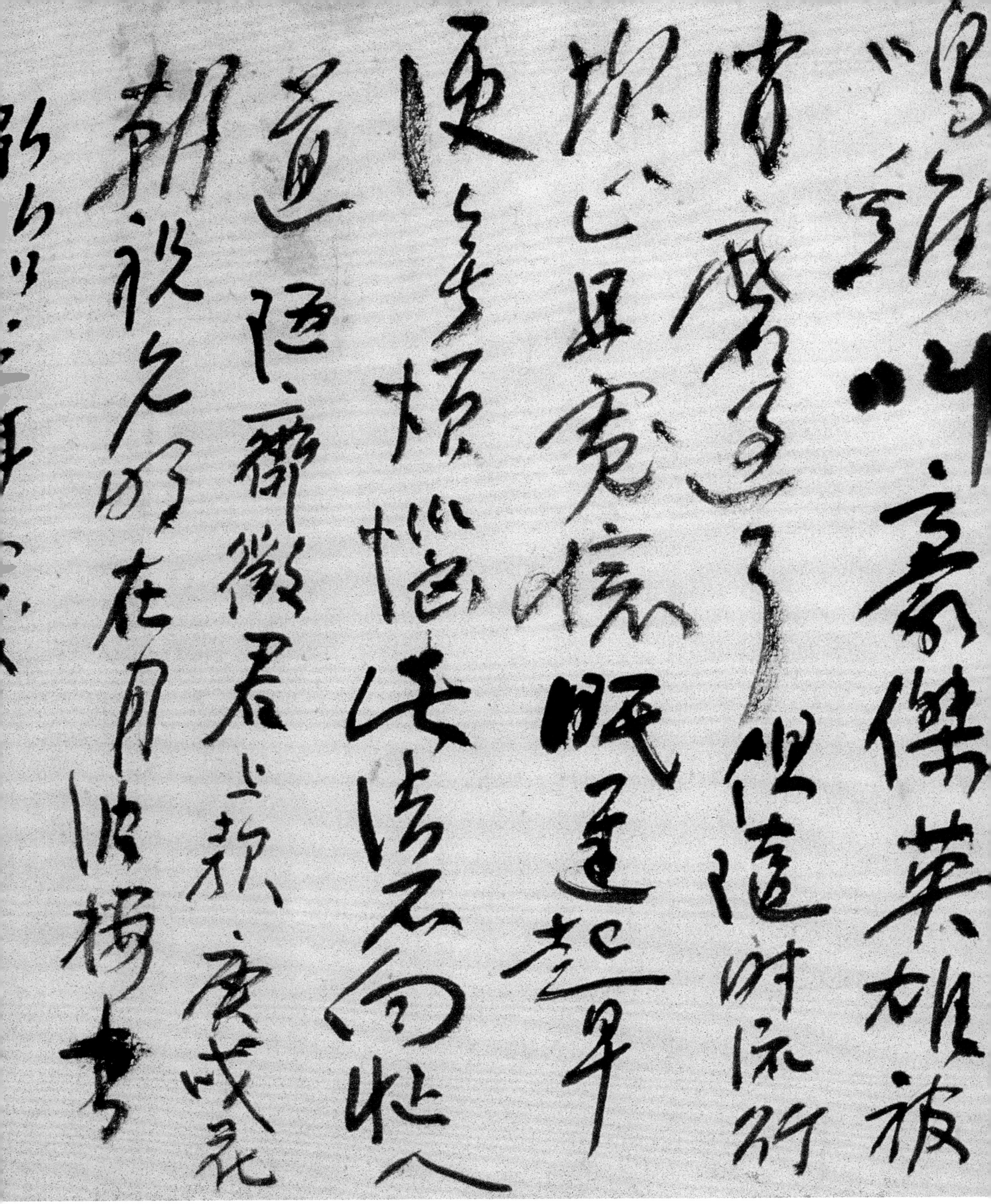

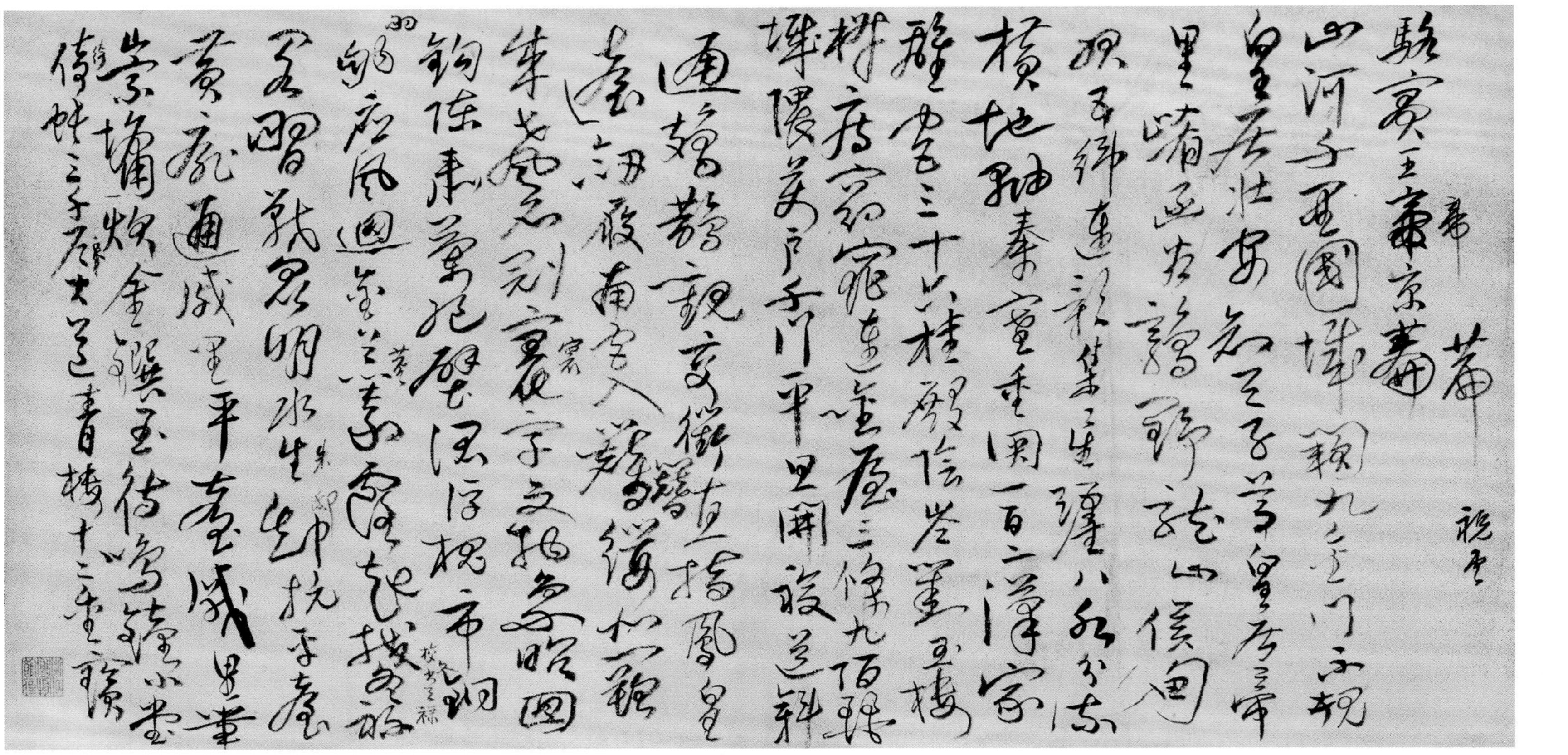

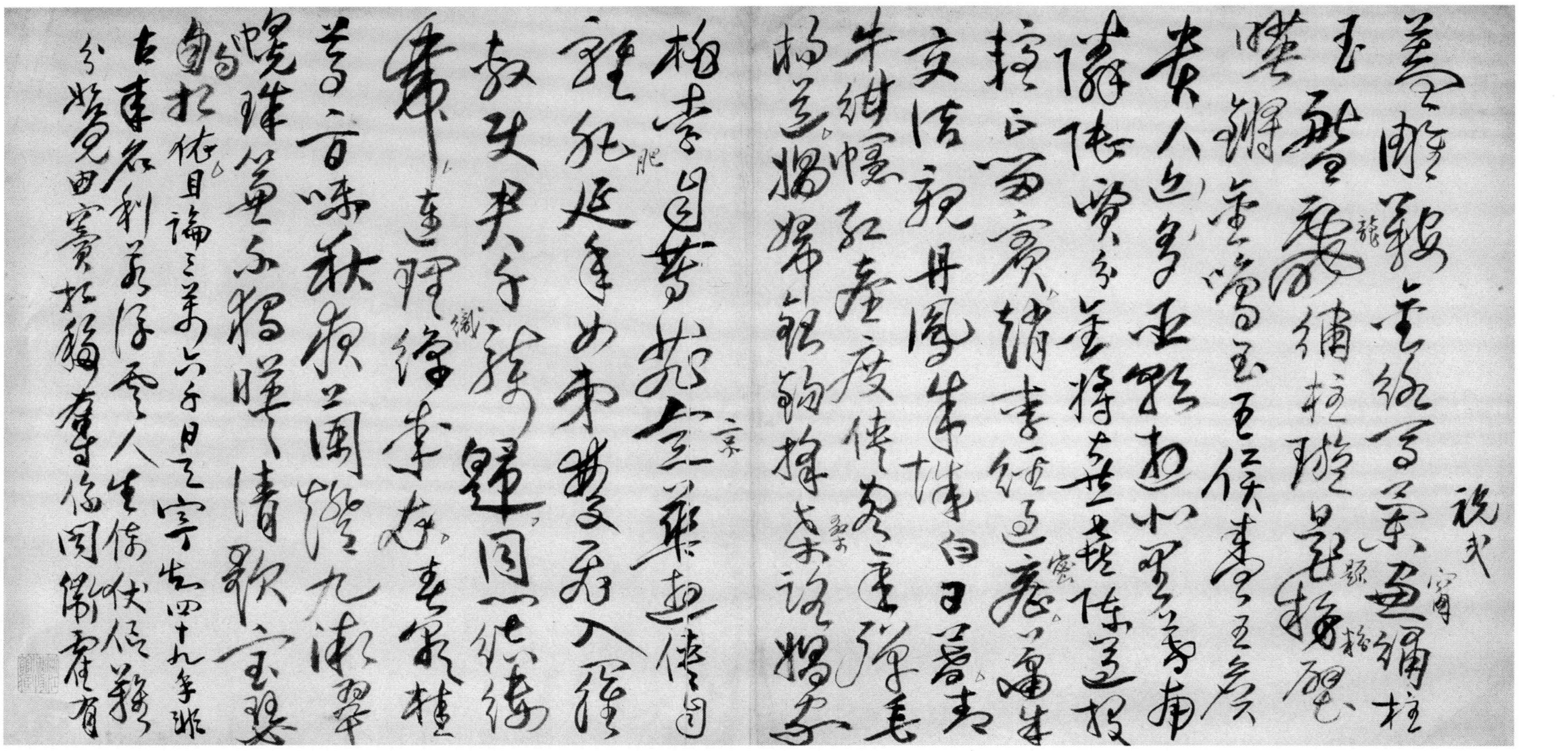

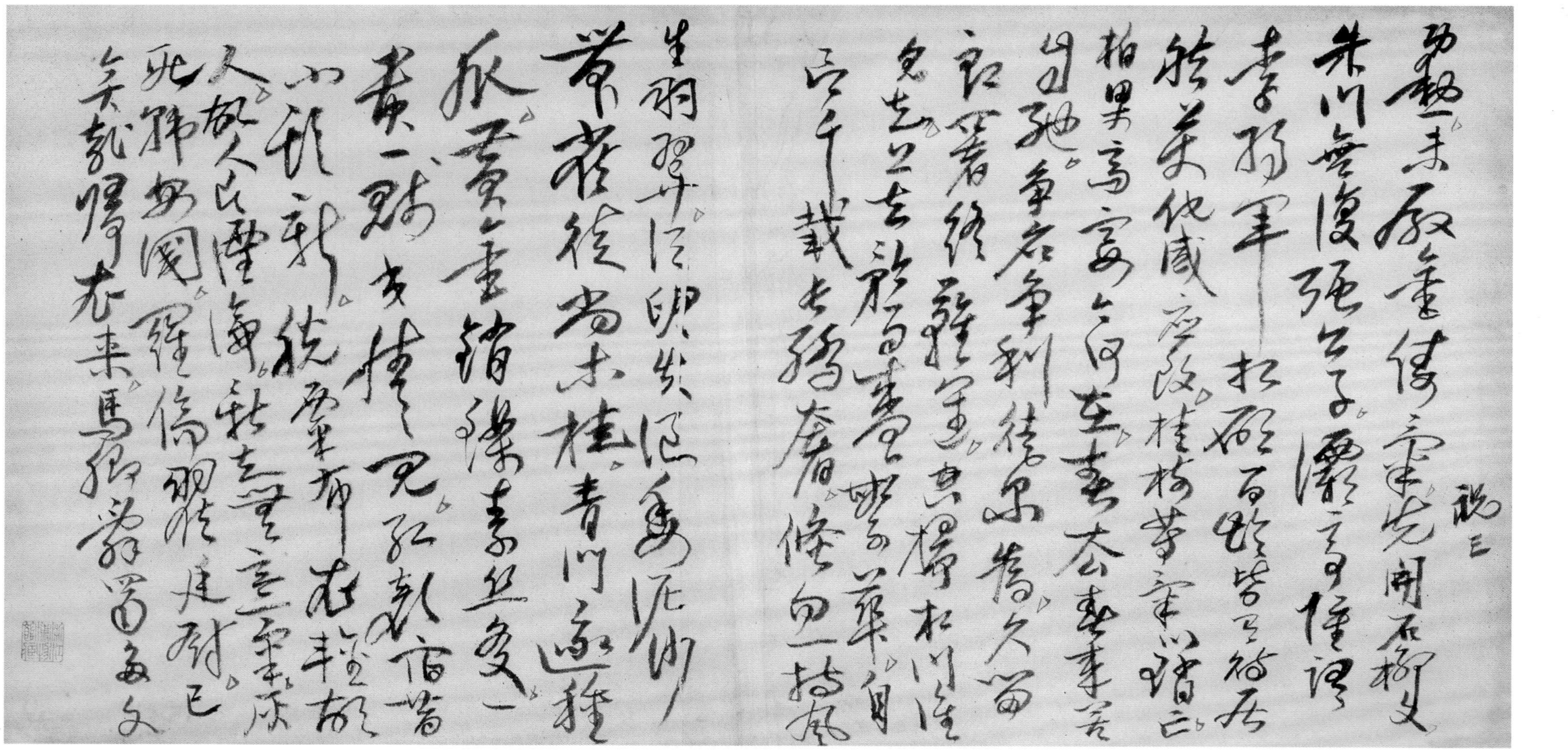

臨祝允明草書駱賓王詩　紙本　縱三四厘米　橫六五厘米　三幅

浙江省博物館藏

釋文：駱賓王帝京篇

山河千里國　城闕九重門　不睹皇居壯　安知天子尊

皇居帝里崤函谷　鶉野龍山侯甸服　五緯連影集星躔　八水分流橫地軸

秦塞重關一百二　漢家離宮三十六　桂殿陰岑對玉樓　椒房窈窕連金屋

三條九陌麗城隈　萬户千門平旦開　複道斜通鳷鵲觀　交衢直指鳳凰臺

劍履南宮入　簪纓北闕來　聲名冠寰宇　文物象昭回　鈎陳肅蘭巵　璧沼浮槐市

銅羽應風迴　金莖承露起　校文天祿閣　習戰昆明水　朱邸抗平台　黄扉通戚里

平臺戚里帶崇墉　炊金饌玉待鳴鐘　小堂綺帳三千户　大道青樓十二重

寶蓋雕鞍金絡馬　蘭窗繡柱玉盤龍　繡柱璇題粉壁映　鏘金鳴玉王侯盛

王侯貴人多近臣　朝游北里暮南鄰　陸賈分金將燕喜　陳遵投轄正留賓

趙李經過密　蕭朱交結親

丹鳳朱城白日暮　青牛紺幰紅塵度　俠客珠彈垂楊道　娼婦銀鈎采桑路

娼家桃李自芳菲　京華游俠自輕肥　延年女弟雙飛入　羅敷使君千騎歸

同心結縷帶　連理織成衣

春朝桂尊尊百味　秋夜蘭燈燈九微　翠幌珠簾不獨映　清歌寶瑟自相依

且論三萬六千是　寧知四十九年非　古來榮利若浮雲　人生倚伏信難分

始見田竇相移奪　俄聞衛霍有功勛　未厭金陵氣　先開石椁文

朱門無復强（張）公子　灞亭誰畏李將軍　相顧百齡皆有待　居然萬化咸應改

桂枝芳氣以（已）銷亡　柏梁高宴今何在　春去春來苦自馳　争名争利徒爾爲

久留郎署終難遇　空掃相門誰見知　莫矜一旦盛（擅）繁華　自言千載長驕奢

倏忽摶風生羽翼　須臾失浪委泥沙　黄雀徒巢桂　青門遂種瓜

黄金銷鑠素絲變　一貴一賤交情見　紅顔宿昔小（白）頭新　脱粟布衣輕故人

故人有湮淪　新知無意氣　灰死韓安國　羅傷翟廷尉　已矣哉　歸去來

馬卿辭蜀多文

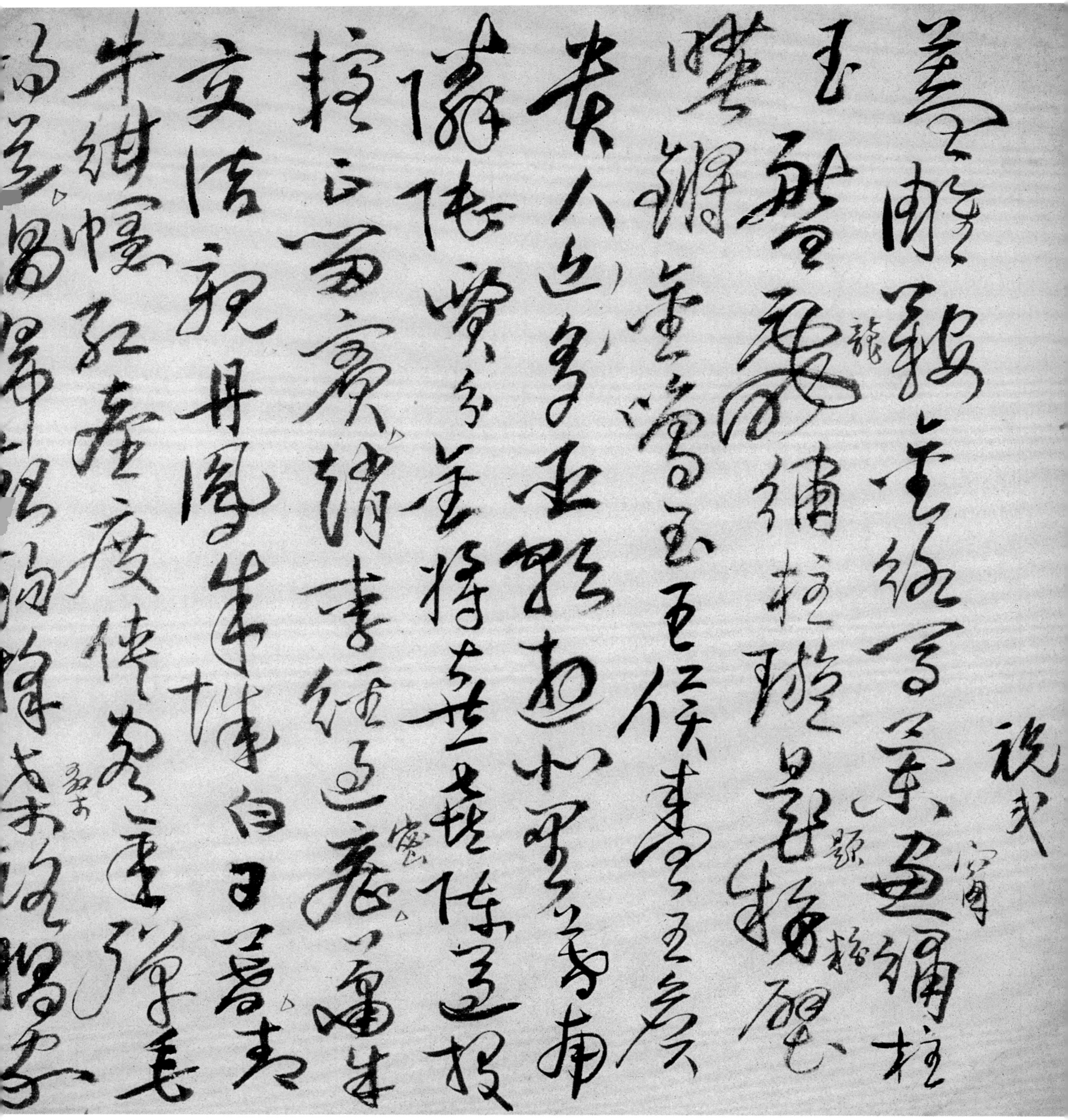

臨祝允明草書駱賓王詩（局部）

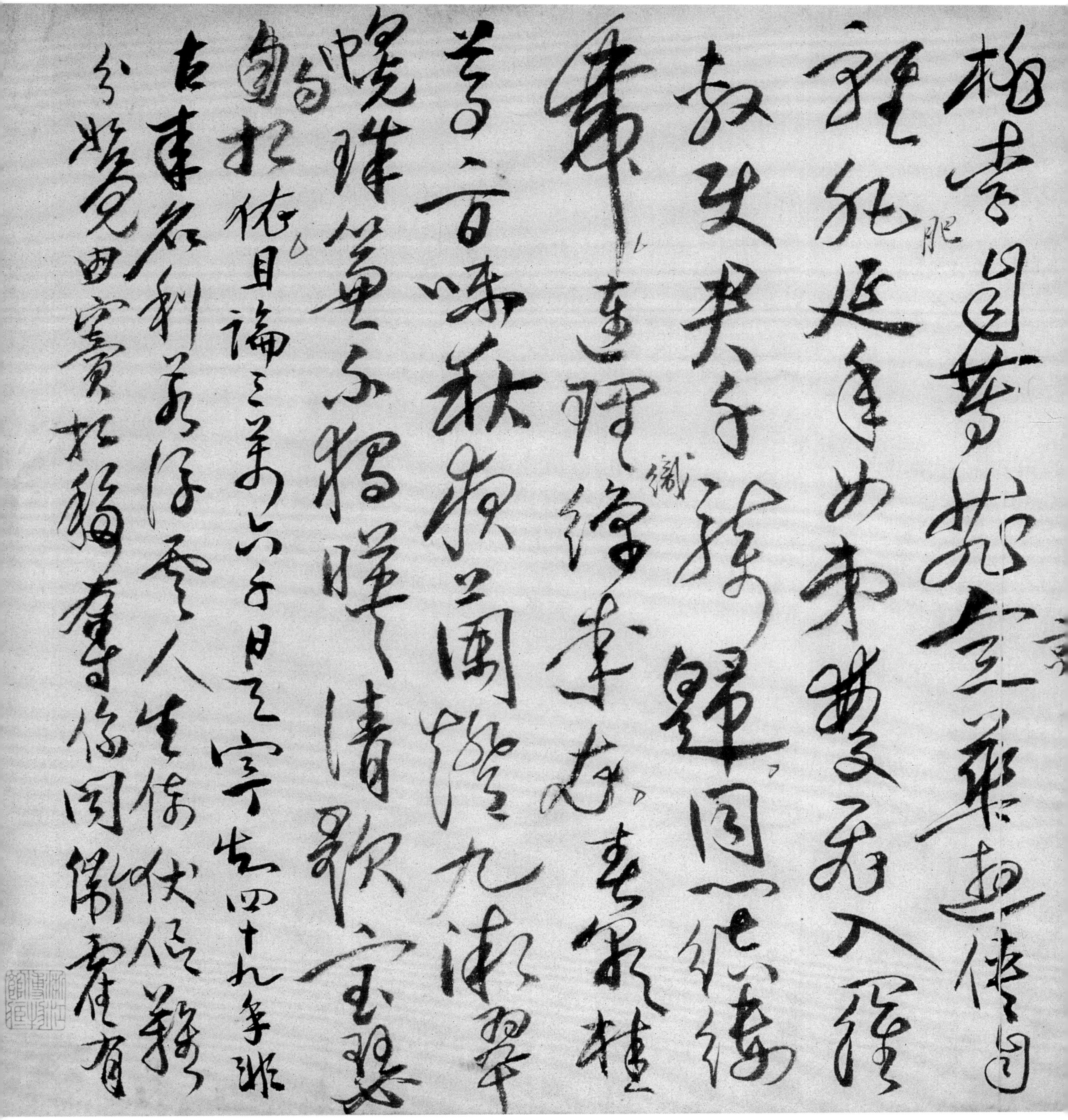

清夜信前宿雨晴
新波摇曳日英之
镜中正练坡瑀净
扫除惟眉双事釜
横逼君诗能逐
坡更买无云居
去解生行州日等
渐娃起听送逸
四五静
石阔烟水望中迷

象山二

蜀岭纵横悉中
温银智诲崎莫
蒙诗能胸熙三莱
顺我名为趣卅
峰之阔世涛泻日
闹妻空浑图逸鱼
故中流桥井闹鸽大仿
定塔此者范路满洞

象山一九九九

58

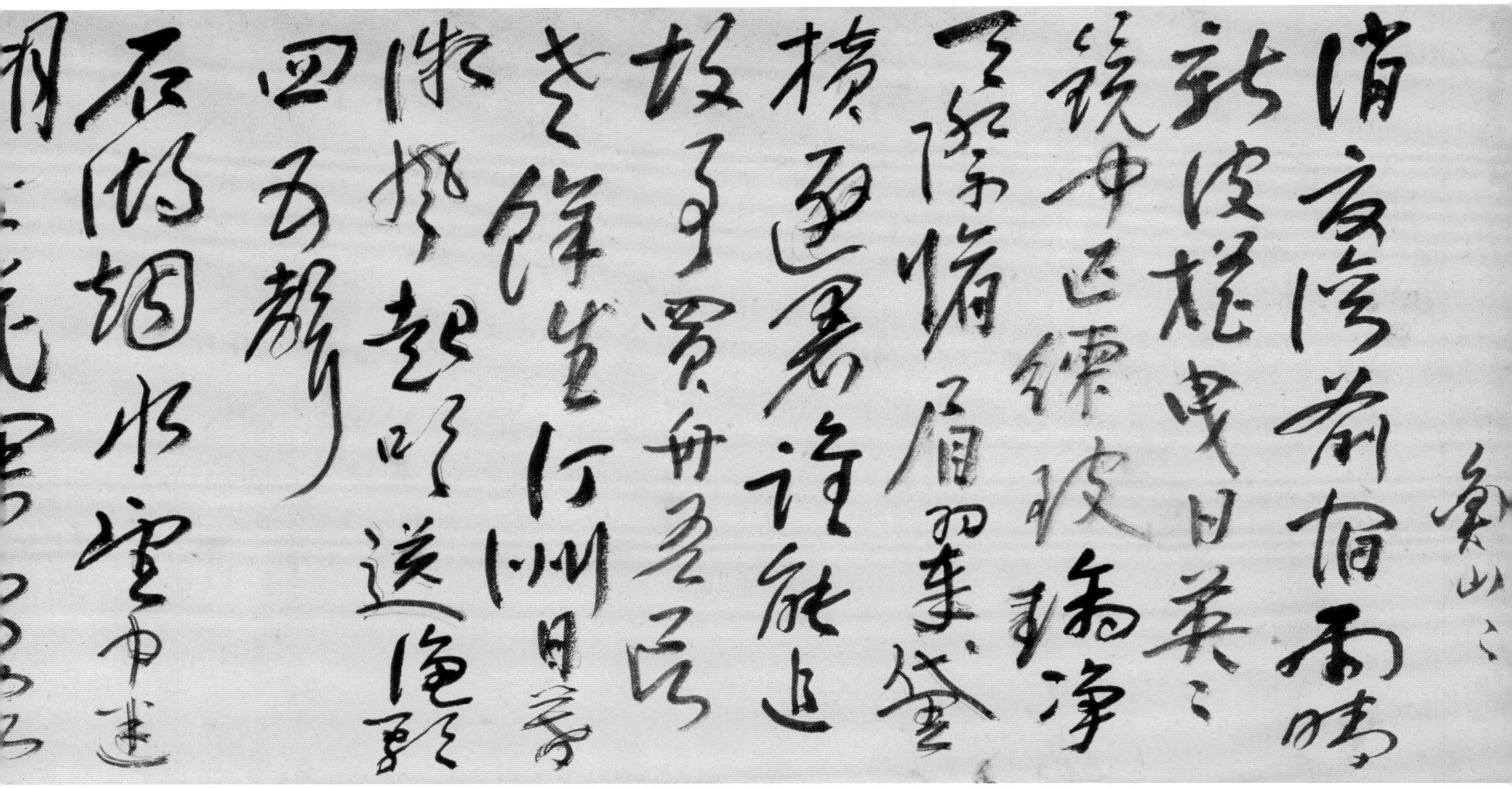

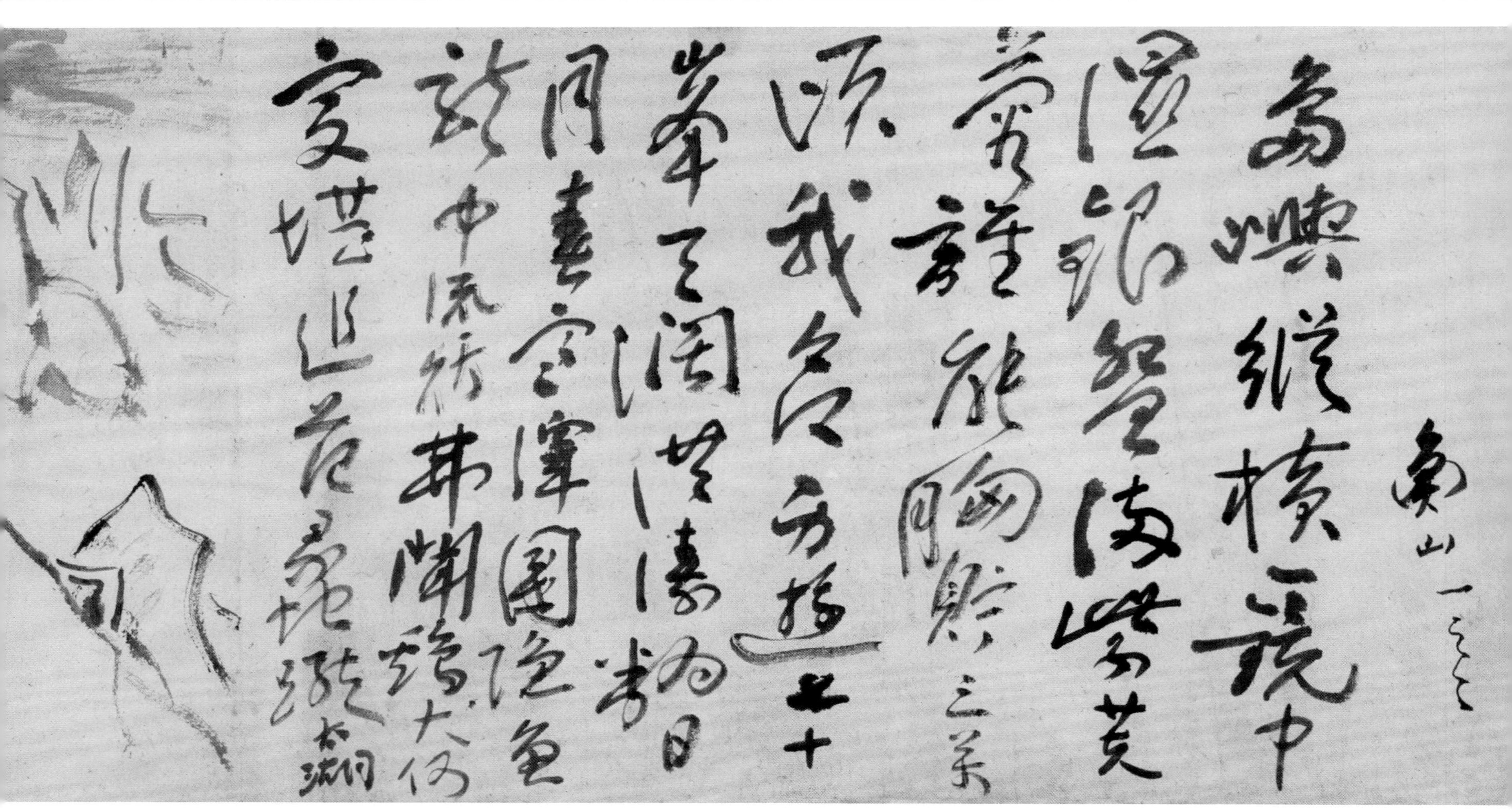

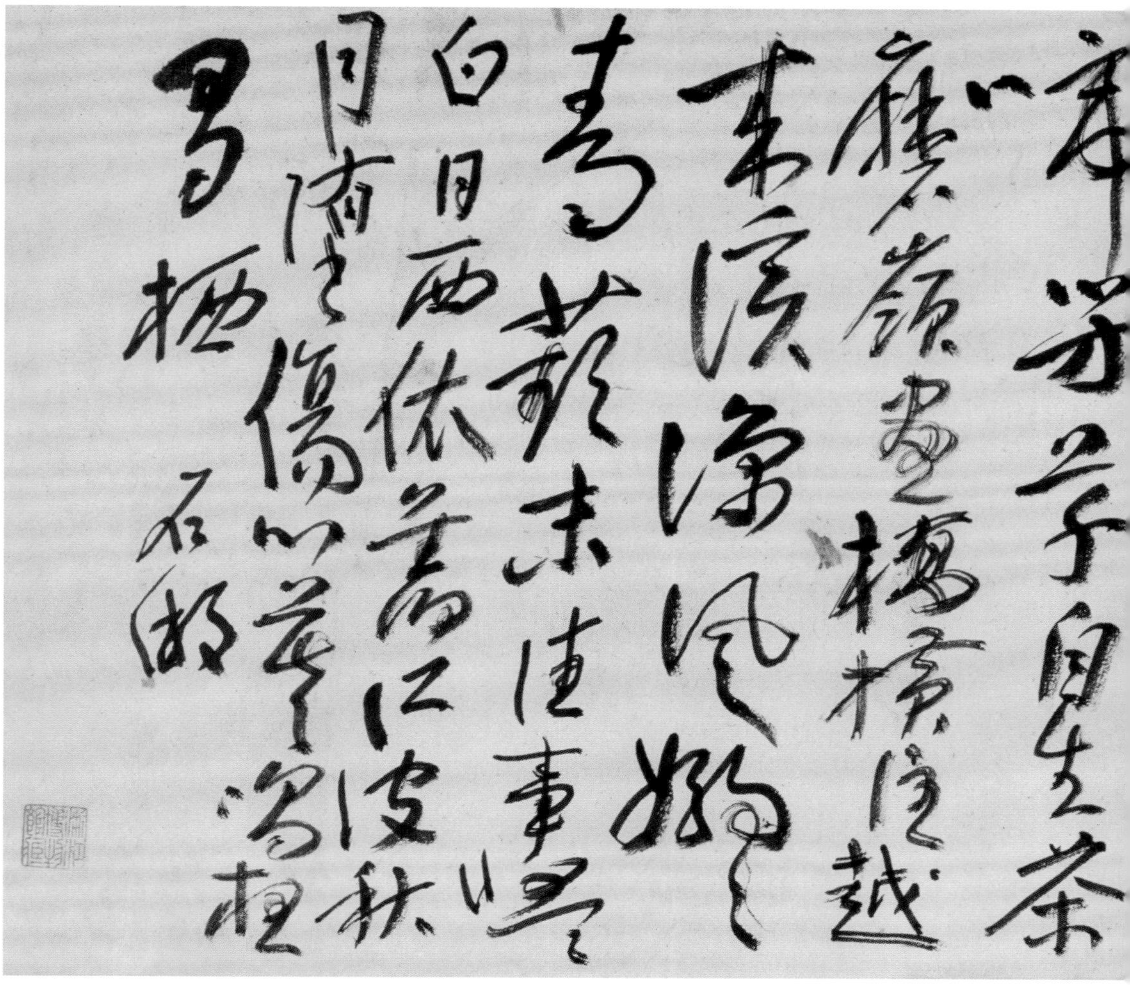

臨文徵明草書　紙本　縱二八·五厘米　橫九〇厘米　兩幅

浙江省博物館藏

釋文：

消夏灣前宿雨晴　新波搖曳日英英　鏡中匹練玻璃浄　天際修眉翠黛橫
避暑誰能追故事　買舟吾欲老餘生　汀洲日暮微風起　吹送漁歌四五聲
石湖烟水望中迷　湖上花深鳥亂啼　芳草自生茶磨嶺　畫橋橫注越來溪
涼風裊裊青蘋末　往事悠悠白日西　依舊江波秋月墮　傷心莫唱夜烏栖

石湖

島嶼縱橫一鏡中　濕銀碗滿紫芙蓉　誰能胸貯三萬頃　我欲身游七十峰
天闊洪濤翻日月　春寒澤國隱魚龍　中流仿佛聞鷄犬　何處堪追范蠡瀧

太湖

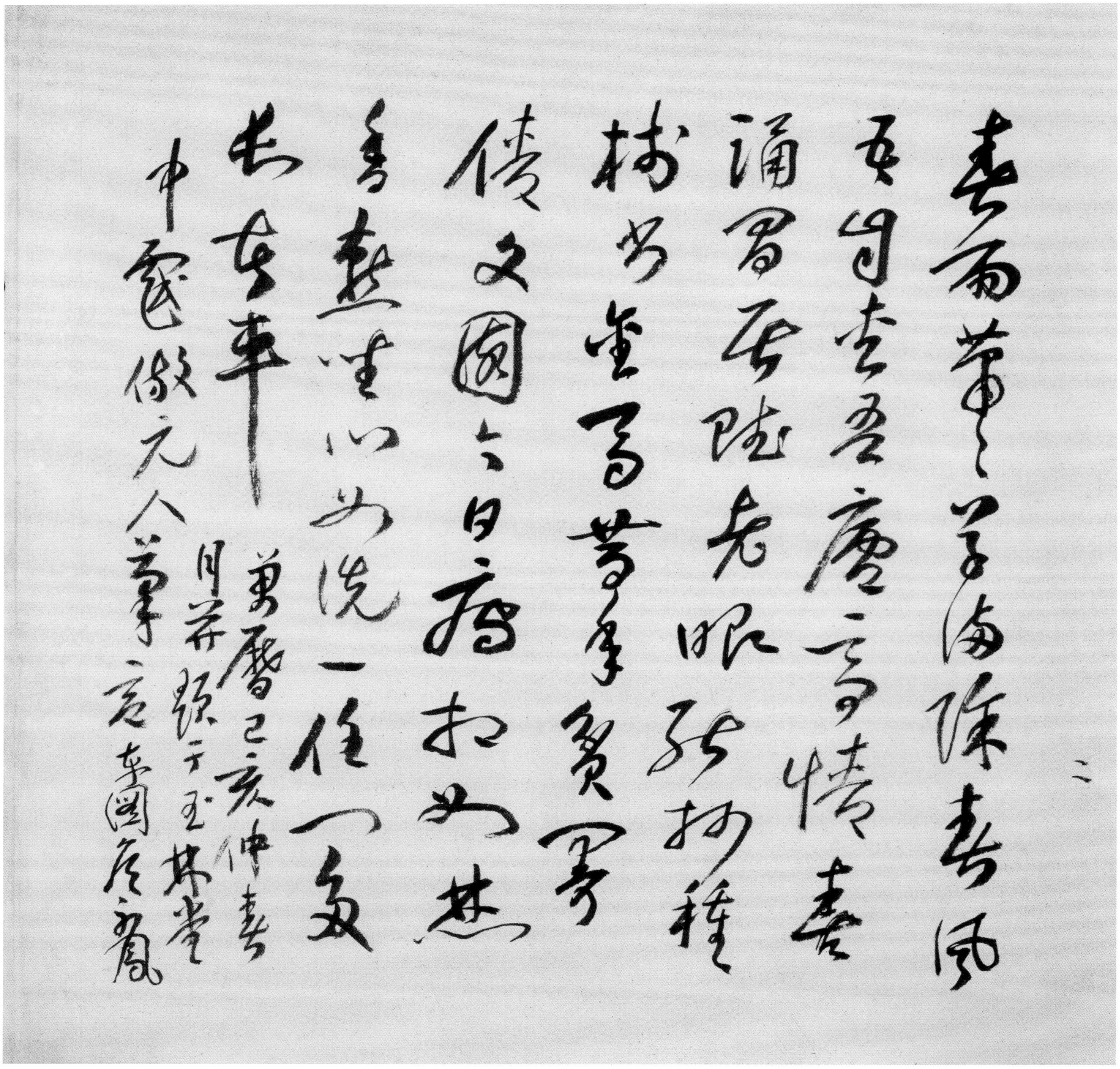

臨詹景鳳傅山王寵草書

紙本　縱三二厘米　橫三四厘米　兩幅

浙江省博物館藏

之一

釋文：春雨瀟瀟草滿除　春風吾自愛吾廬

高情喜誦閑居賦　老眼能抄種樹書

金馬昔年貧曼倩　文園今日瘦相如

焚香燕坐心如洗　一任門多長者車

萬曆己亥仲春月并題于玉林堂中

戲仿元人筆意　東圖詹景鳳

十二樓前再拜辭　靈風正滿碧桃枝

壺中若是有天地　又向壺中傷別離

傅山

帝里紅樓院　翩翩舞轡來　江山窺隱見

雲物指昭回　石竹開棋局　天花送酒杯

秋光滿吳楚　萬里一登臺　王寵

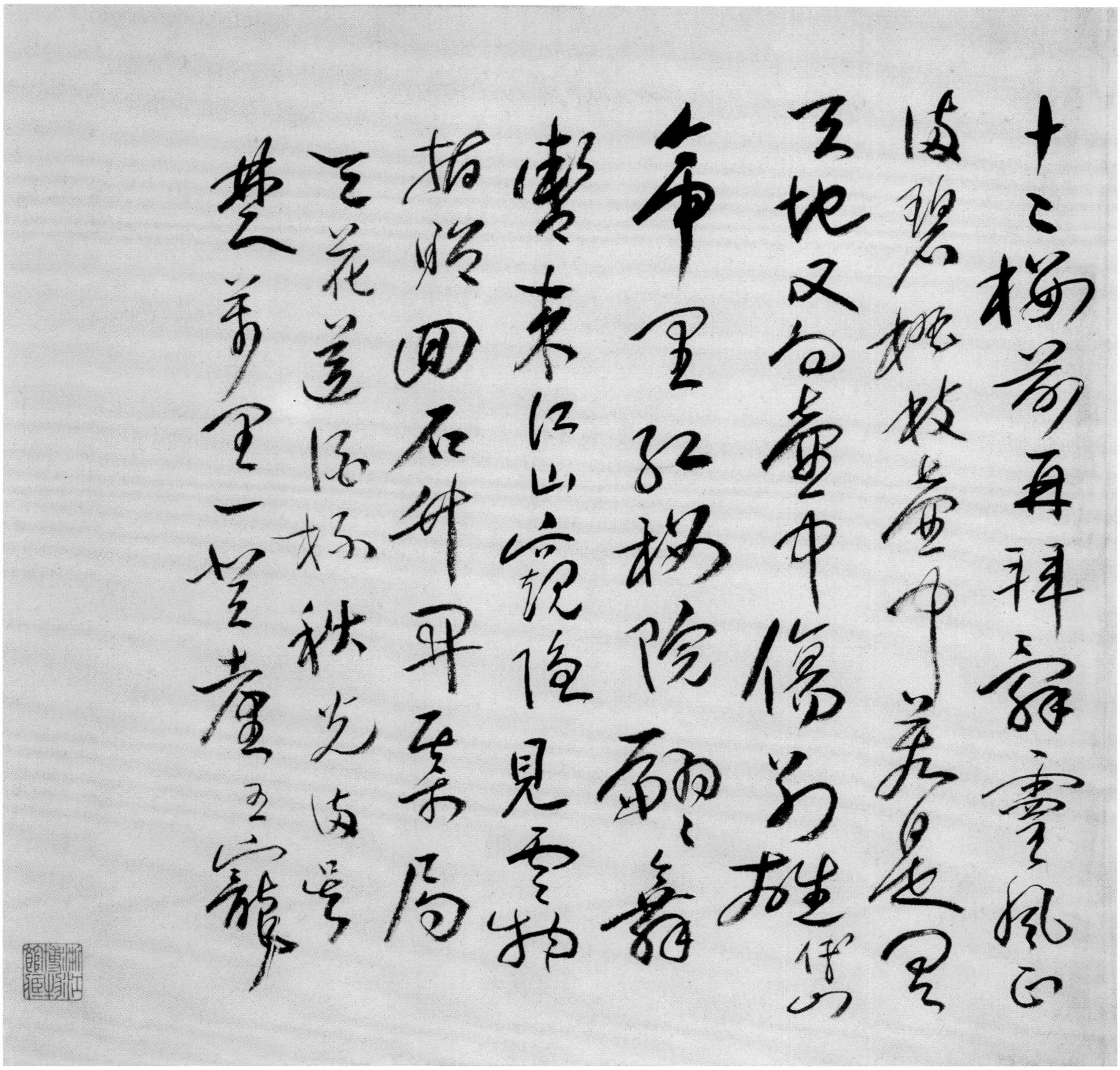

之二

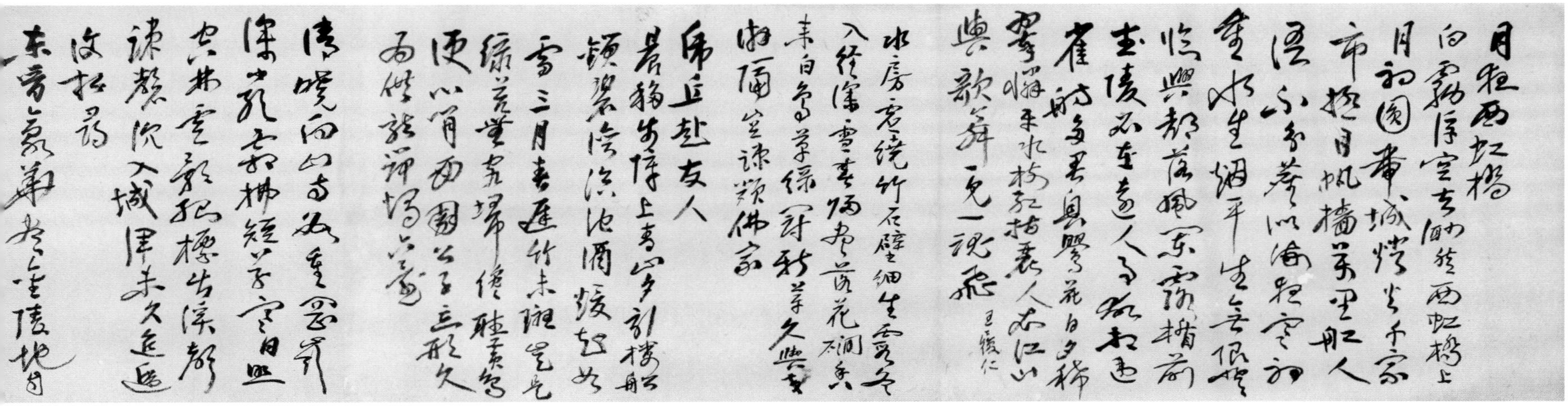

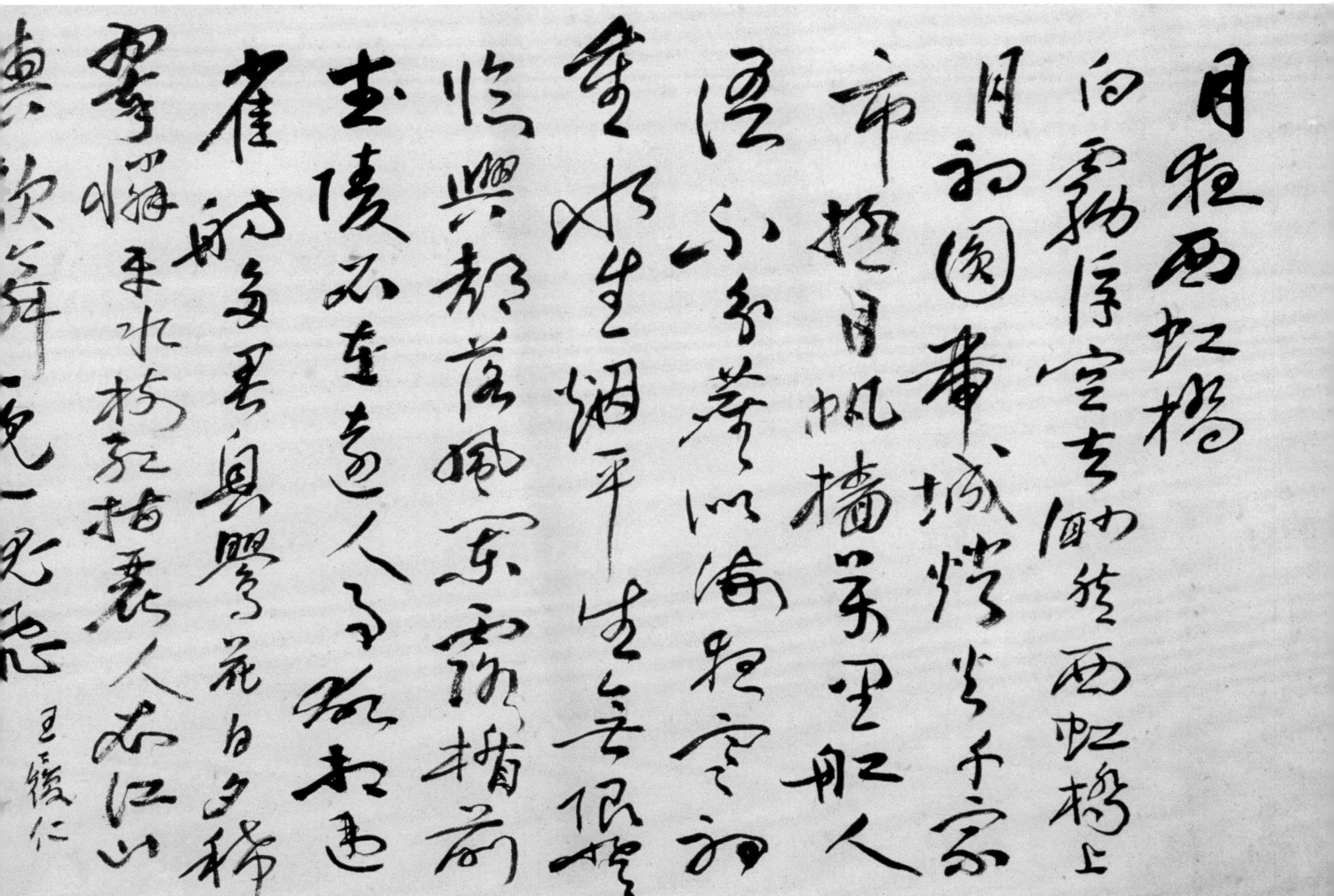

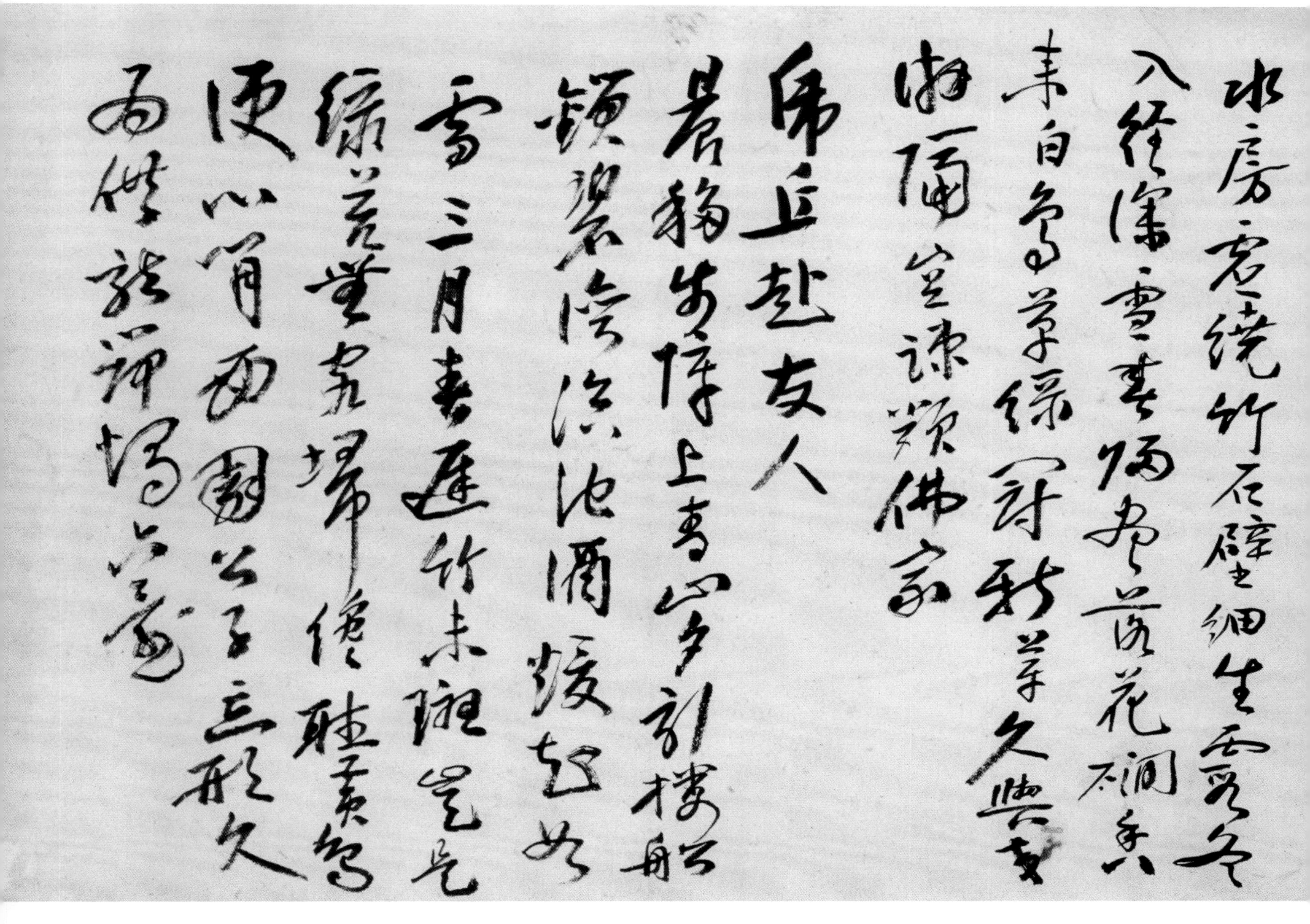

臨王寵草書　紙本

縱二九·五厘米　橫八九厘米　兩幅

浙江省博物館藏

釋文：月夜西虹橋

白霧浮空去渺然　西虹橋上月初圓

帝城燈火千家市　極目帆檣萬里船

人語不分塵似海　夜寒初重水生烟

平生無限登臨興　都落風闌露楯前

武陵不在遠　人事故相違

雀舫多君興　鶯花日夕稀

翠憐平水樹　紅指麗人衣

江山與歌舞　一見一魂飛　王履仁

水房虛繞竹　石壁細生霞

冬入徑深雪　春歸盡落花

澗香來白鳥　草緑門新芽

久與交游隔　空疏類佛家

虎丘赴友人

晨移步障上青山　夕引樓船鎖碧灣

涙池酒暖花如雪　三月春遲竹未斑

豈是緑苔無客掃　才聽黃鳥便心閑

西園公子忘形久　爲供龍笻燭下還

清曉向山寺　數重岡嶺深　岩霜拂短草

寒日照空林　雲影孤標出　溪聲疏磬沉

入城渾未久　迢遞復招尋　東晉豪華盡

金陵地自靈　澄江一道白　重巘四圍青

風景何曾异　干戈凡幾經　停車還舉目

慷慨憶新亭

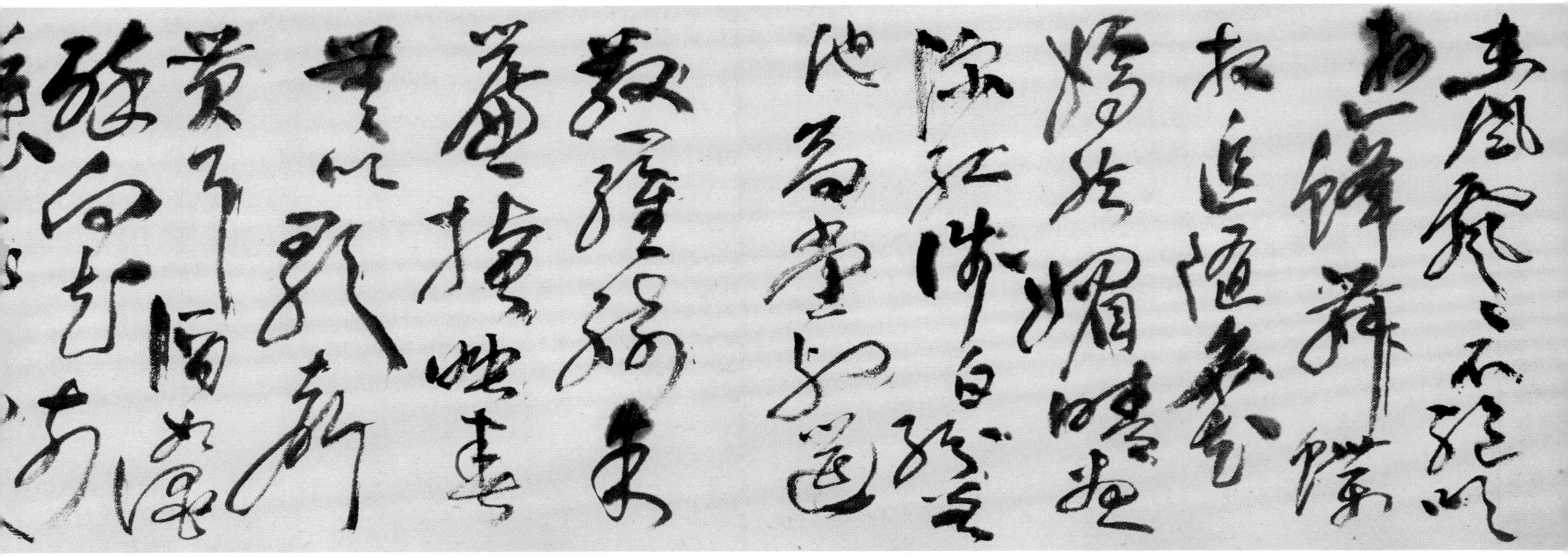

臨陳道復草書　紙本　縱二五·五厘米　橫一五六厘米　浙江省博物館藏

釋文：東風飄飄不絶吹　游蜂舞蝶相追隨　名花嬌然媚晴晝　深紅淺白紛差池

高堂别筵散羅綺　朱簾掩映春無以　歌聲貫耳酒如澠　醉向花前睡花裏

人生行樂當及時　光陰有限無淹期　花開花謝尋常事　寧使花神笑儂醉

嘉靖甲辰春日　作于白陽山莊　道復識

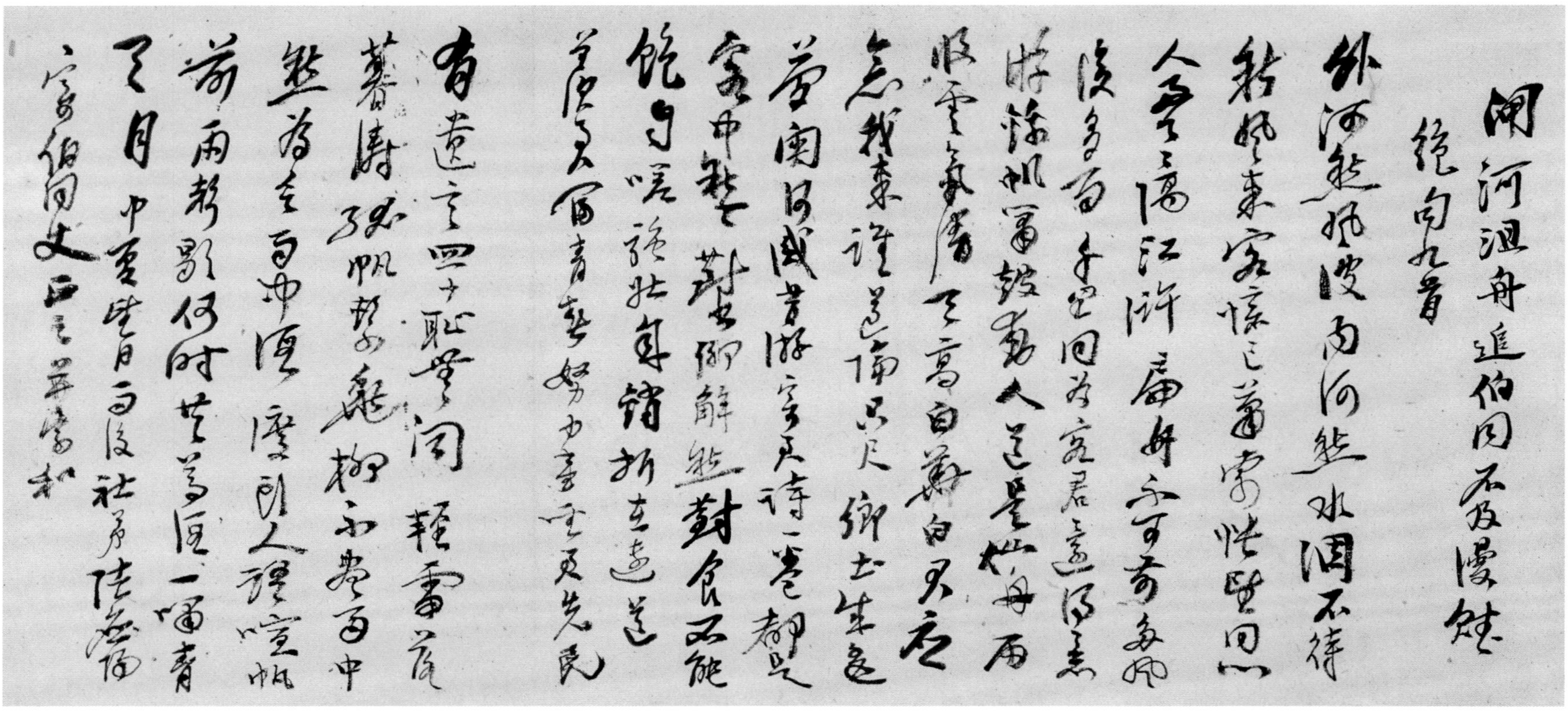

臨陸應陽行草書　紙本　縱二九厘米　橫八八厘米

浙江省博物館藏

釋文：鬧河沮舟追伯同不及漫賦絶句九首

外河愁風波　内河愁水涸　不待秋風來　客懷已蕭索

悵望同心人　盈盈隔江滸　扁舟不可前　多風復多雨

千里同爲客　君還得意游　錦帆簫鼓動　人道是仙舟

雨收雲氣清　天高白華白　君應念我來　誰道隔咫尺

鄉土成遥夢　關河感昔游　寄君詩一卷　都是客中愁

對書聊解愁　對食不能飽　自嗟强壯年　銷折在遠道

羨君富青春　努力事聖君　先民有遺言　四十耻無聞

輕雷落暮濤　孤帆繫垂柳　不盡雨中愁　爲乏雨中酒

渡頭人語喧　帆前雨聲歇　何時共尊酒　一嘯青天月

中夏望日雨後　社弟陸應陽寄伯同丈正之并索和

臨陸應陽行草書（局部）

此诗帆中写鼓[illegible]人足是炊母雨

收云气霄不言自羡白天衣

空我来诗多偏不足卿去生意

学圃何威音游宫天诗一卷都是

宫中能封安御解能对食不能

饱寸暑以读壮年馆折去道

学作大图青花努力书重更先发

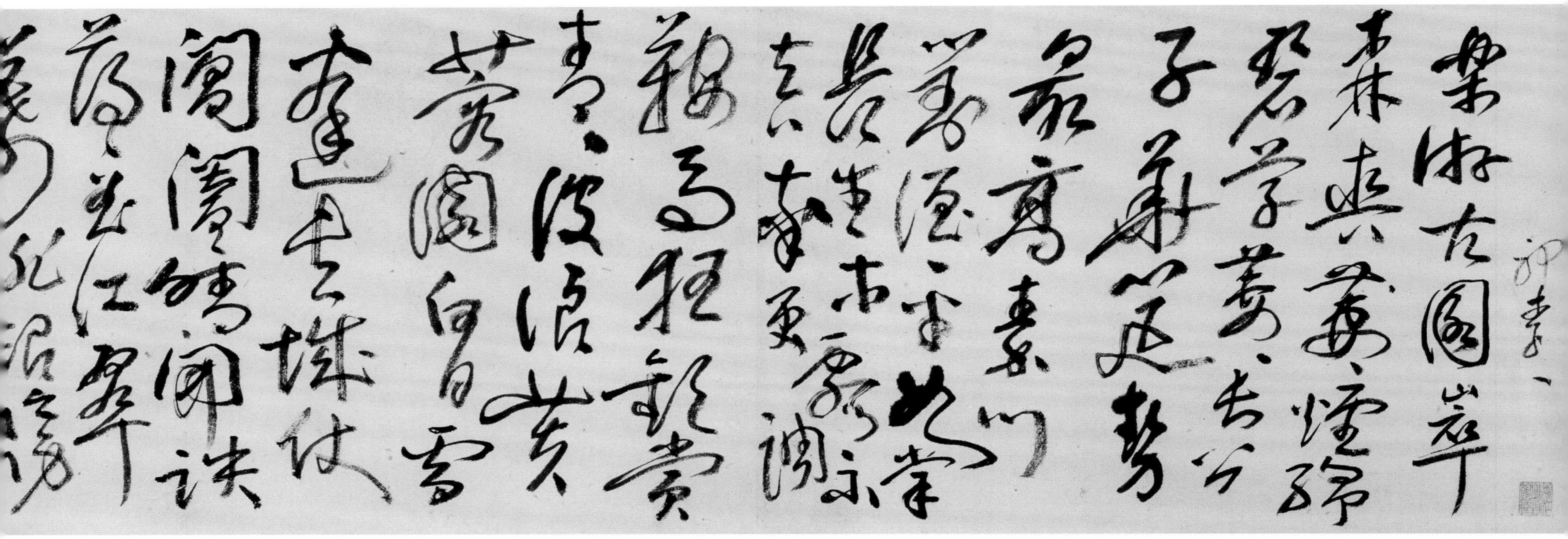

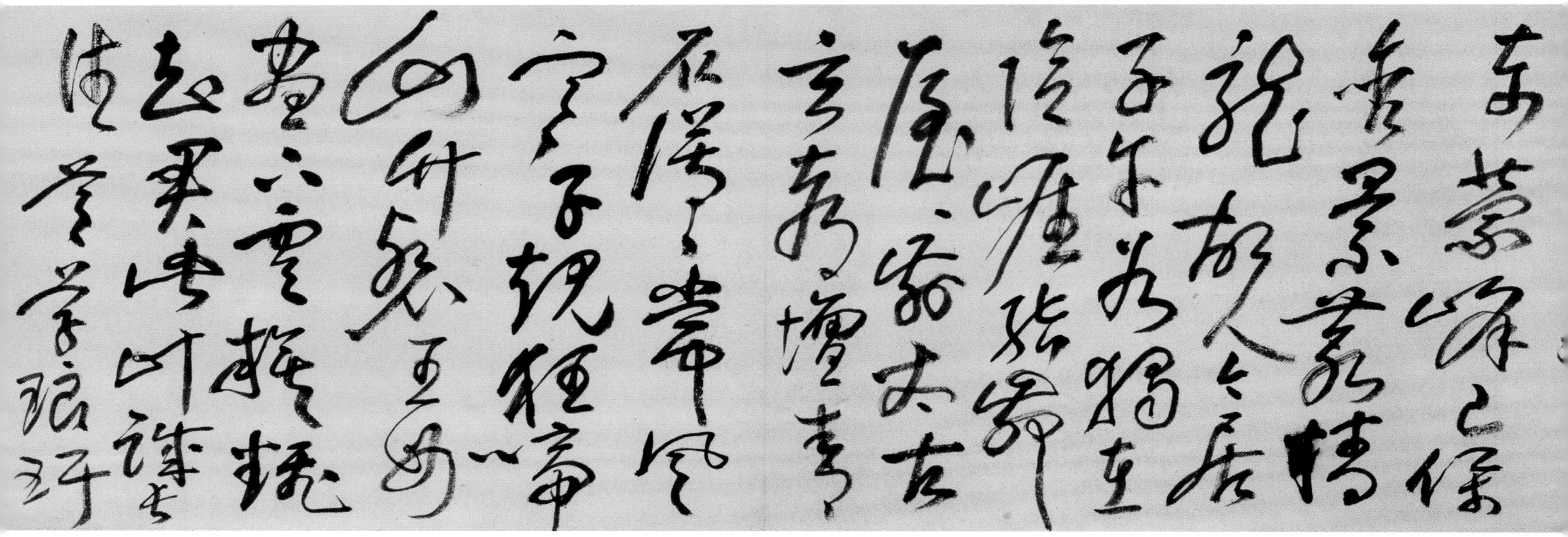

臨祁豸佳草書　紙本

縱二八·五厘米　橫八九厘米　四幅

浙江省博物館藏

釋文：樂游古園崒森爽　烟綿碧草萋萋長　公子華筵勢最高
秦川對酒平如掌　長生木瓢示真率　更調鞍馬狂歡賞
青青波浪芙蓉園　白日雷霆夾城仗　閶闔晴開詄蕩蕩
曲江翠幕排銀榜　拂水低回舞袖翻　緑雲清切歌聲上
却憶年年人醉時　只今未醉已先悲　數莖白髮那拋得
百罰深杯亦不辭　聖朝亦知賤士醜　一物自荷皇天慈
此身飲罷無歸處　獨立蒼茫自咏詩　故人昔隱東蒙峰
已佩含景蒼精龍　故人今居子午谷　獨在陰崖結茅屋
屋前太古玄都壇　青石漠漠常風寒　子規夜啼山竹裂
王母晝下雲旗翻　知君此計誠長住　芝草琅玕日應長
鐵鎖高垂不可攀　致身福地何蕭爽　丁酉（下略）

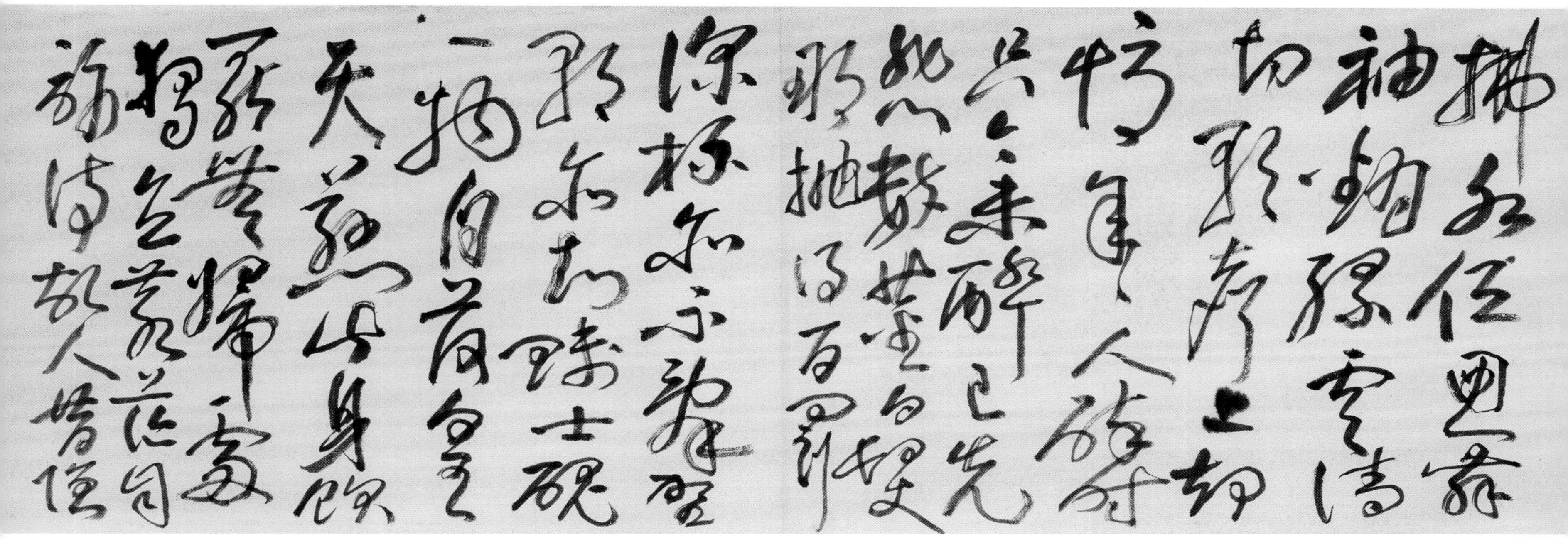

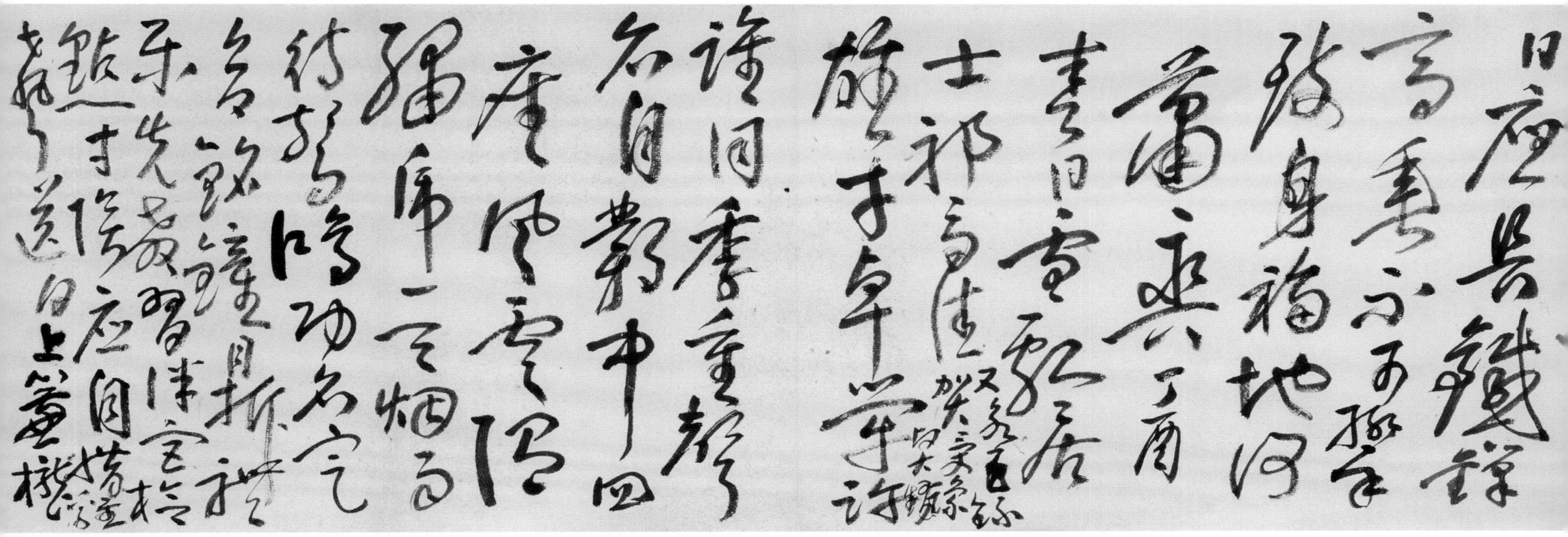

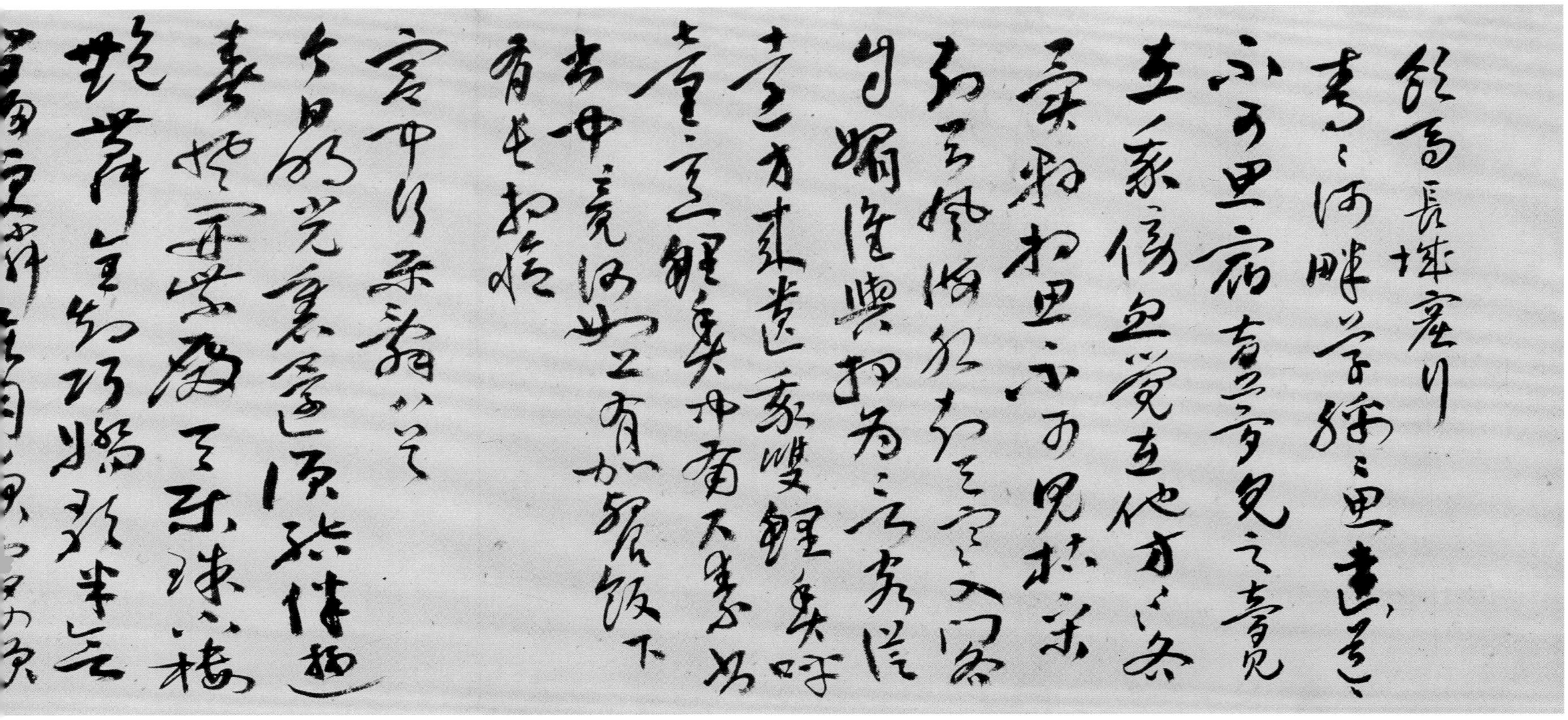

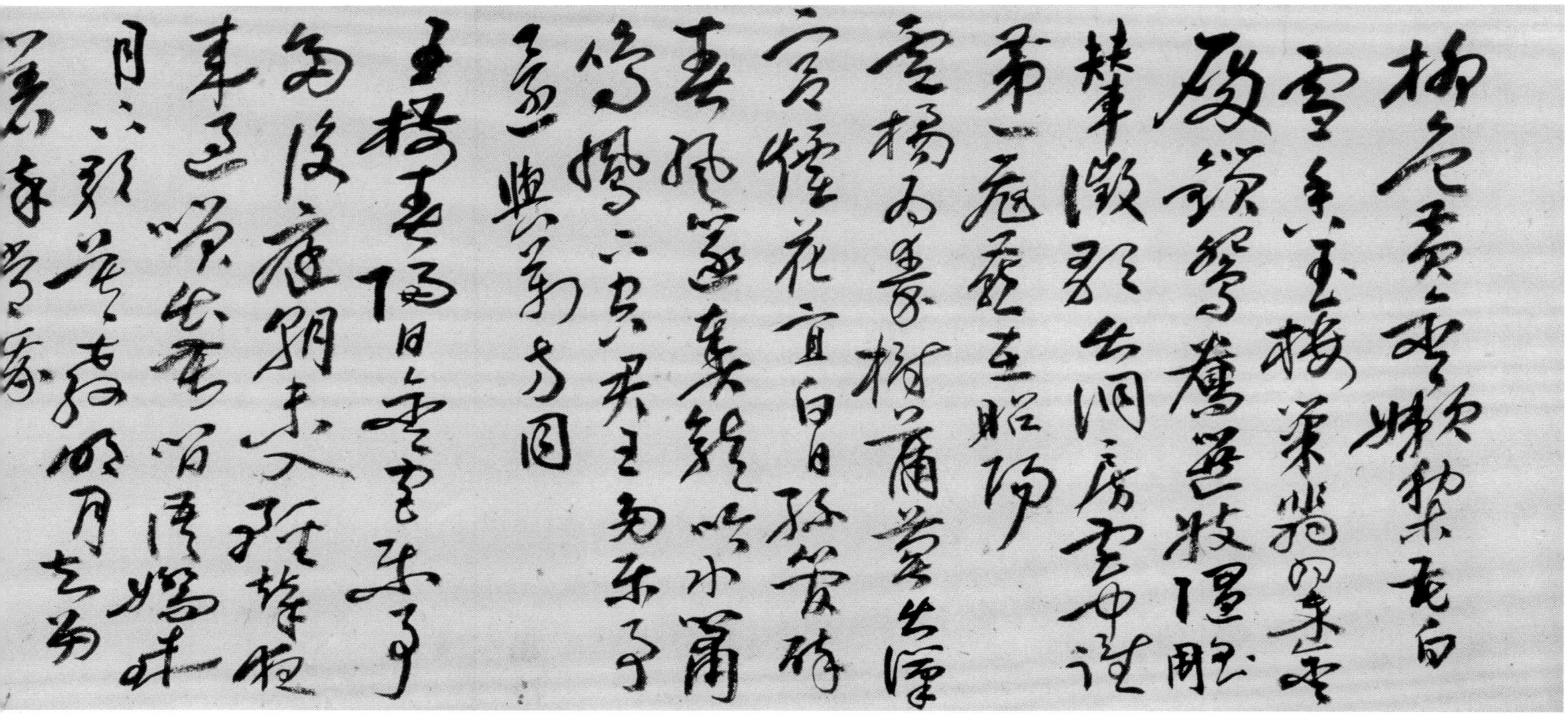

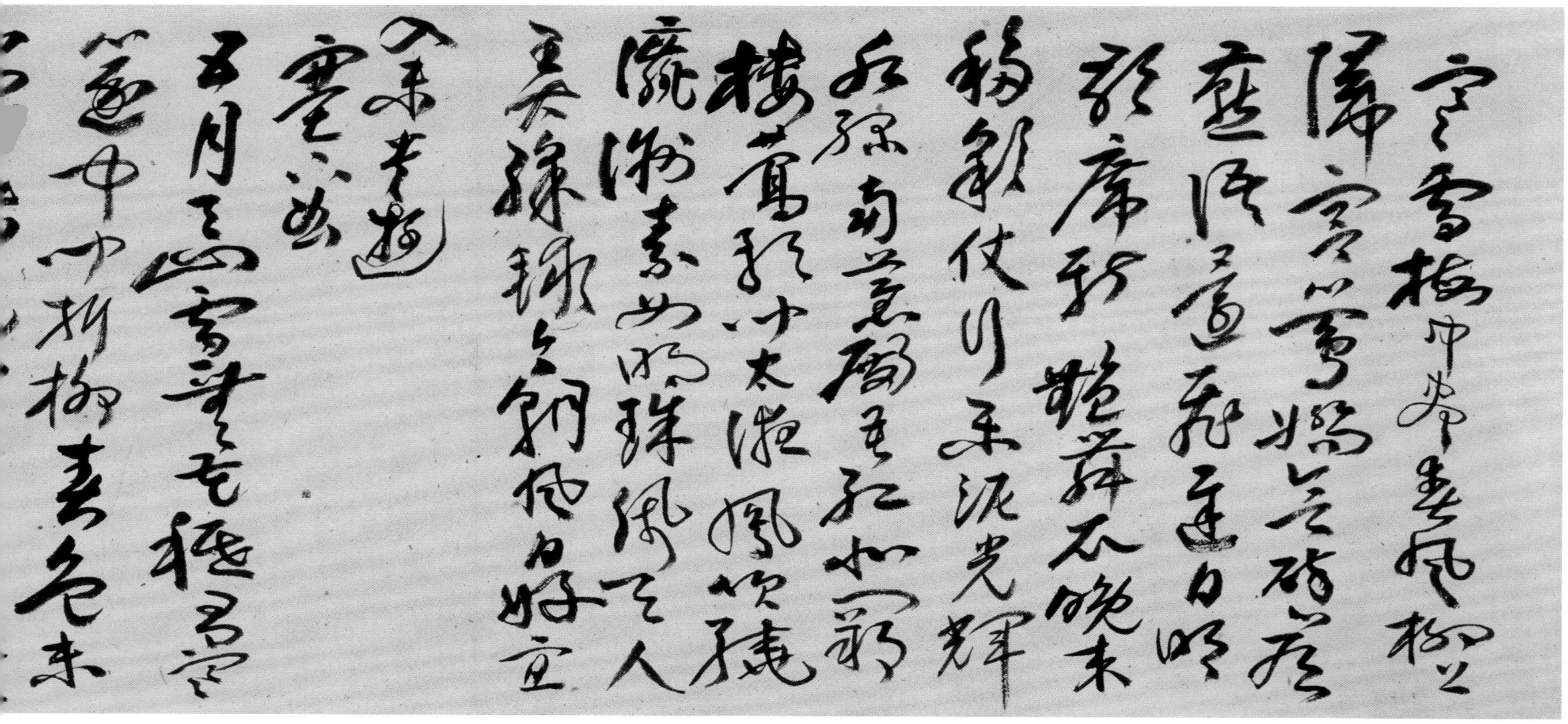

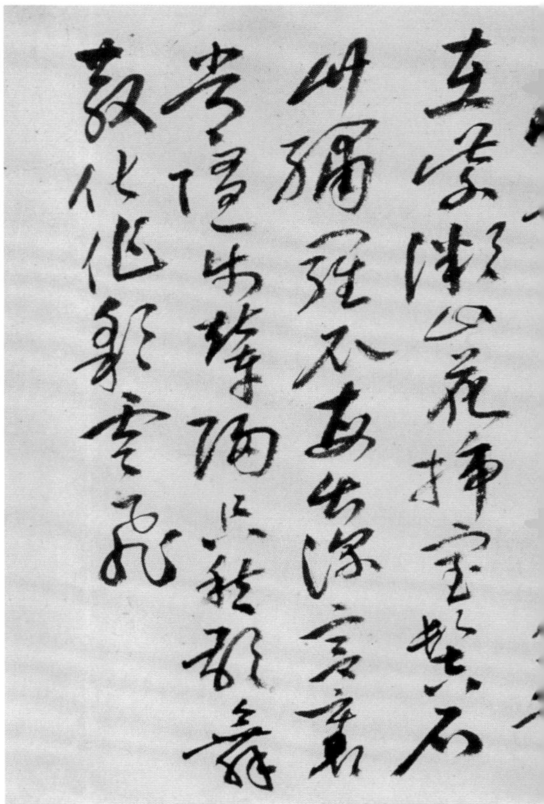

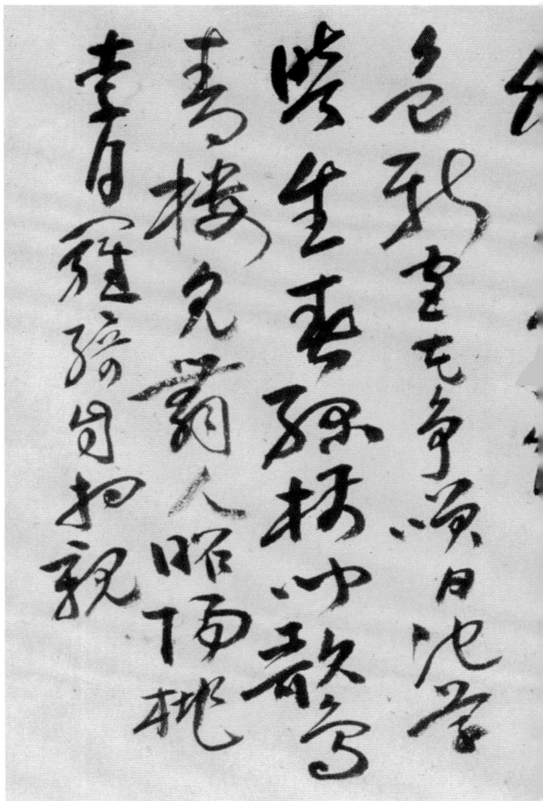

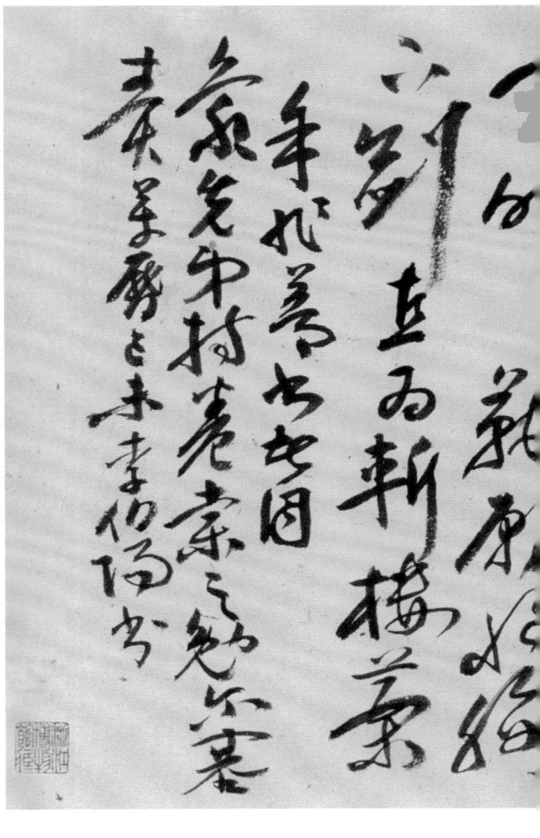

臨李伯陽草書　紙本　縱二九厘米　橫八八厘米　三幅　浙江省博物館藏

釋文：飲馬長城窟行

青青河畔草　綿綿思遠道　遠道不可思　宿昔夢見之　夢見在我傍　忽覺在他方　他方各异縣

相思不可見　枯桑知天風　海水知天寒　入門各自媚　誰與相爲言　客從遠方來　遺我雙鯉魚

呼童烹鯉魚　中有尺素書　書中竟何如　上有加餐飯　下有長想憶

宮中行樂辭八首

今日明光裏　還須結伴游　春風開紫殿　天樂珠下樓　艷舞全知巧　嬌歌半欲羞　更憐花月夜　宮女笑藏鈎

小小生金屋　盈盈在紫微　山花插寶髻　石竹綉羅衣　每出深宮裏　常隨步輦歸　只愁歌舞散　化作彩雲飛

柳色黃金嫩　梨花白雪香　玉樓巢翡翠　聖殿鎖鴛鴦　選妓隨雕輦　徵歌出洞房　宮中誰第一　飛燕在昭陽

盧橘爲秦樹　蒲萄出漢宮　烟花宜白日　絲管醉春風　笛奏龍吟水　簫鳴鳳下空　君王多樂事　還與萬方同

玉樹春陽日　金宮樂事多　後庭朝未入　輕輦夜來過　笑出花間語　嬌來月下歌　莫教明月去　留着醉嫦娥

綉户香風暖　紗窗曙色新　宮花争笑日　池草暗生春　緑樹聞歌鳥　青樓見舞人　昭陽桃李月　羅綺自相親

寒雪梅中盡　春風柳上歸　宮鶯嬌欲醉　檐燕語還飛　遲日明歌席　新□艷舞衣　晚來移彩仗　行樂泥光輝

水緑南薰殿　花紅北闕樓　鶯歌聞太液　風吹繞瀛洲　素女明珠佩　天人弄彩球　今朝風日好　宜入未央游

塞下曲

五月天山雪　無花只有寒　笛中聞折柳　春色未曾看　曉戰隨金鼓　宵眠（抱）玉鞍　願將腰下劍　直爲斬樓蘭

余非善書者　因象先弟持卷索之　勉爾塞責　萬曆己未　李伯陽書

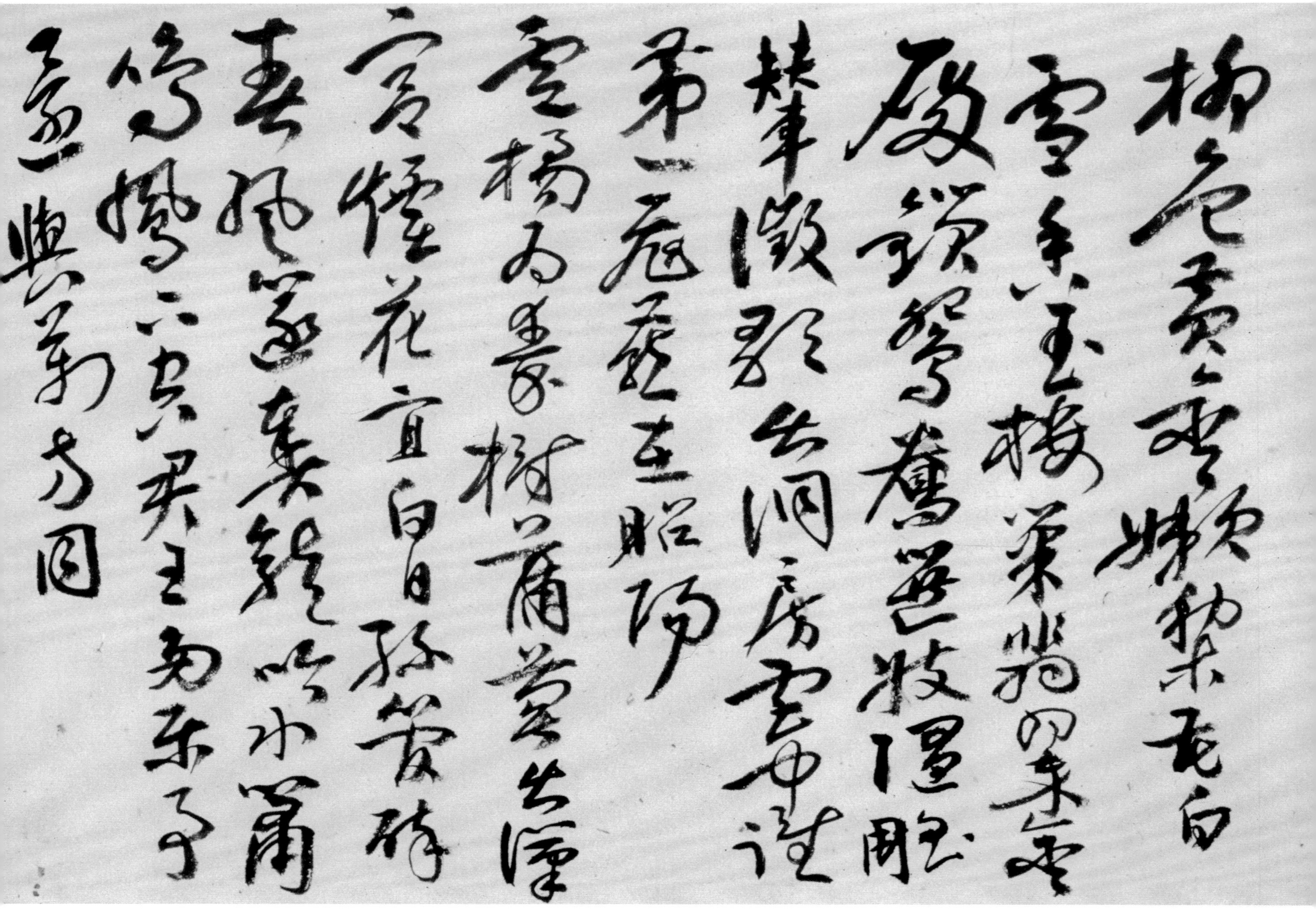

臨李伯陽草書（局部）

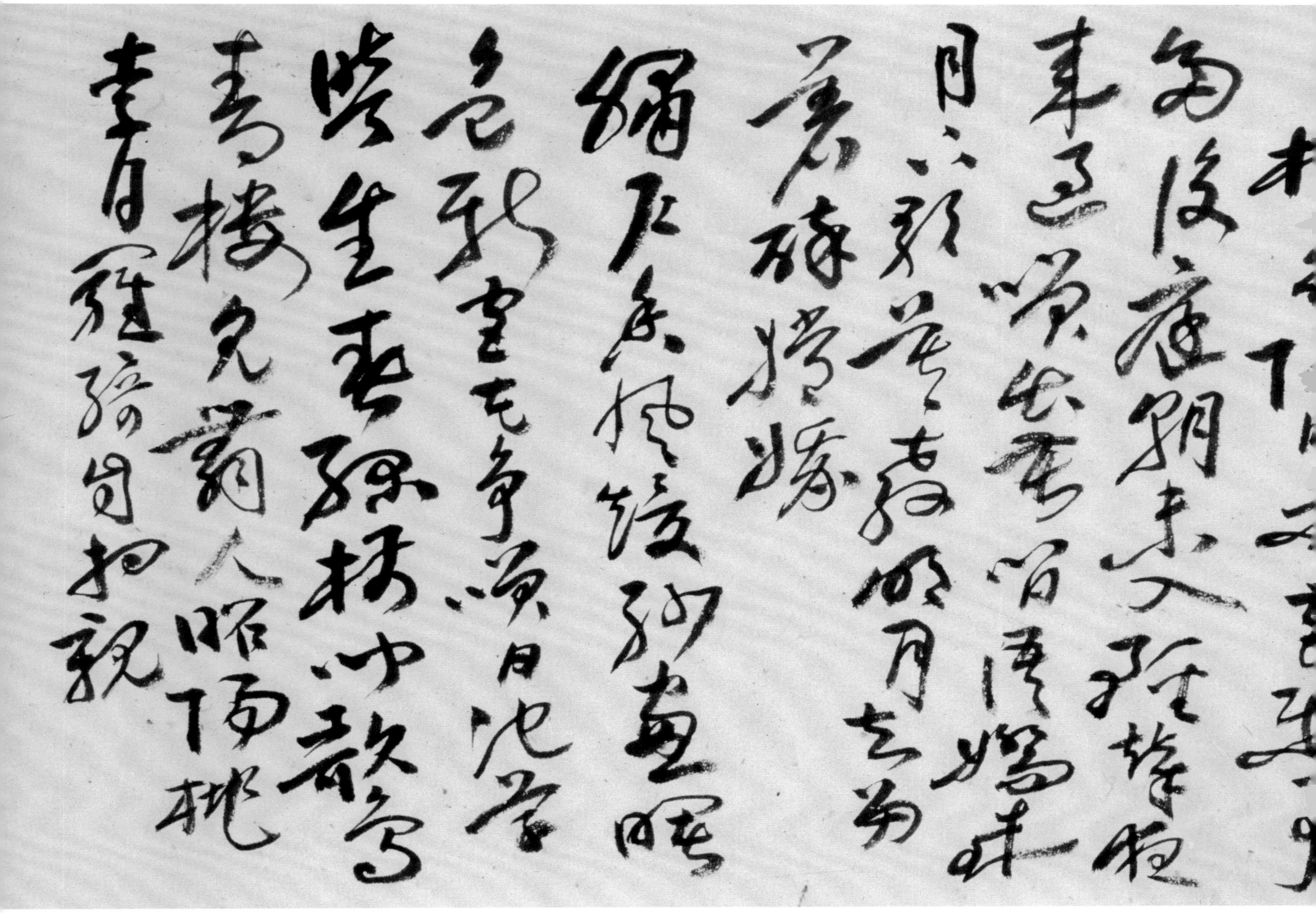

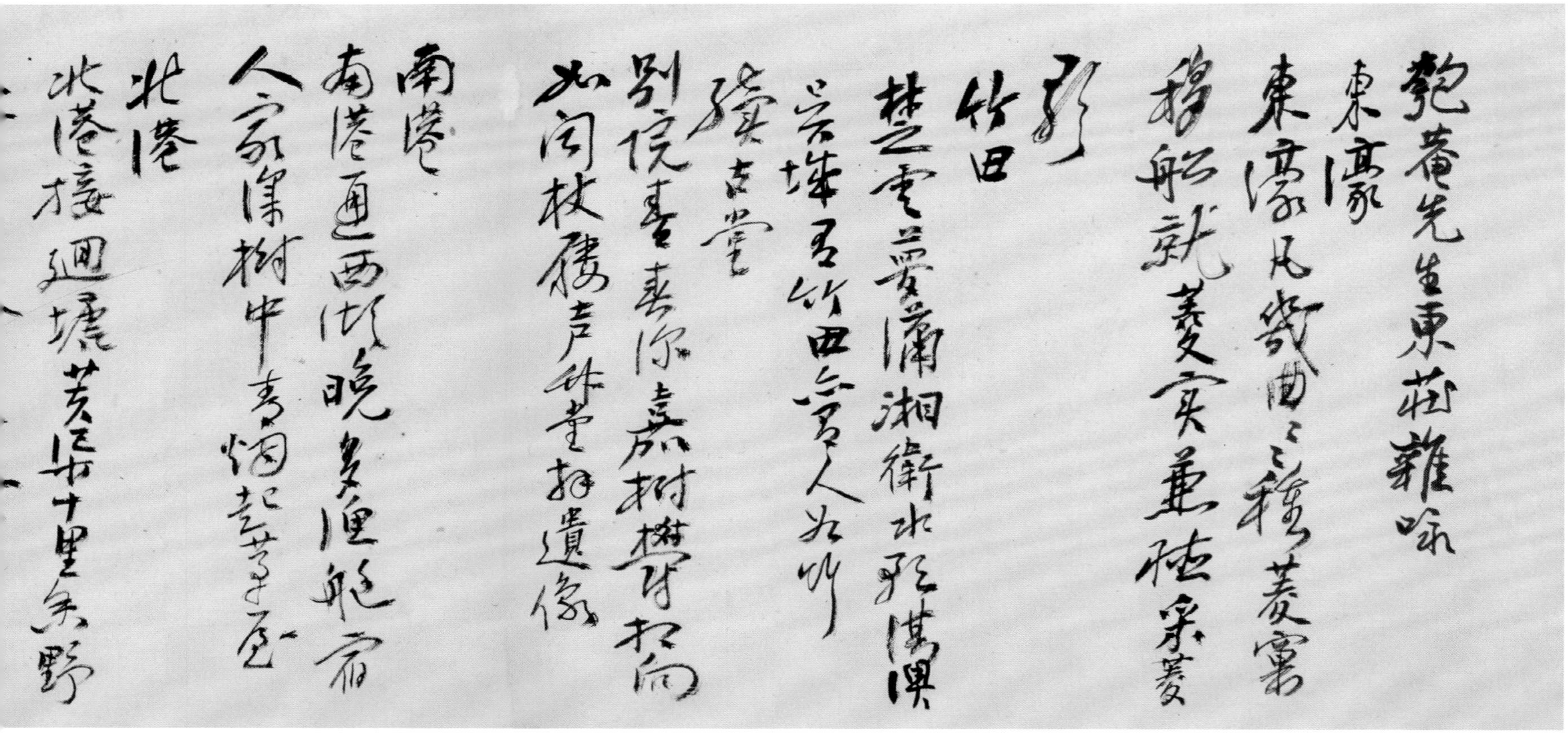

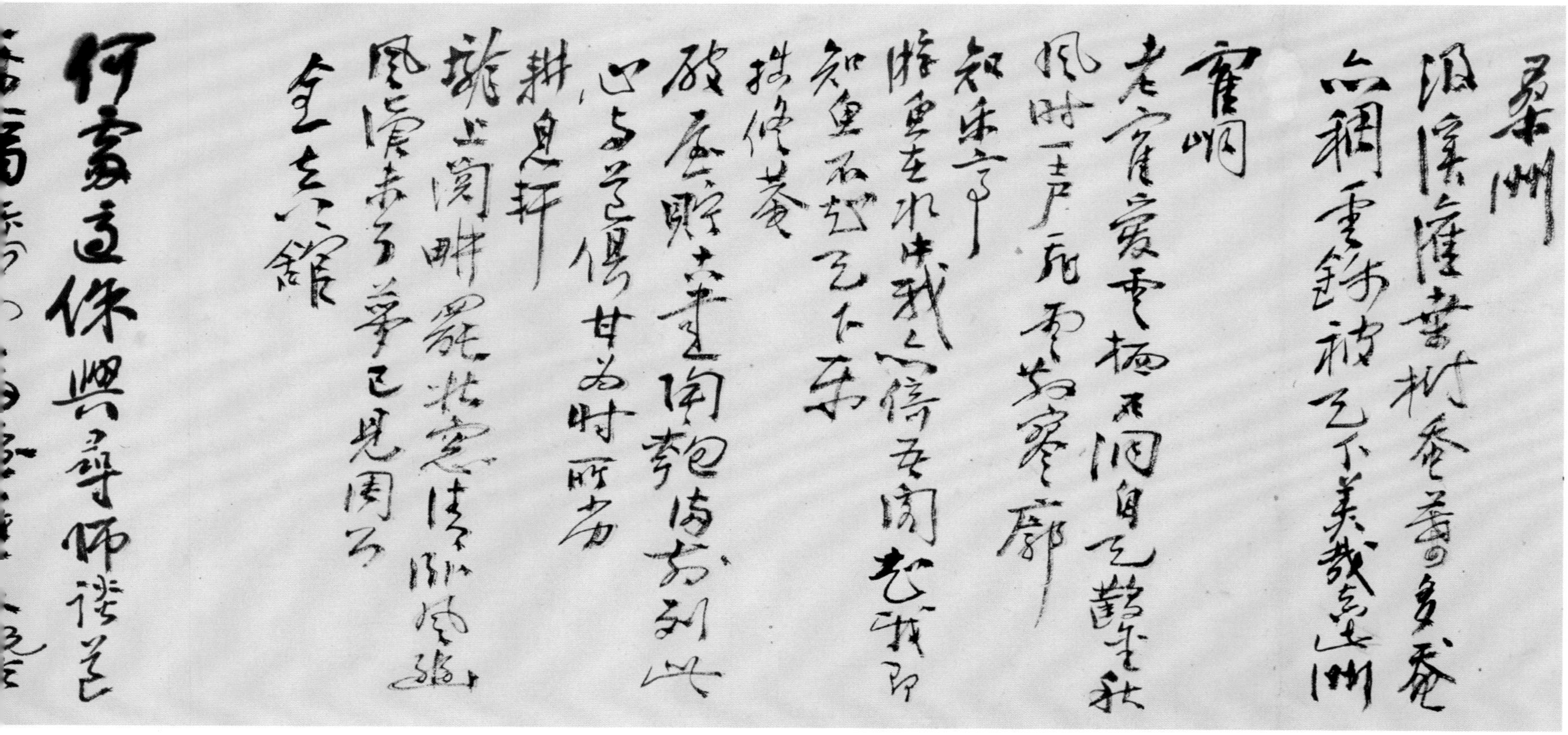

臨邵寶行草書　紙本　縱二九厘米　橫八四厘米

三幅　浙江省博物館藏

釋文：匏庵先生東莊雜咏

東濠

東濠凡幾曲　幾曲種菱窠　移船就菱實　兼聽采菱歌

竹田

楚雲夢瀟湘　衛水歌淇澳　吴城有竹田　亦有人如竹

續古堂

別院盛春深　嘉樹鬱相向　如聞杖屨聲　升堂拜遺像

南港

南港通西湖　晚多漁艇宿　人家深樹中　青烟起茅屋

北港

北港接迴塘　芙蕖十里香　野人時到此　采葉作衣裳

西溪

翠竹浄如洗　斷橋水清漣　道人愛幽獨　日日到溪邊

朱櫻徑

葉間綴朱實　實落緑成陰　一步還一摘　不知苔徑深

果林

青紅次第熟　百果樹成行　未取供賓客　先供續古堂

芝丘

芝出麥丘上　種麥不種芝　百年留世德　此是種芝時

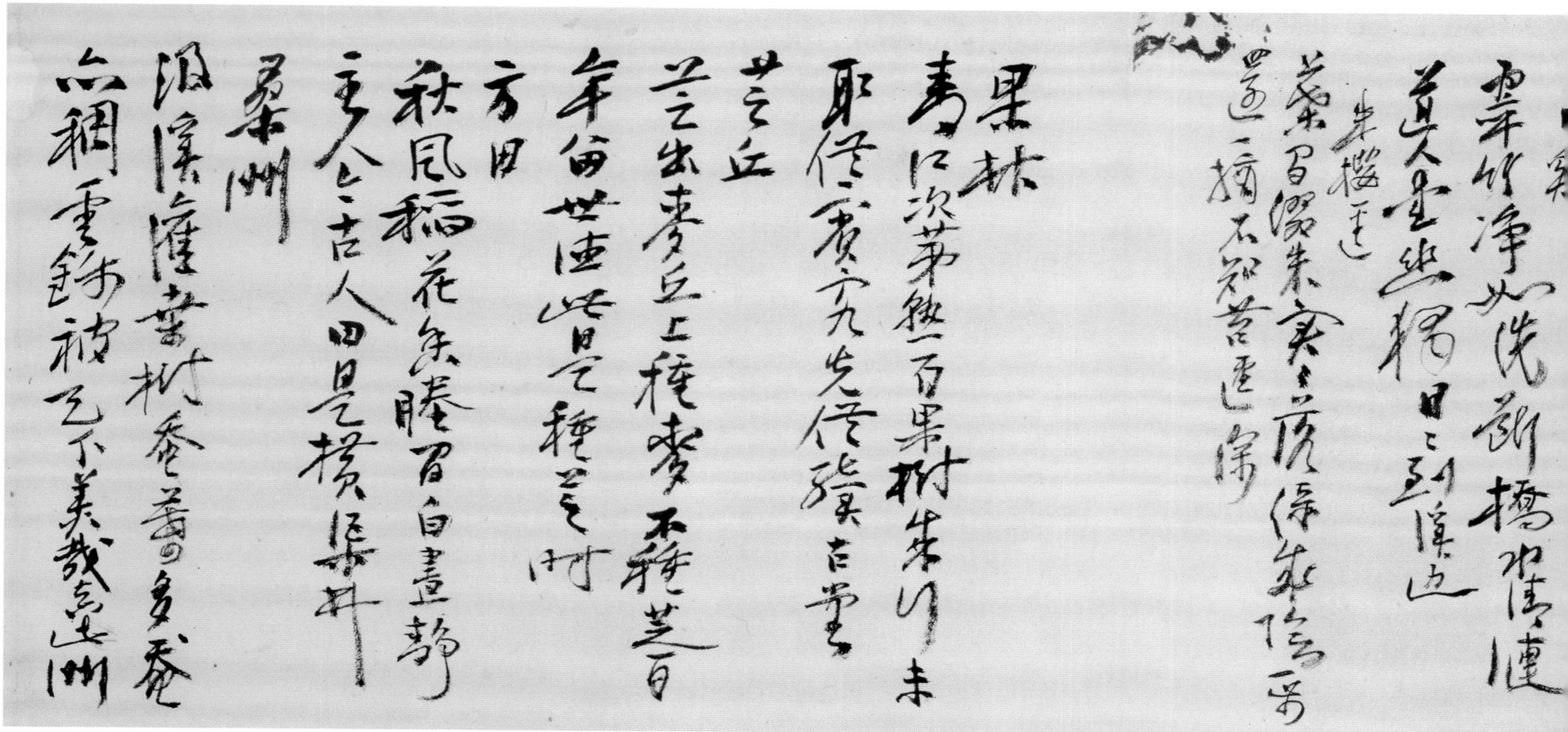

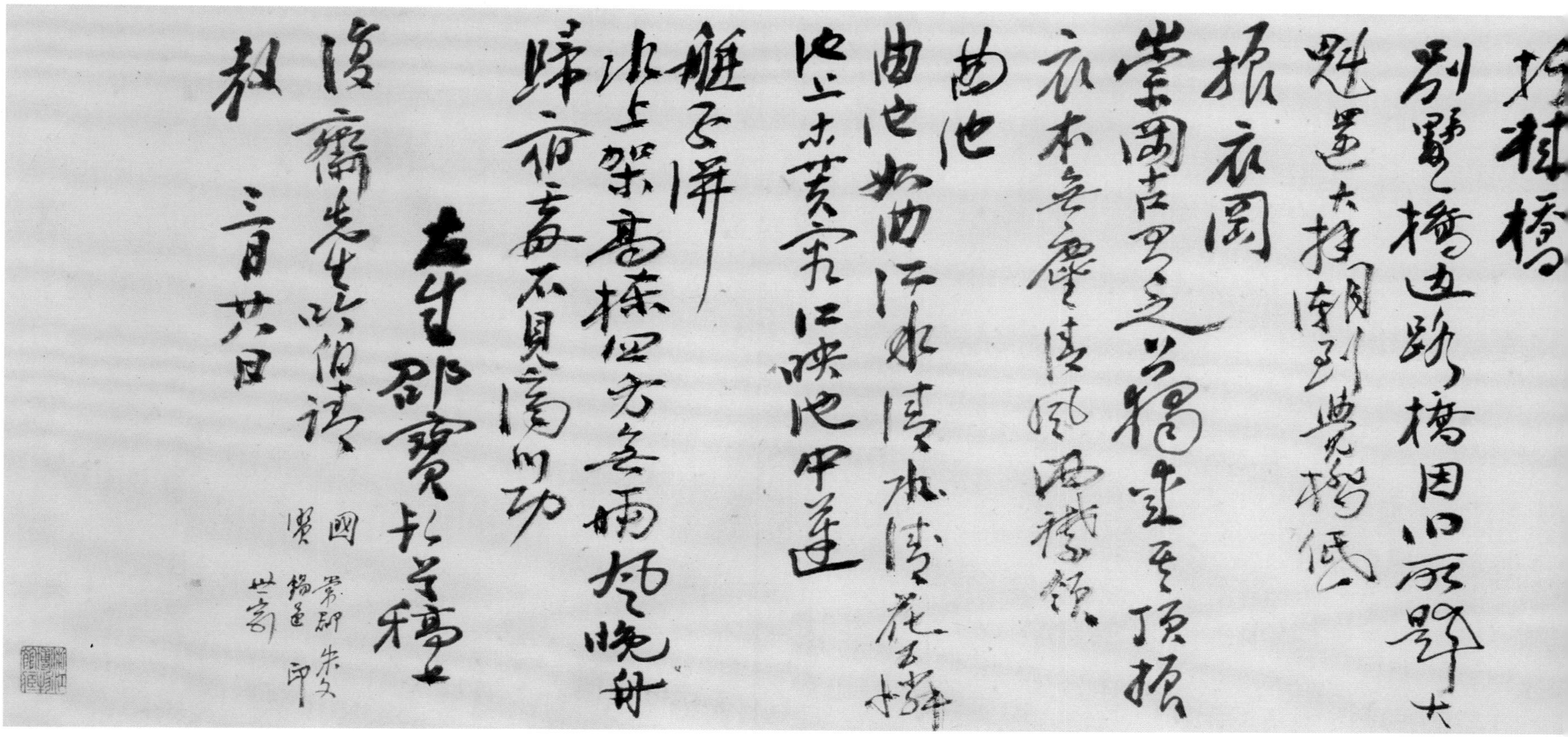

方田

秋風稻花香　膝間白晝静　主人今古人　田是横渠井

桑洲

汲溪灌桑樹　蠶葉多亦稠　雲錦被天下　美哉真此洲

鶴峒

老鶴愛雲栖　石洞自天鑿　秋風時一聲　飛雲散寥廓

知樂亭

游魚在水中　我亦倚吾闌　知我即知魚　不知天下樂

拙修庵

破屋貯古書　陶匏滿前列　此心與道俱　甘爲時所劣

耕息軒

壠上閔耕罷　北窗清卧風　幽風讀未了　夢已見周公

全真館

何處適餘興　尋師談道經　隔橋雲滿屋　鐘磬晚泠泠

折桂橋

別墅橋邊路　橋因舊所題　大魁還大拜　潮到覺橋低

振衣岡

崇岡古有之　公獨愛其頂　振衣本無塵　清風灑襟領

曲池

曲池如曲江　水清花可憐　池上木芙蓉　紅映池中蓮

艇子洴

水上架高棟　四方無雨風　晚舟歸宿處　不見濟川功

友生邵寶頓首　稿上復齋先生吟伯請教

三月二十八日

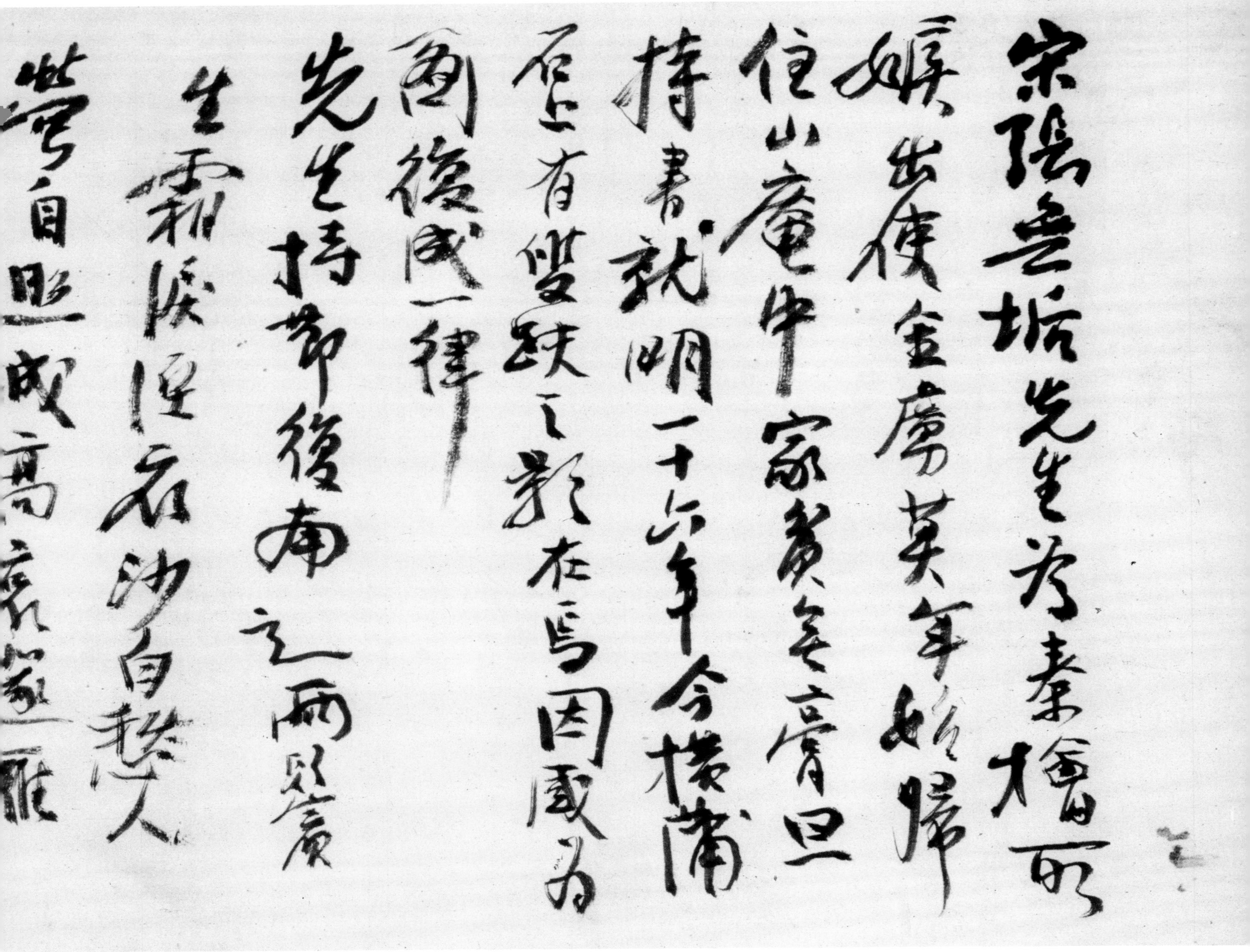

臨蕭雲從行書　紙本　縱一七厘米　橫八四厘米

浙江省博物館藏

釋文：宋張無垢先生爲秦檜所嫉　出使金虜　暮年始歸　住山庵中

家貧無膏　旦持書就明一十六年　今橫蒲石上有雙趺之影在焉

因感爲圖　復成一律　先生持節復南辶（當爲歸之异體）兩鬢生霜泪濕衣

沙白愁人螢自照　城高哀笛雁初飛　讀書片石留趺影　放棹橫蒲散髮晞

獨笑中朝秦相國　和戎今古是耶非　區湖蕭雲從　鍾山某老朱文印　蕭雲從

（下略）

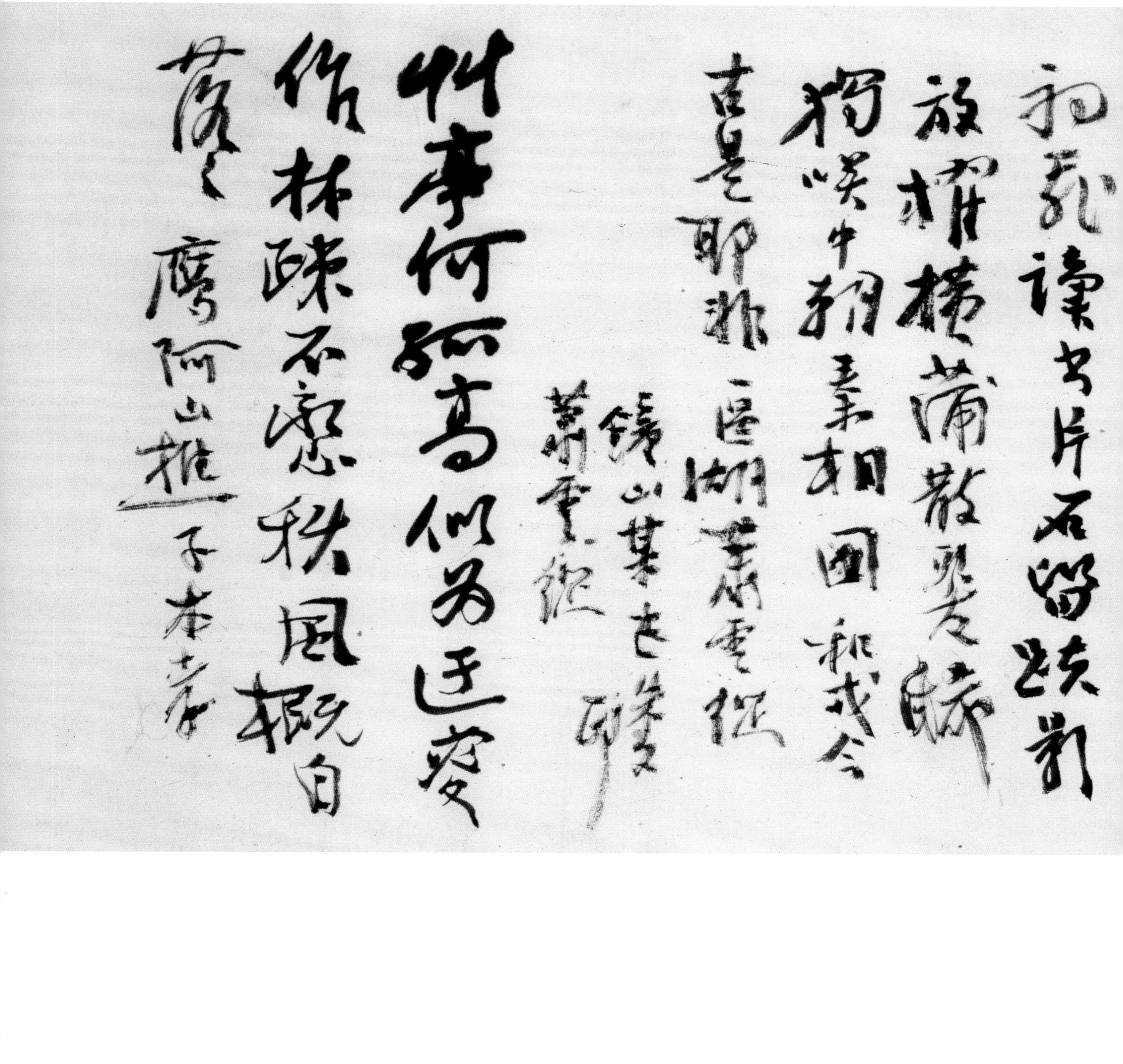

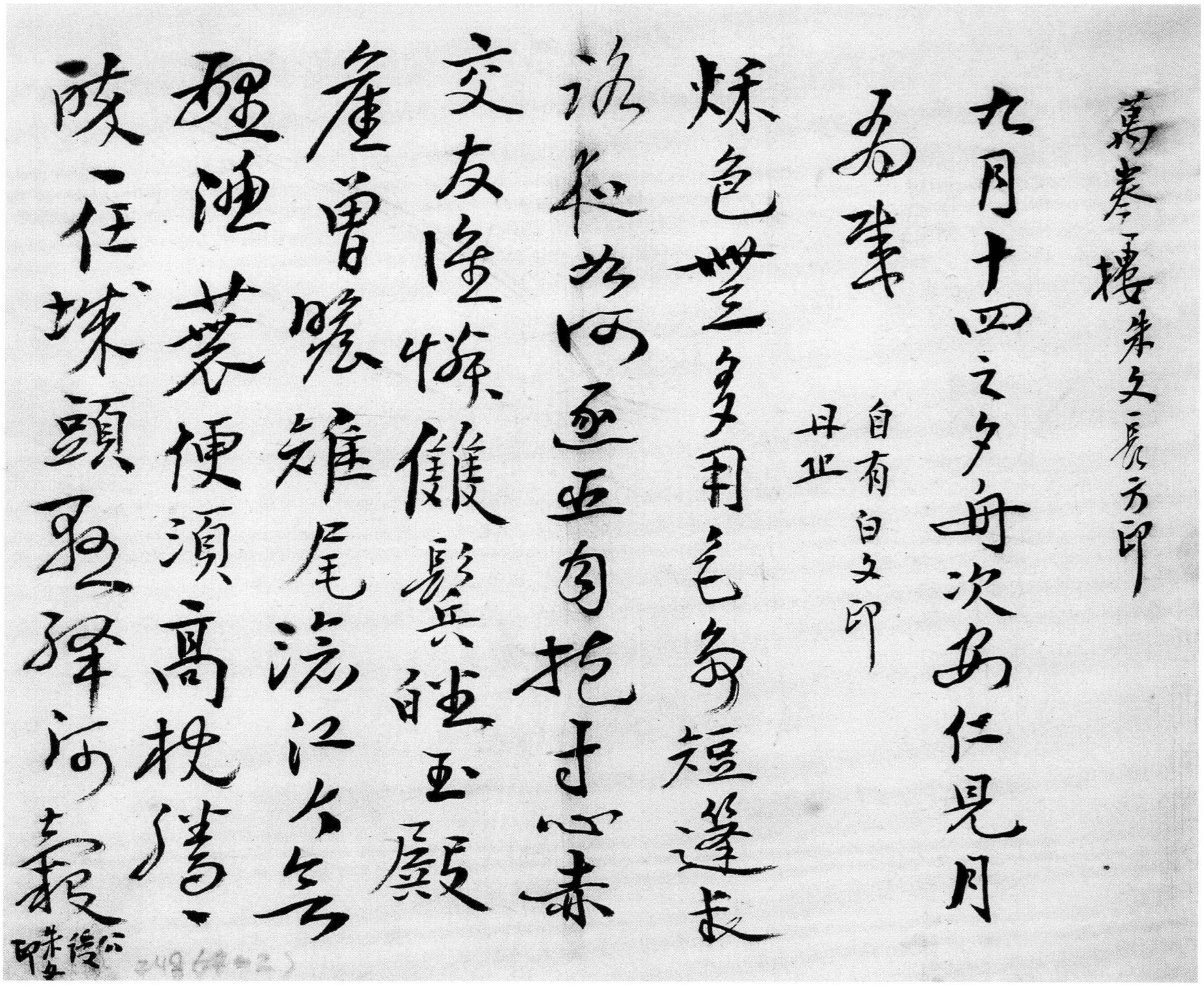

臨姚綬行草書　紙本　縱二三厘米　横二七厘米　浙江省博物館藏

之一

釋文：萬卷樓

朱文長方印　九月十四之夕　舟次安仁見月有感　自有丹丘白文印

秋色無多月色多　短篷長路夜如何　逐臣自抱寸心赤　交友誰憐雙鬢皤

玉殿舊曾瞻雉尾　滄江今欲理漁蓑　便須高枕騰騰醉　一任城頭懸絳河

縠　公綬朱文印　賜進士白文長方印

三徑黃花開已多　歸期争奈不詹何　銀蟾尚欠十分滿　緑髮先驚一半皤

笠澤蒓鱸催客棹　東華塵土弄烟蓑　于今豈捨明時去　鼴鼠從來笑飲河

春風庵朱文方印

三逕黃花開已多歸
期爭奈不詹何郤饒
尚欠十分渚綠與先聲一
半皤笠澤善鐘催家
捍東藥壟土圭嘉烟蓑
于七四全日明時吉鵑嵐従
余嘆作河　春風盦〇朱文方印

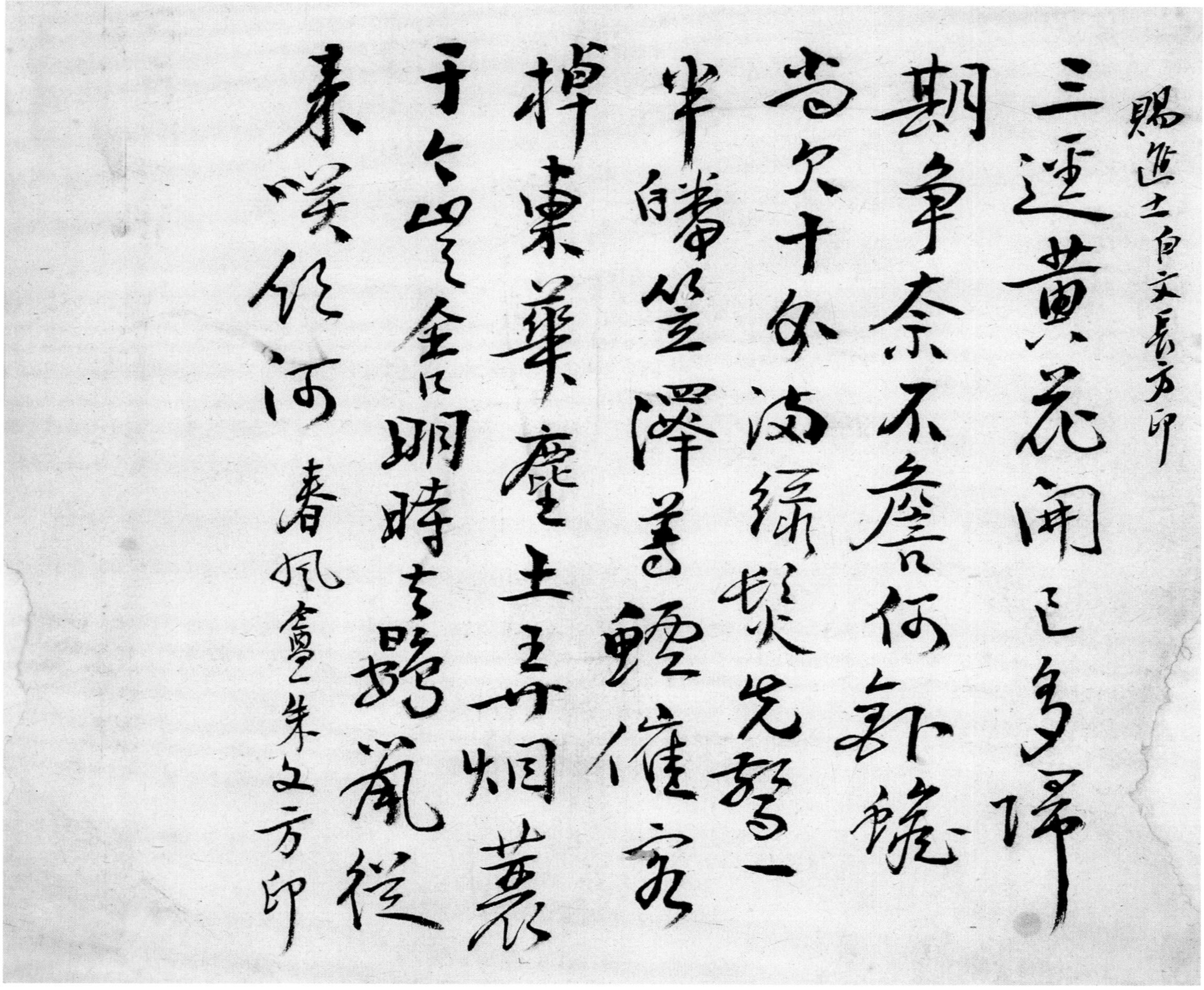

之二

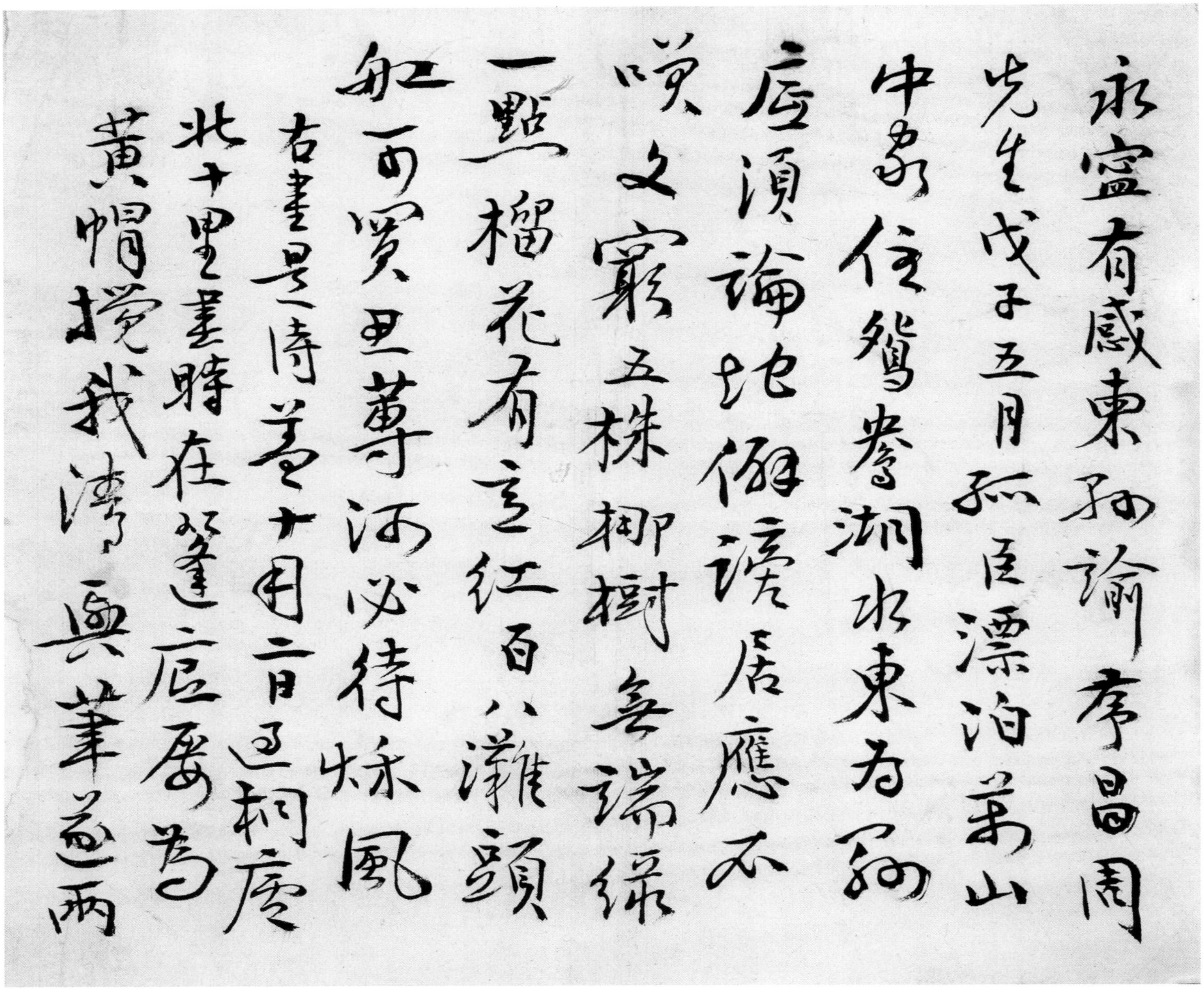

之三

釋文：永寧有感　東縣諭序昌周先生　戊子五月

孤臣漂泊萬山中　家住鴛鴦湖水東　爲縣底須論地僻　謫居應不笑文窮

五株柳樹無端緑　一點榴花有意紅　百八灘頭舡可買　思蓴何必待秋風

右書是詩　蓋十月二日過桐廬北十里　書時在篷底　屢爲黃帽攪我清興

筆遂兩誤　取巧掩之　豈亦古之作滿城風雨近重陽者　竟爲催租人敗興也耶

書畢一笑　穀　姚氏公綬迴文印

誤耶巧掩之豈為左之作涴
城風兩近重陽者竟為寔
租人敗興也耶為羊一咲
轂
姚民　廻文印
公俊

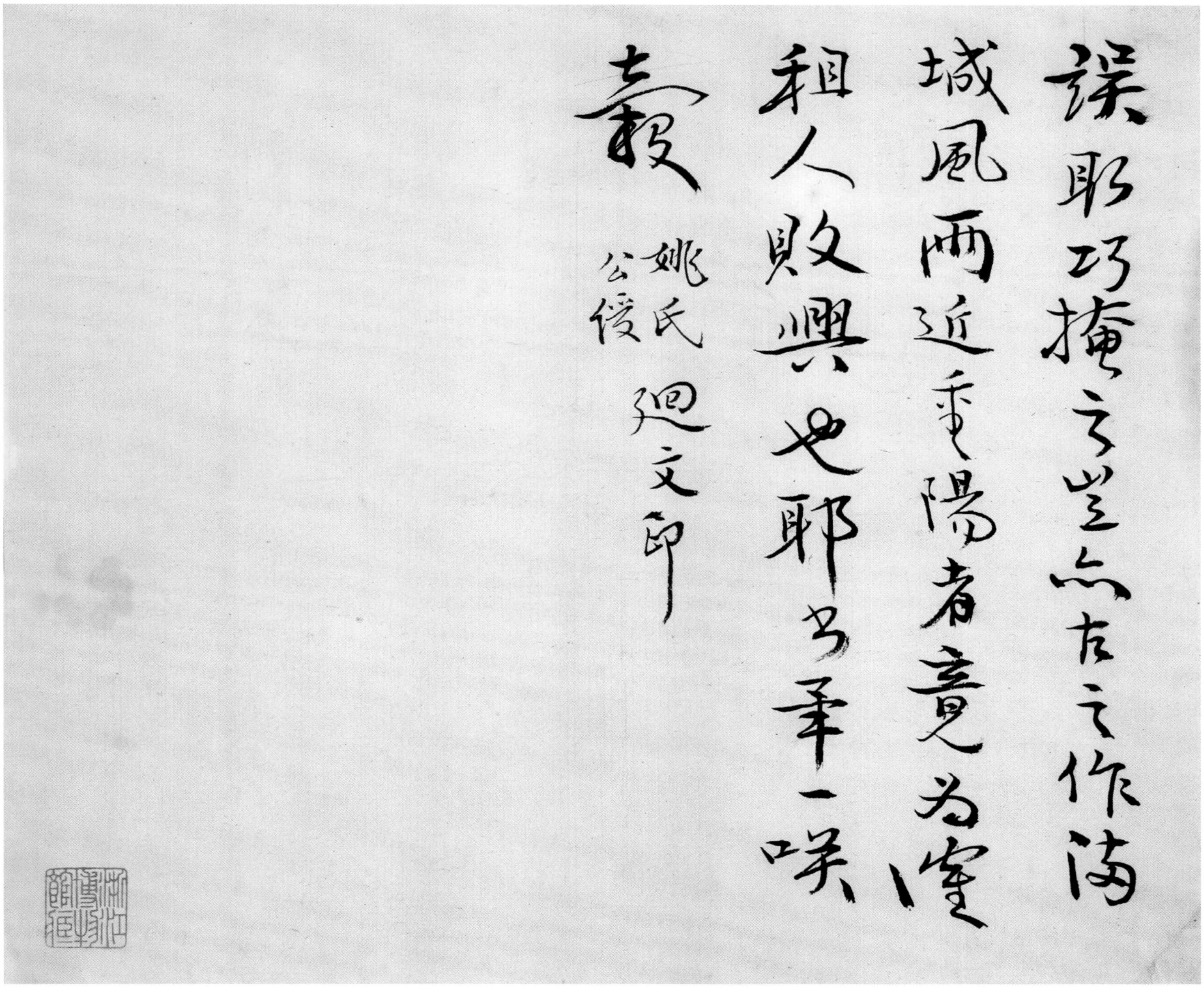

之四

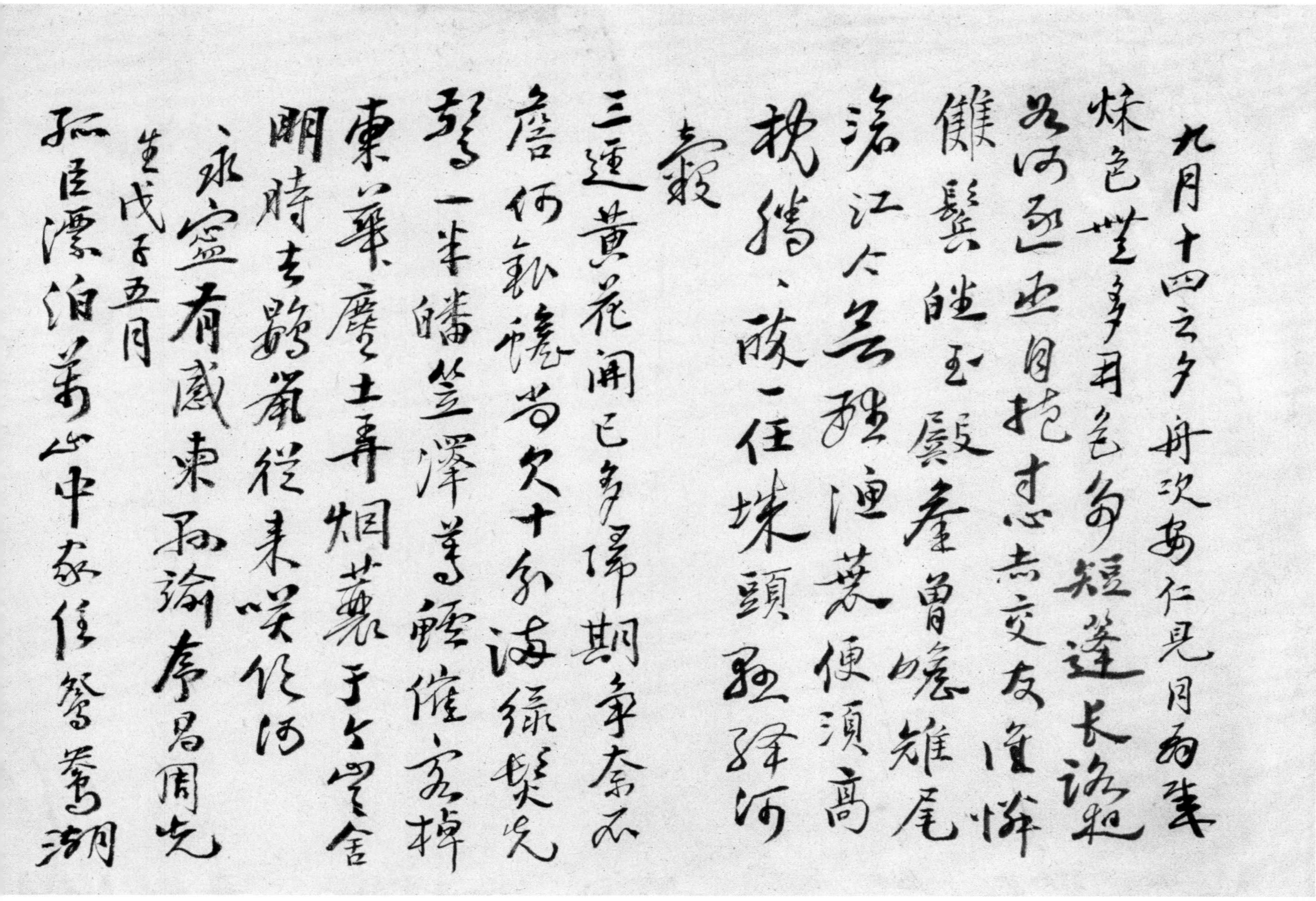

九月十四六夕舟次安仁見月為集
杜句世多再色多短蓬長遊粗
如何對此月抱寸心去交友復憐
雙鬢白雖玉殿奉曾嬉雄尾
落江天無雅通葵便須高
枕傳、敵一任珠頭孤舟河
殼
三逕黃花開已多歸期每奈不
詹何動饞苦欠十分滴綠髮先
裂一半髓笠澤著轉催客棹
東華塵土弄烟蘿于今舍
明時去鷗鳥從來喚作何
永寧有感東林諭府居周先
壬戌五月
孤臣漂泊萬山中敬侍警寒鴉湖

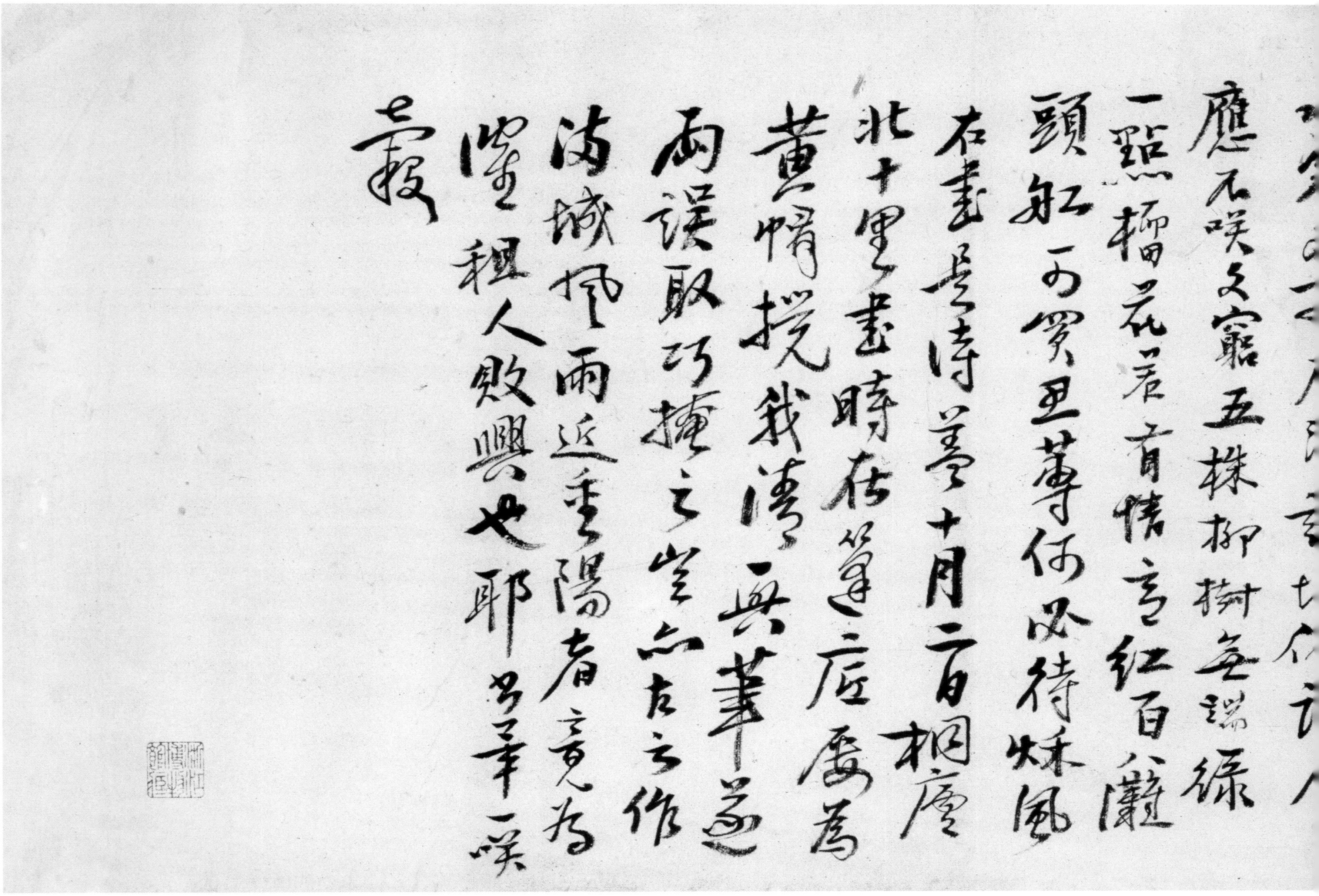

臨姚綬行草書　紙本　縱二九·五厘米　橫九〇厘米　兩幅

浙江省博物館藏

釋文：九月十四之夕　舟次安仁　見月有感

秋色無多月色多　短篷長路夜如何　逐臣自抱寸心赤　交友誰憐雙鬢皤

玉殿舊曾瞻雉尾　滄江今欲理漁蓑　便須高枕騰騰醉　一任城頭懸絳河　轂

三徑黃花開已多　歸期爭奈不詹何　銀蟾尚欠十分滿　綠髮先驚一半皤

笠澤蒓鱸催客棹　東華塵土弄烟蓑　于今豈捨明時去　鼹鼠從來笑飲河

永寧有感　東縣諭序昌周先生　戊子五月

孤臣漂泊萬山中　家住鴛鴦湖水東　爲縣底須論地僻　謫居應不笑文窮

五株柳樹無端綠　一點榴花若有情（有意紅）　百八灘頭舡可買　思蒓何必待

秋風　右書是詩　蓋十月二日桐廬北十里　書時在篷底

屢爲黃帽攪我清興　筆遂兩誤　取巧掩之　豈亦古之作滿城風雨近重陽者

竟爲催租人敗興也耶　書畢一笑　轂

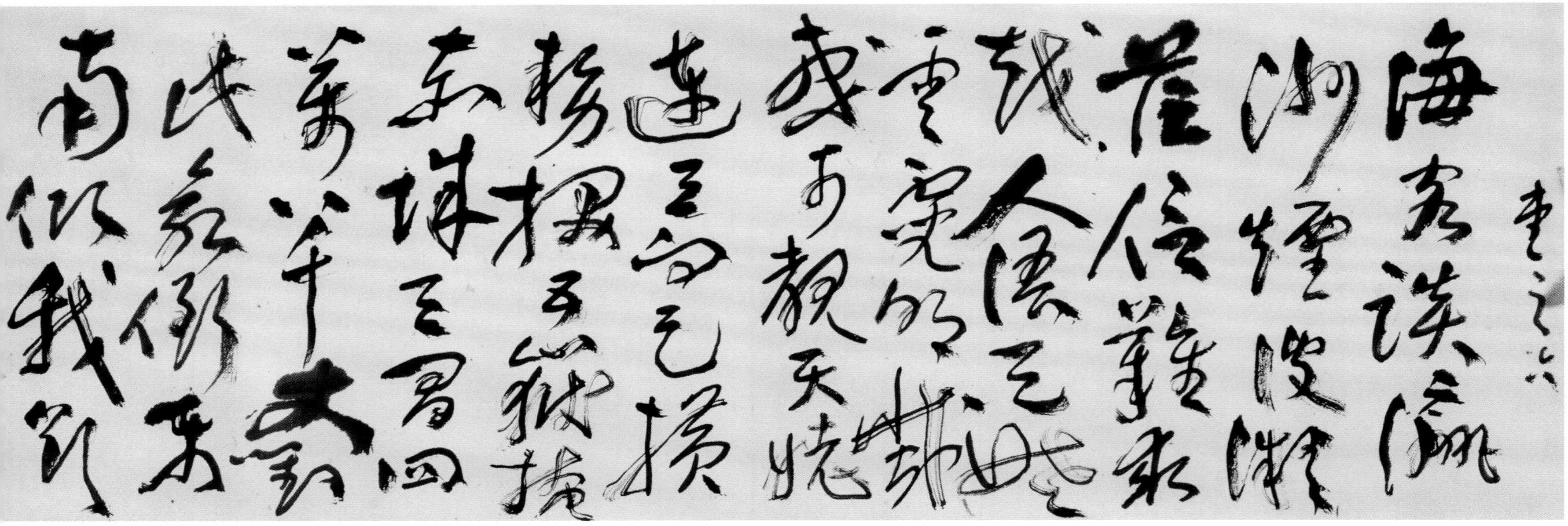

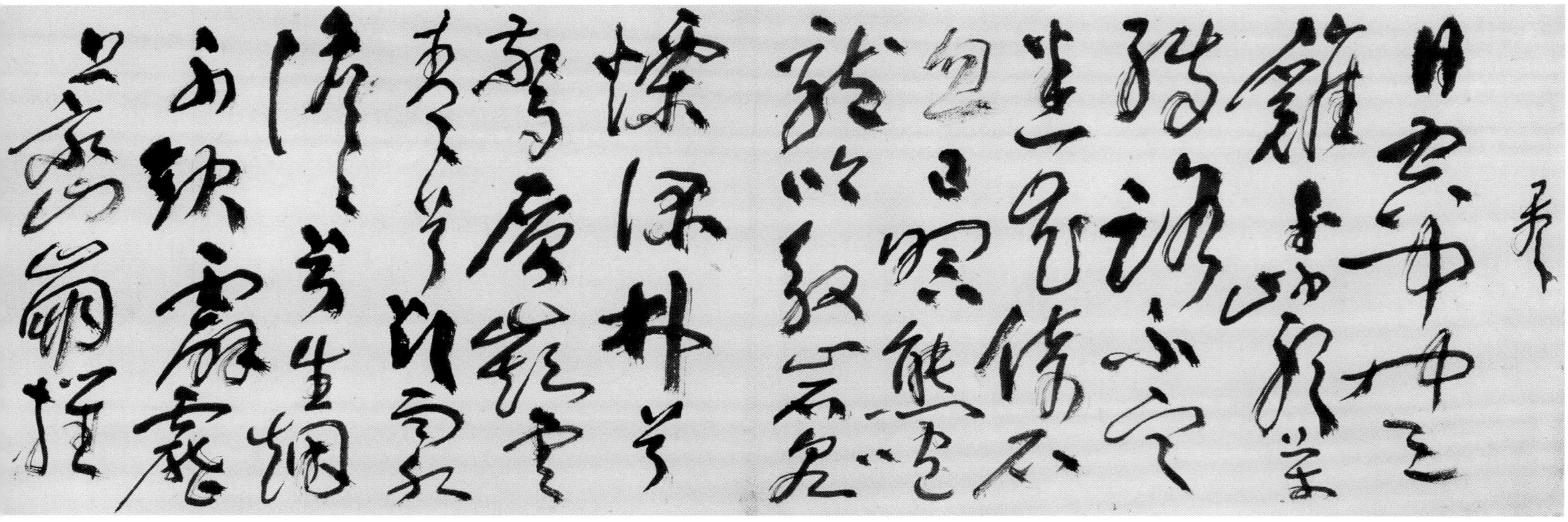

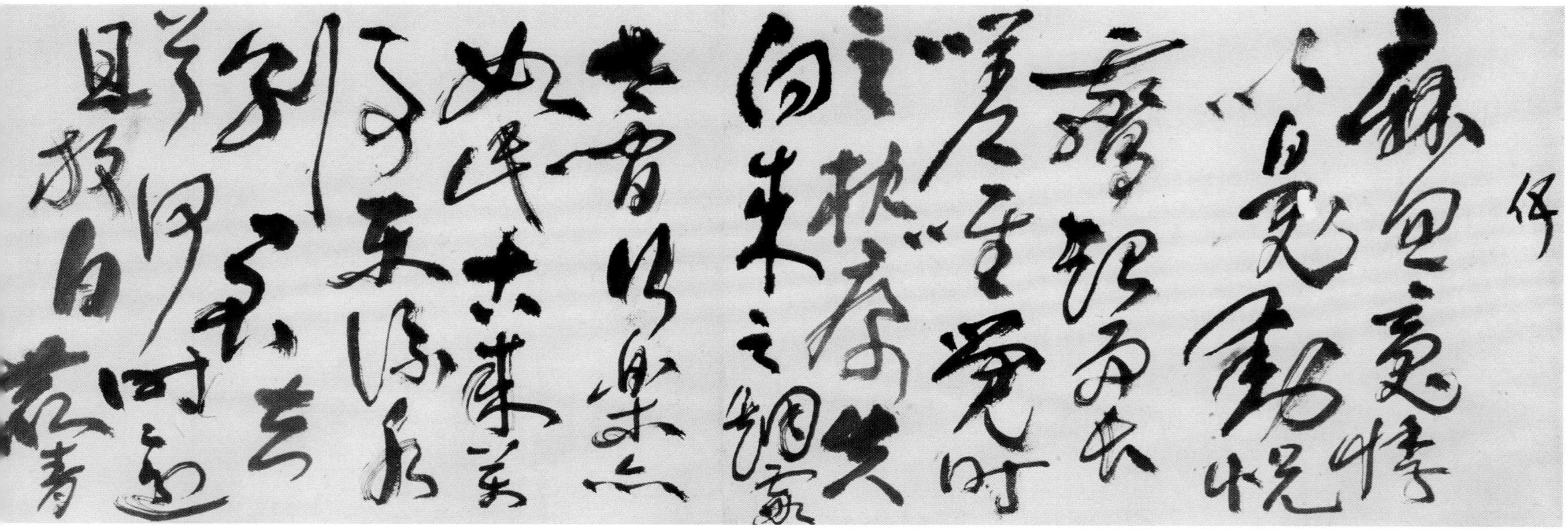

臨羅文瑞草書李白詩　紙本

縱二七・五厘米　橫八四厘米　六幅

浙江省博物館藏

釋文：海客談瀛洲　烟波微茫信難求　越人語天姥
雲霓明滅或可睹
天姥連天向天橫　勢拔五岳掩赤城
天（台）四萬八千丈　對此欲倒東南傾
我欲因之夢吳越　一夜飛渡鏡湖月　湖月照我影
送我至剡溪
謝公宿處今尚在　綠（淥）水蕩漾清猿啼　脚着謝公屐
身登青雲梯
半壁見海日　空中聞天鷄　千岩萬轉路不定　迷花
倚石忽已暝
熊咆龍吟殷岩泉　栗深林兮驚層巔　雲青青兮欲雨
水澹澹兮生烟
列缺霹靂　丘巒崩摧　洞天石扇　訇然中開　青冥
浩蕩不見底
日月照耀金銀臺　霓爲衣兮風爲馬　雲之君兮
紛紛而來下　虎鼓瑟兮鸞回車
仙之人兮列如麻　忽魂悸以魄動　恍驚起而長嗟
唯覺時之枕席
失向來之烟霞　世間行樂亦如此　古來萬事東流水
別君去兮何時還
且放白鹿青岩間　須行即騎訪名山　安能摧眉折腰
事權貴　使我不得開心顏
庚寅端陽後一日　羅文瑞

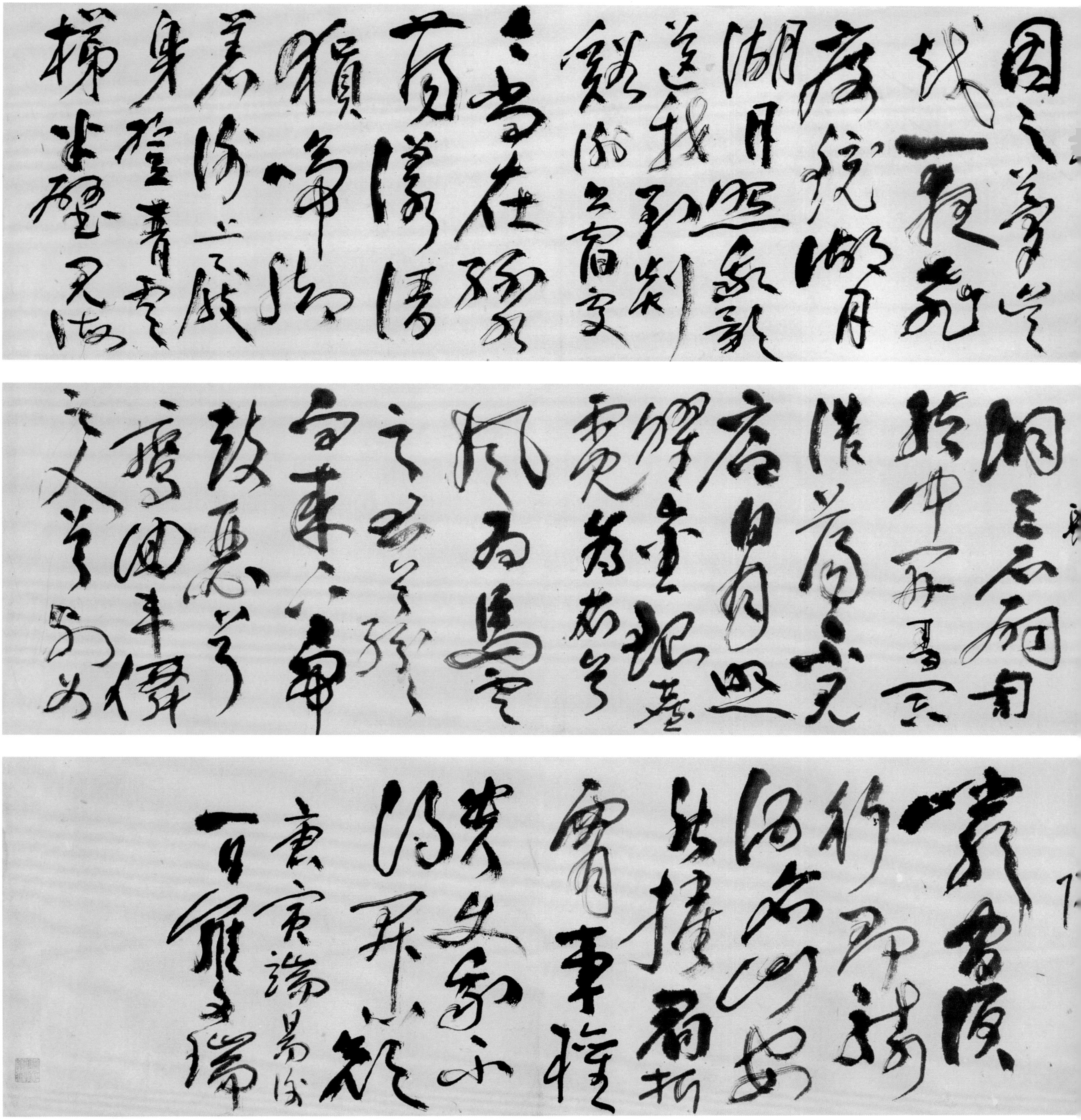

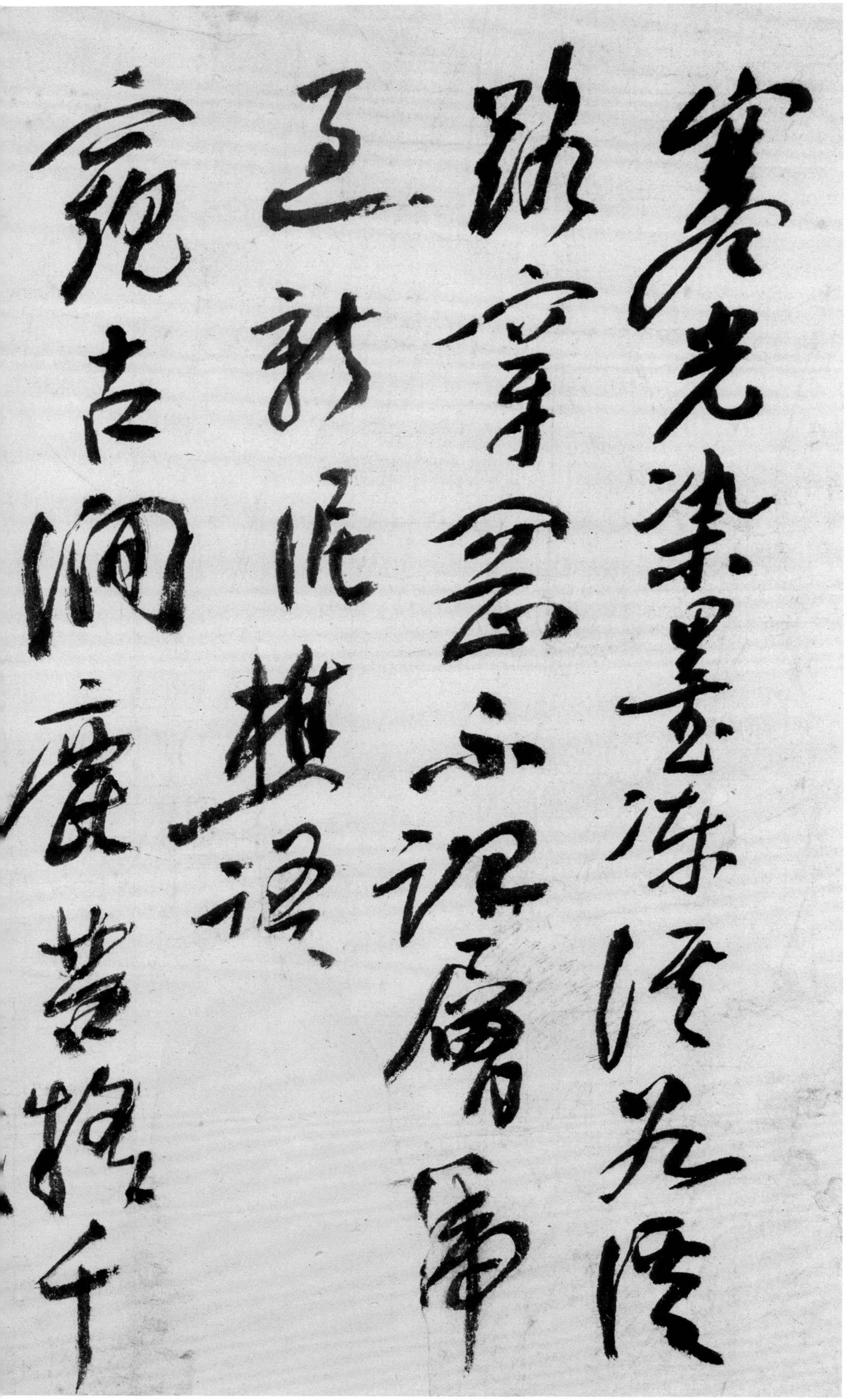

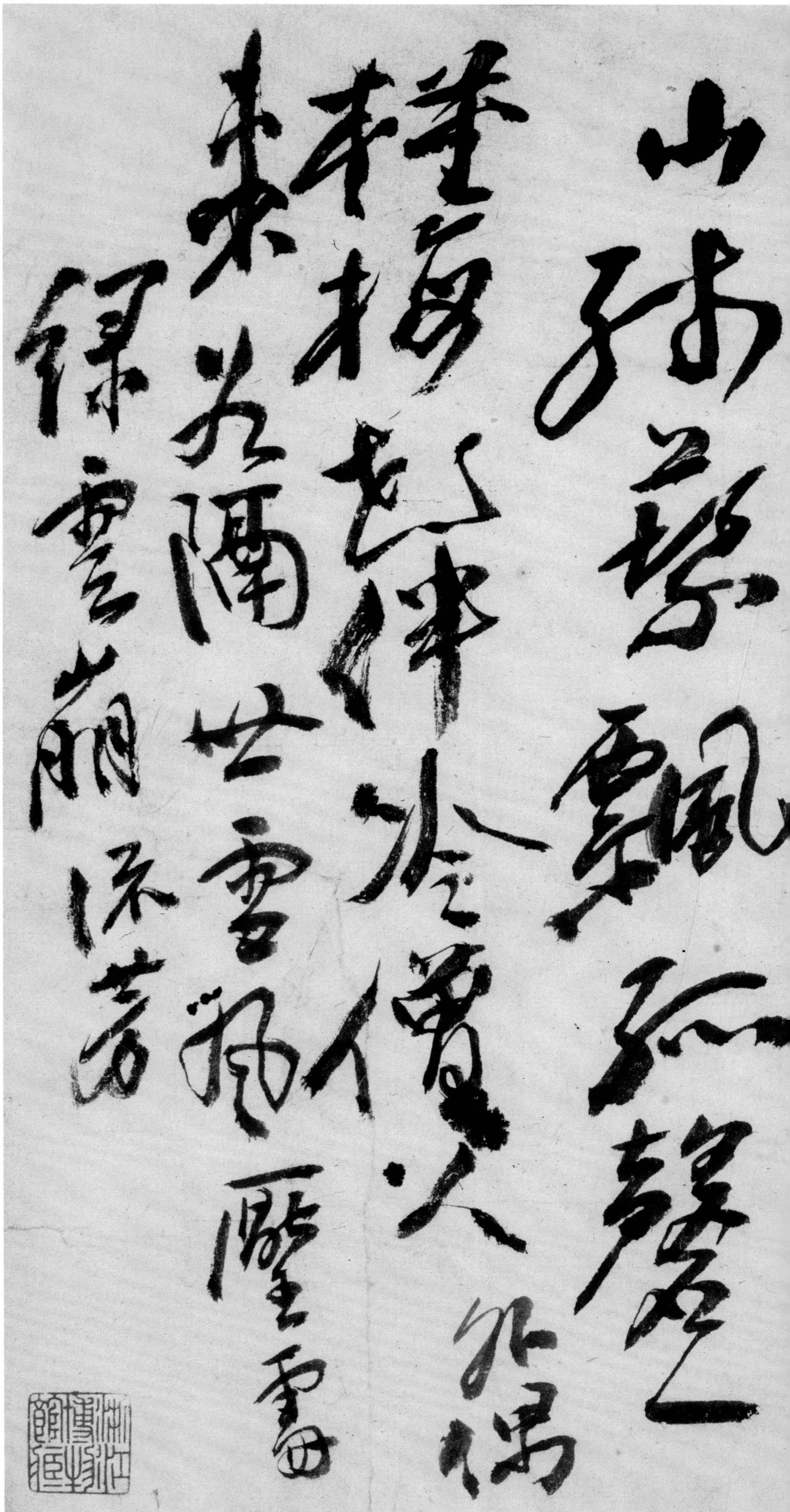

臨李流芳書　紙本　縱二九厘米　橫二三厘米　浙江省博物館藏

釋文：寒光染墨凍溪谷　溪路穿岡不記層　虎過新泥樵語□　□窺古澗鹿苔凝
千山殘葉飄孤磬　一槿（樹）梅花伴冷僧　人外偶來如隔世　雪風壓處緑雲崩　流芳

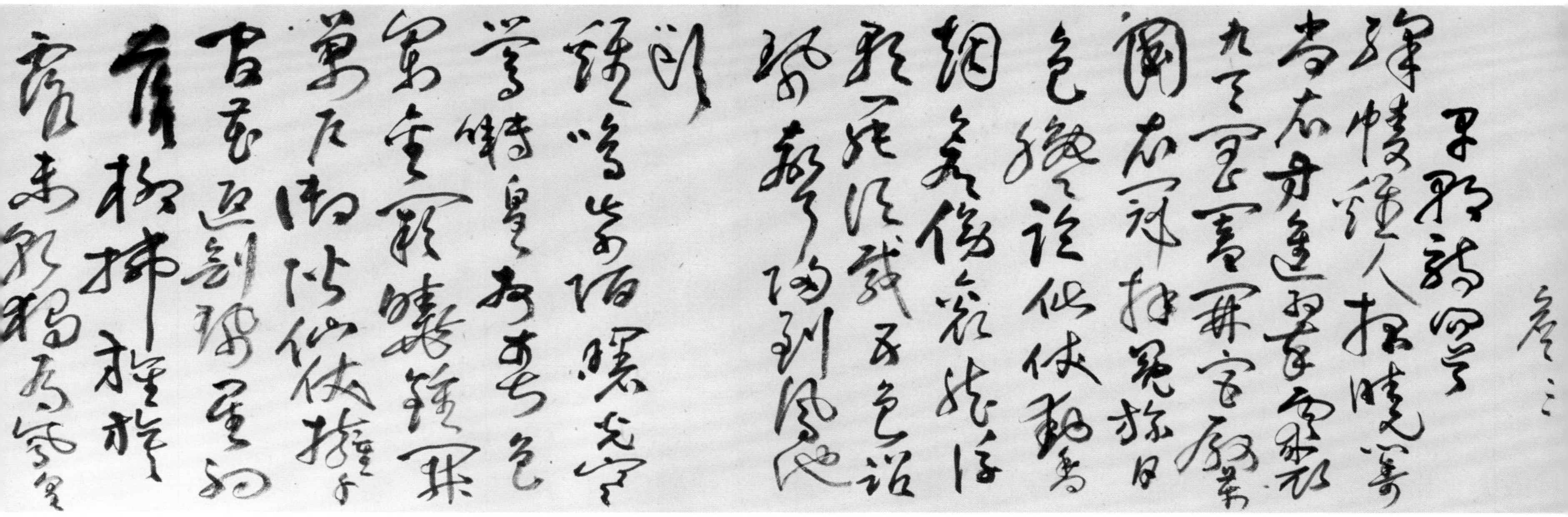

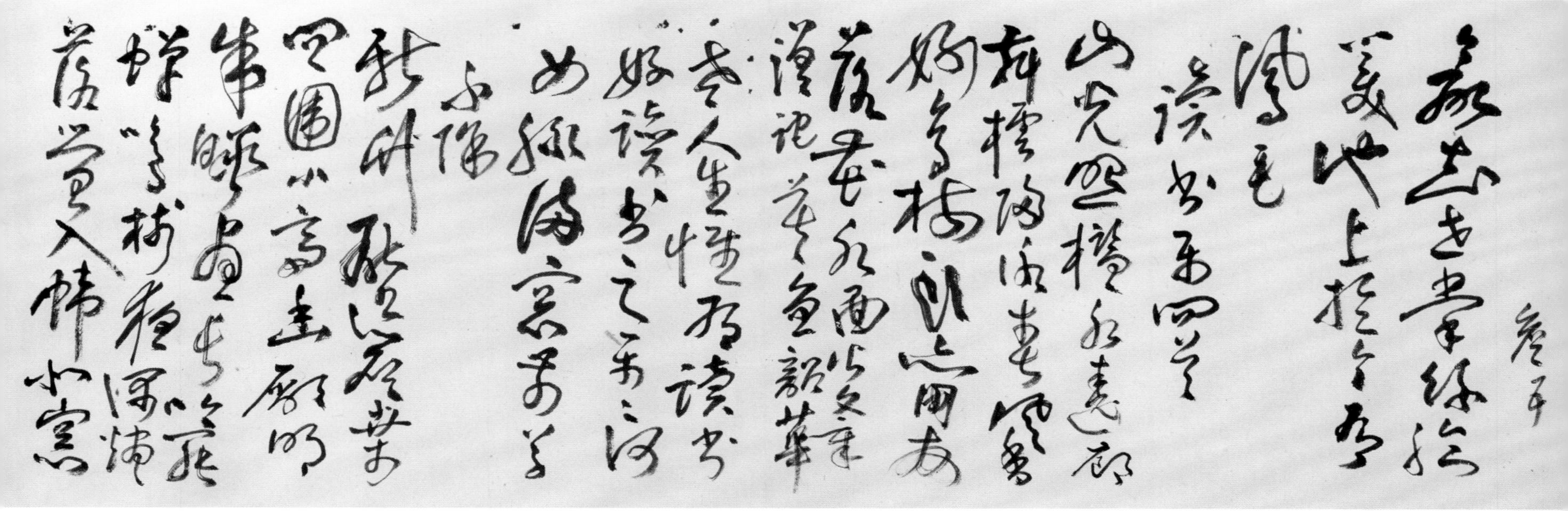

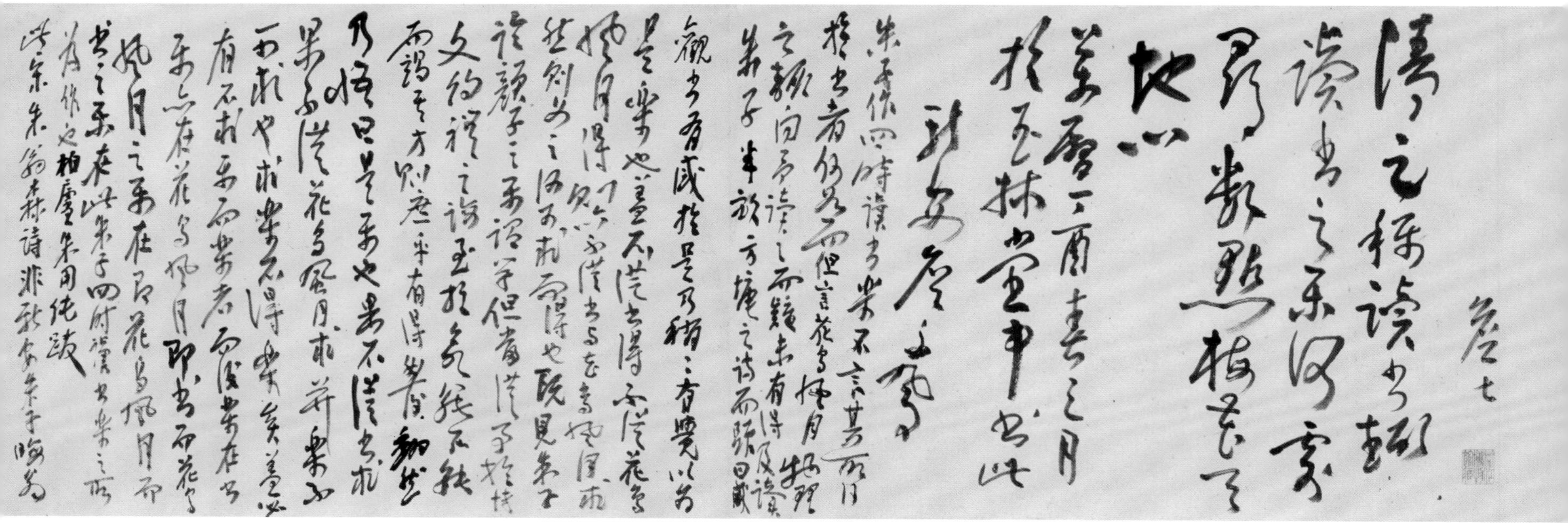

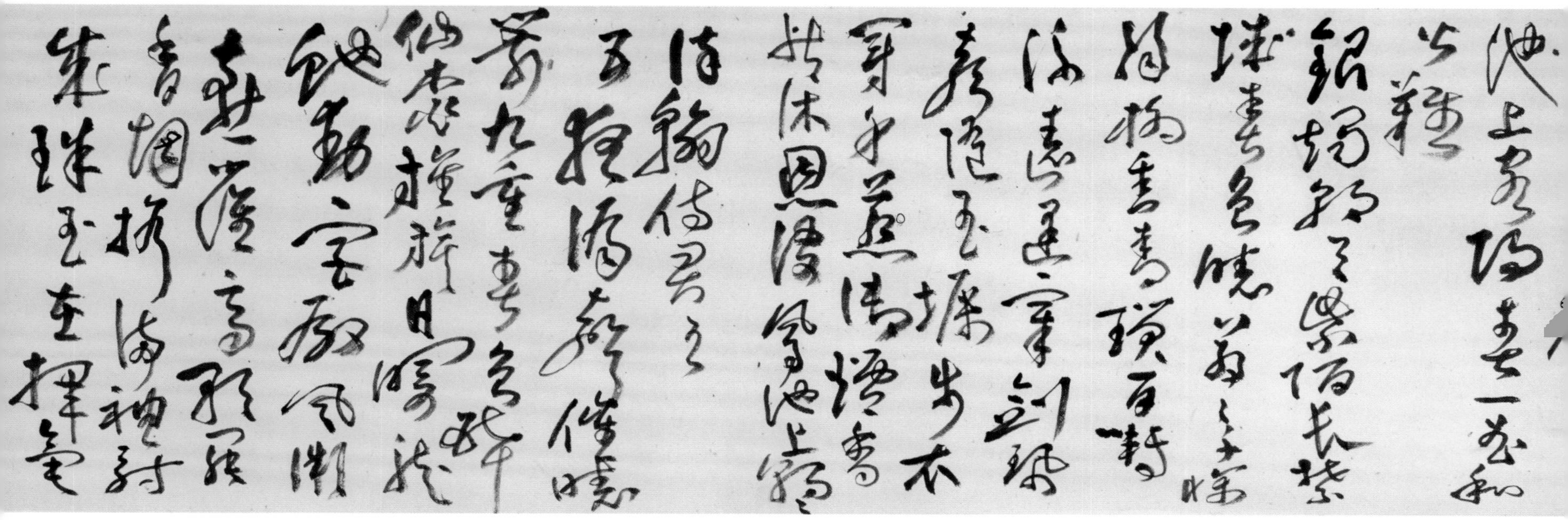

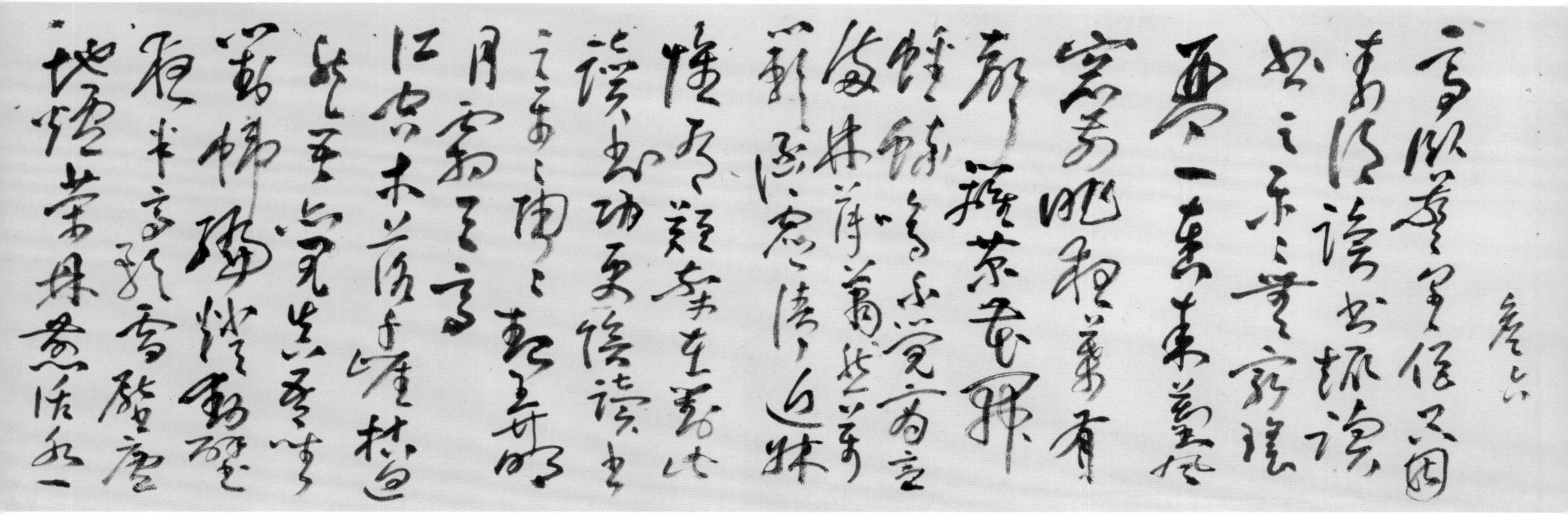

臨詹景鳳草書　紙本　縱二八厘米　橫九〇厘米　五幅　浙江省博物館藏

釋文：早朝詩四首

絳幘鷄人報曉籌　尚衣方進翠雲裘　九天閶闔開宮殿　萬國衣冠拜冕旒

日色才臨仙仗動　香烟欲傍袞龍浮　朝罷須裁五色詔　佩聲歸到鳳池頭

鷄鳴紫陌曙光寒　鶯囀皇州春色闌　金闕曉鍾開萬户　御階仙仗擁千官

花迎劍佩星初落　柳拂旌旗露未乾　獨有鳳凰池上客　陽春一曲和皆難

銀燭朝天紫陌長　禁城春色曉蒼蒼　千條弱柳垂青瑣　百囀流（鶯）遠建章

劍佩聲隨玉墀步　衣冠身惹御爐香　共沐恩波鳳池上　朝朝染翰侍君王

五夜漏聲催曉箭　九重春色醉仙桃　旌旗日暖龍蛇動　宮殿風微燕雀高

朝罷香烟携滿袖　詩成珠玉在揮毫　欲知世掌絲綸美　池上于今有鳳毛

讀書樂四首

山光照檻水繞廊　舞雩歸咏春風香　好鳥樹頭亦朋友　落花水面皆文章

蹉跎莫遣韶華老　人生惟有讀書好　讀書之樂樂何如　緑滿窗前草不除

新竹壓檐桑四圍　小齋幽敞明朱曦　書長吟罷蟬鳴樹　夜深燼落螢入幃

北窗高卧羲皇侣　只因素稔讀書趣　讀書之樂樂無窮　瑶琴一奏來薰風

窗前昨夜葉有聲　籬菊花開蟋蟀鳴　不覺商意滿林薄　蕭然萬籟涵虚清

近床惟有短檠在　對此讀書功更倍　讀書之樂樂陶陶　起弄明月霜天高

江空木落千崖枯　迥然吾亦見真吾　坐對韋編燈動壁　夜半高歌雪壓廬

地爐茶鼎煎活水　一清足稱讀書趣　讀書之樂何處尋　數點梅花天地心

萬曆丁酉春三月于玉林堂中書此　新安詹景鳳（下略）

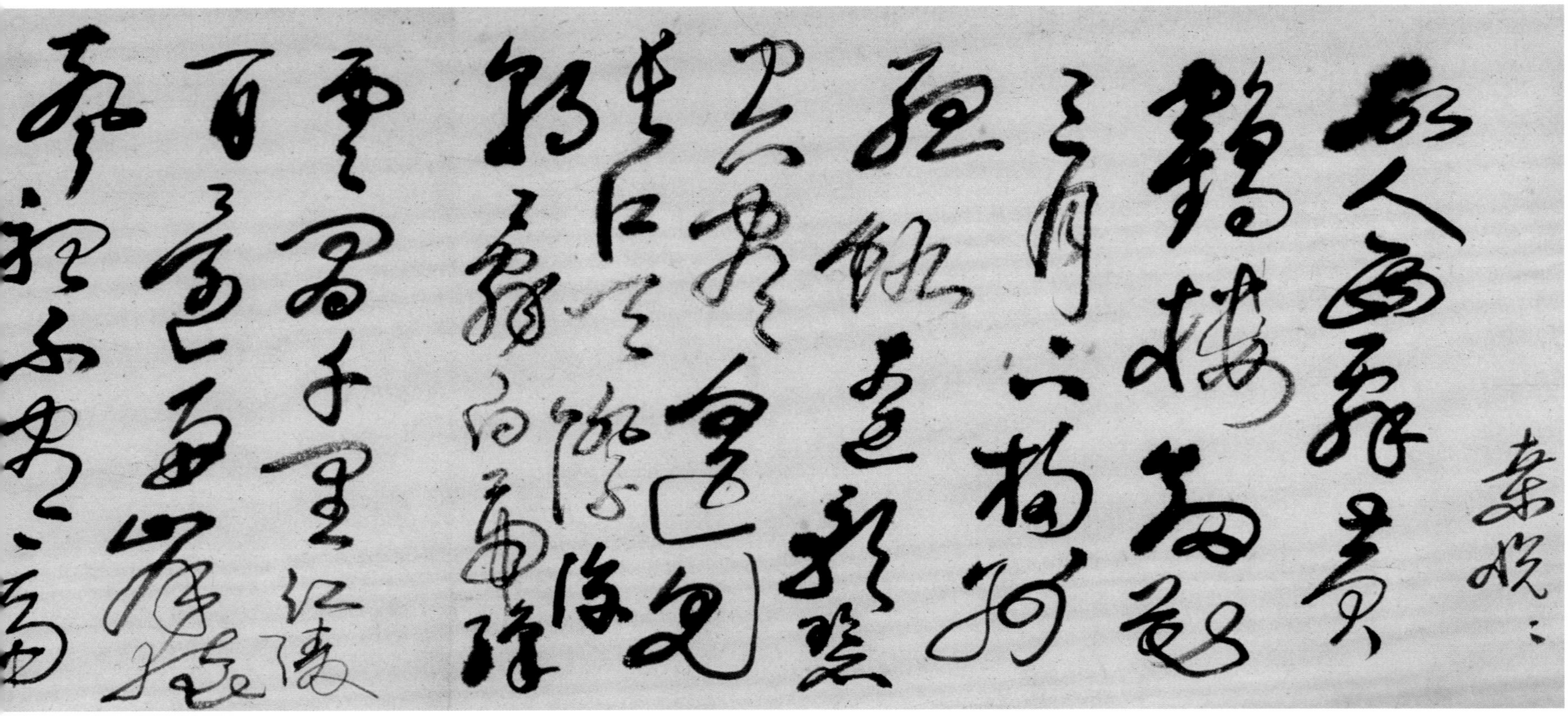

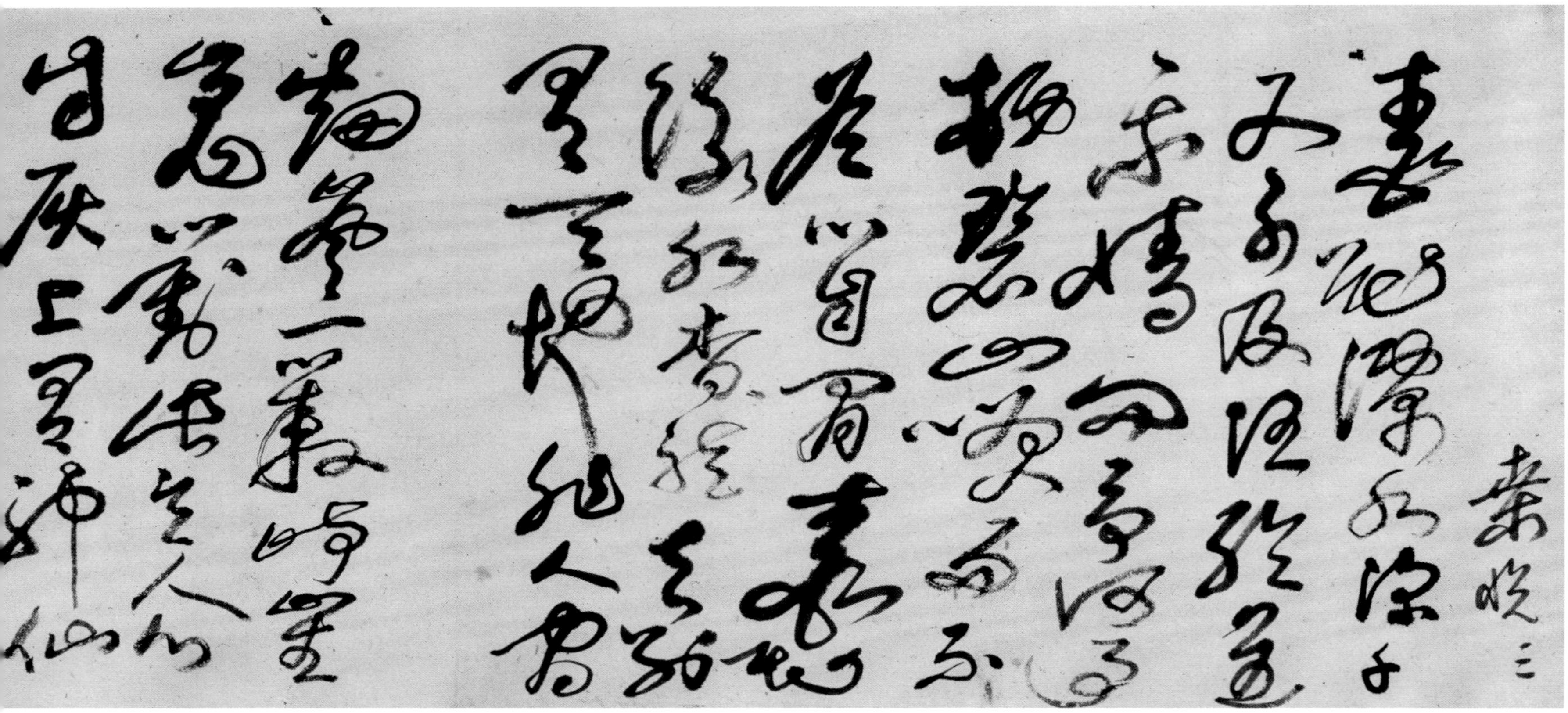

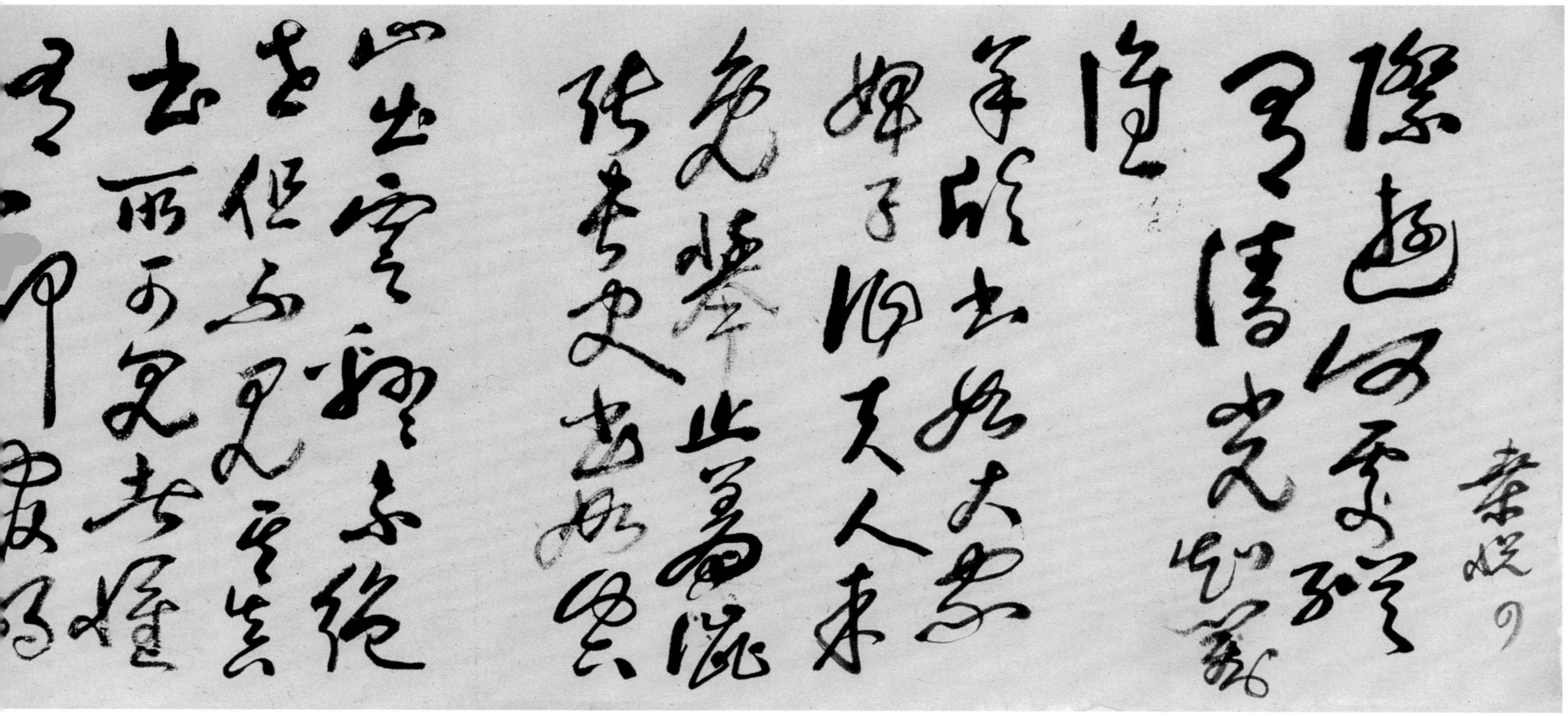

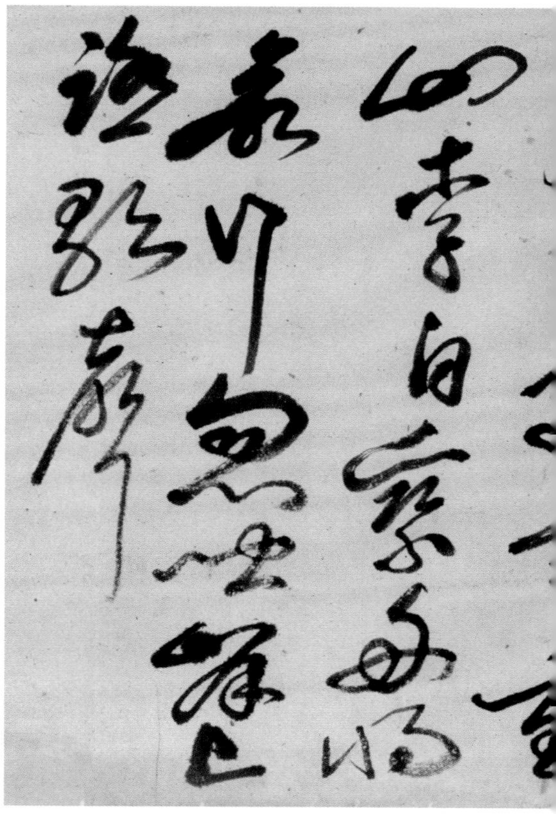

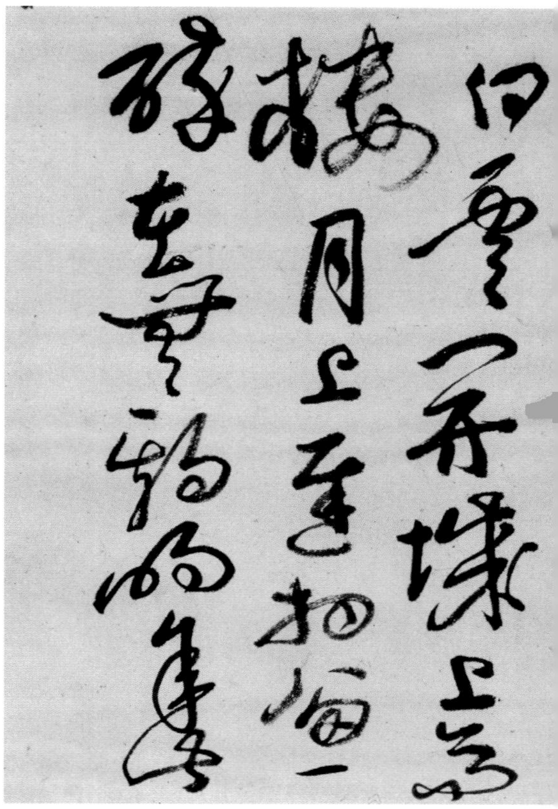

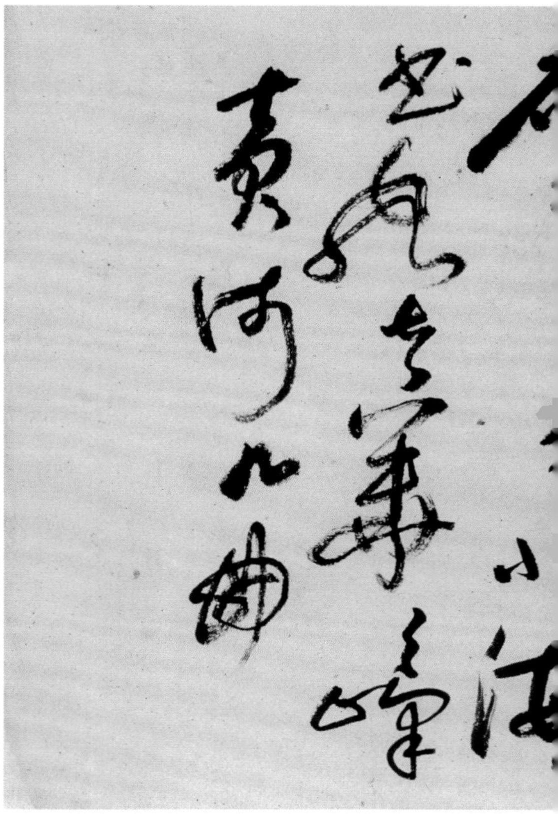

臨桑悅草書唐詩　紙本　縱三〇厘米　橫九〇厘米　三幅　浙江省博物館藏

釋文：故人西辭黃鶴樓　烟花三月下揚州　孤帆遠影碧空盡　遥（惟）見長江天際流

朝辭白帝彩雲間　千里江陵一日還　兩岸猿聲聽不盡（啼不住）　扁（輕）舟已過萬重山

李白乘舟將欲行　忽聞岸上踏歌聲　桃花潭水深千尺　不及汪倫送我情

問予何事栖碧山　笑而不答心自閑　桃花流水杳然去　別有天地非人間

烟嵐一叢峙崔嵬　對此令人心自灰　上有神仙不知姓　洞門閑倚白雲開

城上高樓月上遲　相留一醉在無期　明年此際游何處　縱有清光知對誰（下略）

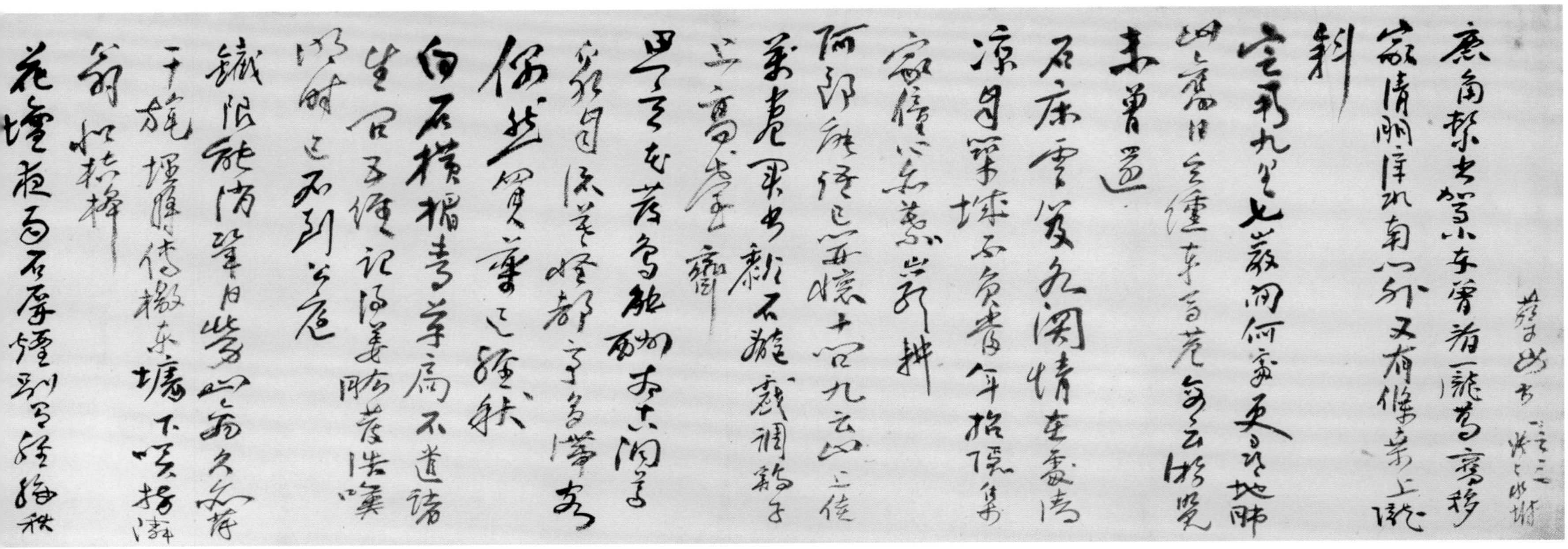

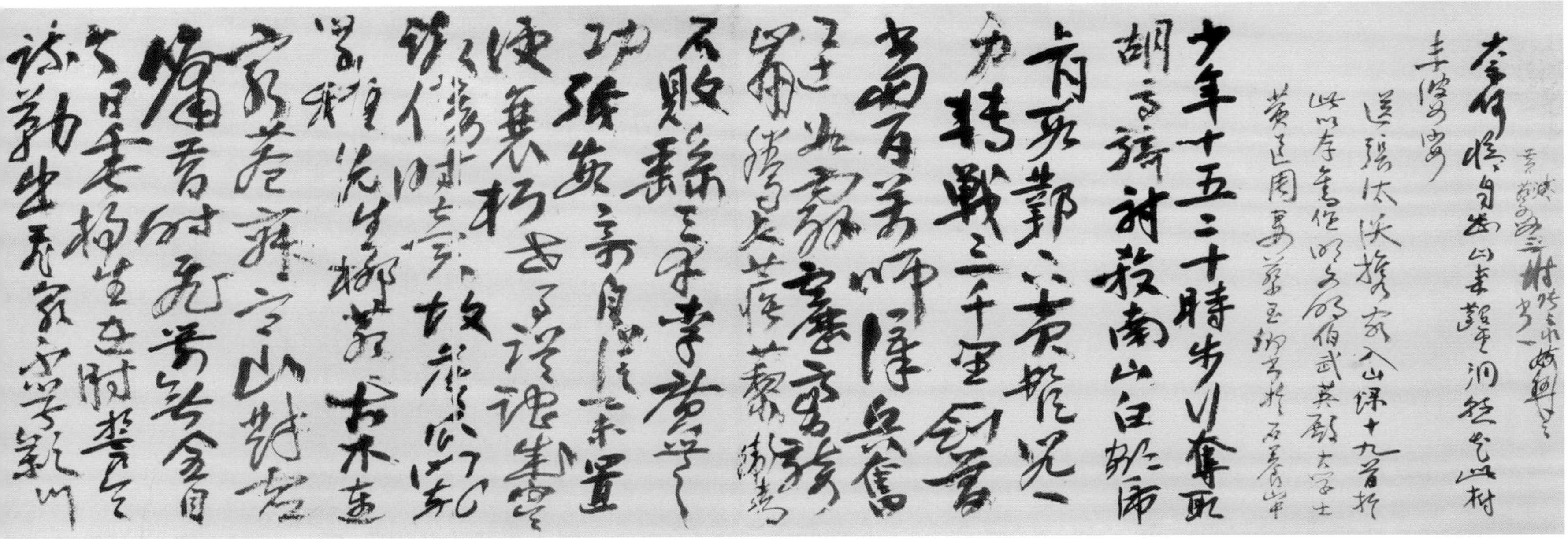

臨蔡玉卿張瑞圖草書　紙本　縱三〇厘米　橫九〇厘米　四幅

浙江省博物館藏

釋文：鹿角繫書駕小車　曾看龐葛舊移家　清明漳水南門外　又有條桑上隴斜
宅南九里七岩間　何處更尋地肺山　舊日玄纏車馬巷　每云游覽未曾還
石床雲笈各關情　在處清涼自築城　不負當年招隱集　家僮心亦慕岩耕
阿郎能語已開懷　十問九云山上佳　萬卷買書黏石髓　戲調鷄子上高（臺）齋
思玄花發鳥能酬　太古洞尊泉自流　莫怪都亭多滯客　偶然買藥已經秋
白石橫楣青草扃　不遺諸生問五經　記得姜肱發浩嘆　明時已不到公庭
鐵限能消幾日勞　山禽久亦薄干旄　埋將傳檄東墻下　笑指鄰翁似桔槔
花壇夜雨石屏烟　別有經綸秋水篇　下釣投竿人已倦　佛前瓜果似團圓
最愛明月照懸時　平疇百里湛中池　庶門大小多玄識　別訊鵂鶹舊日詩
一春柳采竹平安　笑語長明燈下看　香案前頭誰最好　金身老子是何官
亭顏石笋競標題　又有石顏亭笋齊　便是鐵舟衝到岸　不關簫鼓送鷄栖
版毫上頭斜分深　嬛娘（琅）兩本亦千金　牙籤盡付家人□　不是珠珠即玉林
枯魚荷葉足秋燒　莫向它人墓上樵　黃花來往□□近　數銜石竹上山腰

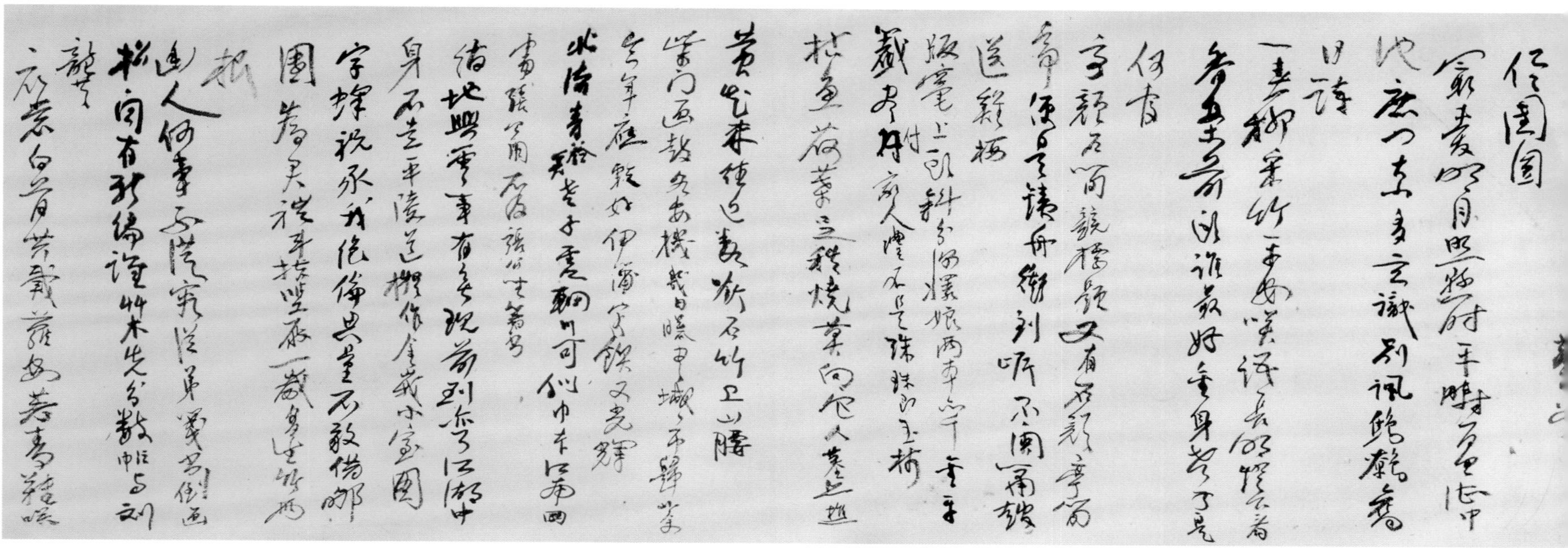

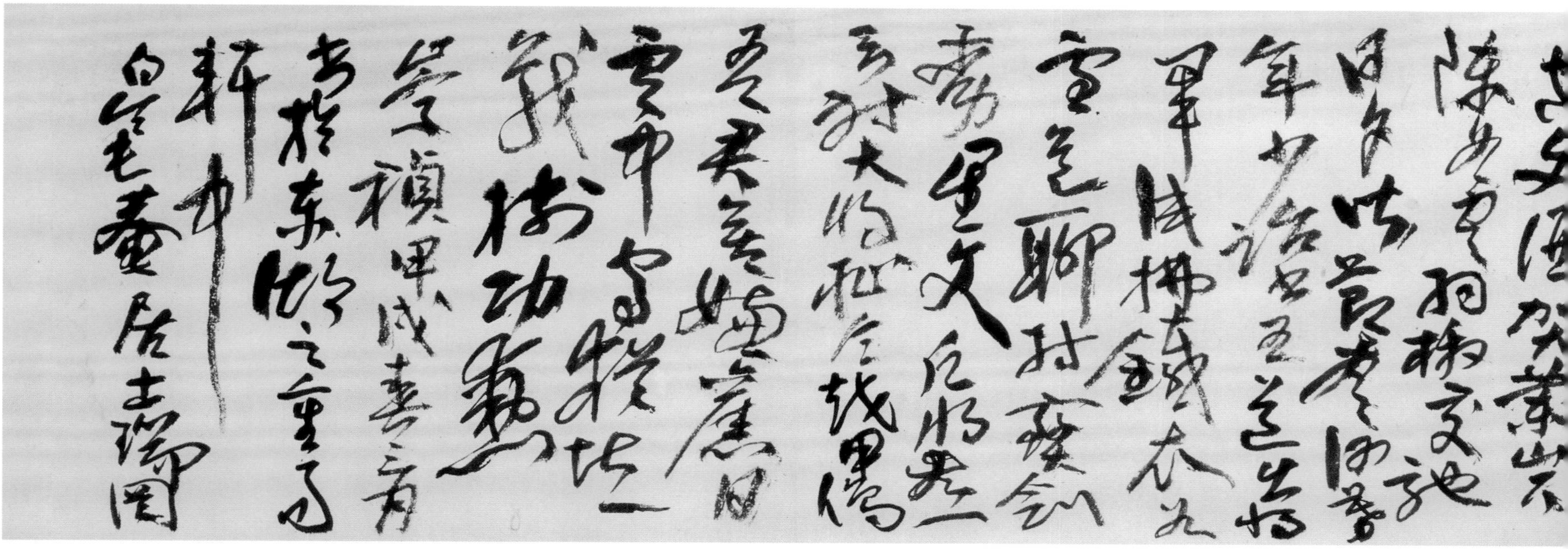

柴門畫鼓各安機　幾日曝書城市歸　北舉今年應較好　伊蒲家饌又光輝

北渚青溪老子虛　輞川可似□巾車　江南四處張公洞　不及張公坐著書

縮地興雲事有無　現前到亦了江湖　中身不走平陵道　擬作金峨小室圖

字蜂祝豕我絶倫　思量不敢借郇園　爲君禮斗扶雙屐　一歲多生竹兩根

幽人何事不從容　從弟箋書倒畫松　開有新編誰草木　先分數帖與劉龔

衣裳白首共載蘿　安着青鞋喚奈何　憶自出山來鑿洞　懸花此樹未婆娑

送張汰沃携家入山　録十九首于此以存舊作

明文明伯武英殿大學士黄道周妻蔡玉卿書于石養山中

少年十五二十時　步行奪取胡馬騎　射殺南山白額虎　肯數鄴下黄鬚兒

一身轉戰三千里　一劍曾當百萬師　漢兵奮迅如霹靂　虜騎崩騰畏蒺藜

衛青不敗繇天幸　李廣無功緣數奇　自從弃置便衰朽　世事蹉跎成白首

路傍時賣故侯瓜　門前學種先生柳　蒼蒼古木連窮巷　寂寂寒山對虛牖

昔時飛箭無全目　今日垂楊生左肘　誓令疏勒出飛泉　不學潁川空使酒

賀蘭山下陣如雲　羽檄交馳日夕聞　節使三河募年少　詔書五道出將軍

試拂鐵衣如雪色　聊持寶劍動星文　願將燕弓射大將　耻令越甲傷吾君

無嫌舊日雲中守　猶堪一戰樹功勛

崇禎甲戌春三月　書于東湖之重易軒中　白毫庵居士瑞圖

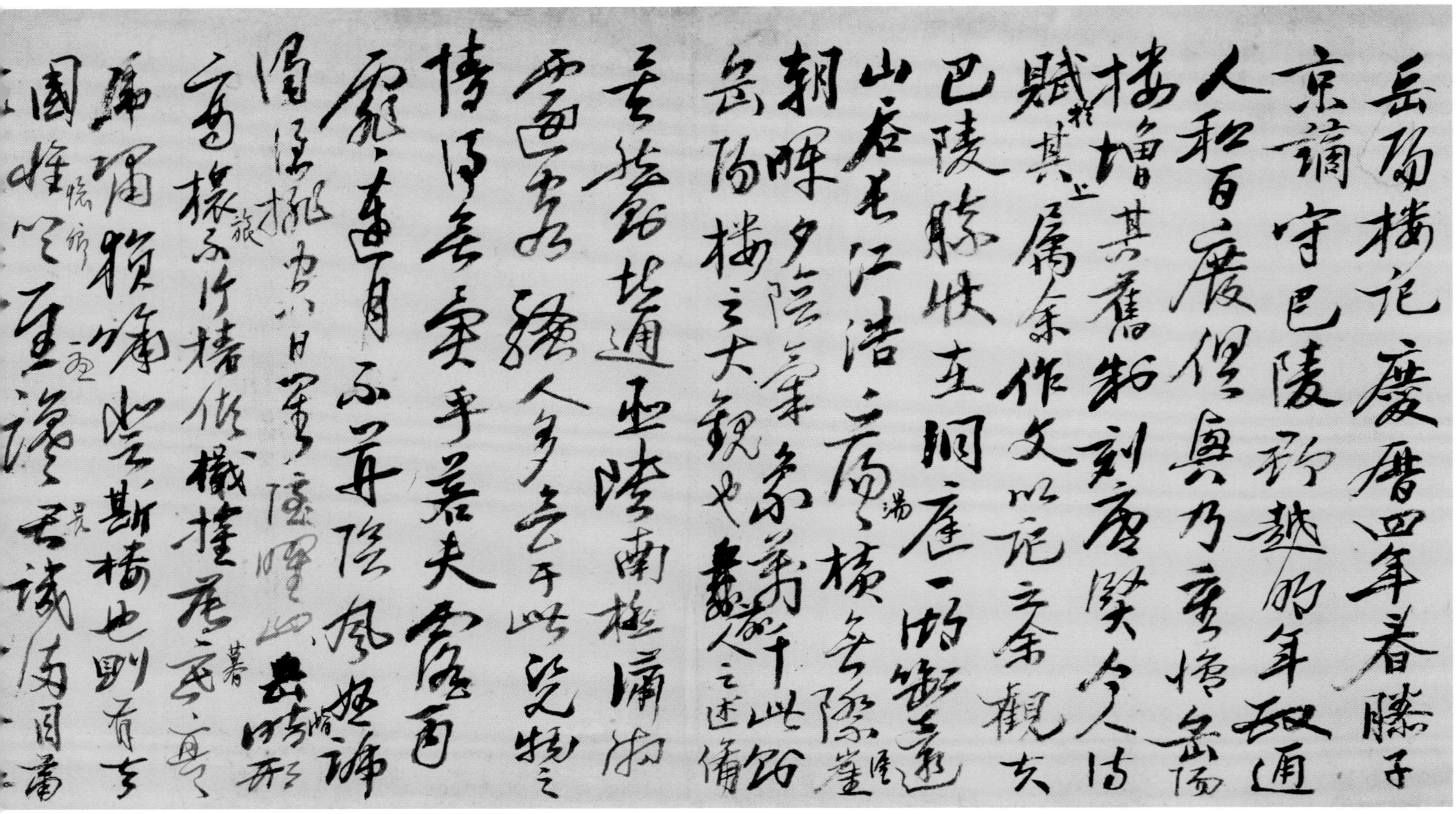

臨張瑞圖行草書岳陽樓記 紙本 縱三二厘米 橫六八厘米 兩幅

浙江省博物館藏

釋文：岳陽樓記 慶曆四年春 滕子京謫守巴陵郡 越明年
政通人和 百廢俱興 乃重修岳陽樓 增其舊制
刻唐賢今人詩賦于其上 囑余作文以記之 余觀夫巴陵勝狀 在洞庭一湖
銜遠山 呑長江 浩浩蕩蕩（旁注湯）橫無際崖（旁注涯）朝暉夕陰
氣象萬千 此則岳陽樓之大觀也 前人之述備矣 然則北通巫峽 南極瀟湘
遷客騷人 多會于此 覽物之情 得無异乎 若夫霪雨霏霏 連月不開 陰風怒號
濁浪排空 日星隱曜 山岳潜形 商□（旁注旅）不行 檣傾楫摧
薄寒（旁注暮）冥冥 虎嘯猿啼 登斯樓也 則有去國惟□（旁注懷鄉）
暹（旁注憂）讒畏譏 滿目蕭然（感）極而悲者矣 至若春和景明 波瀾不驚
上下天光 一碧萬頃 沙鷗翔集 錦鱗游泳 岸（芷）汀蘭 鬱鬱青青
而或長烟一空 皓月千里 浮光躍金 净影沈璧 漁歌互答 此樂何極
登斯樓也 則有心曠神怡 寵辱皆忘 把酒臨風 其樂洋洋者矣 嗟夫
余嘗求古仁人之心 或异二者之爲 何哉 不以物喜 不以己悲 居廟堂之高
則憂其民 處江湖之遠 則憂其君 是進亦憂 退亦憂 然則何時而樂耶
其必曰先天下之憂而憂 後天下之樂而樂 歟噫 微斯人 吾誰與歸 瑞圖

上下天光，一碧萬頃；沙鷗翔集，錦鱗游泳；岸芷汀蘭，郁郁青青。而或長煙一空，皓月千里，浮光躍金，靜影沉璧，漁歌互答，此樂何極！登斯樓也，則有心曠神怡，寵辱偕忘，把酒臨風，其喜洋洋者矣。

嗟夫！予嘗求古仁人之心，或異二者之為，何哉？不以物喜，不以己悲；居廟堂之高則憂其民，處江湖之遠則憂其君。是進亦憂，退亦憂；然則何時而樂耶？其必曰「先天下之憂而憂，後天下之樂而樂」乎。噫！微斯人，吾誰與歸？

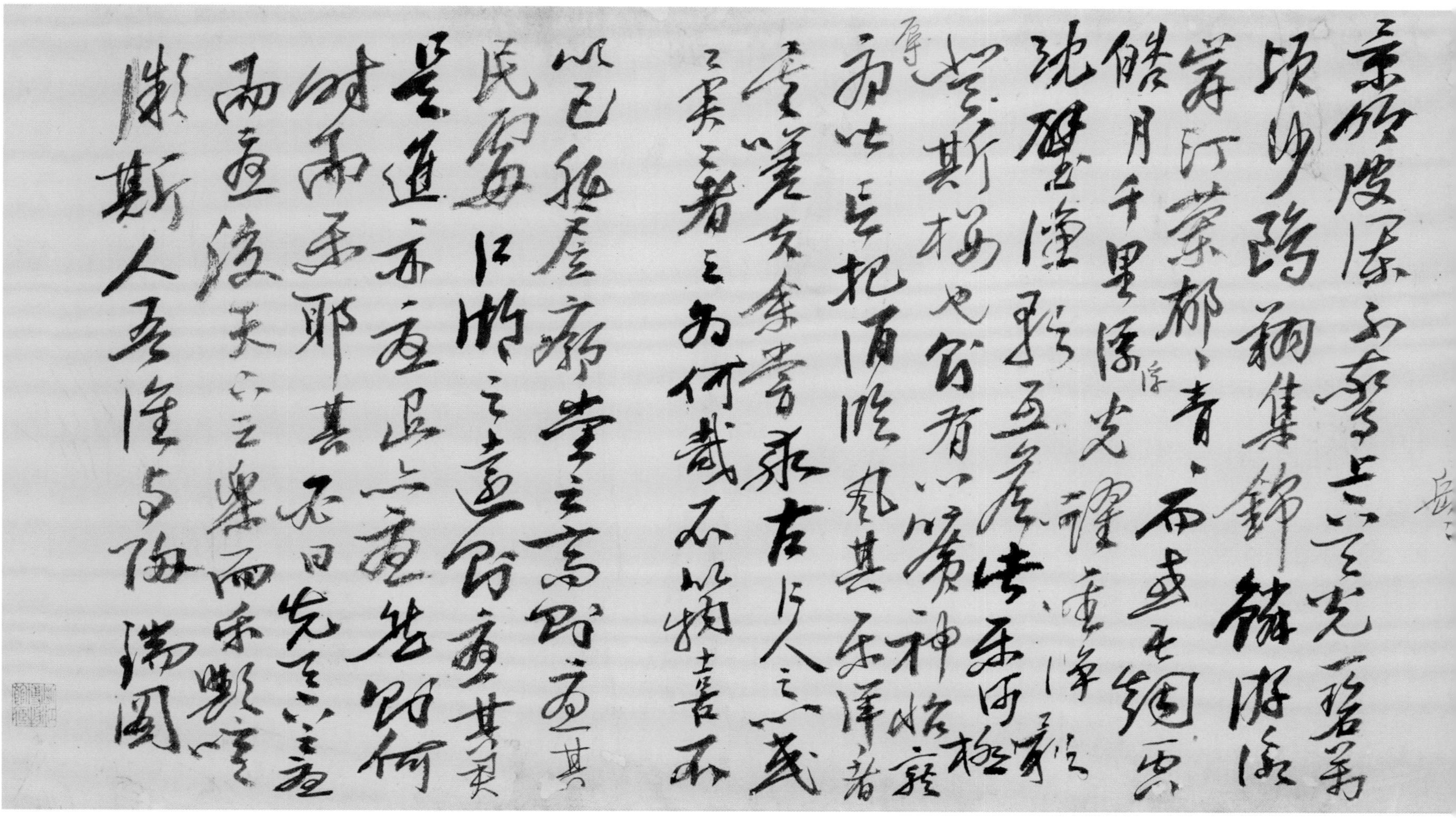

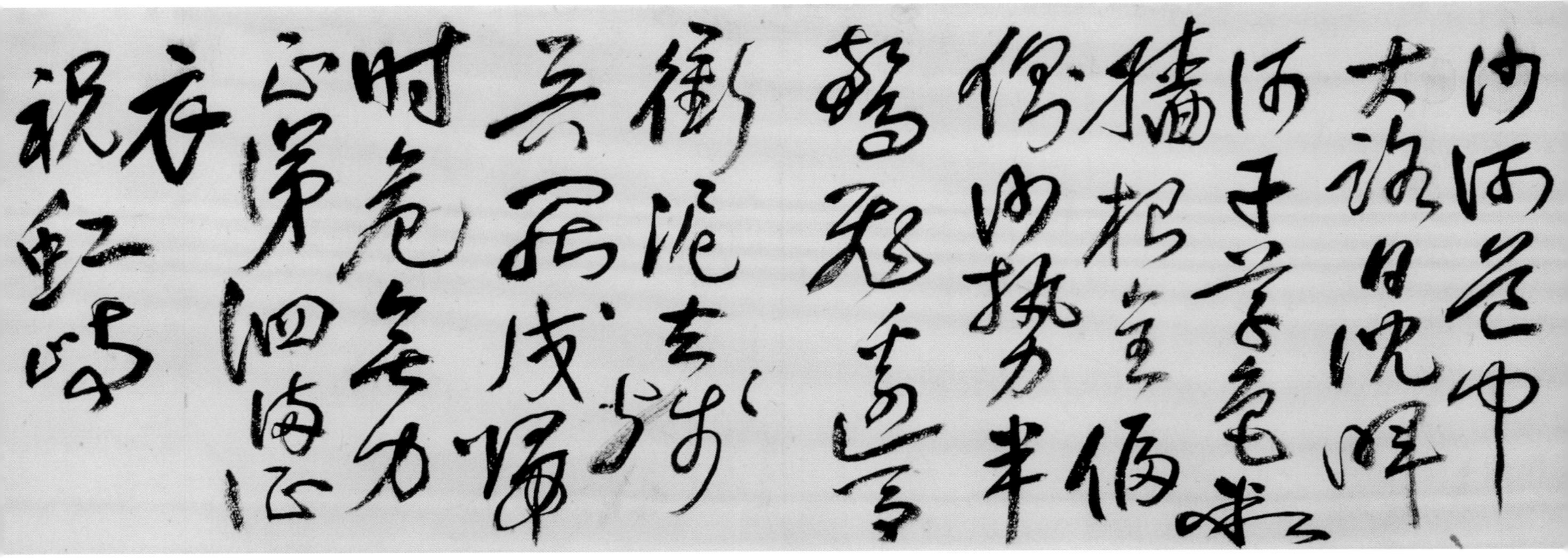

臨王鐸草書　紙本　縱二九厘米　橫八八厘米　兩幅

浙江省博物館藏

釋文：沙河道中

大路日沉暉　河干草色微　墻根全逼側　沙勢半驚飛

邊馬銜泥去　殘兵罷戍歸　時危無力正　涕泗滿征衣

祝虹峙

安心入蕉蘿　栖息上青柯　病去愁微減　貧中事不多

書翻蟫掘閱　夢穩雪嵯峨　天宇空如此　山巔一放歌

辛卯五月　王鐸

安心入簧
薜荔梅息
青柯瘦病去
秋来减气
巾子不多书
翔罩摇阅
梦裡雪崖
峨飞宇宙
为此山巅
寂寞辛卯
青月
王铎

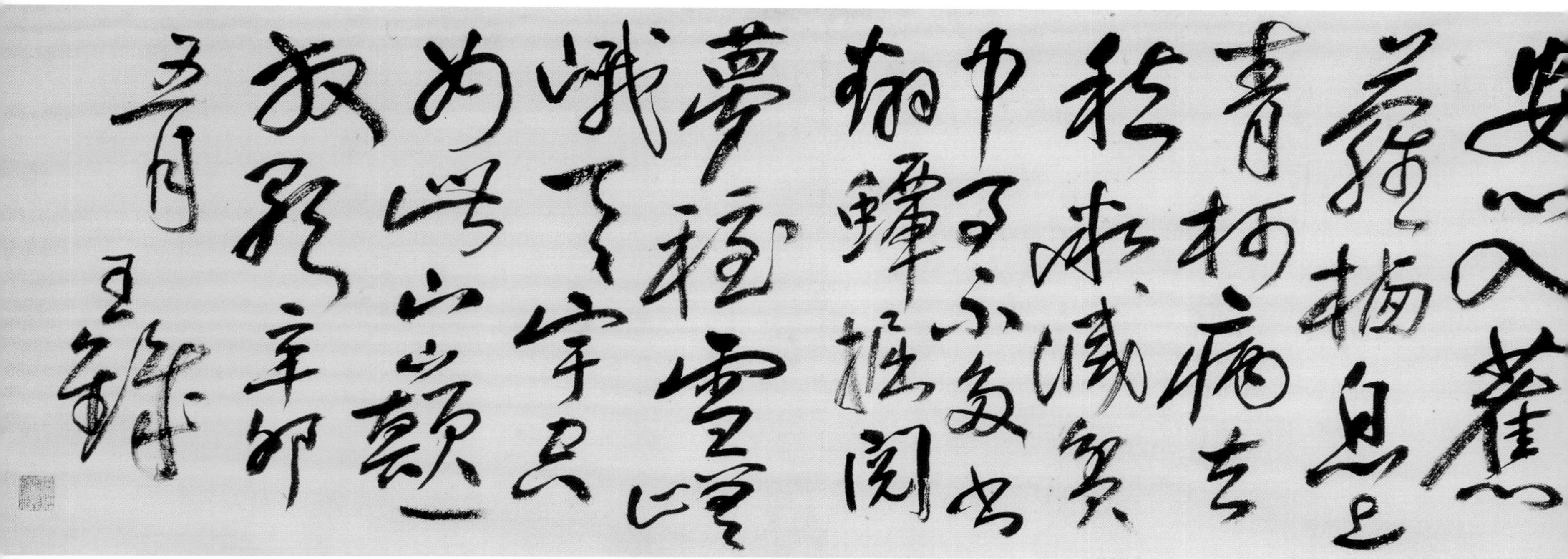

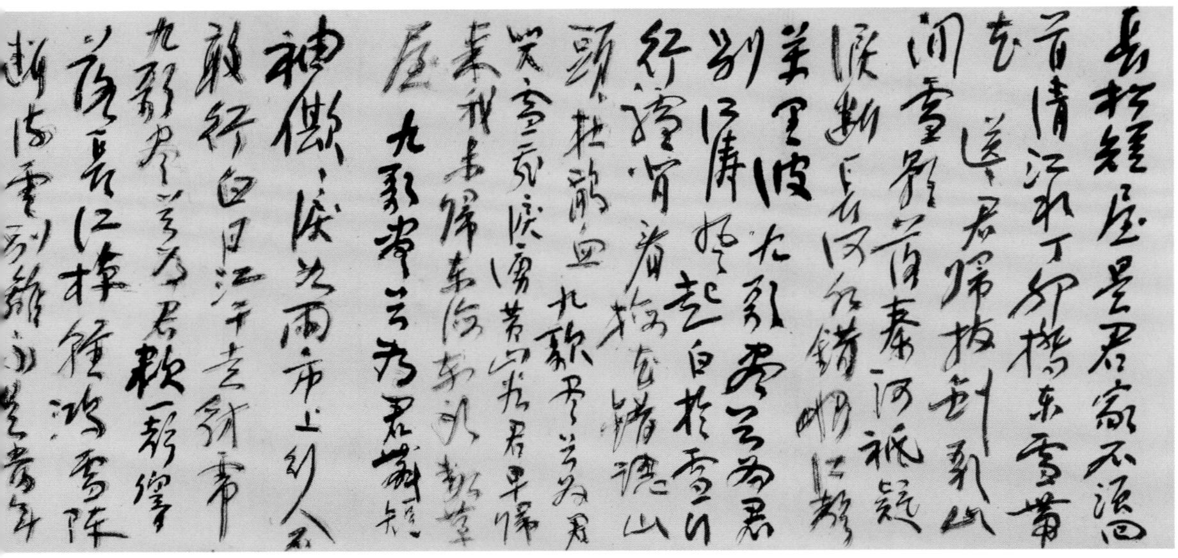

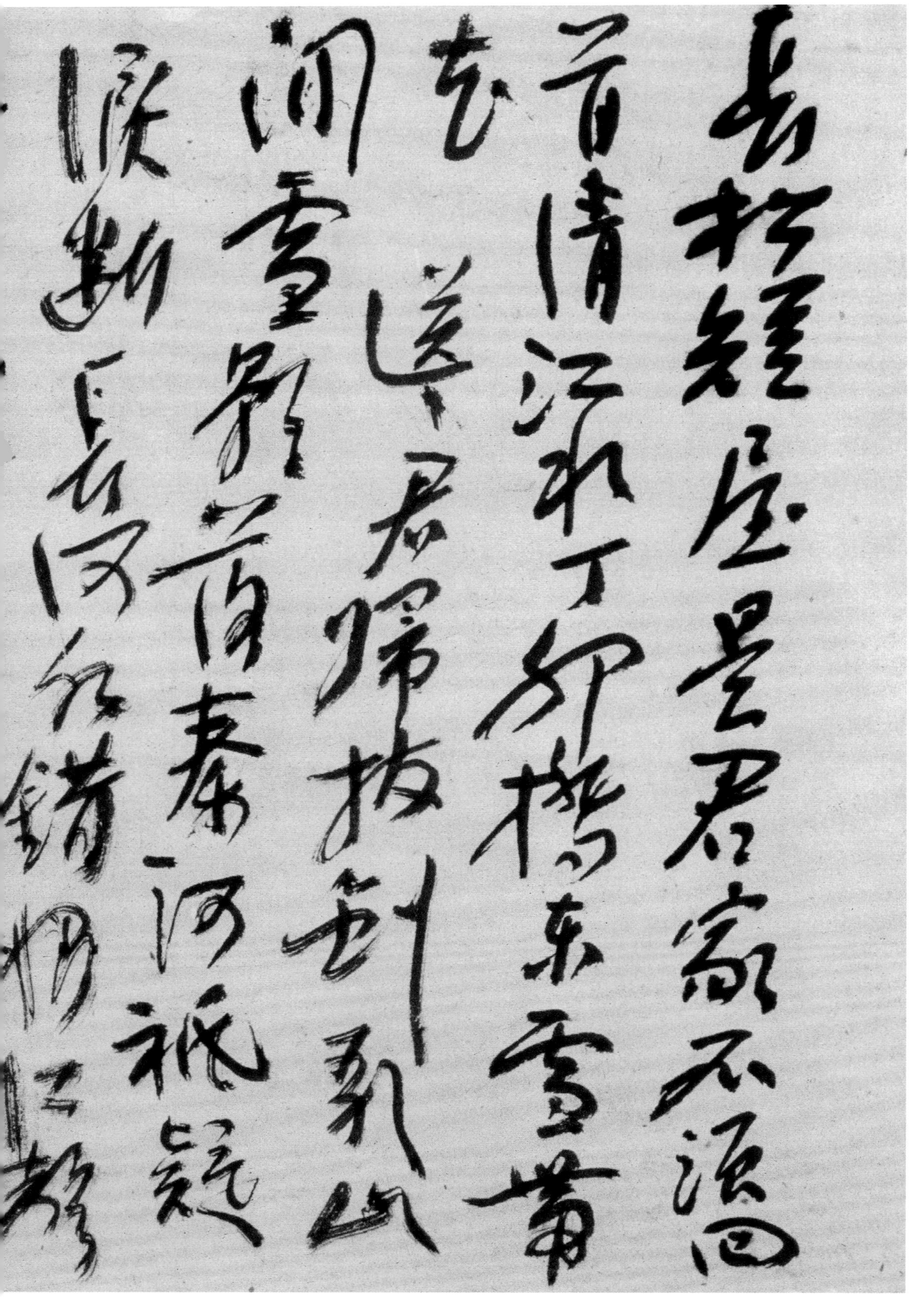

臨法若真草書　紙本　縱二七・五厘米　橫八四厘米　兩幅　浙江省博物館藏

釋文：長松短屋是君家　不須回首清江水　丁卯橋東雪帶花　送送君歸拔劍歌
山間雪影落秦河　只疑泪斷長河水　錯恨江聲萬里波　九歌盡兮爲君別
江濤風起白于雪　行行驢背看梅花　錯認山頭杜鵑血　九歌盡兮爲君哭
雪飛泪涌黃山谷　君早歸來我未歸　東海東頭數茅屋　九歌盡兮爲君舞
短袖儆儆泪如雨　市上行人不敢行　白日江干走豺虎　九歌盡兮爲君嘯
一聲響落長江棹　輕鴻雪陣斷流雲　別離不是當年少　九歌盡兮爲君酌
酒紅泪綠鸜鵒勺　厨人斷魚白雪高　摇亂銀刀聲霍霍　九歌盡兮爲君壽
子在尊前孫在後　楊柳臘月憐春風　風輕錯恨離人瘦　九歌盡兮爲君坐
短褐往年風雨破　不盡無官今日貧　王渾空腹長饑餓　九歌盡兮更題畫
墨潑雲濃帆一挂　不識故園何日歸　前行爲卜君平卦
戊戌臘月　客江陵偶題雪江圖送別虞翁歸里　法若真（下略）

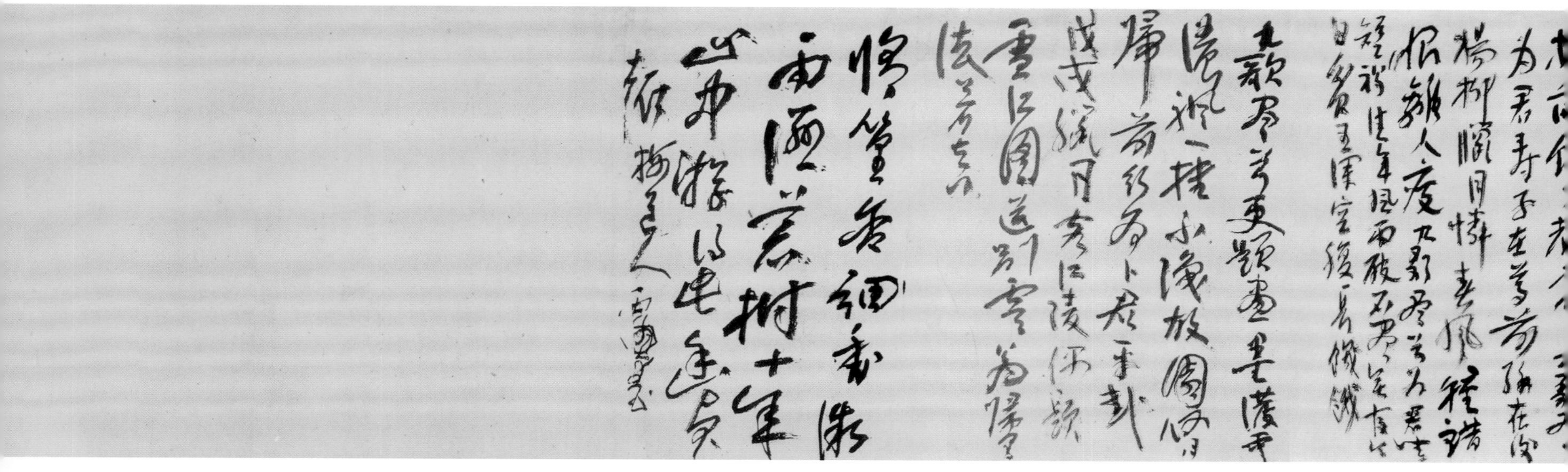

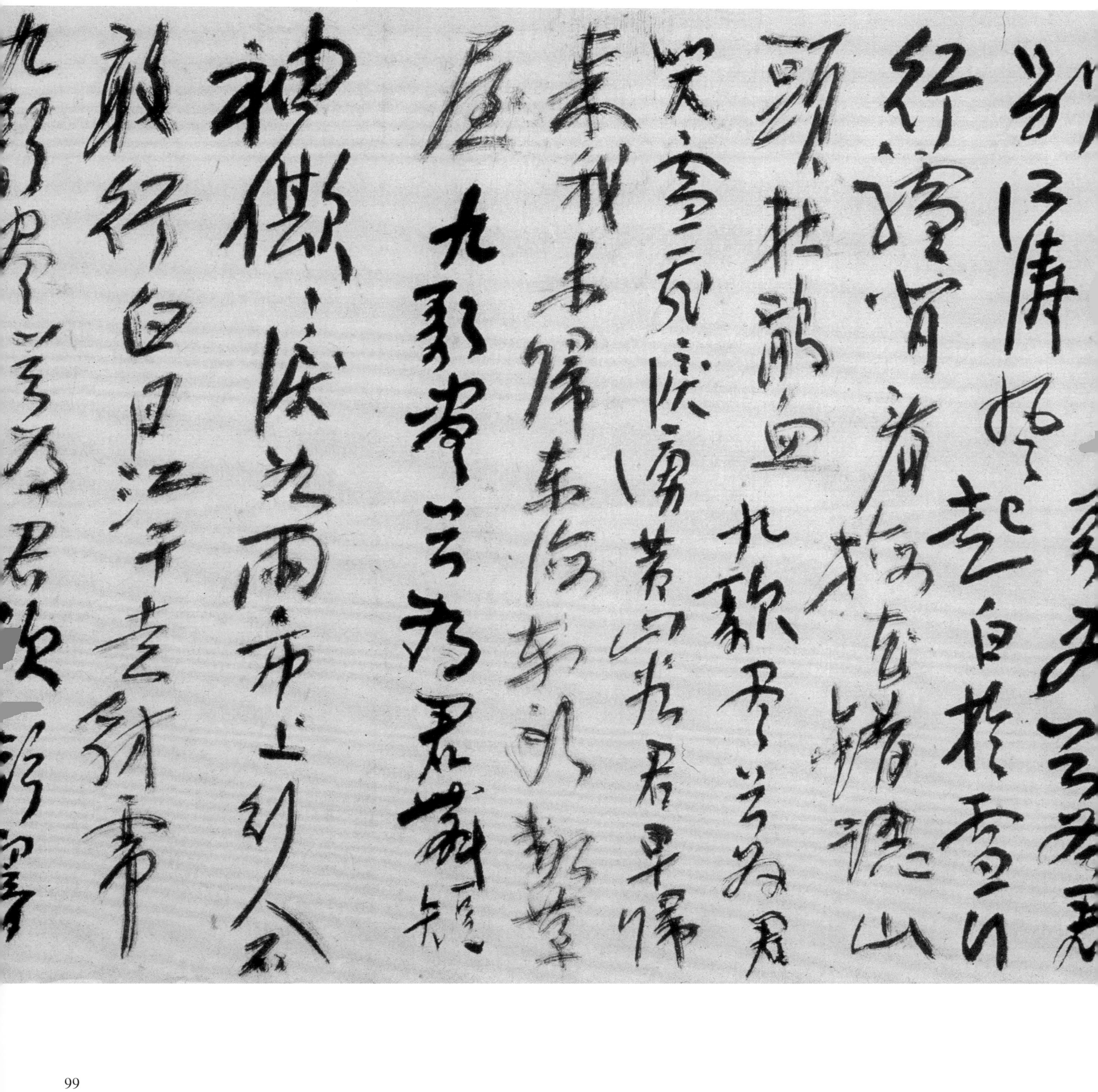

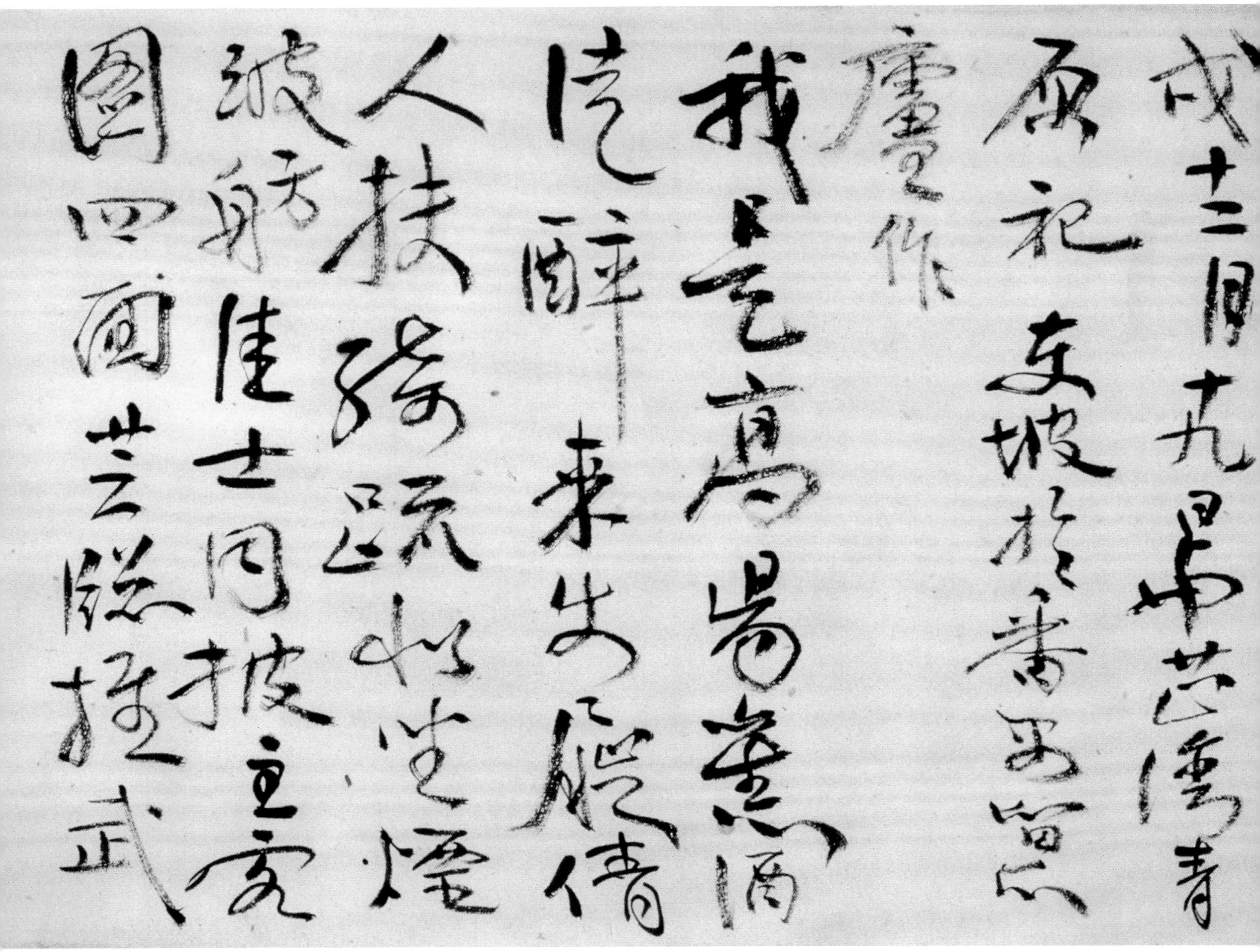

臨伊秉綬行草書　紙本　縱三〇厘米　橫九〇厘米

浙江省博物館藏

釋文：我是高陽舊酒徒　醉來步屧倩人扶　騎疏似坐烟波舫

佳士同披主客圖　四面芸窗推武庫　一春花事到文無

朝回過此休嫌數　陶寫方須絲竹娛　適園宴集舊句

嘉慶癸亥中秋後坐鹿門精舍　汀州伊秉綬

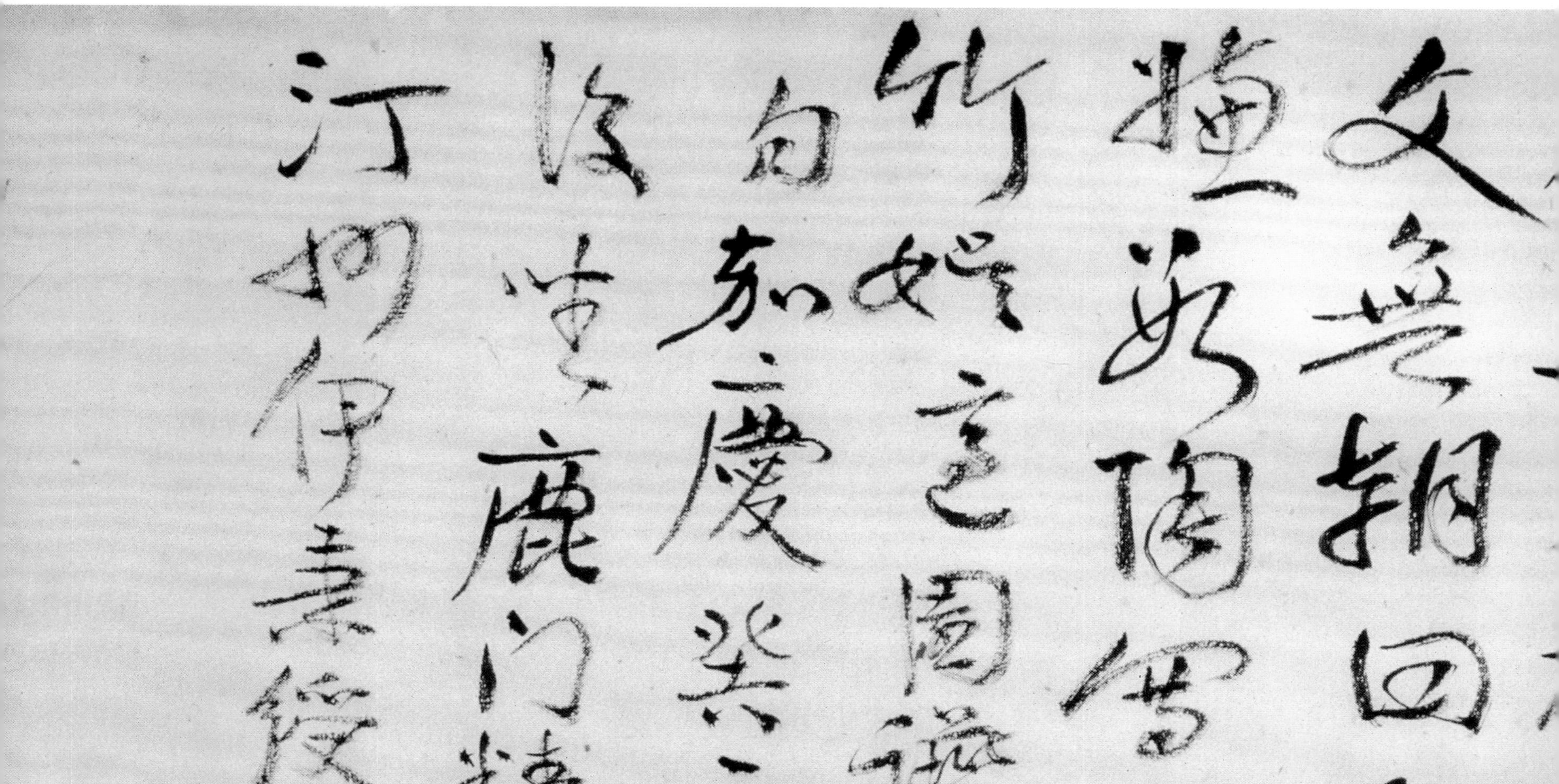

草隄殘如波
銘何記日雲雪
第一郭休咫貞元
供奉李告南時夜
士之可多
芳年至年至孫孫
君英華度夜
回一手引波如呈

大□醉後書之二二

南寒雪夜呈

中庭地白樹棲
鴉泠露無聲宗牢
瀁桂花又租月
明人盡望不知秋
里愿住
百尺梧桐畫圖
齋箱靜前

南寒雪夜呈三

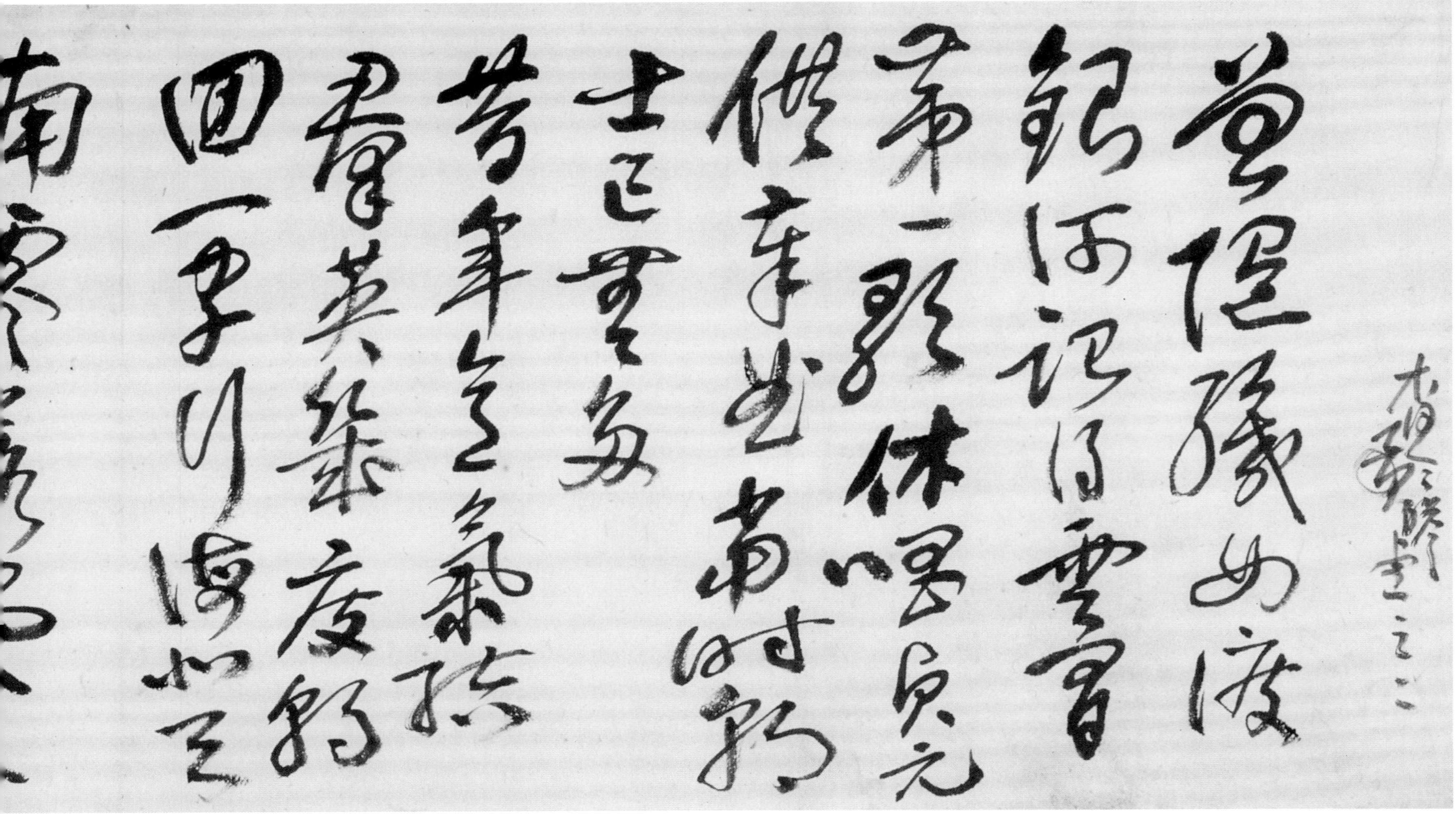

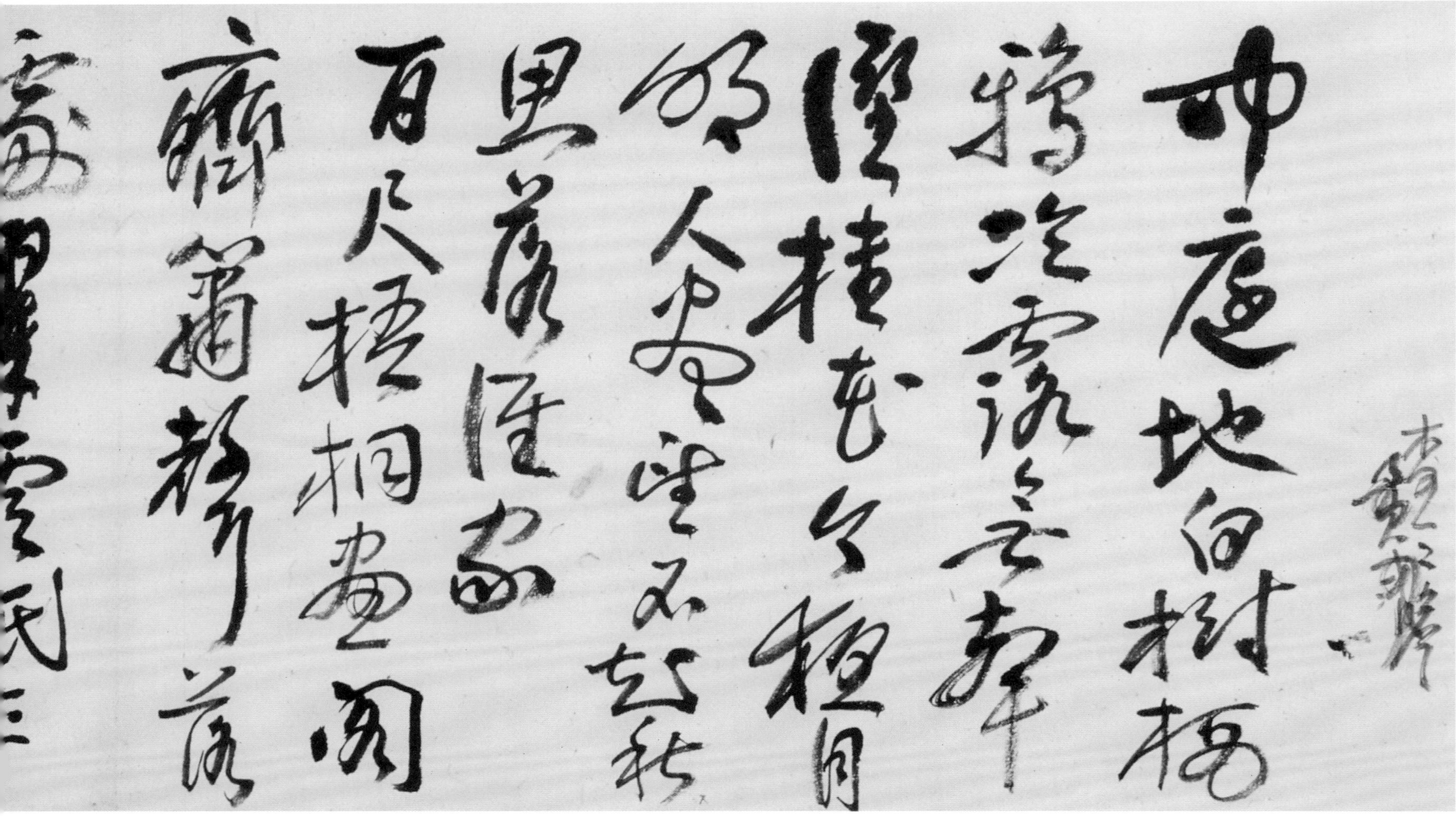

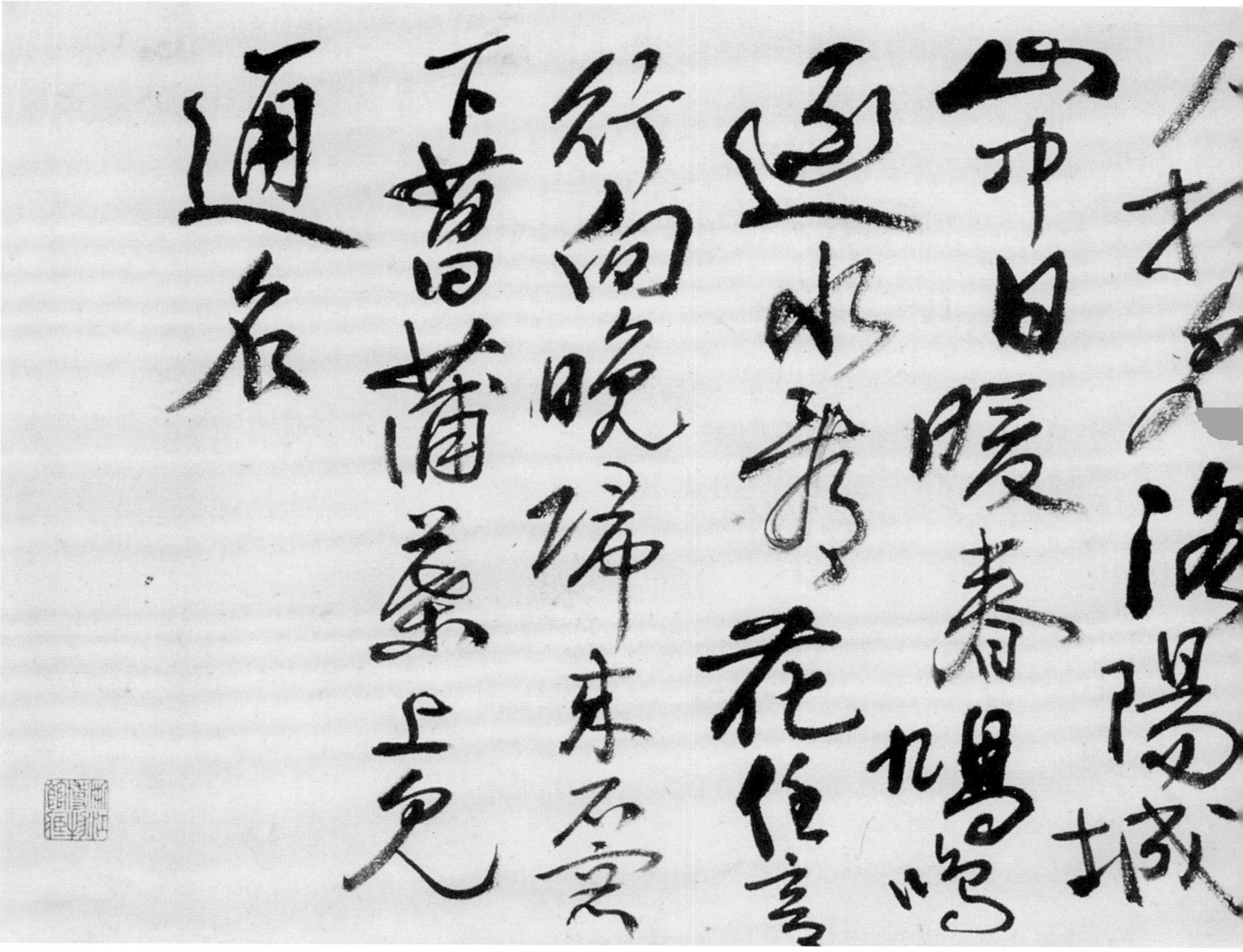

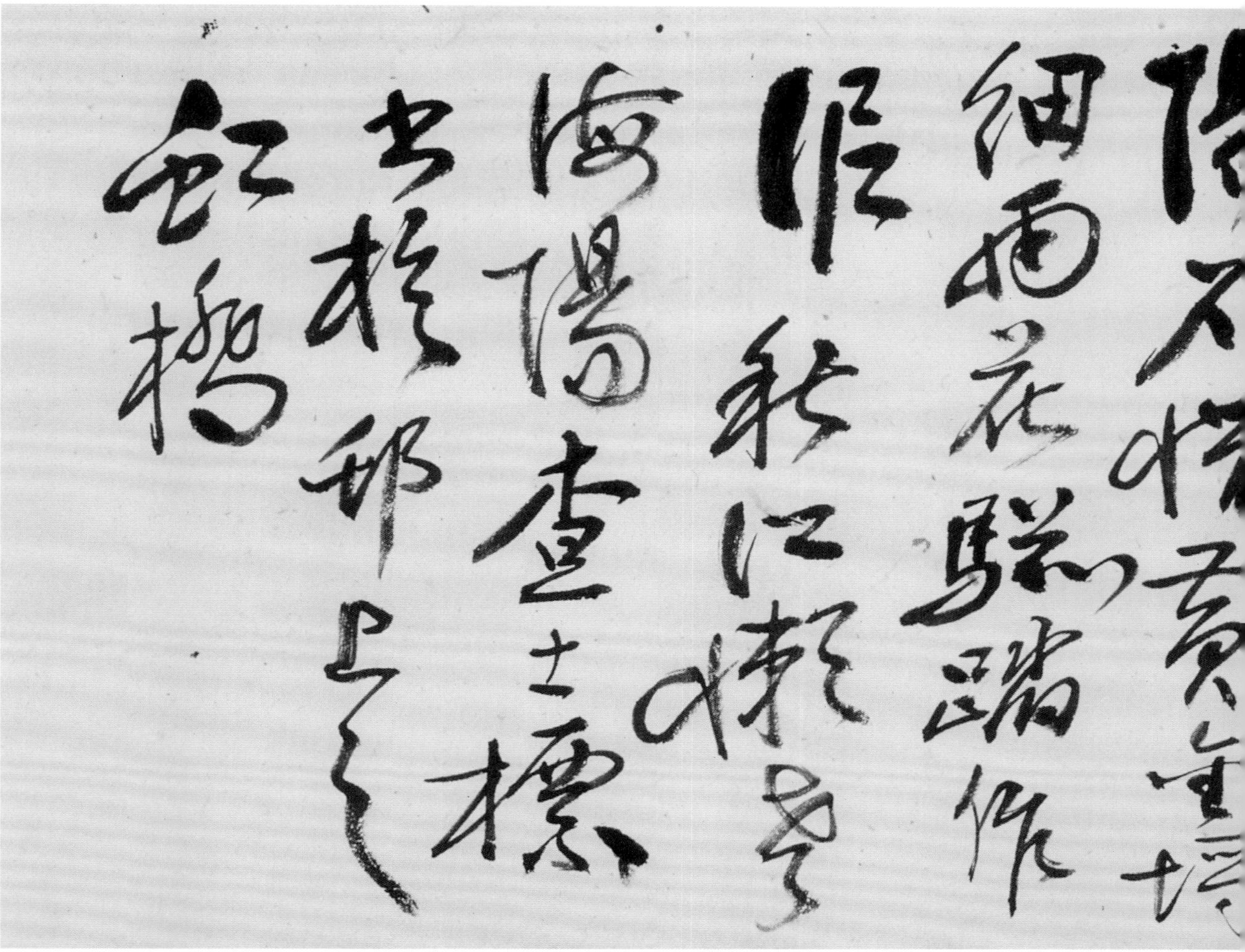

臨查士標行草書　紙本　縱二八·五厘米　橫八九厘米　兩幅　浙江省博物館藏

釋文：曾隨織女渡銀河　記得雲間第一歌　休唱貞元供奉曲　當時朝士已無多

昔年意氣結群英　幾度朝回一字行　海北天南零落盡　兩人相見洛陽城

山中日暖春鳩鳴　逐水看花任意行　向晚歸來石窗下　菖蒲葉上見通名

中庭地白樹栖鴉　冷露無聲濕桂花　今夜月明人盡望　不知秋思落誰家

百尺梧桐畫閣齊　簫聲落處翠雲低　平陽不惜黃金埒　細雨花驄踏作泥

秋江懶老海陽查士標書于邗上之虹橋

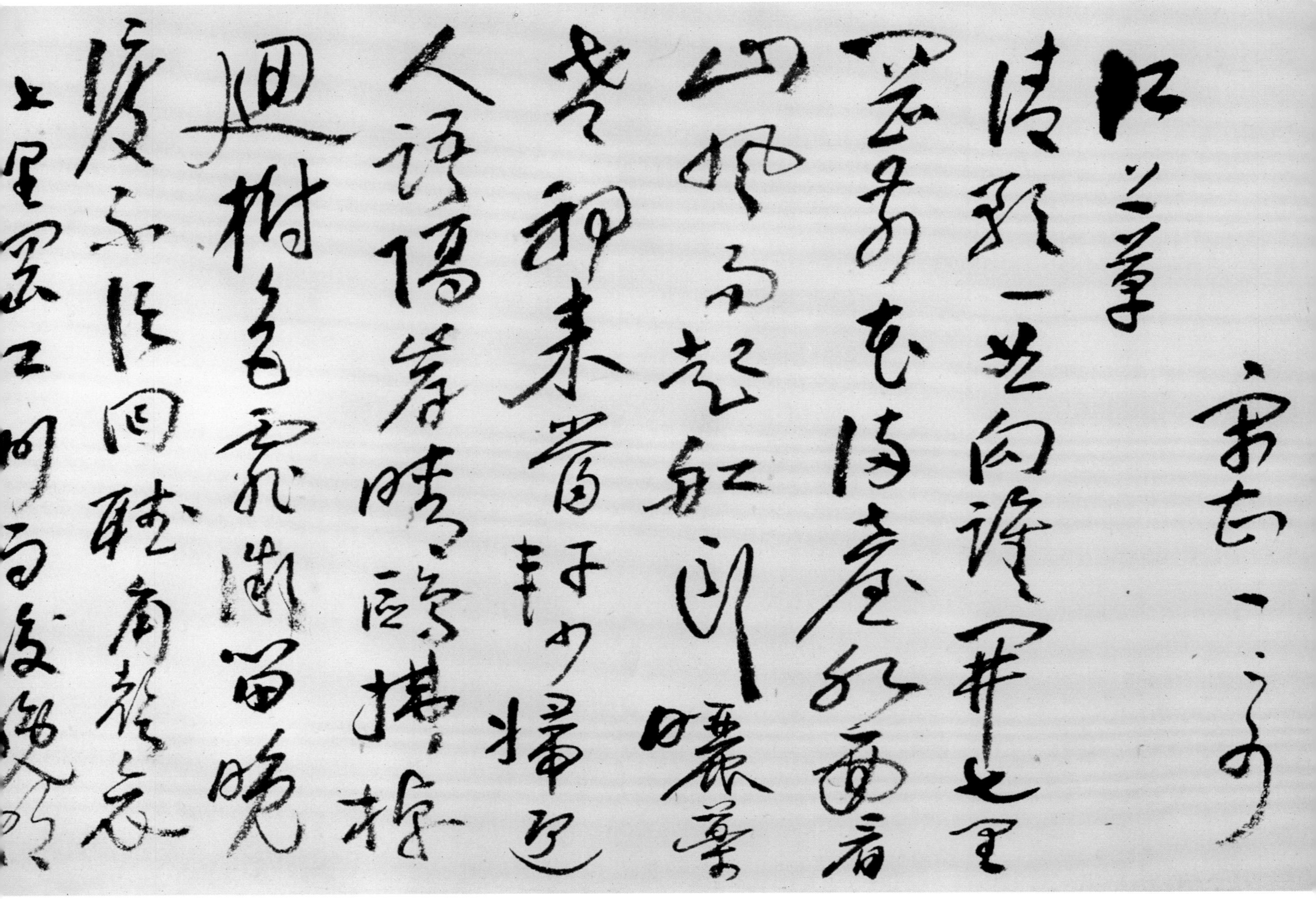

臨宋曹草書　紙本　縱二九厘米　橫八九厘米　浙江省博物館藏

釋文：江上草

清歌一曲向誰開　七里岡前花滿臺　水面看山風雨起　船頭曬藥老初來

當軒少婦迎人語　隔岸晴鷗拂棹迴　樹色霏微留晚渡　不須回聽角聲哀

七里岡

江洲雨後晚潮平　緑柳疏烟繞半城　古寺壓沙殘照落　荒鐘渡水客憶新

千行怪木生天籟　一片空山響夜更　回憶昔年留宿處　老僧相對月孤明

再渡金山

六月輕風送曉征　緑烟常自鎖南城

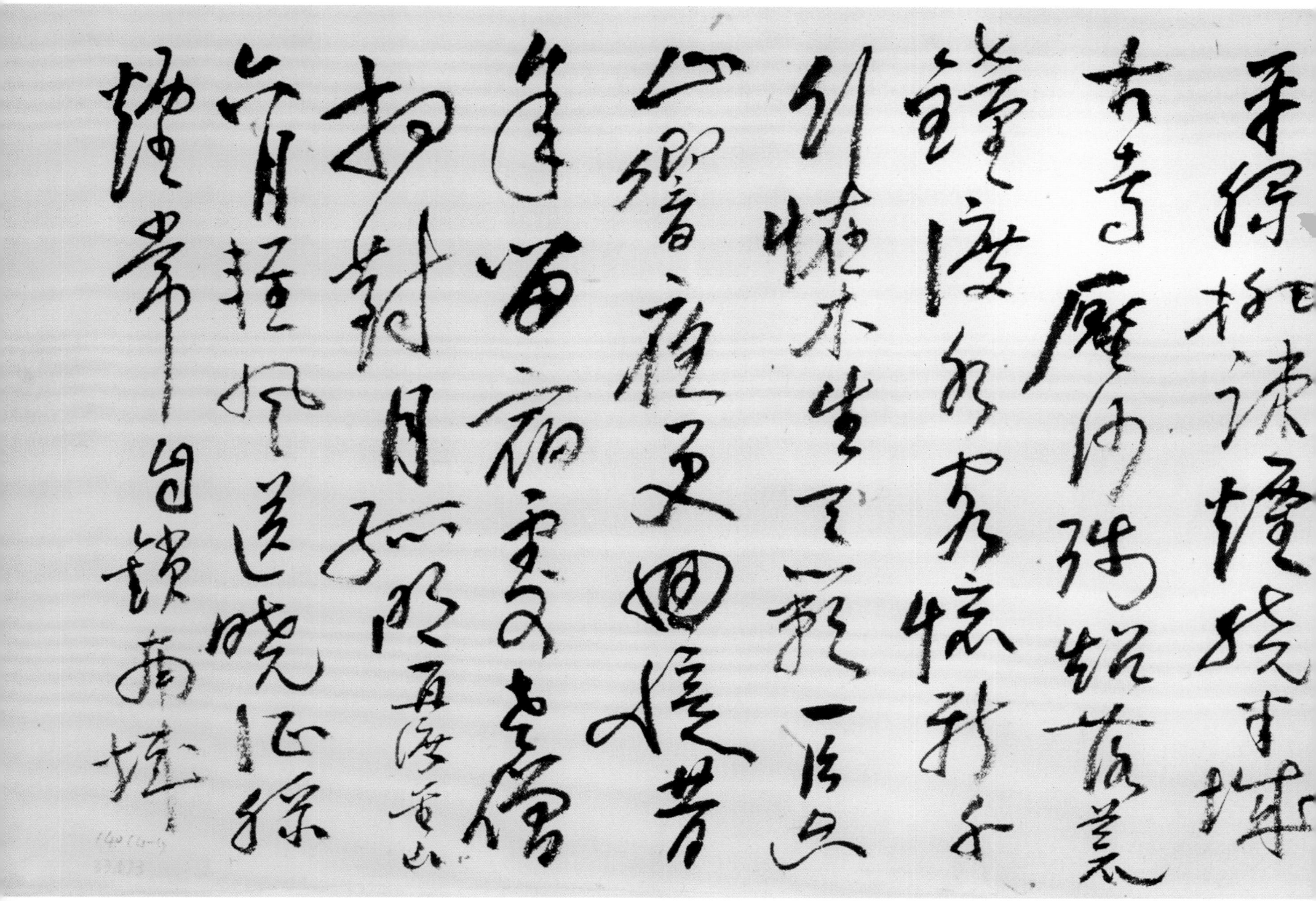

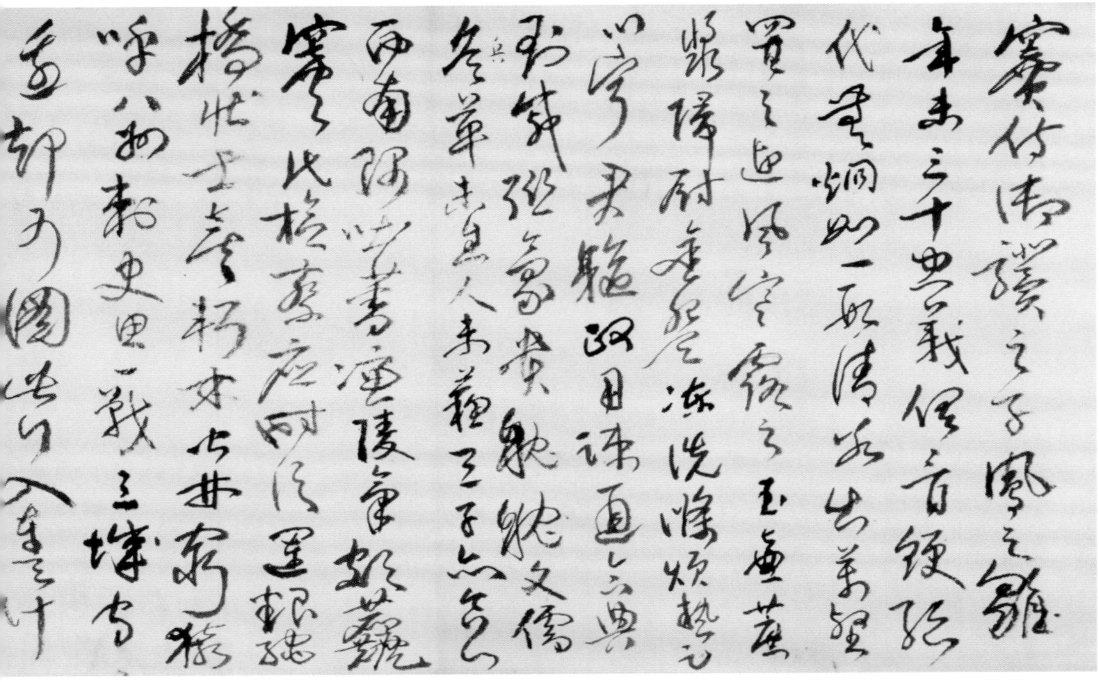

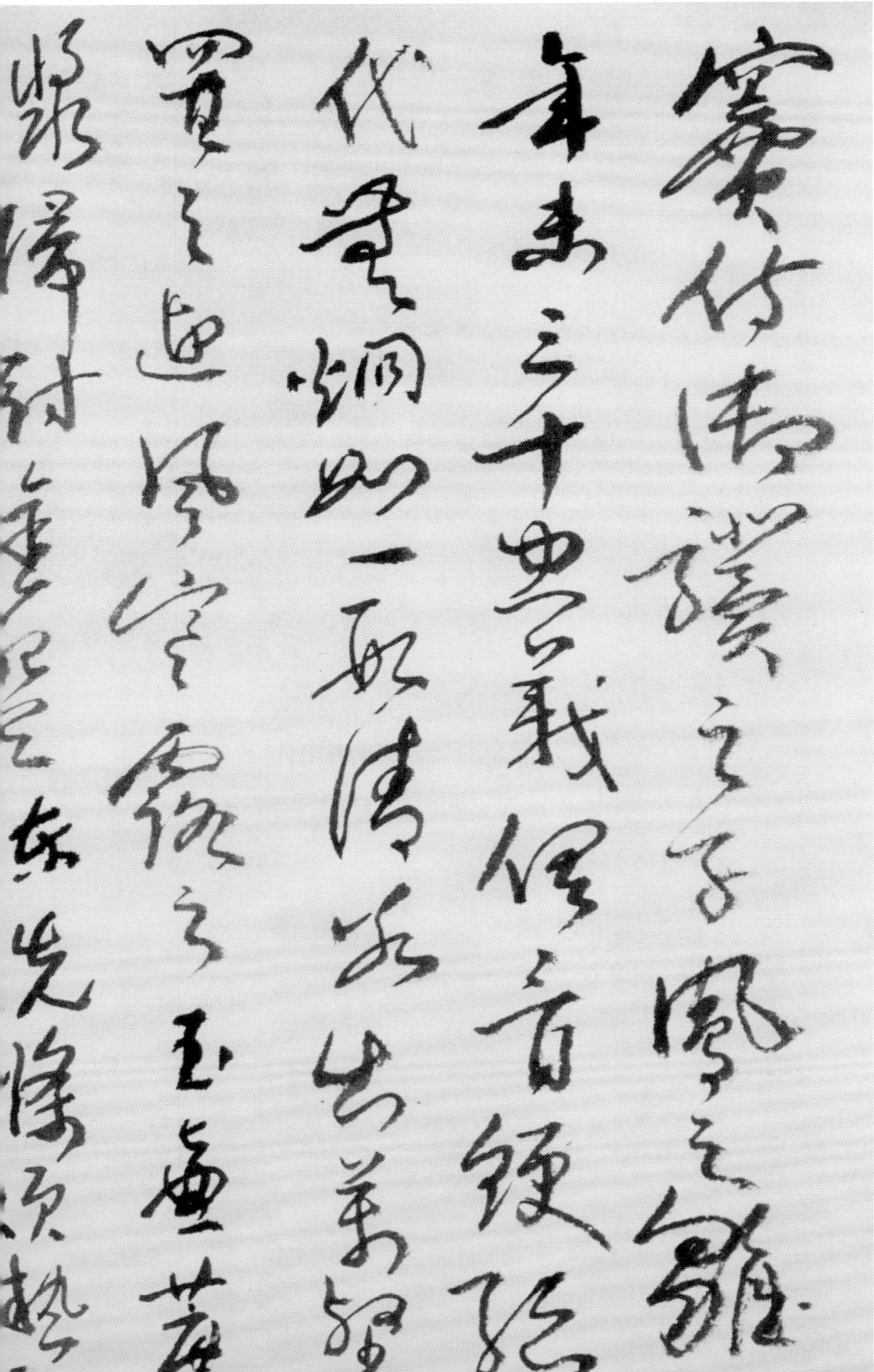

臨前人草書杜甫詩　紙本　縱三二厘米　橫六八厘米　兩幅　浙江省博物館藏

釋文：竇侍御　驥之子　鳳之雛　年未三十忠義俱
骨鯁絶代無炯如　一段清冰出萬壑　置之迎風寒露之玉壺　蔗漿歸厨金碗凍
洗滌煩熱足以寧君軀　政用疏通合典則　戚聯豪貴耽文儒　兵革未息人未蘇
天子亦念西南隅　吐蕃憑陵氣頗粗　竇氏檢察應時須　運糧繩橋壯士喜
斬木火井窮猿呼　八州刺史思一戰　三城守邊却可圖　此行入奏計未小
密奉聖旨恩應殊　綉衣春當霄漢立　彩服日向庭闈趨　省郎京尹必俯拾
江花未落還成都　肯訪浣花老翁無　爲君酤酒滿眼酤　與奴白飯馬青芻
書杜少陵入奏

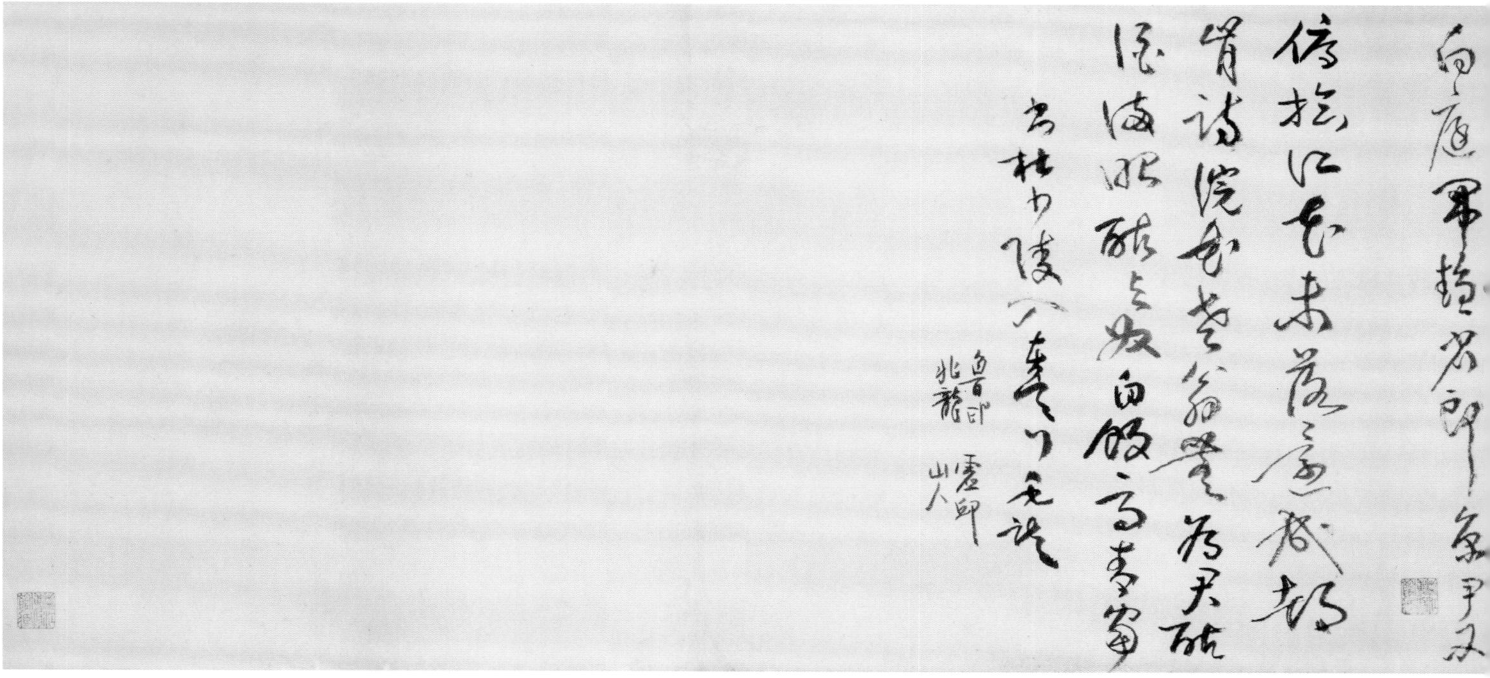

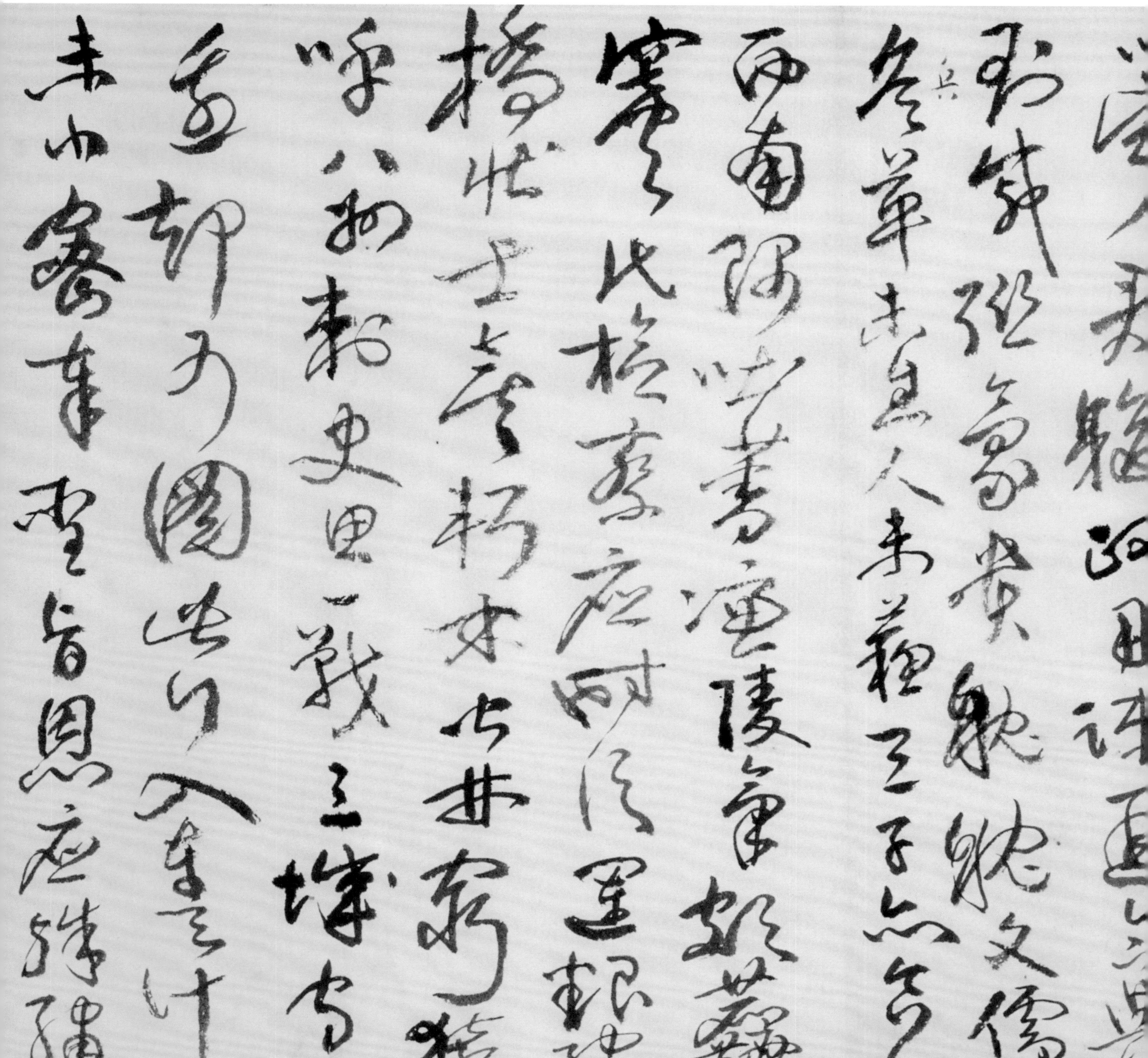

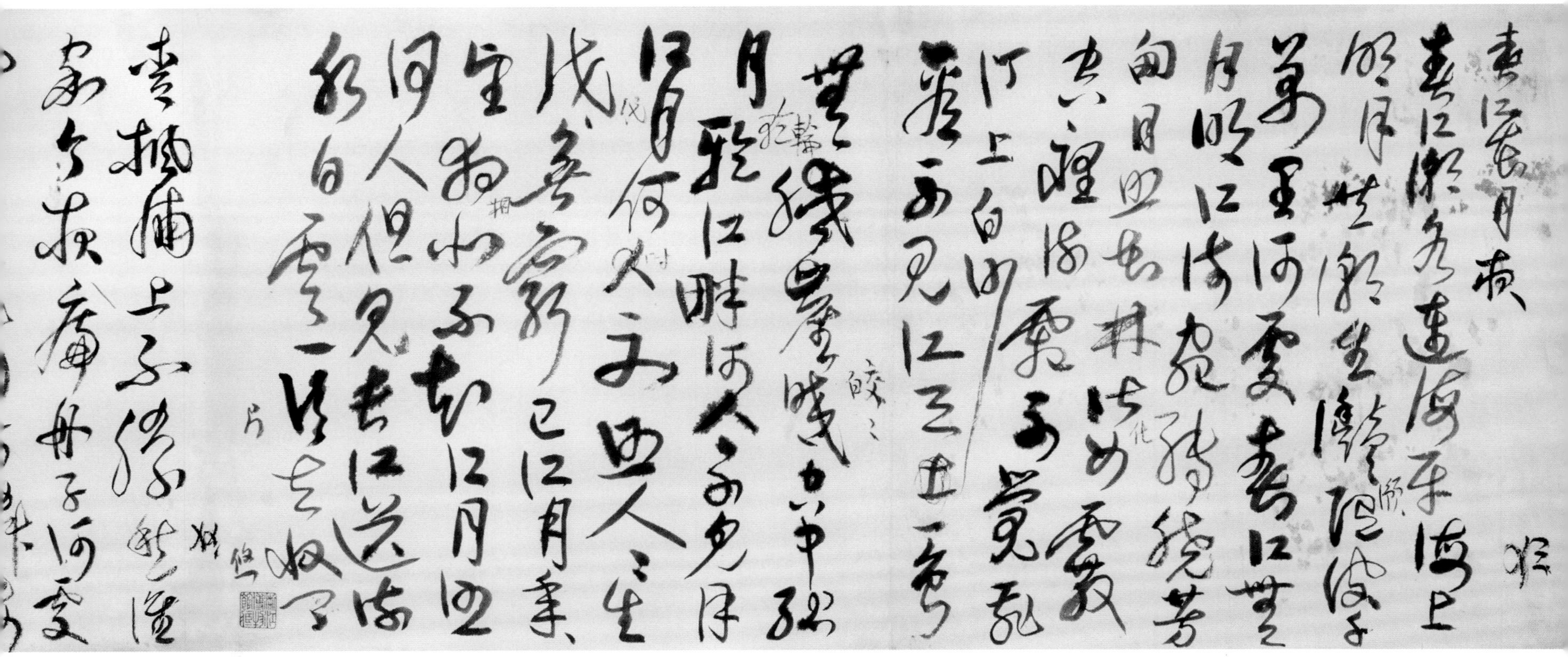

臨前人草書張若虛詩　紙本　縱三二厘米　橫六八厘米　三幅　浙江省博物館藏

釋文：春江花月夜

春江潮水連海平　海上明月共潮生　灧灧隨波千萬里　何處春江無月明
江流宛轉繞芳甸　月照花林皆如霰　空裏流霜不覺飛　汀上白沙看不見
江天一色無纖塵　皎皎空中孤月輪　江畔何人不見月　江月何時不照人
人生代代無窮已　江月年年望相似　不知江月照何人　但見長江送流水
白雲一片去悠悠　青楓浦上不勝愁　誰家今夜扁舟子　何處相思明月樓
可憐樓上月徘徊　應照離人妝鏡臺　玉户簾中捲不去　搗衣砧上拂還來
此時相望不相聞　願逐月華流照君　鴻雁長飛光不度　魚龍潛躍水成文
昨夜閑潭夢落花　可憐春半（去）不還家　江水流春去欲盡　江潭落月欲西斜
斜月沉沉藏海霧　碣石瀟湘無限路　不知乘月幾人歸　落月搖情滿江樹
乙卯冬終　書于龍游舟中

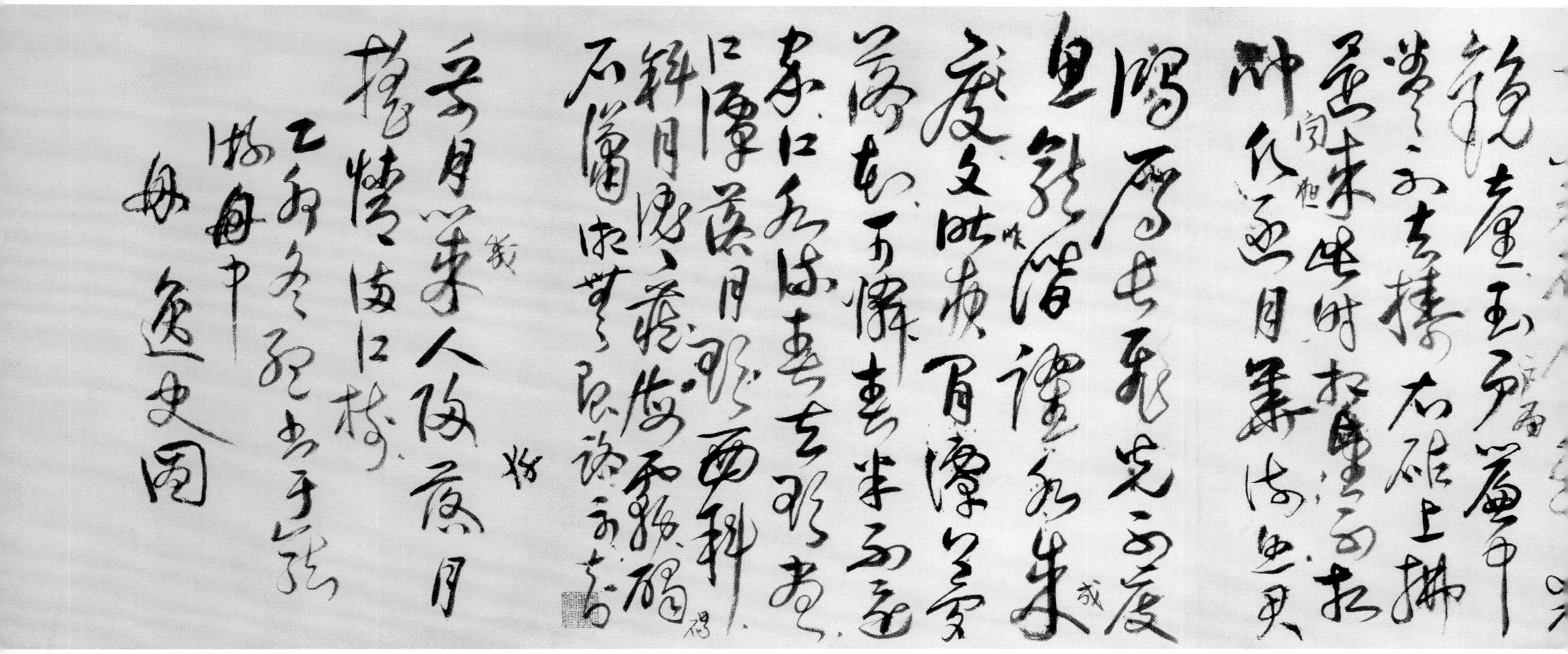

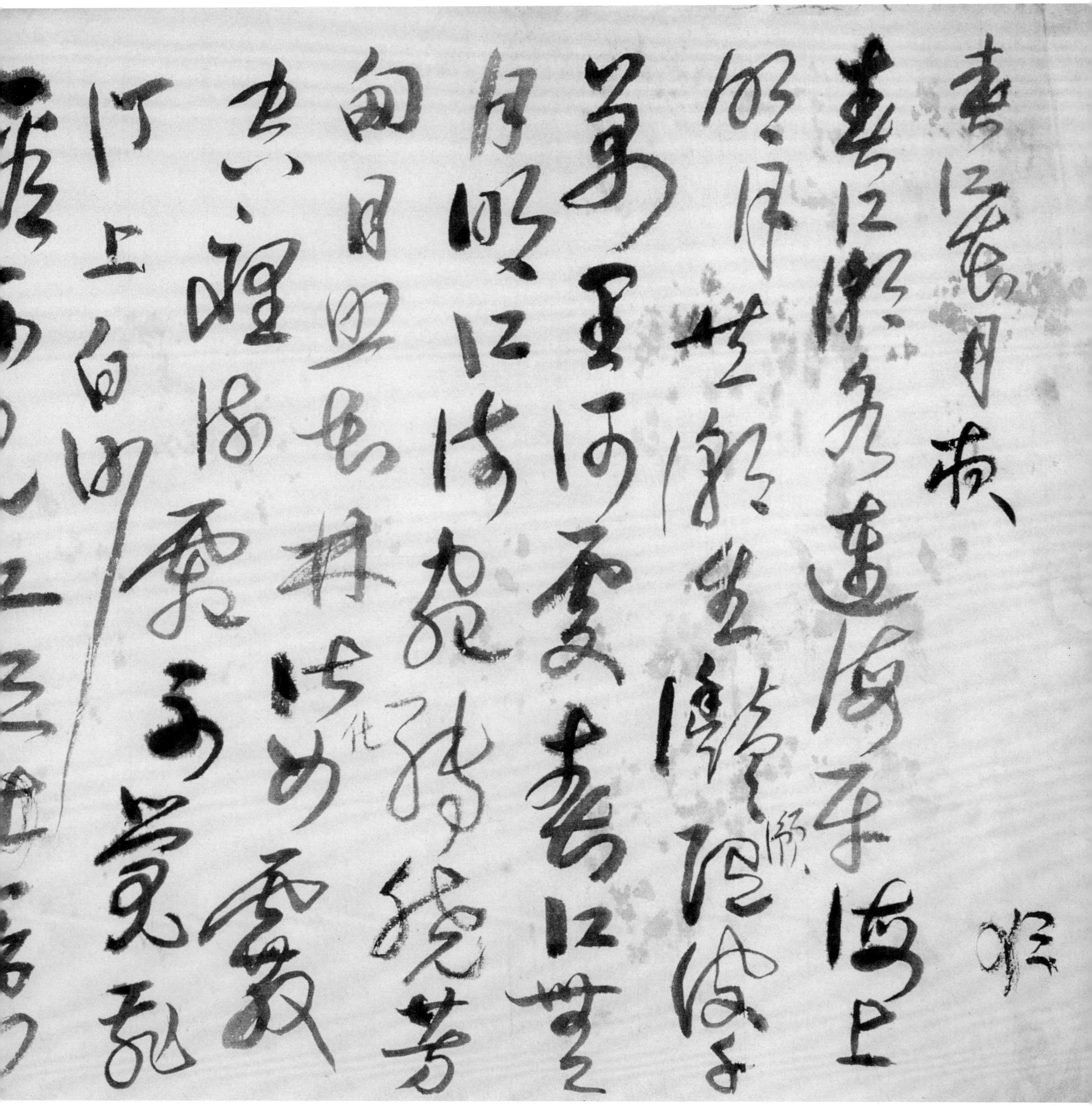

臨前人草書張若虛詩（局部）

江天一色无纤尘
皎皎空中孤月轮
江畔何人初见月
江月何年初照人
人生代代无穷已
江月年年望相似
不知江月待何人
但见长江送流水

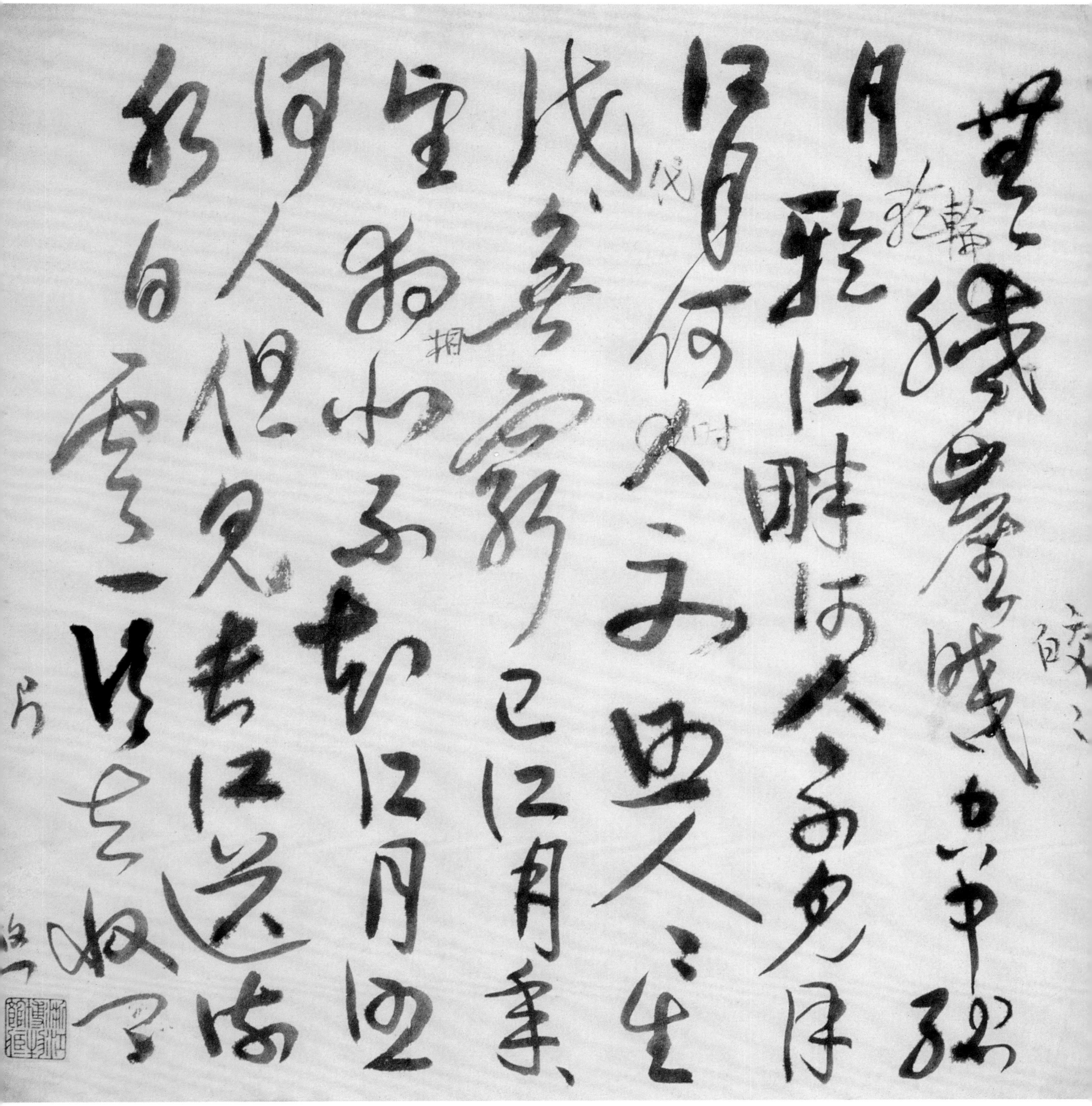

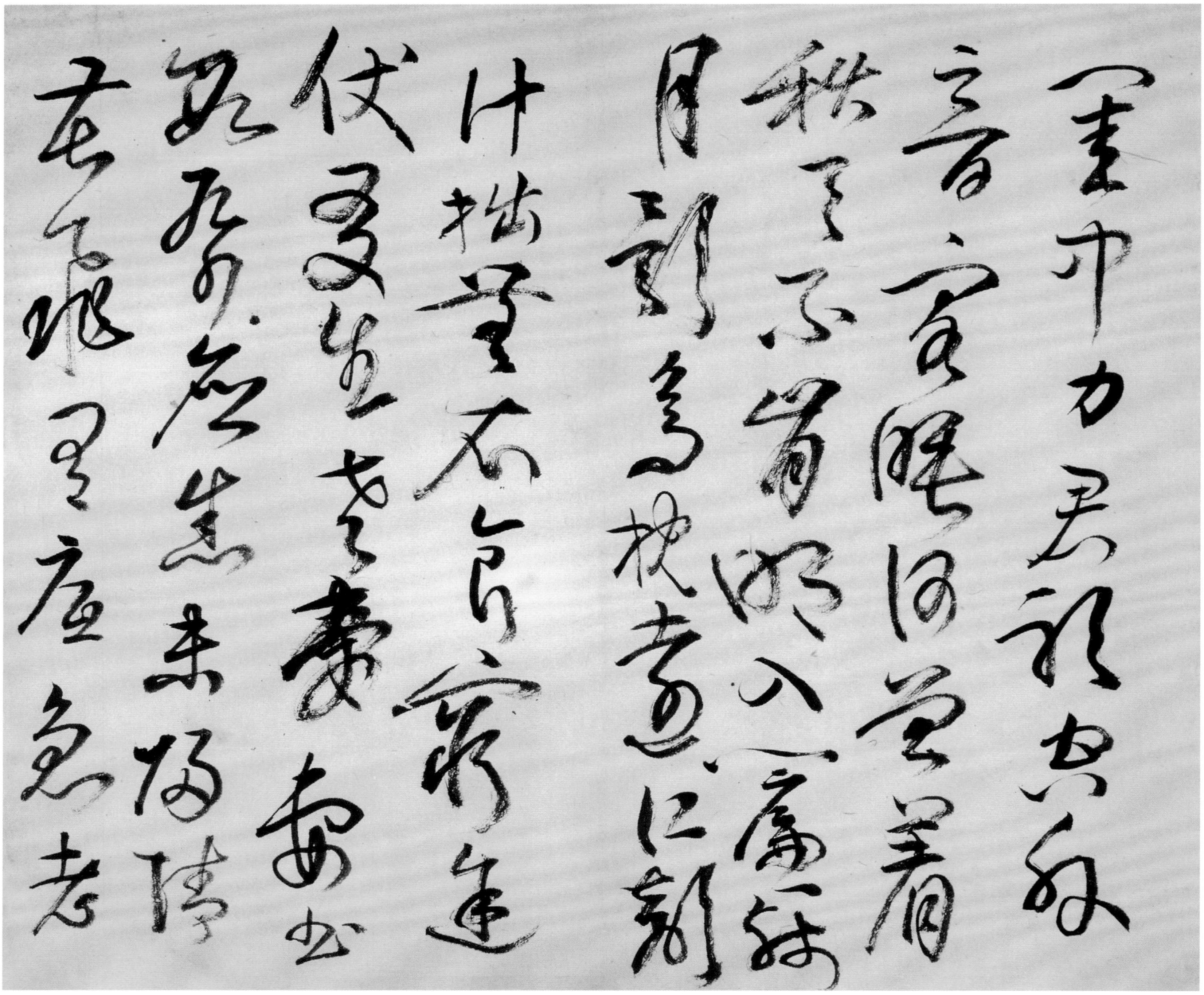

臨明人草書　紙本　縱二三·五厘米　橫二八厘米

浙江省博物館藏

釋文：閨中力　君聽室外音　客睡何曾着　秋天不肯明

入簾殘月影　高枕遠江聲　計拙無衣食　窮途仗友生

老妻書數紙　應悉未歸情　苦飛有底急　老

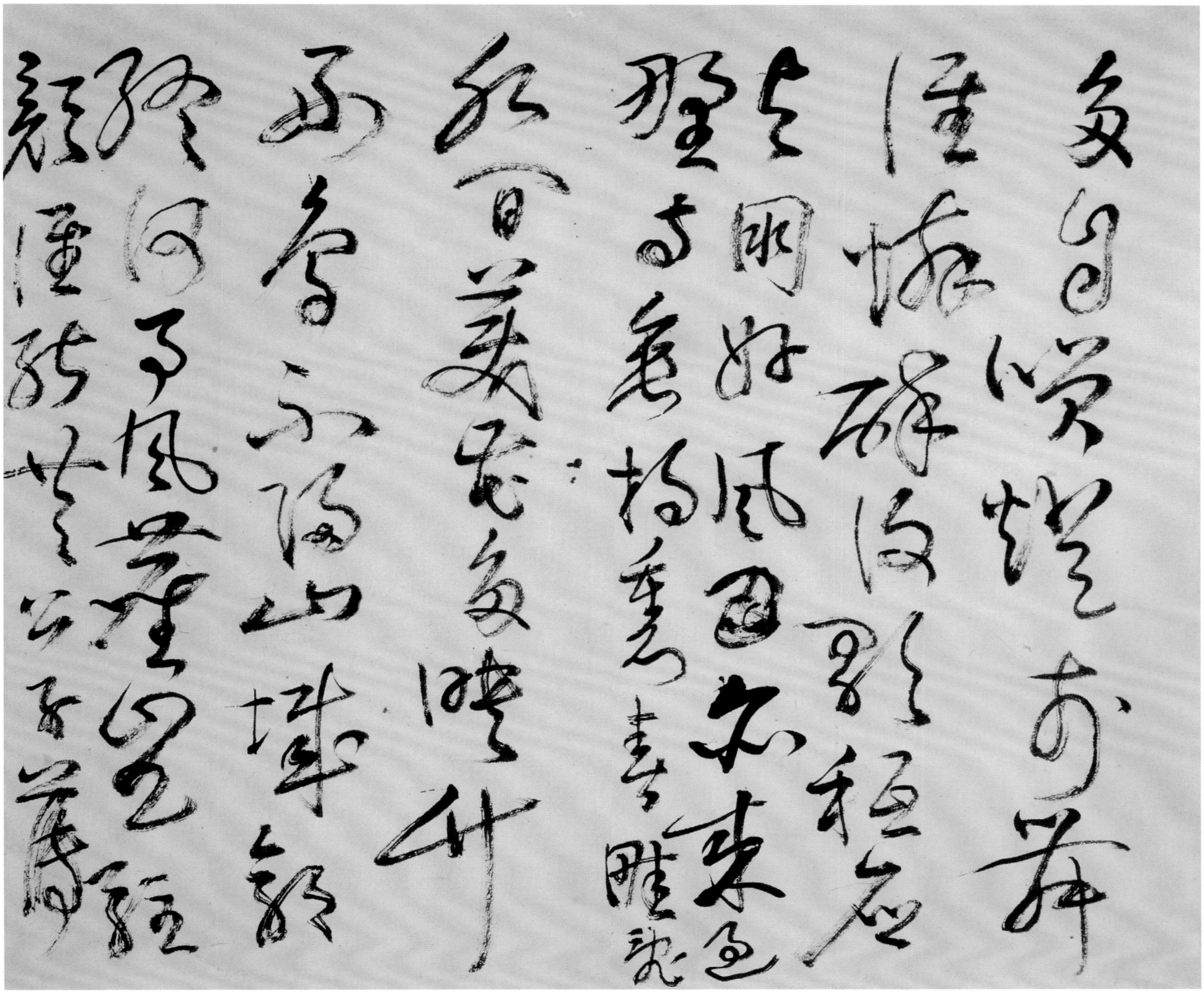

臨明人草書 紙本 縱二三·五厘米 橫二八厘米

浙江省博物館藏

釋文：多 自笑燈前舞 誰憐醉後歌 只應與朋好

風雨亦來過 野寺垂楊裏 春畦亂水間 美花多映竹

好鳥不歸山 城郭終何事 風塵豈駐顔 誰能共公子

薄

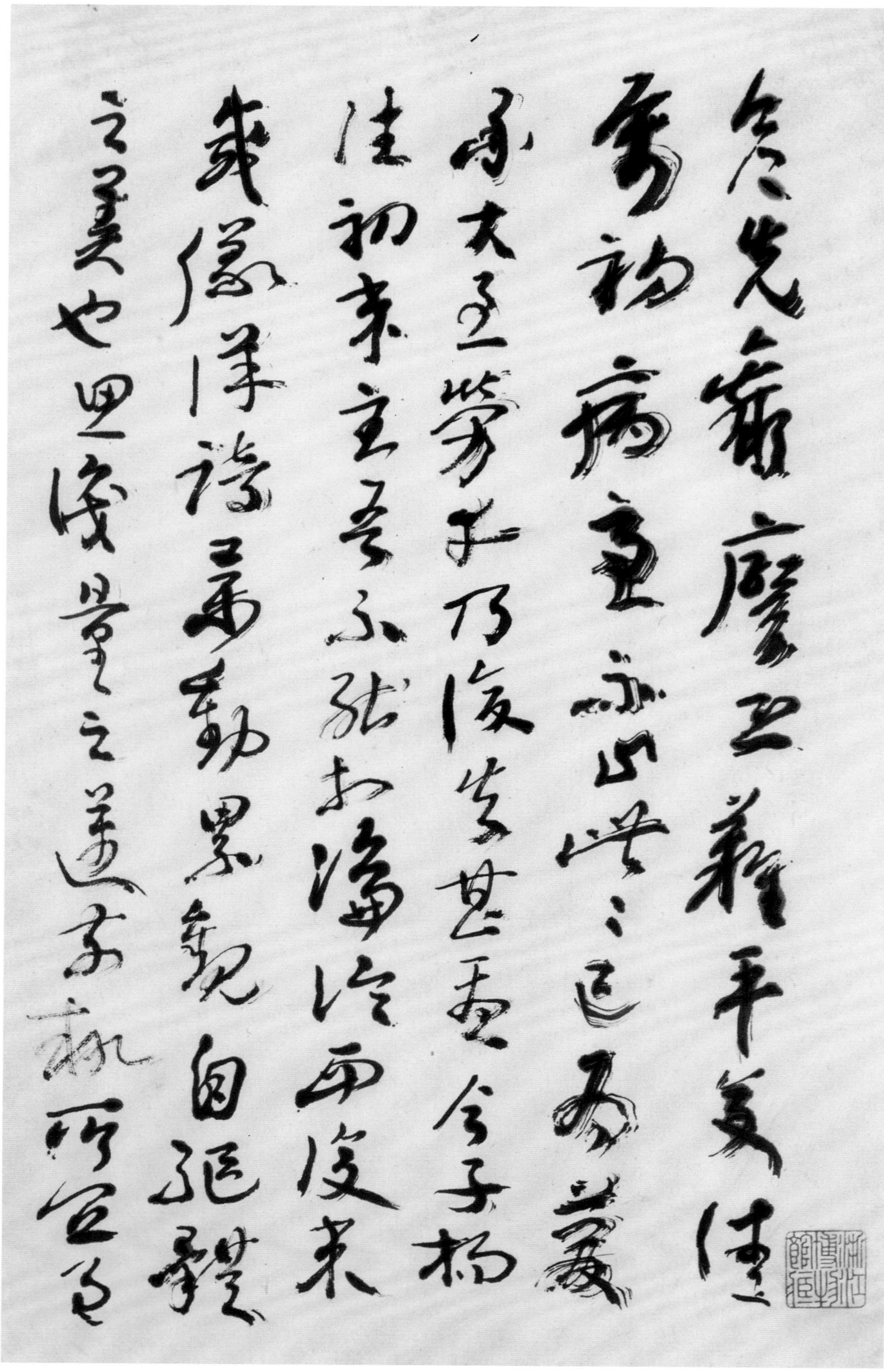

臨陸機平復帖　紙本　縱三二·五厘米

橫二〇·五厘米　浙江省博物館藏

之一

釋文：彥先羸瘵　恐難平復　往屬初病

慮不止此　此已爲慶　承使至勞　幸乃復失甚憂

今子楊往初來主　吾不能相論　臨西復來

威儀詳跱　舉動累觀　自驅體之美也

思識量之邁前　執所宜有　望稍之夏榮寇亂之際

聞不悉　彥先羸瘵　不難平復　往屬病

慮不止此　此已爲慶　承大至勞　幸乃復失甚憂

乃全子楊往來主　吾不能相論　臨西復來

威儀詳跱　舉動纍觀　自驅之美也　思識量

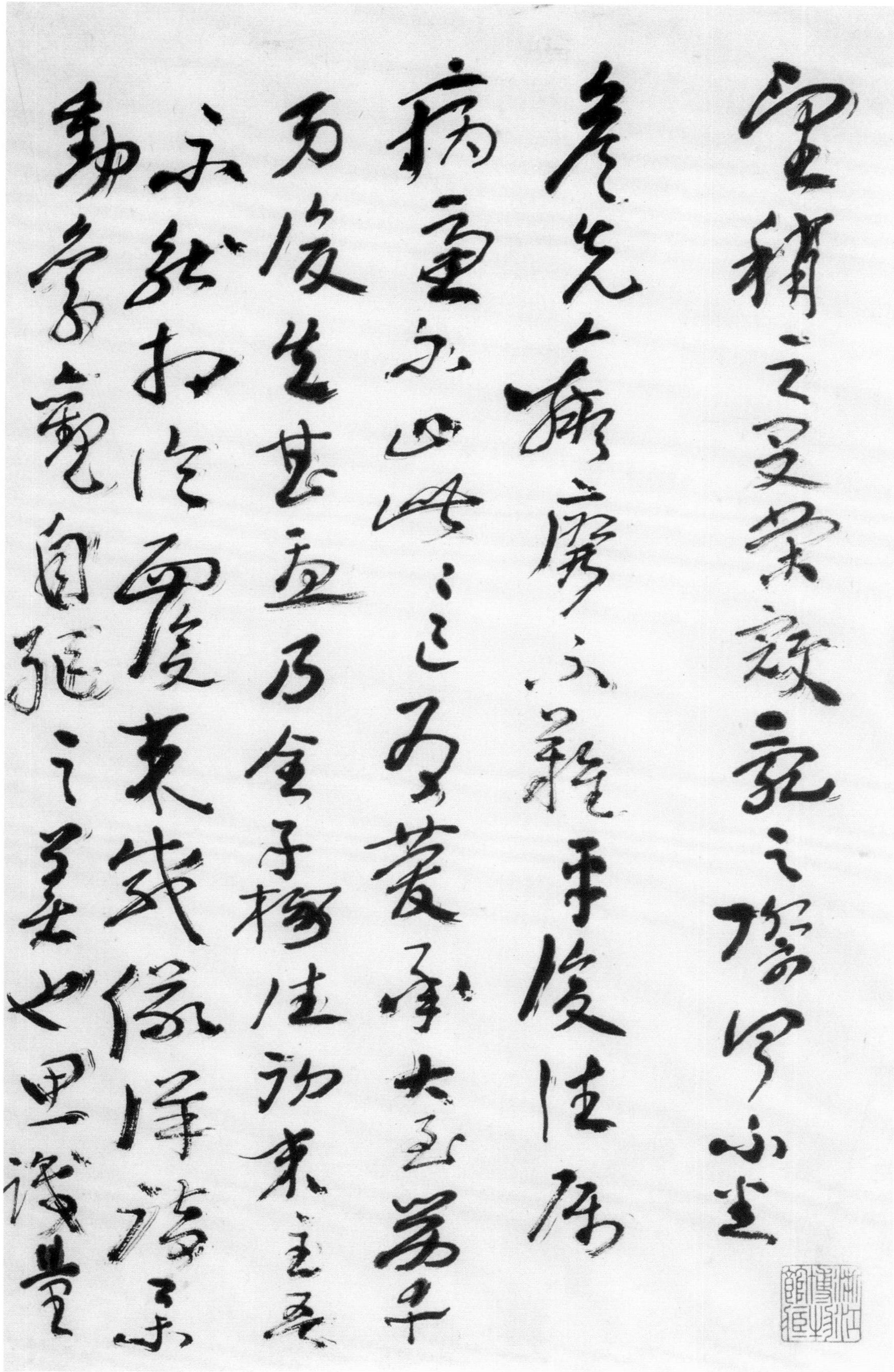

之二

臨陸機平復帖

之一（後頁局部）

於先儒廢之義乎復傳
筆論病章亦從之為義
唐太宗學書乃後生甚毒令子楊
佳初來主吾不能書海浴雨復來
我儀筆諸工為動累觀自退體
不美也思後景之美遠其來何足為

自怡書迹圖版

大篆千字文 紙本

縱二三厘米 横八一厘米

浙江省博物館藏

釋文：千字文 梁員外散騎侍郎周興嗣次韵

天地玄黄 宇宙洪荒 日月盈昃 辰宿列張

寒來暑往 秋收冬藏 閏餘成歲 律呂調陽

蘄否船中　酒侣圂沶　沱燇旦雪　罷融棣堂　窗數久劫　靜緣爐燒　殘一尺乹　炉圉檻跦

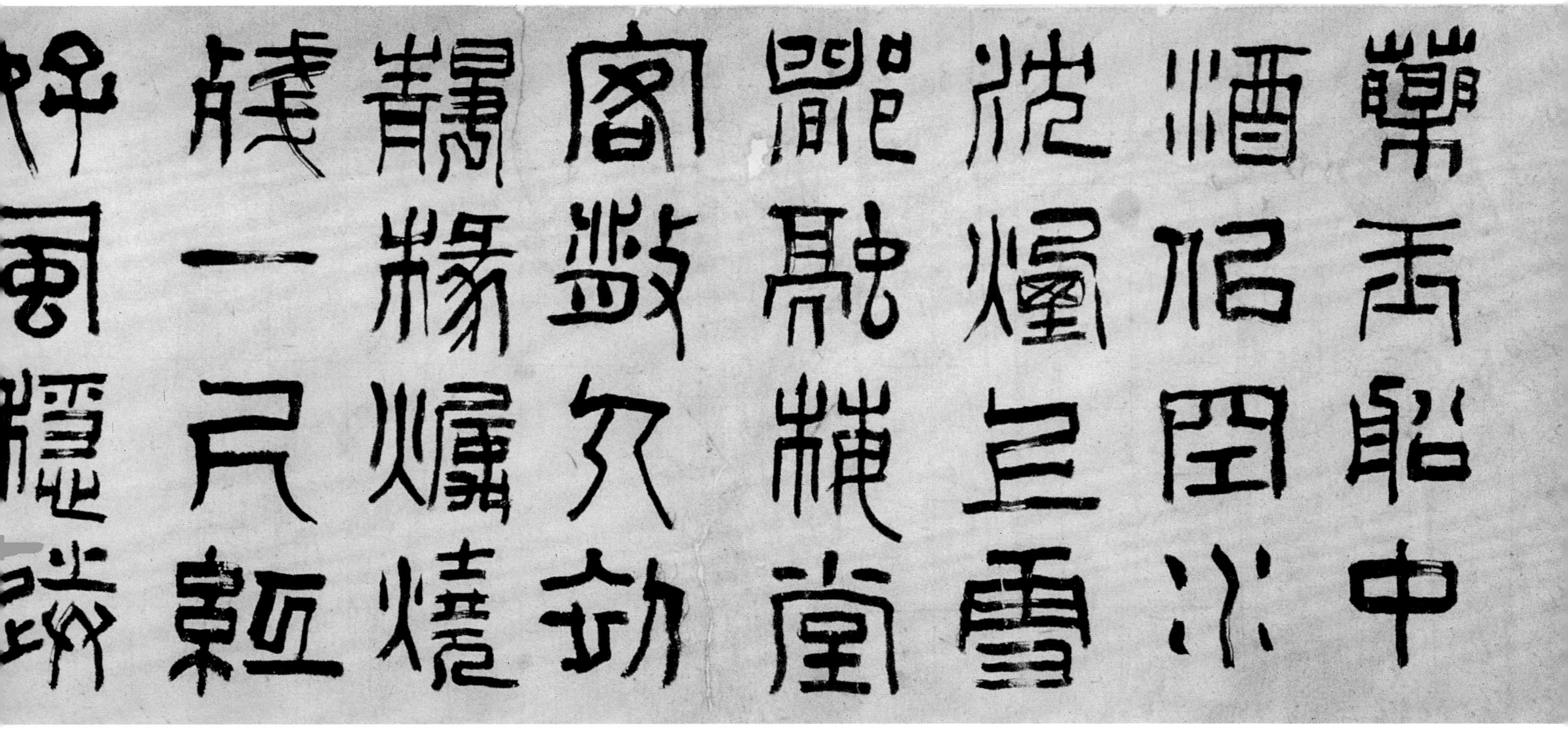

繆篆楊萬里詩　紙本　縱二〇·三厘米　橫九七厘米

浙江省博物館藏

釋文：藥玉船中酒似空　水沉烟上雪都融　梅堂客散人初静　椽燭燒殘一尺紅

好風穩送五湖舟（船）萬頃銀濤半霎閑　已入江西猶未覺　忽然對面是西山

楊誠齋詩

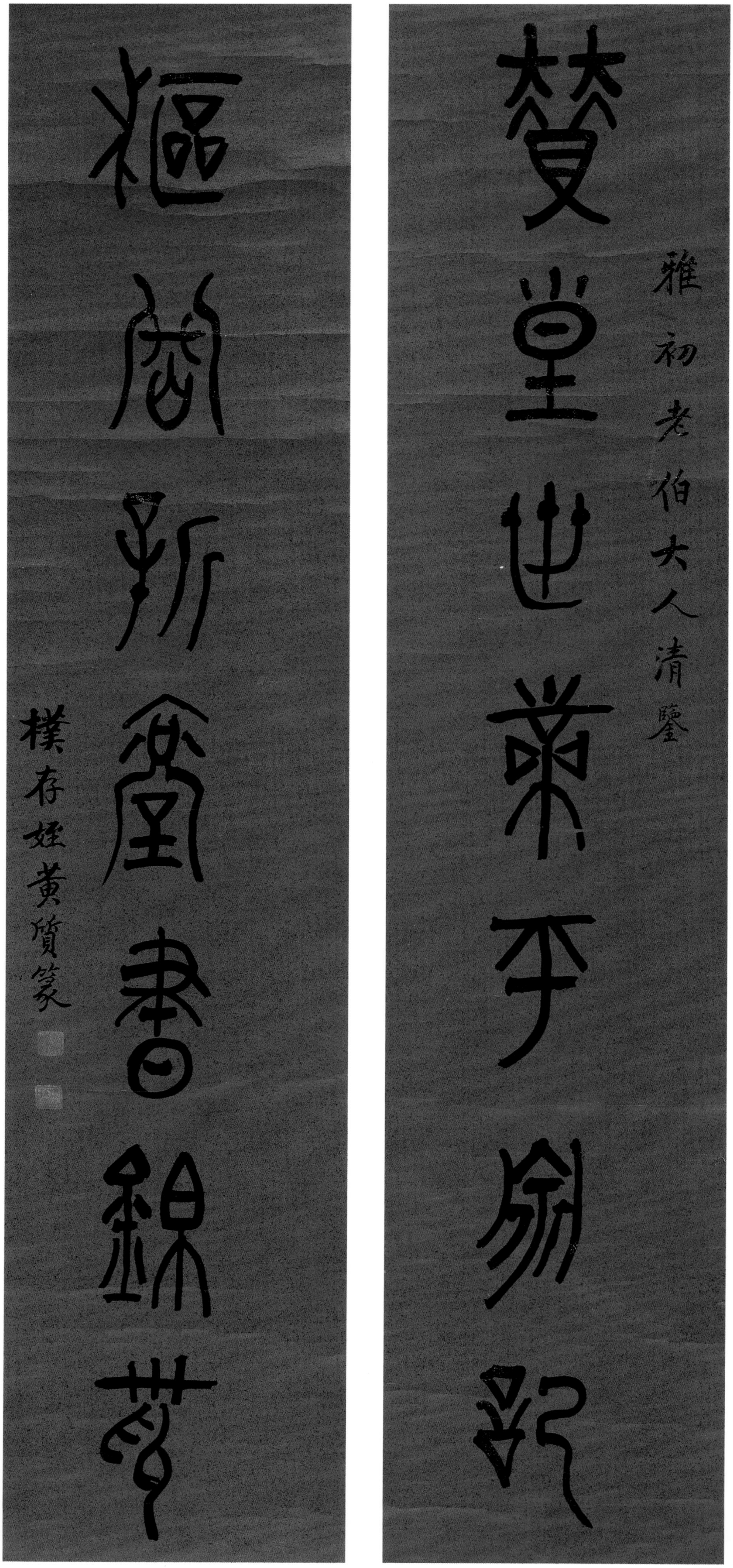

大篆七言聯　蠟箋　縱一六四厘米　橫三四·五厘米　安徽省博物館藏

釋文：贊皇世業平泉記　樞密新堂晝錦□　雅初老伯大人清鑒　樸存侄黄質篆

鈐印：印文不詳　樸丞□□

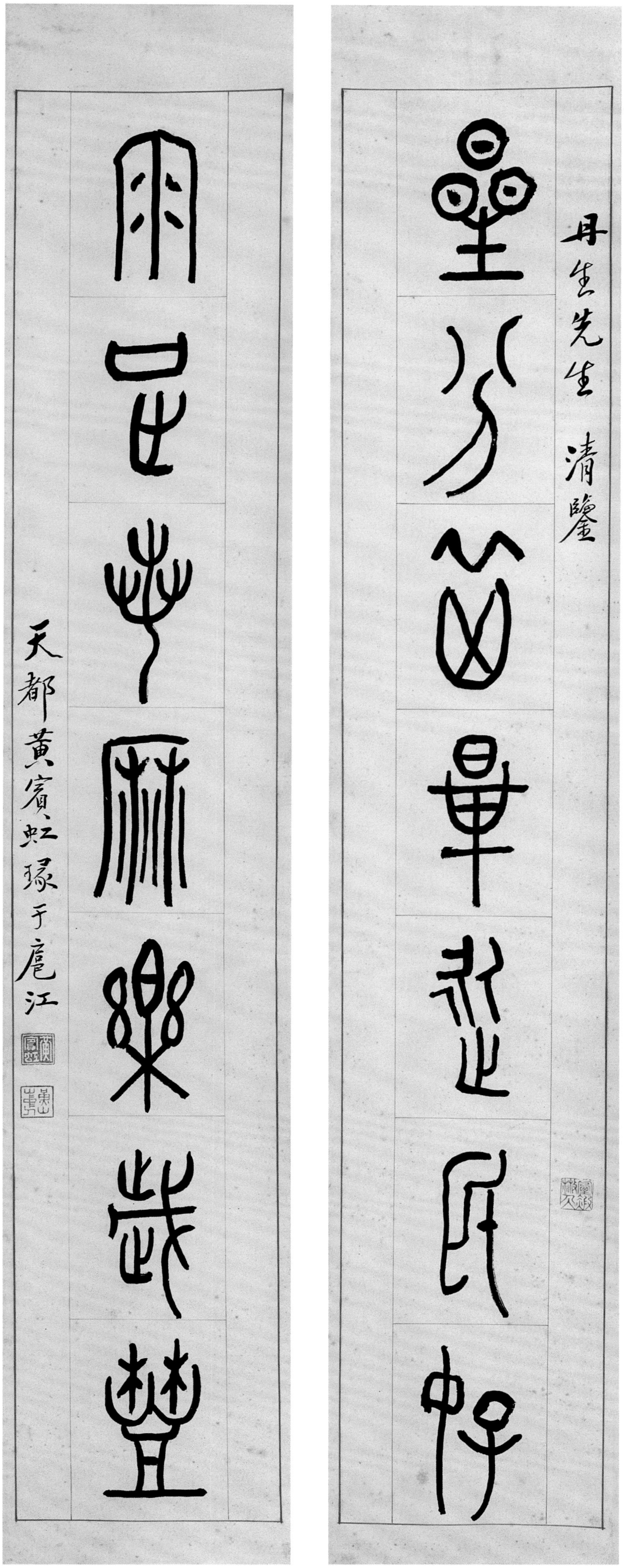

篆書七言聯　紙本　縱一八三厘米　橫二四·五厘米　安徽省博物館藏

釋文：星分箕畢永民好　雨足桑麻樂歲豐　丹生先生清鑒　天都黃賓虹篆于滬江

鈐印：烟霞散人　黃賓虹　黄山山中人

大篆七言聯 縱一三九厘米 橫三七厘米 温州市博物館藏

釋文：王孫善畫有番馬 右軍工書若戲鴻 澹如上人印可 黄山黄賓虹篆

鈐印：賓弘 原名質

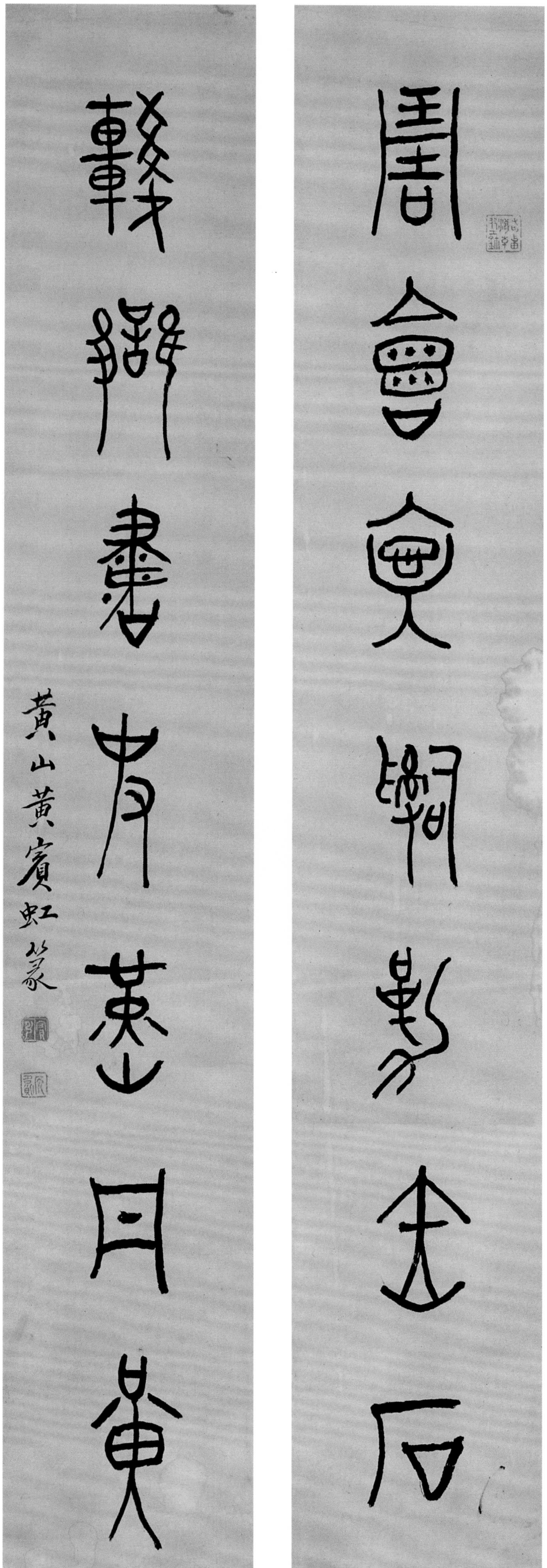

大篆七言聯　縱一四五厘米　横二二·五厘米　温州市博物館藏

釋文：雕繪文辭勒金石　校讎書史勤丹黄　黄山黄賓虹篆

鈐印：賓弘　原名質

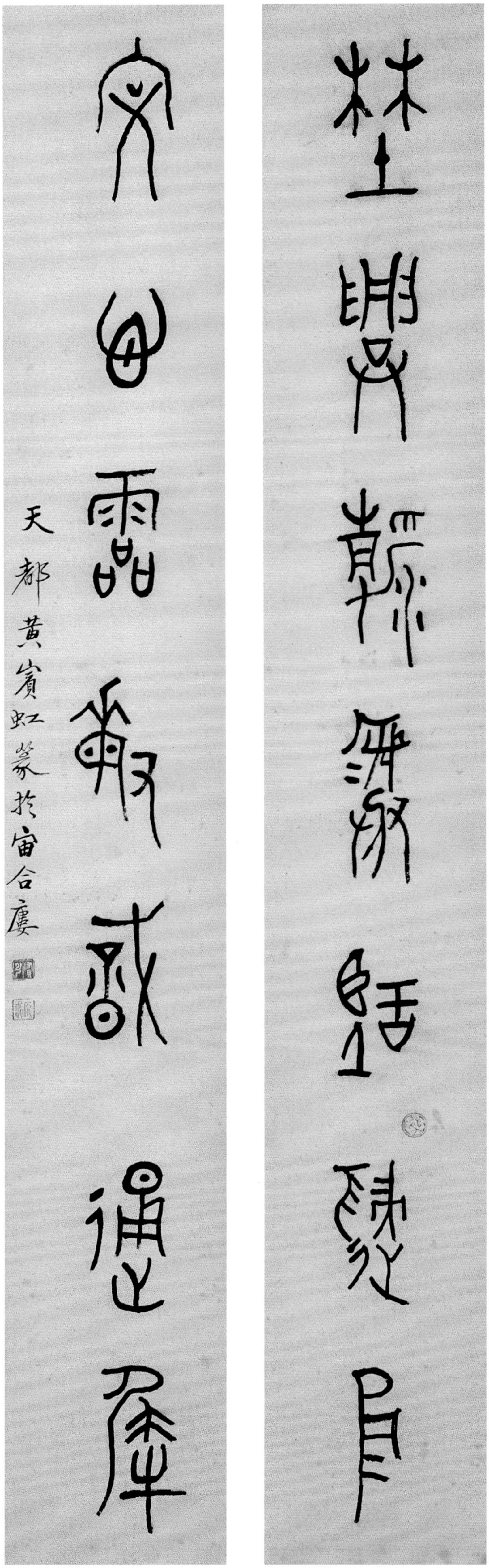

大篆七言聯　紙本　縱一六八厘米　橫二三厘米　安徽省博物館藏

釋文：野興清彝望歸鳥　文心靈敏識通犀　天都黃賓虹篆于宙合樓

鈐印：賓弘　原名質

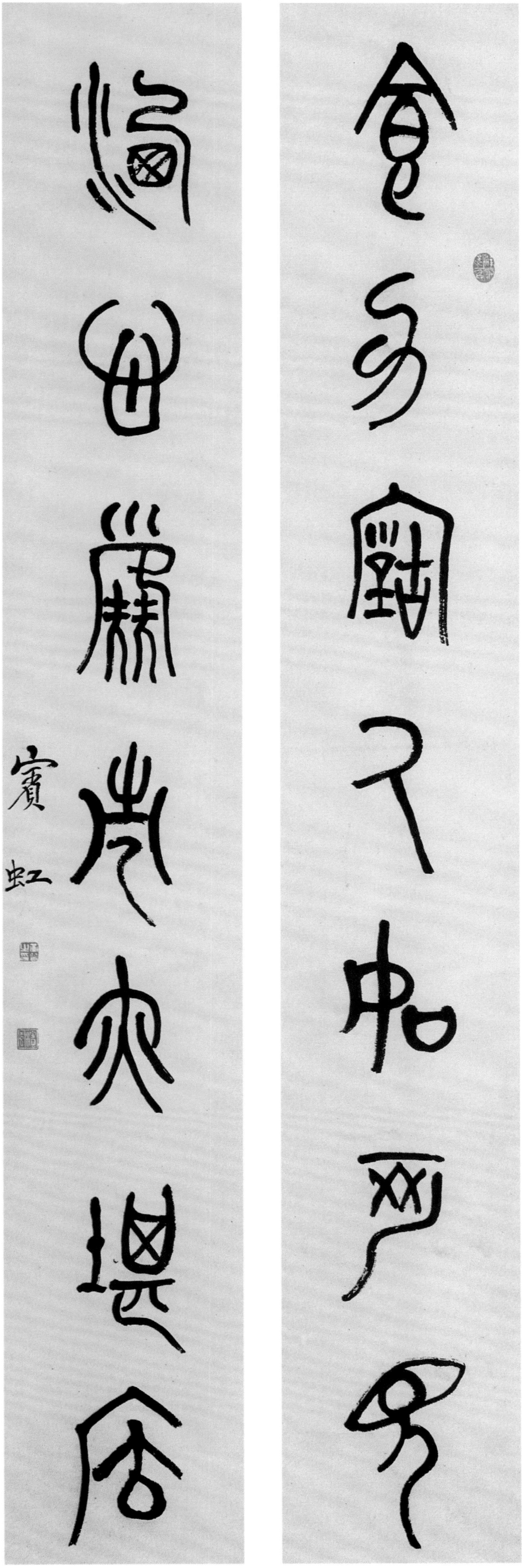

大篆七言聯　紙本　縱一三〇厘米　橫二八・五厘米　私人藏

釋文：食力寶人如可見　灑心瀝肺亦堪居　賓虹

鈐印：筆取意爲　黃質之印　賓虹

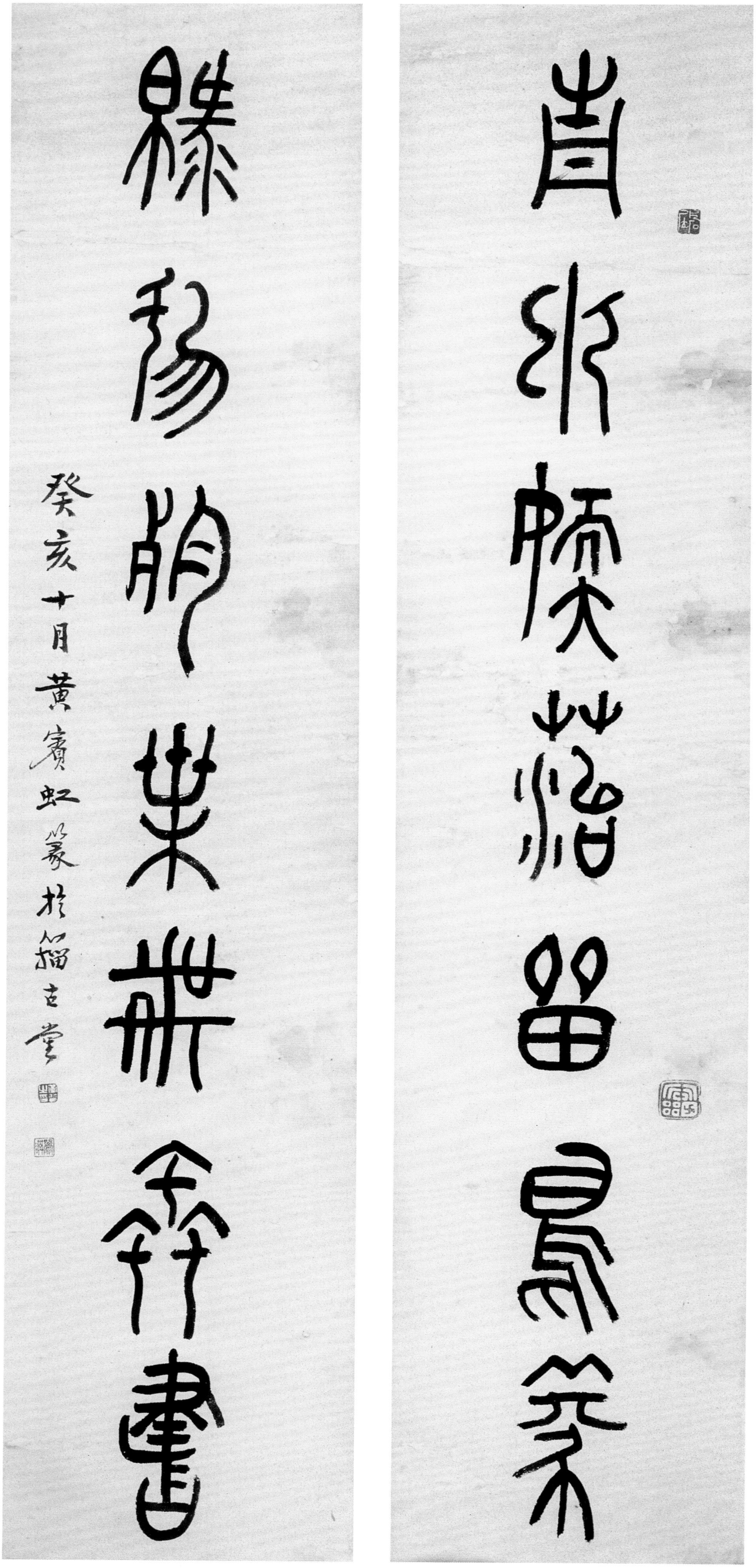

大篆七言聯 紙本 縱一三〇厘米 橫二八·五厘米 一九二三年作 安徽省博物館藏

釋文：青水嫩苔留鳥篆 緑楊殘葉帶蟲書 癸亥十月 黃賓虹篆于籀古堂

鈐印：片石居 黃質之印 賓

大篆七言聯　紙本　縱一三八厘米　橫三〇厘米　一九二三年作　私人藏

釋文：動人春色來尋燕　入眼决流静見魚　律丞老弟大雅鑒正　癸亥六月　賓虹樸存篆于滬上

鈐印：黄質印信　樸丞翰墨

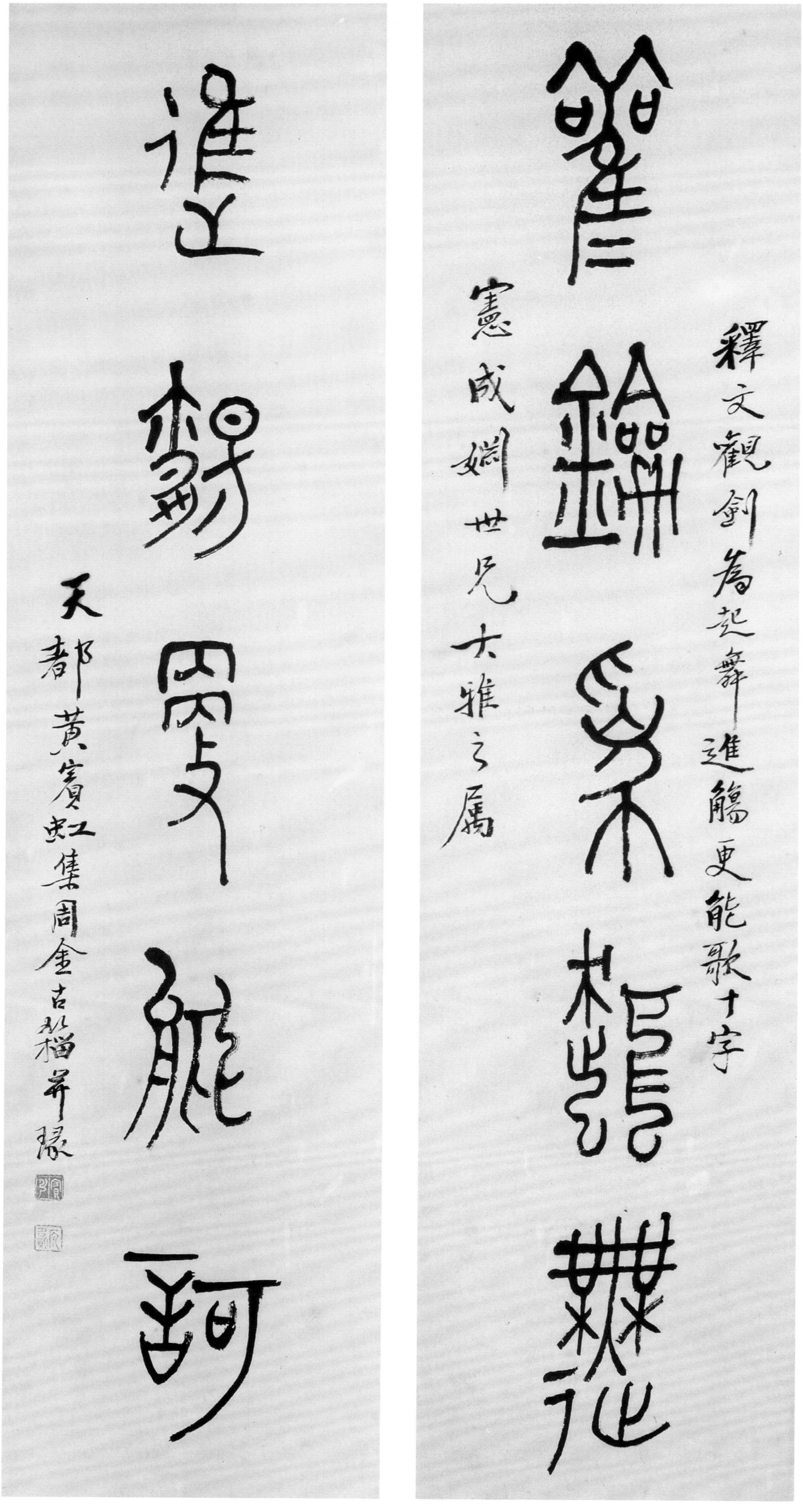

大篆五言聯　紙本　縱一三〇·五厘米　横三二厘米　安徽省博物館藏

釋文：觀劍爲起舞　進觴更能歌　憲成姻世兄大雅之屬　天都黄賓虹集周金古籀并篆

鈐印：賓弘　原名質

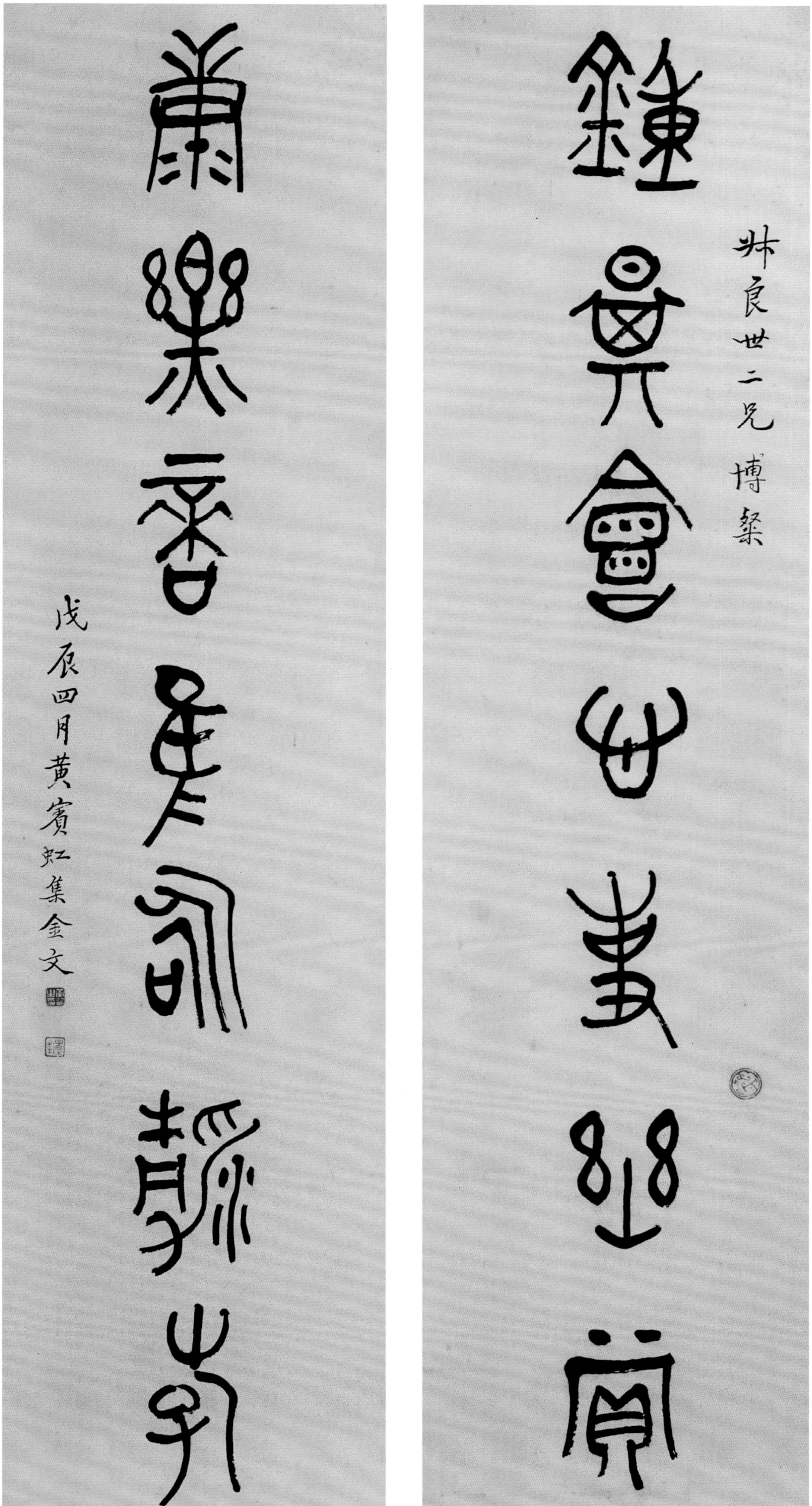

大篆七言聯　紙本　縱一三〇·五厘米　橫三二厘米　一九二八年作　安徽省博物館藏

釋文：鍾期會心事幽賞　康樂適佳咏清游　叔良世二兄博粲　戊辰四月　黃賓虹集金文

鈐印：黃質之印　孟邦

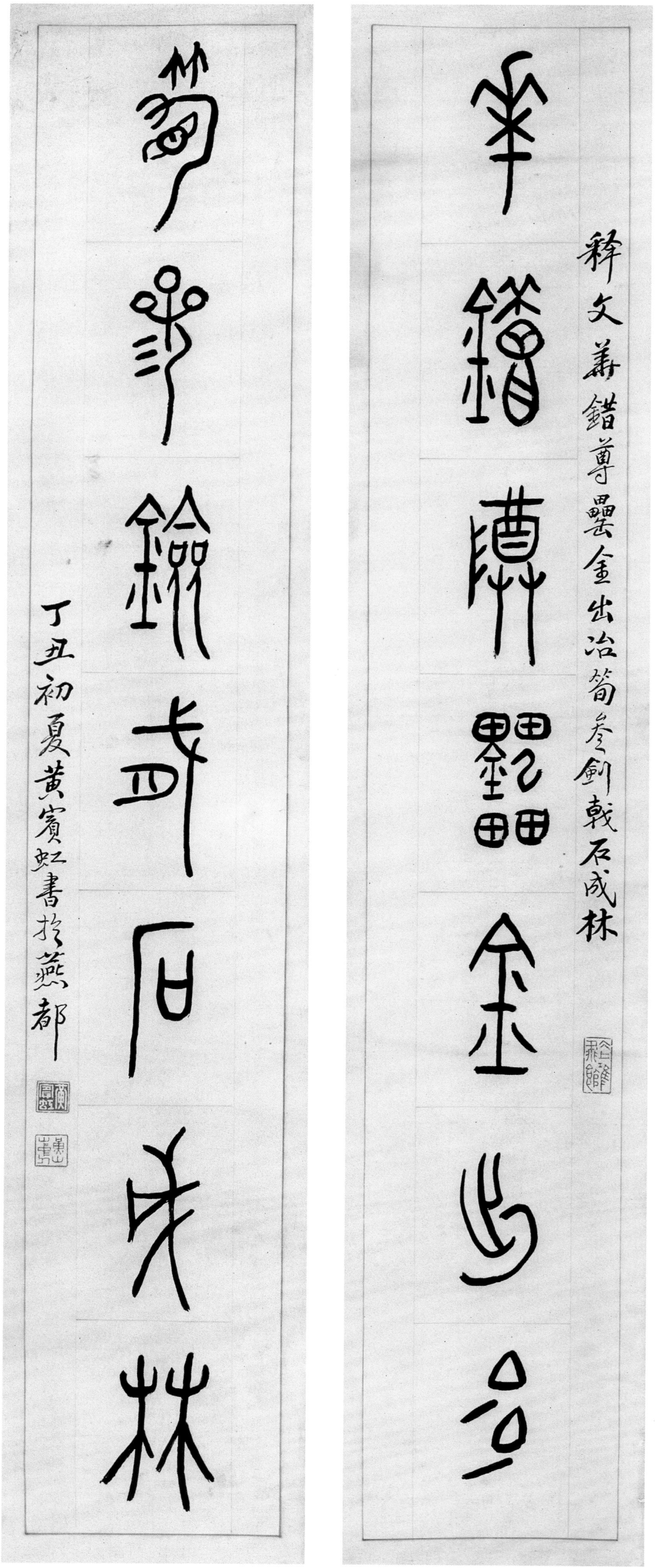

大篆七言聯　紙本　縱一三九厘米　橫二六·五厘米　一九三七年作　安徽省博物館藏

釋文：華錯樽罍金出冶　笋參劍戟石成林　丁丑初夏　黄賓虹書于燕都

鈐印：冰上鴻飛館　黄賓虹　黄山山中人

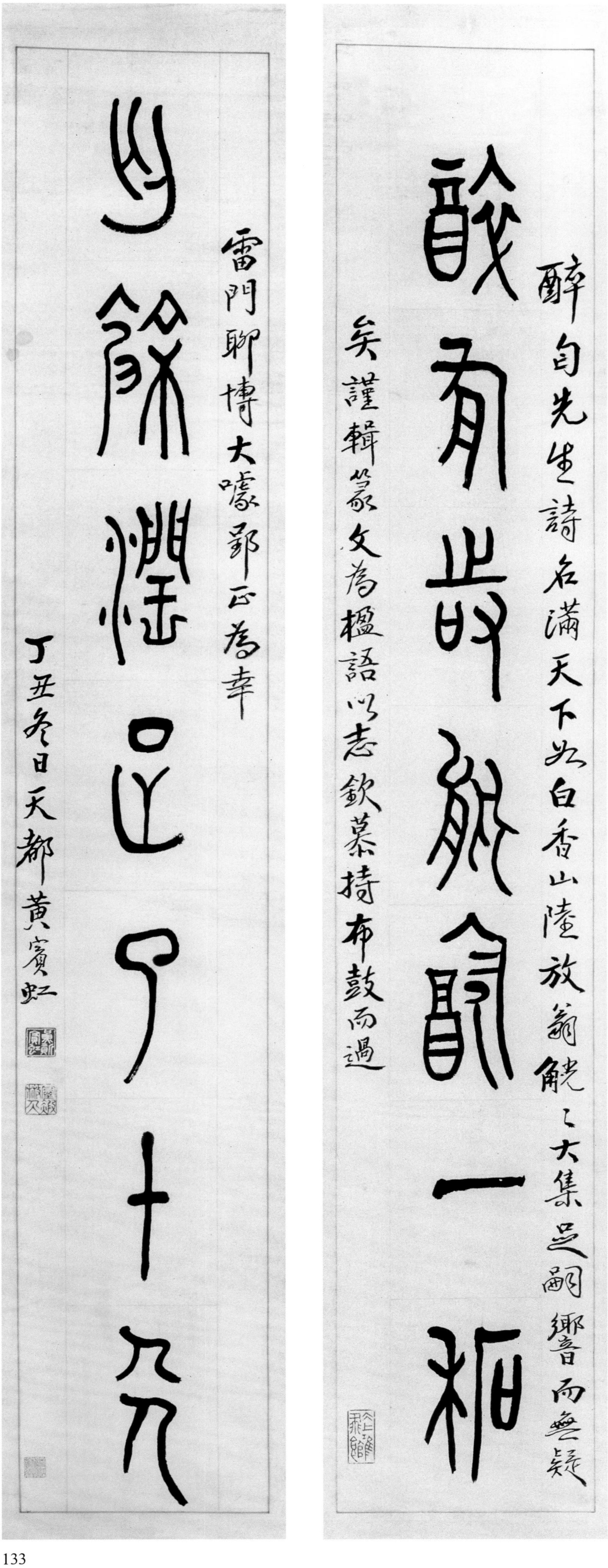

大篆七言聯　紙本　縱一四二厘米　橫二七厘米　一九三七年作　安徽省博物館藏

釋文：醉有詩能飲一石　丐餘潤足了十人　醉丐先生詩名滿天下　如白香山陸放翁　觥觥大集　足嗣響而無疑矣　謹輯篆文爲楹語　以志欽慕　持布鼓而過雷門　聊博大噱　郢正爲幸　丁丑冬日　天都黃賓虹

鈐印：冰上鴻飛館　黃質賓虹　烟霞散人

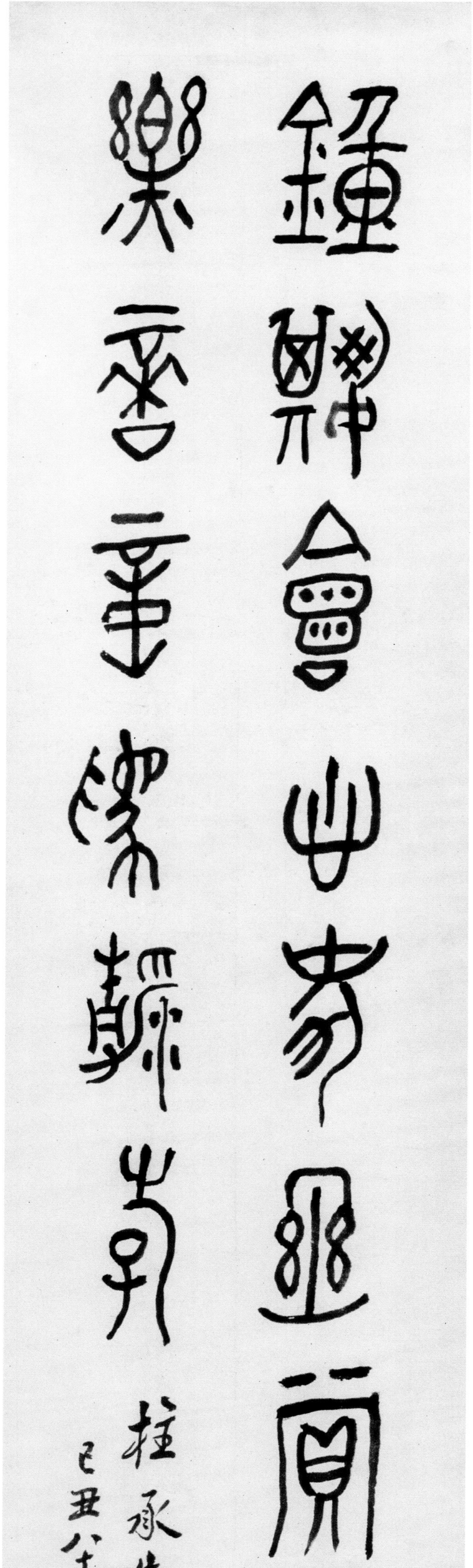

大篆聯語　紙本　縱一二三厘米　橫三三厘米　一九四九年作　浙江省博物館藏

釋文：鍾期會心事幽賞　康樂適意爲静游　柱承先生屬　己丑　八十六叟賓虹

鈐印：黄賓虹印

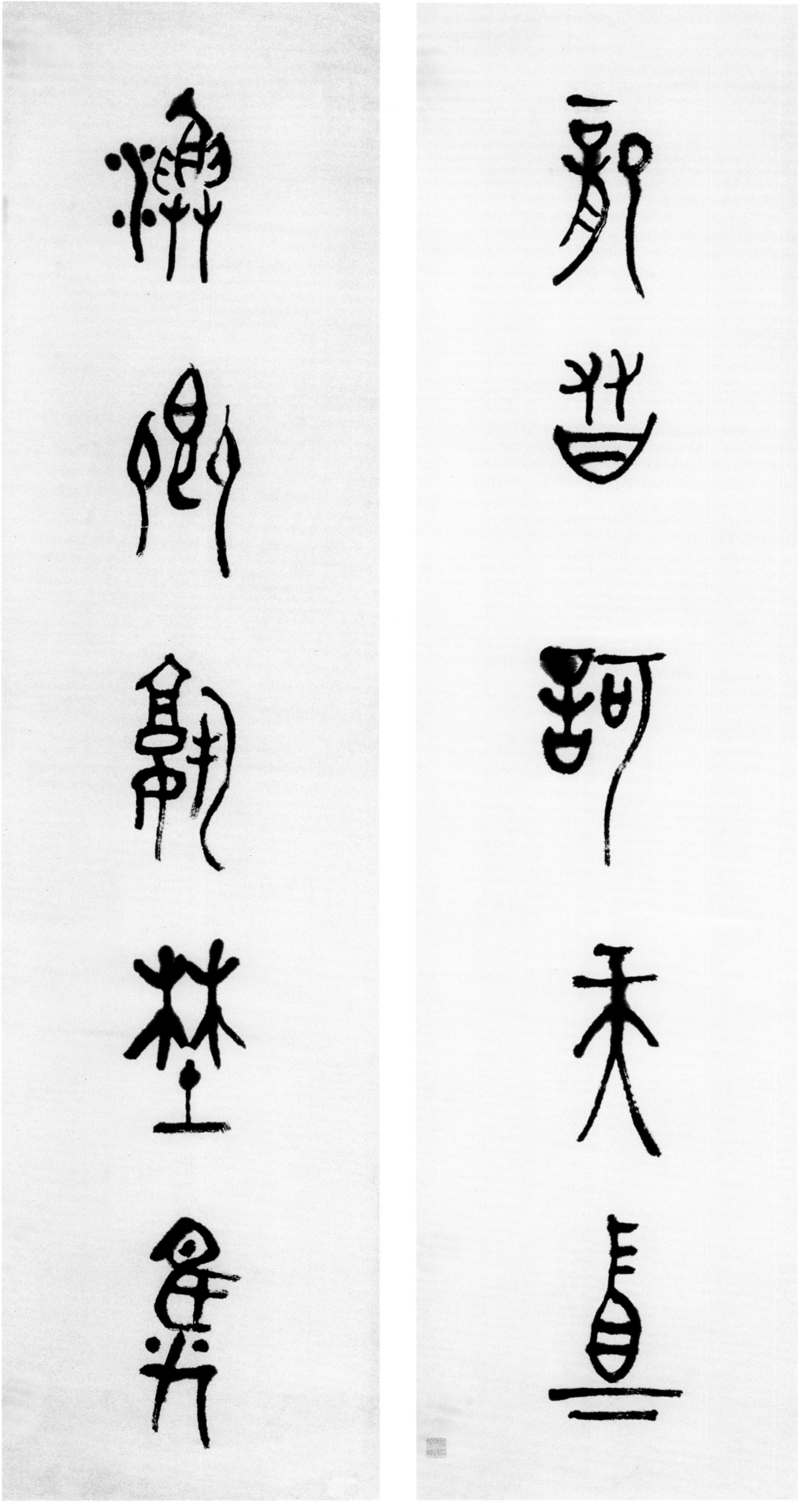

大篆五言聯 紙本 縱一二四厘米 橫三四厘米 浙江省博物館藏

釋文：龍友歌天馬 漁鄉熟野凫

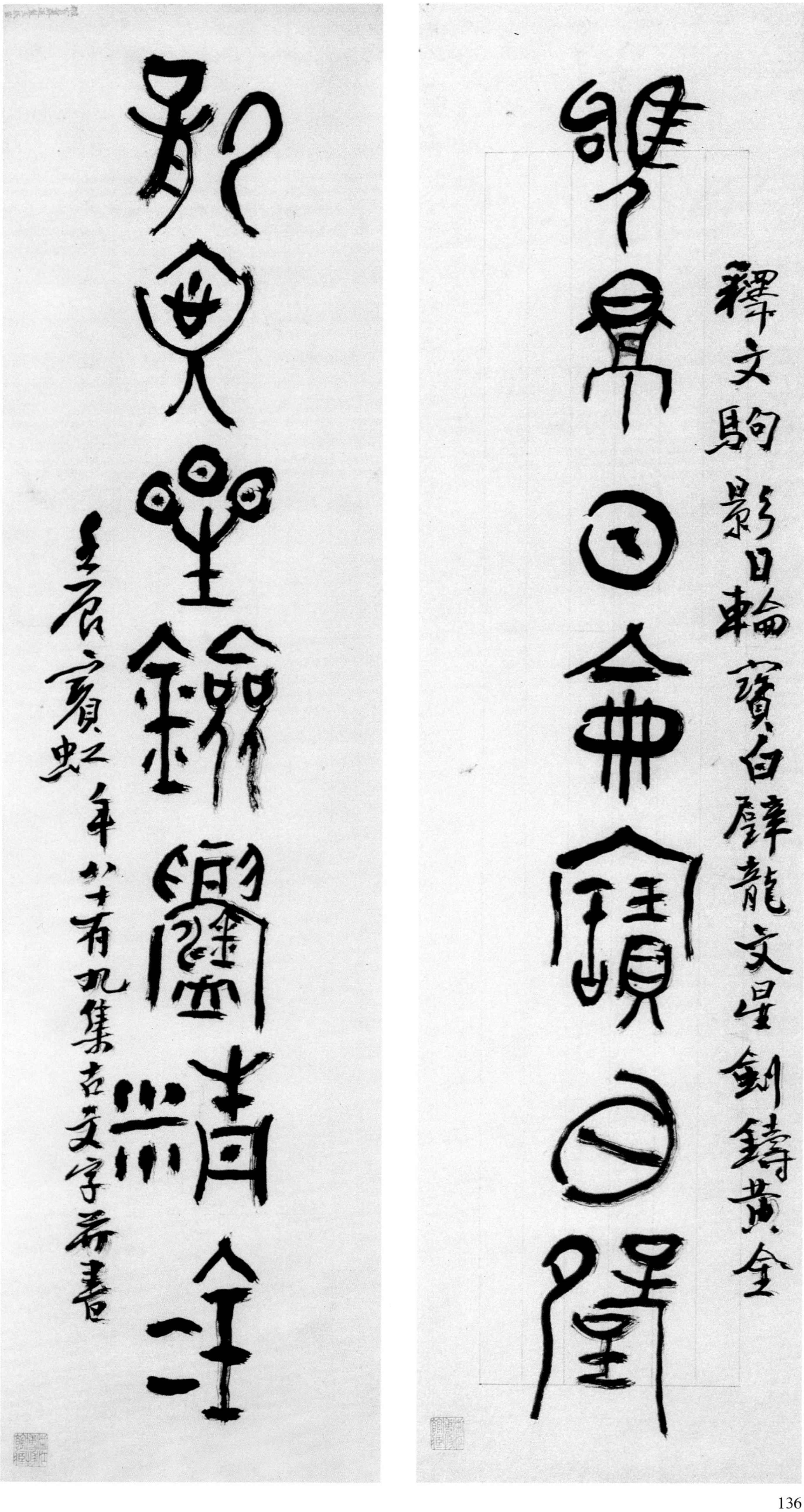

篆書七言聯 紙本 横八四·五厘米 横二一·五厘米 一九五二年作 浙江省博物館藏

釋文：駒影日輪寶白璧 龍文星劍鑄精金 壬辰 賓虹年八十有九 集古文字并書

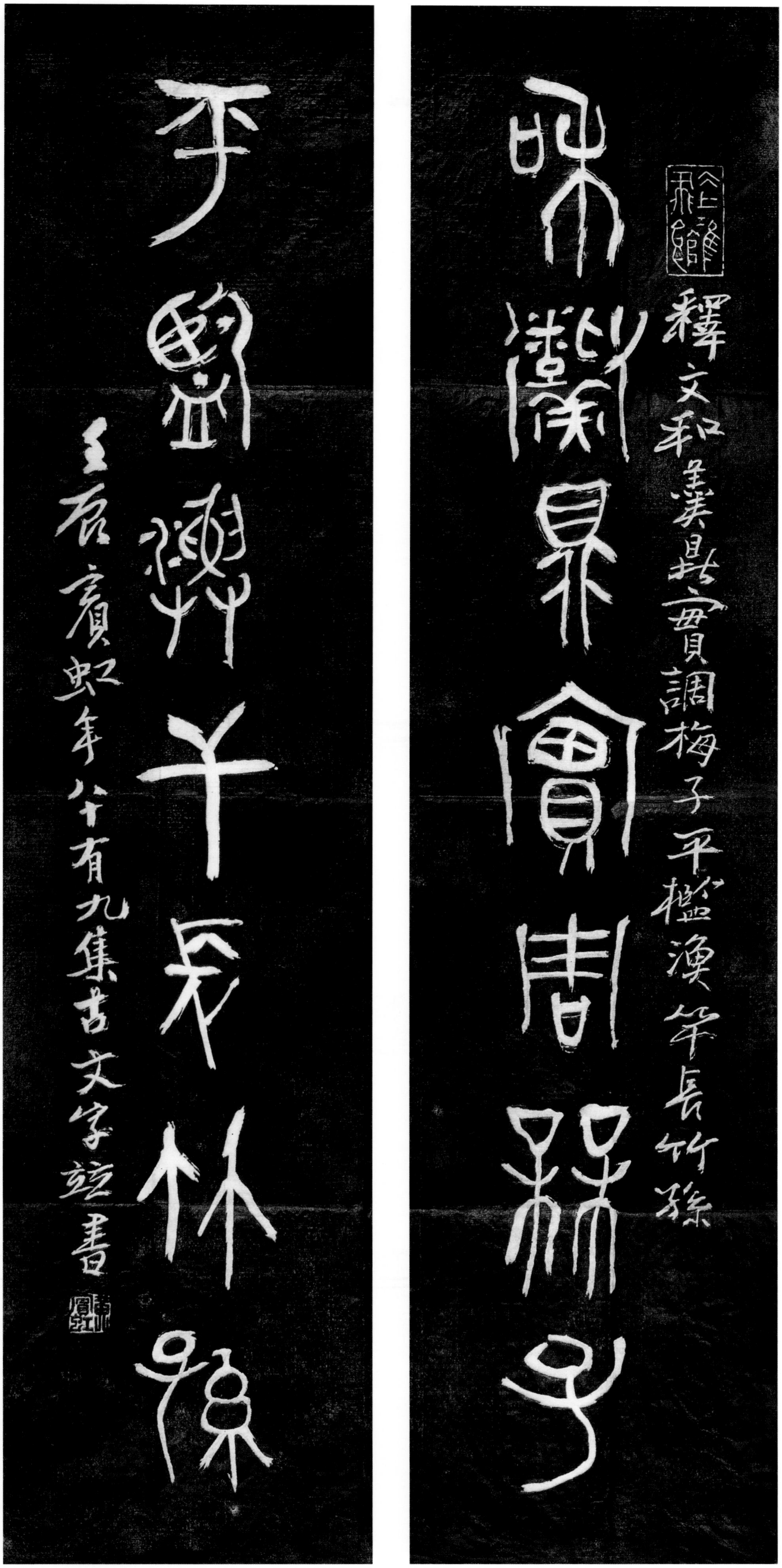

篆書七言聯 紙本墨拓 縱六五厘米 橫三〇厘米 一九五二年作 私人藏

釋文：和羹鼎實調梅子 平檻漁竿長竹孫 壬辰 賓虹年八十有九 集古文字并書

鈐印：冰上鴻飛館 黃賓虹

大篆聯語 虎皮箋 縱六五厘米 橫三三·五厘米 一九五〇年作 浙江省博物館藏

釋文：鈞天樂作魚龍舞 大夏功成宴爵齊 庚寅初春 黃山賓虹年八十又七

釋文和聲風動竹棲鳳平頂雲鋪松化龍
癸巳之春 賓虹年九十

大篆七言聯 紙本 縱一四〇厘米 橫三五厘米 一九五四年作 浙江省博物館藏

釋文：和聲風動竹栖鳳 平頂雲鋪松化龍 癸巳之春 賓虹年九十

鈐印：冰上鴻飛館 黃賓虹 黃山山中人

大篆七言聯（局部）

虹年九十

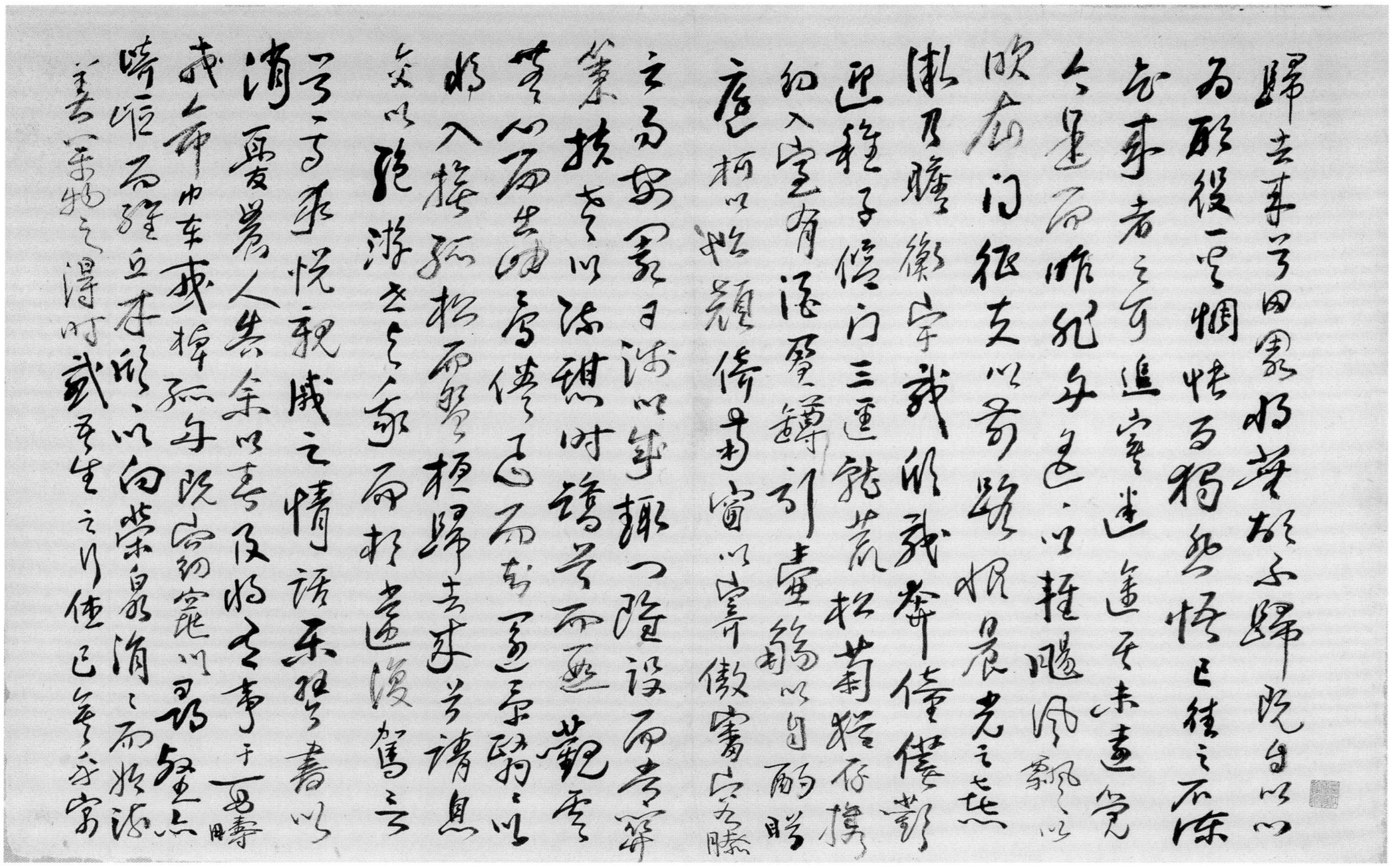

草書陶潛歸去來辭　紙本　縱五七·五厘米　橫九〇厘米

浙江省博物館藏

釋文：歸去來兮　田園將蕪胡不歸

既自以爲形役　奚惆悵而獨悲　悟已往之不諫　知來者之可追　實迷途其未遠

覺今是而昨非　舟遥遥以輕揚　風飄飄以吹衣　問征夫以前路　恨晨光之熹微

乃瞻衡宇　載欣載奔　僮僕歡迎　稚子候門　三徑就荒　松菊猶存　携幼入室　有酒盈樽

引壺觴以自酌　眄庭柯以怡顔　倚南窗以寄傲　審容膝之易安　園日涉以成趣

門雖設而常關　策扶老以流憩　時矯首而遐觀　雲無心而出岫　鳥倦飛而知還

景翳翳以將入　撫孤松而盤桓　歸去來兮　請息交以絶游　世與我而相違

復駕言兮焉求　悦親戚之情話　樂琴書以消憂　農人告余以春及　將有事于西疇

或命巾車　或棹孤舟　既窈窕以尋壑　亦崎嶇而經丘　木欣欣以向榮　泉涓涓而始流

善萬物之得時　感吾生之行休　已矣乎　寓

草書陶潛歸去來辭（局部）

歸去來兮田園將蕪胡不歸既自以心
為形役奚惆悵而獨悲悟已往之不諫
知來者之可追實迷途其未遠覺
今是而昨非舟遥遥以輕颺風飄飄以
吹衣問征夫以前路恨晨光之熹
微乃瞻衡宇載欣載奔僮僕歡
迎稚子候門三逕就荒松菊猶存攜
幼入室有酒盈樽引壺觴以自酌眄
庭柯以怡顏倚南窗以寄傲審容膝

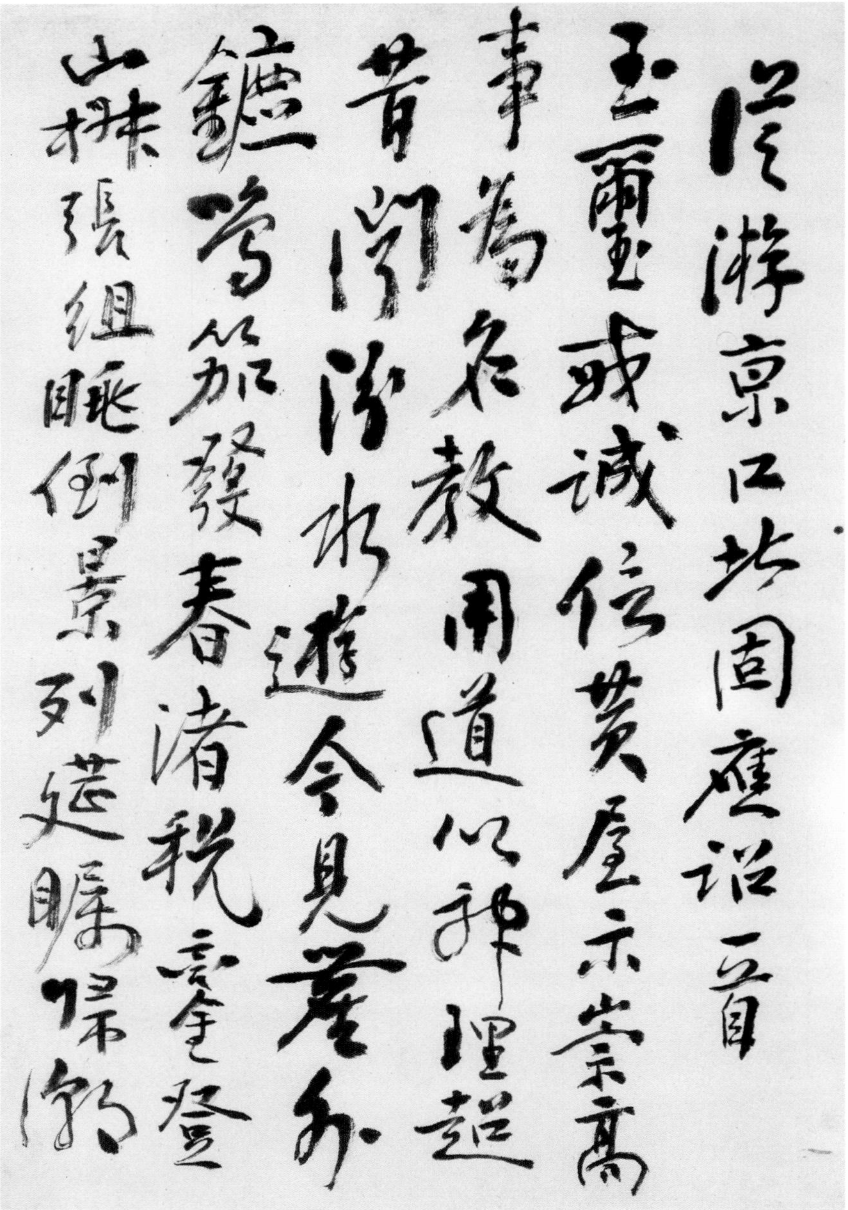

行草謝靈運詩

紙本　縱三二厘米　橫二一・五厘米　十一幅

浙江省博物館藏

釋文：從游京口北固應詔一首

玉璽戒誠信　黃屋示崇高　事爲名教用　道以神理超
昔聞汾水游　今見塵外鑣　鳴笳發春渚　税鑾登山椒
張組眺倒景　列筵矚歸潮　遠岩映蘭薄　白日麗江皋
原隰荑綠柳　墟囿散紅桃　皇心美陽澤　萬象咸光昭
顧己枉維縶　撫志慚場苗　工拙各所宜　終以反林巢
曾是縈舊想　覽物奏長謠

登池上樓

潛虬媚幽姿　飛鴻響遠音　薄霄愧雲浮　棲川怍淵沈
進德智所拙　退耕力不任　徇祿反窮海　卧痾對空林
衾枕昧節候　褰開暫窺臨　傾耳聆波瀾　舉目眺嶇嶔
初景革緒風　新陽改故陰　池塘生春草　園柳變鳴禽
祁祁傷豳歌　萋萋感楚吟　索居易永久　離窮難處心
持操豈獨古　無悶徵在今

游赤石進帆（泛）海一首

首夏猶清和　芳草亦未歇　水宿淹晨暮　陰霞屢興没
周覽倦瀛壖　況乃陵窮髪　川后時安浮　天吴静不發
揚帆采石華　挂席拾海月　溟漲無端倪　虛舟有超越
仲連輕齊組　子牟戀魏闕　矜名道不足　適己物可忽
清附任公言　終然謝天（先）伐

從斤竹澗越溪嶺行一首

猿鳴誠知曙　谷幽光未顯　岩下雲方合　花上露猶泫
逶迤傍隈隩　迢遞陟陘峴　過澗既凌（厲）急　登棧（亦）凌緬
川渚屢徑（經）復　乘流玩迴轉　蘋萍泛沉深　菰蒲冒清淺
企石挹飛泉　攀林摘葉卷　想見山阿人　薜蘿若在眼
握蘭勤徒結　折麻心莫展　情用賞爲美　事昧竟難辨
觀此遺物慮　一悟得所遣　謝康樂詩

之一

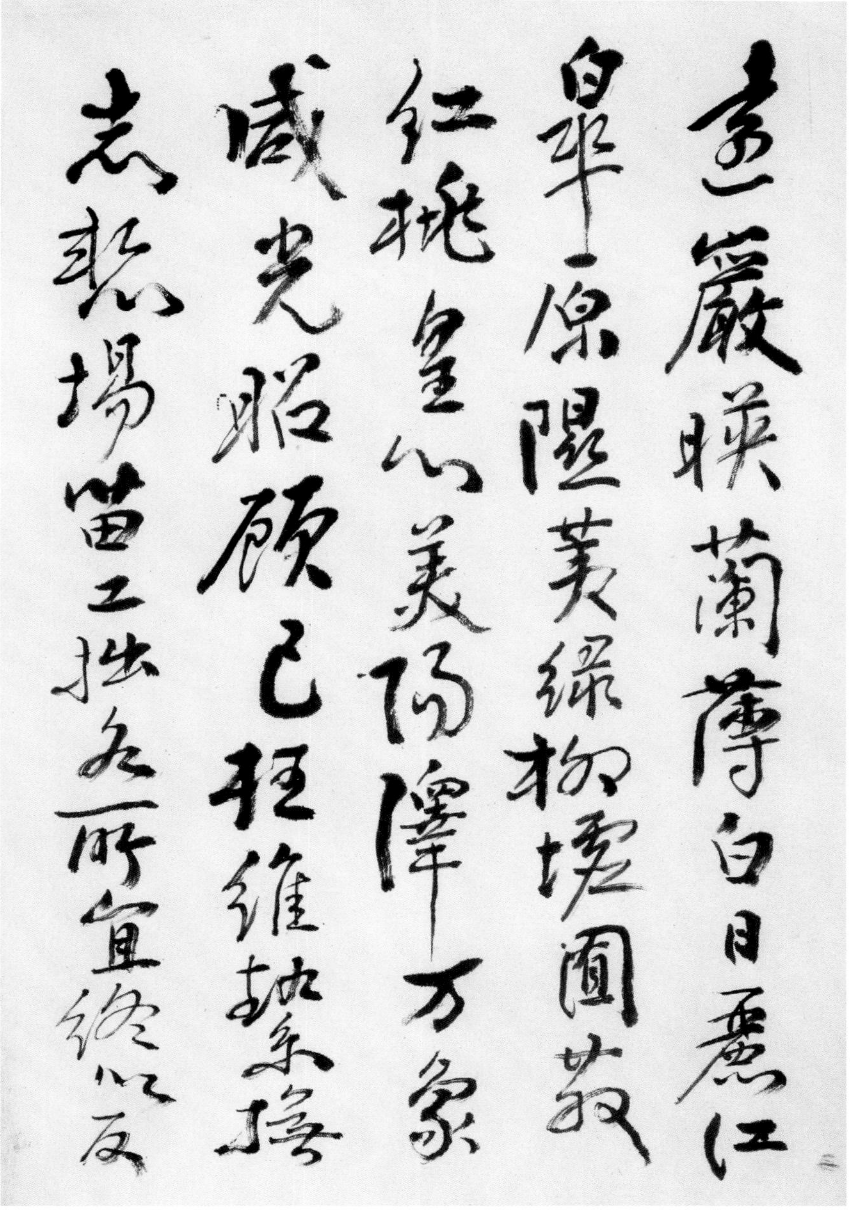
遠巖映蘭薄白日麗江
皋原隰荑綠柳墟囿散
紅桃皇心美陽澤万象
咸光昭顧己枉維縶撫
志慚場苗工拙各所宜終以反
二

之二

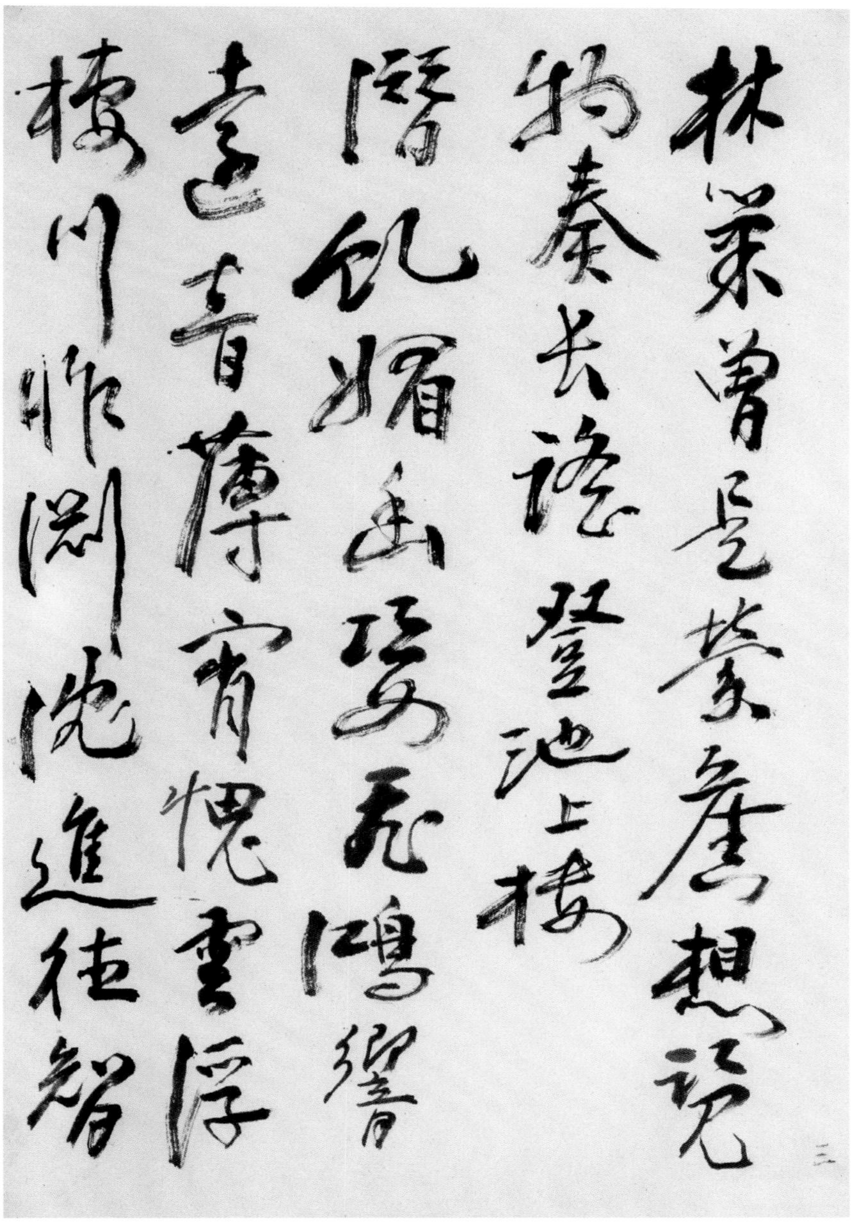
林巢曾是縈舊想覽
物奏長謠 登池上樓
潛虯媚幽姿飛鴻響
遠音薄霄愧雲浮
棲川怍淵沉進德智
三

之三

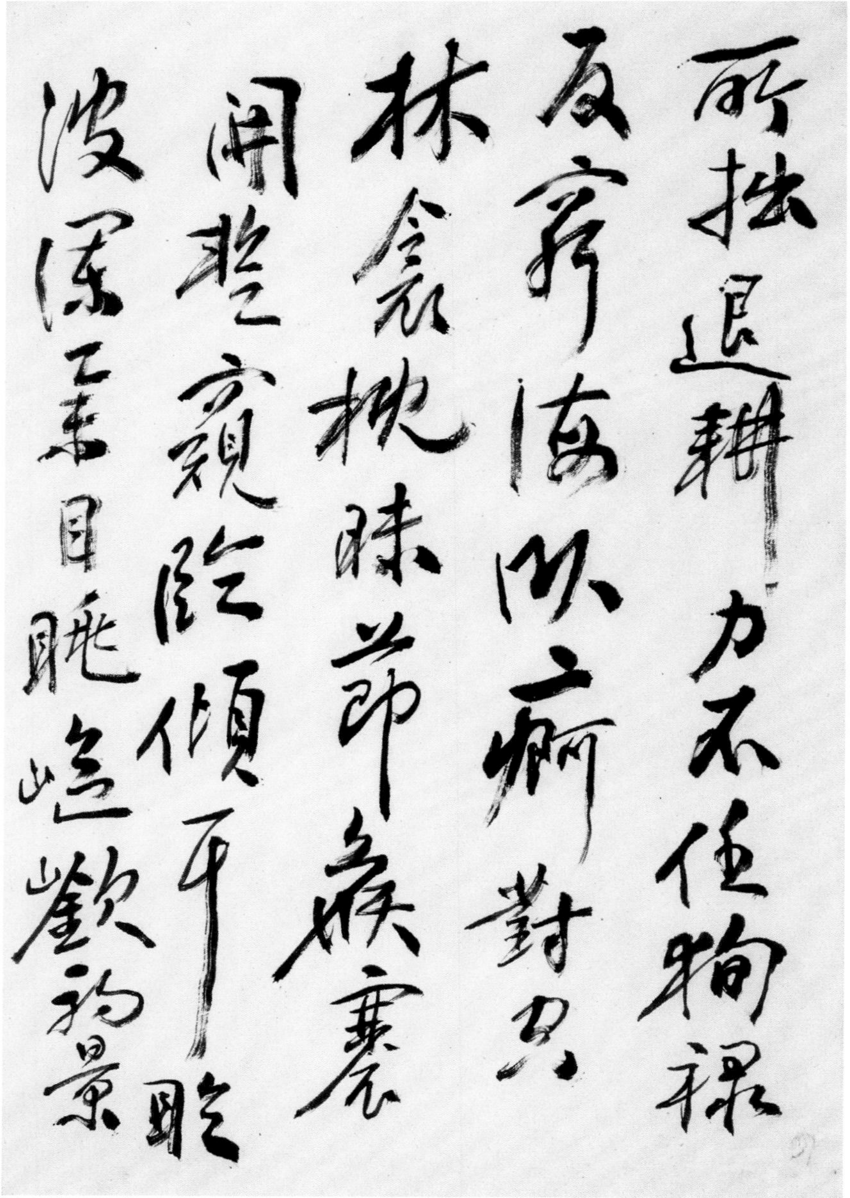
所拙退耕力不任徇祿反窮海臥痾對空林衾枕昧節候褰開暫窺臨傾耳聆波瀾舉目眺嶇嶔初景

之四

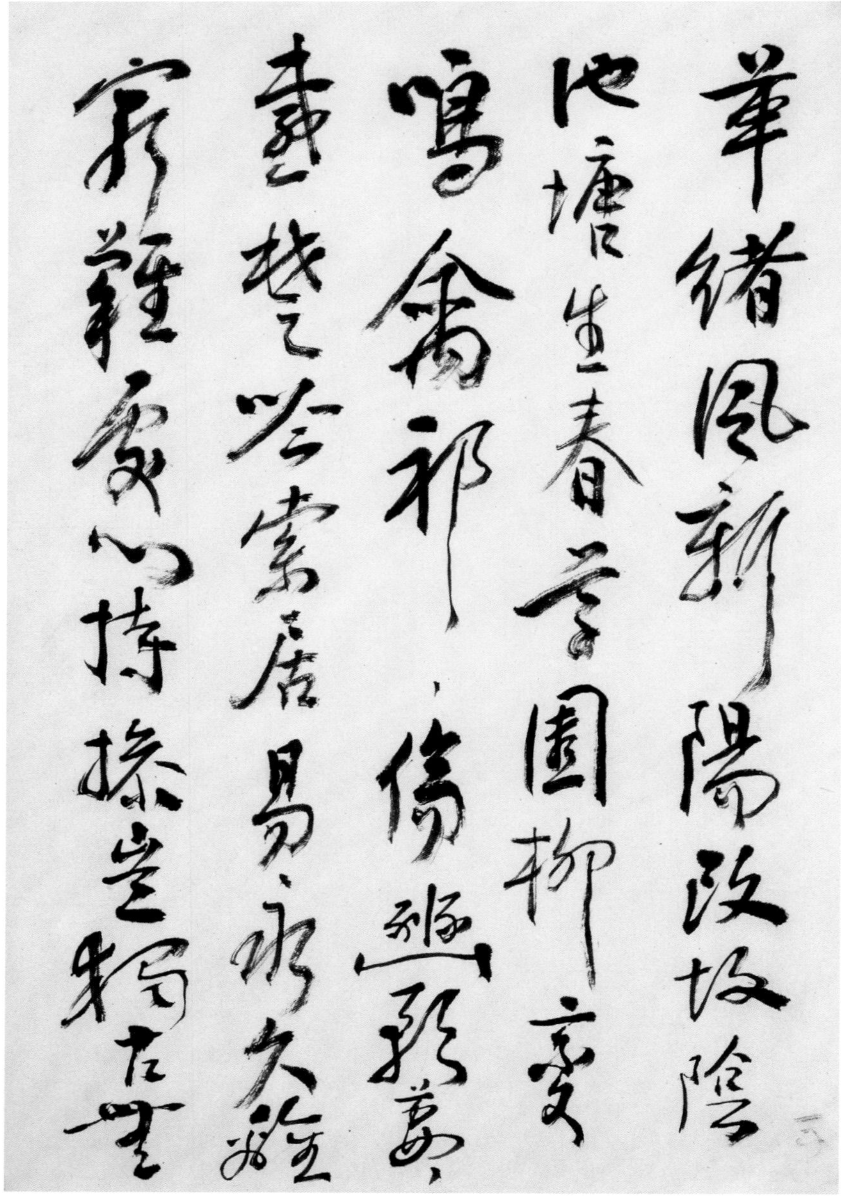
革緒風新陽改故陰池塘生春草園柳變鳴禽祁祁傷豳歌萋萋感楚吟索居易永久離羣難處心持操豈獨古

之五

悶懷在今

遶岸石堤帆海一

首夏猶清和芳草

未歇水宿淹晨暮陰

霞屢景良遊固覽儁

之六

壞壞況乃陵宇襞

川后時安保天吳靜

不世揚帆采石華

揮席拾海月演漾

雲端儵虎舟有超越仲

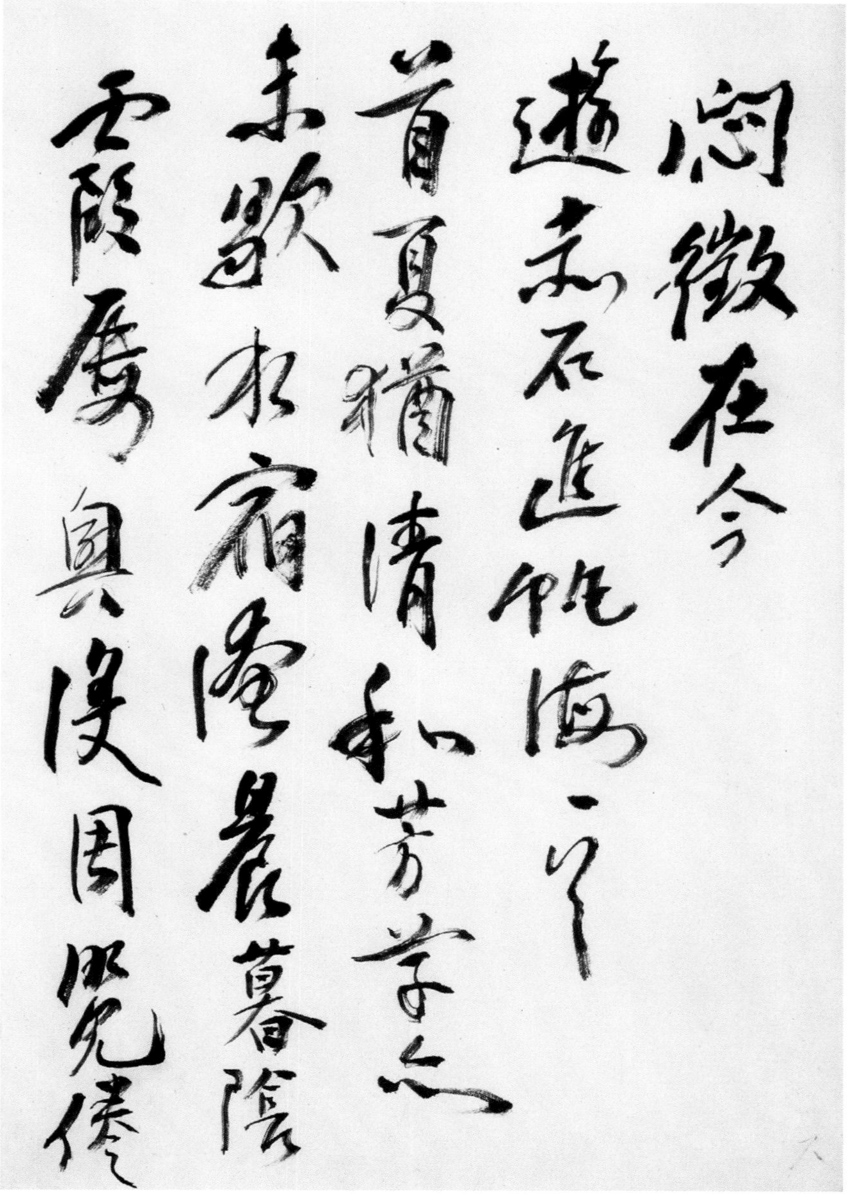

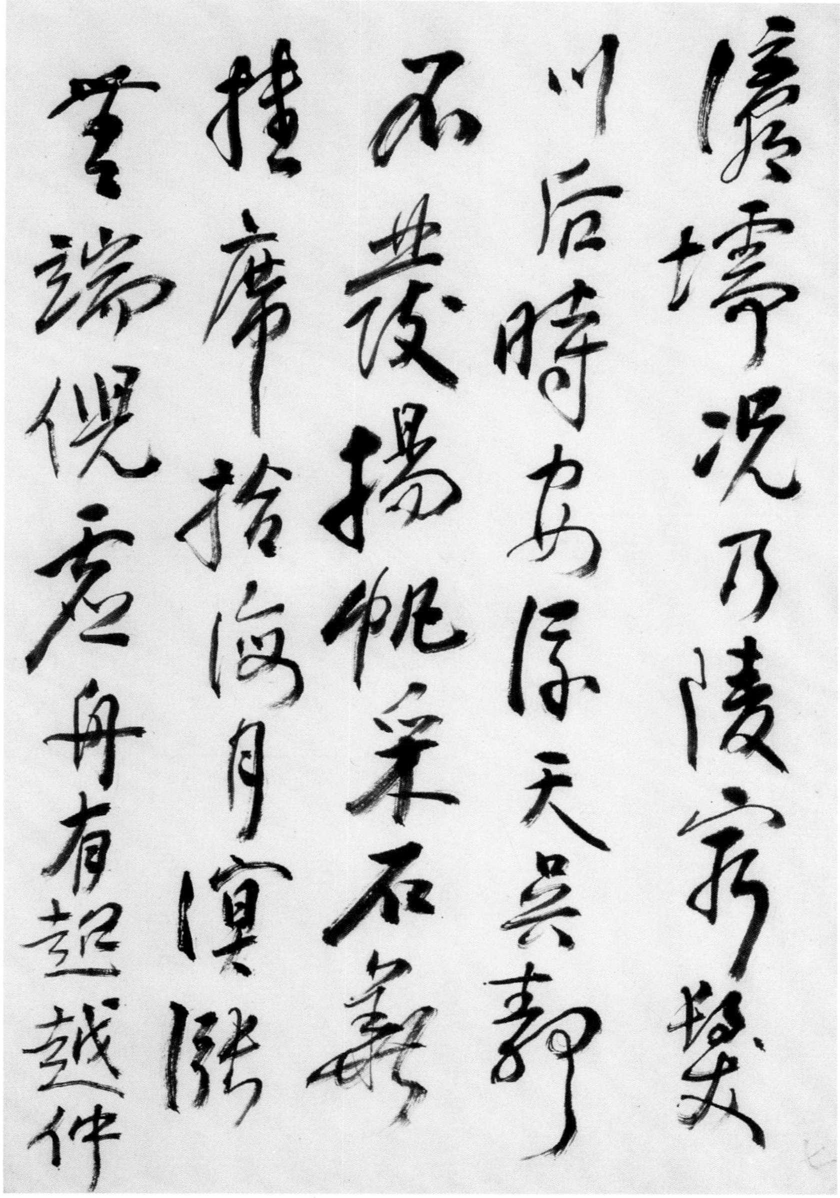

之七

速輕齋組玉年忘魏

闕取名道不足意已物

可思傷附住公云總延

謝天伐

從斤竹澗越嶺溪行嶺行一首

從斤竹澗越嶺溪行一首

猿吟誄起曙猶在壺先玉

顯嚴小雲方合花上露猶

注重色逸傷隰陝遊運沙

陸峴過澗免凌急此芒棧

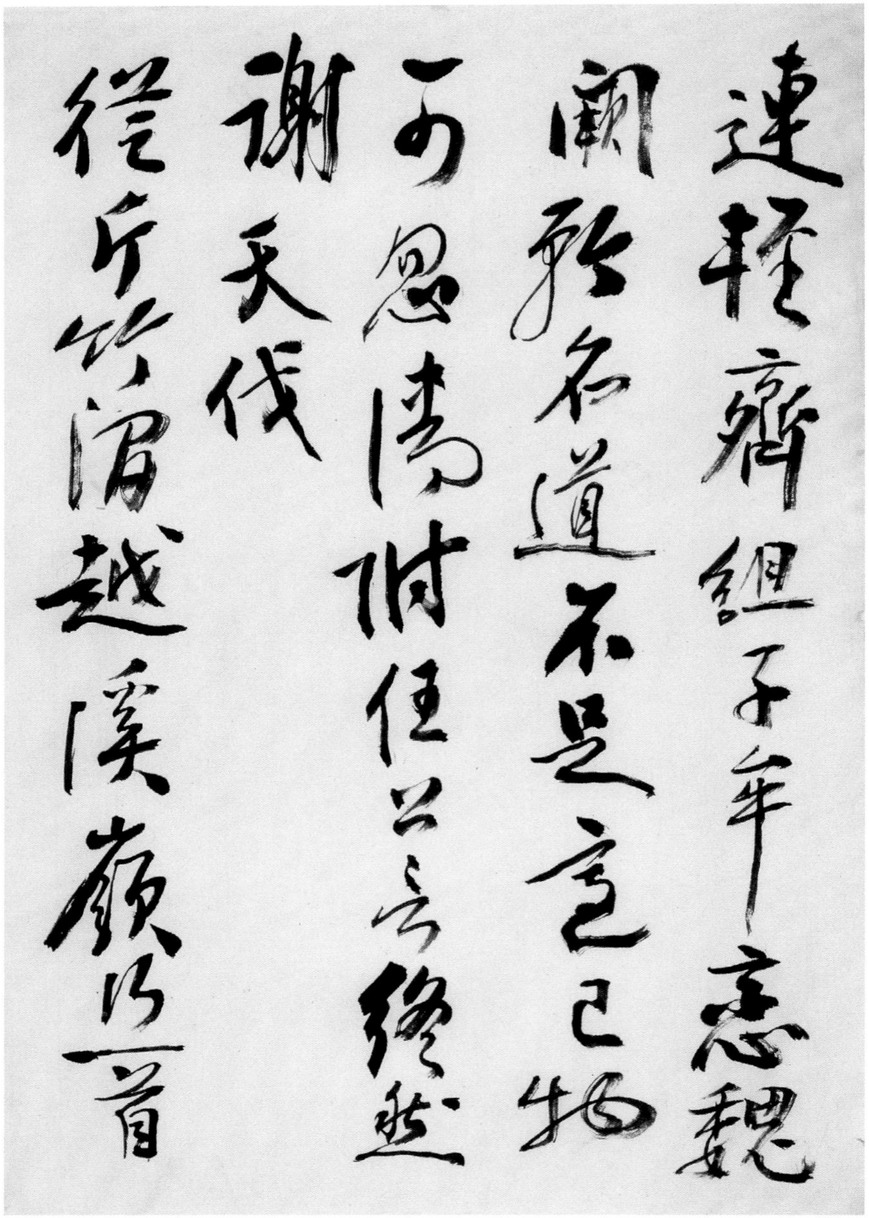

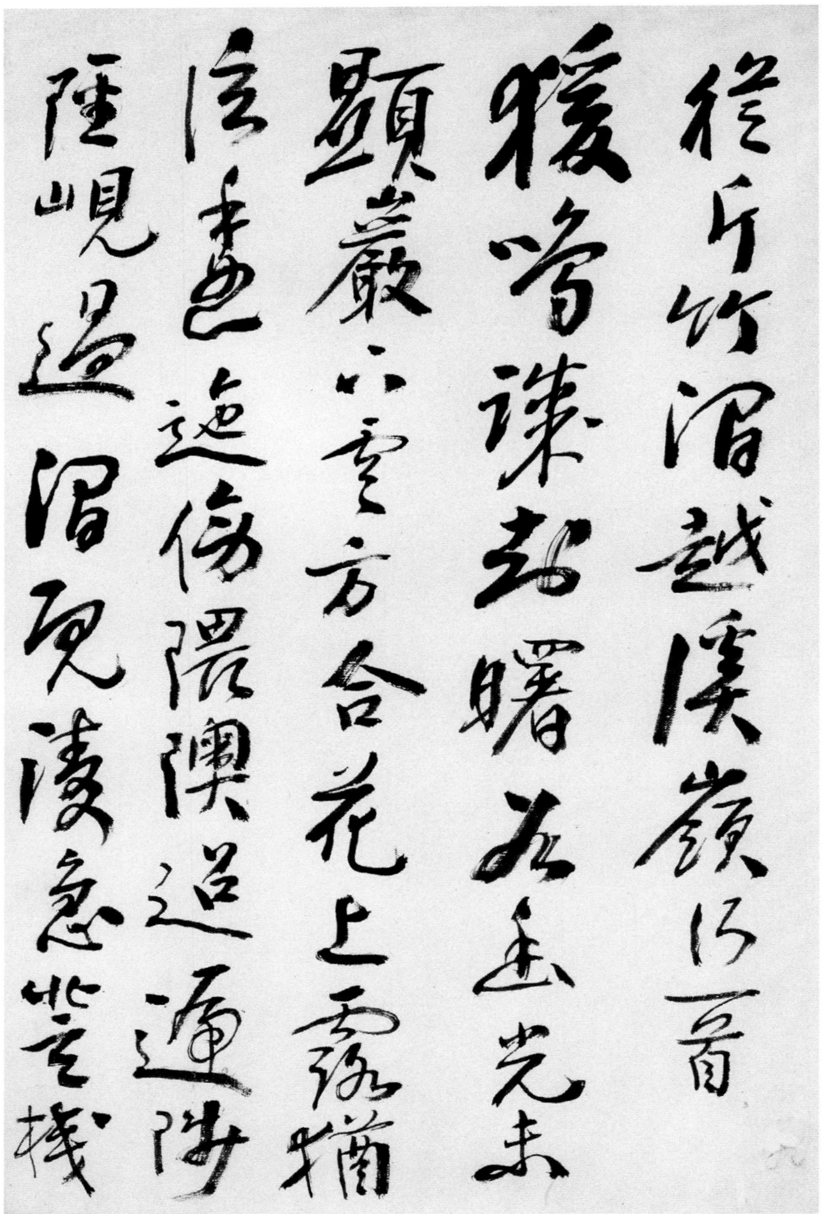

凌厓川渚屠往後蒙涼
颇迴持琰薜萝沈深荒
蒲冒清浅企石挹流泉
攀林摘葉巻想见山阿
人薜萝茢美在眼极菌勤

遘结折麻以辰情用
赏为美事味竞難維
观此遗物盧一慷得巧
遂

谢康樂詩

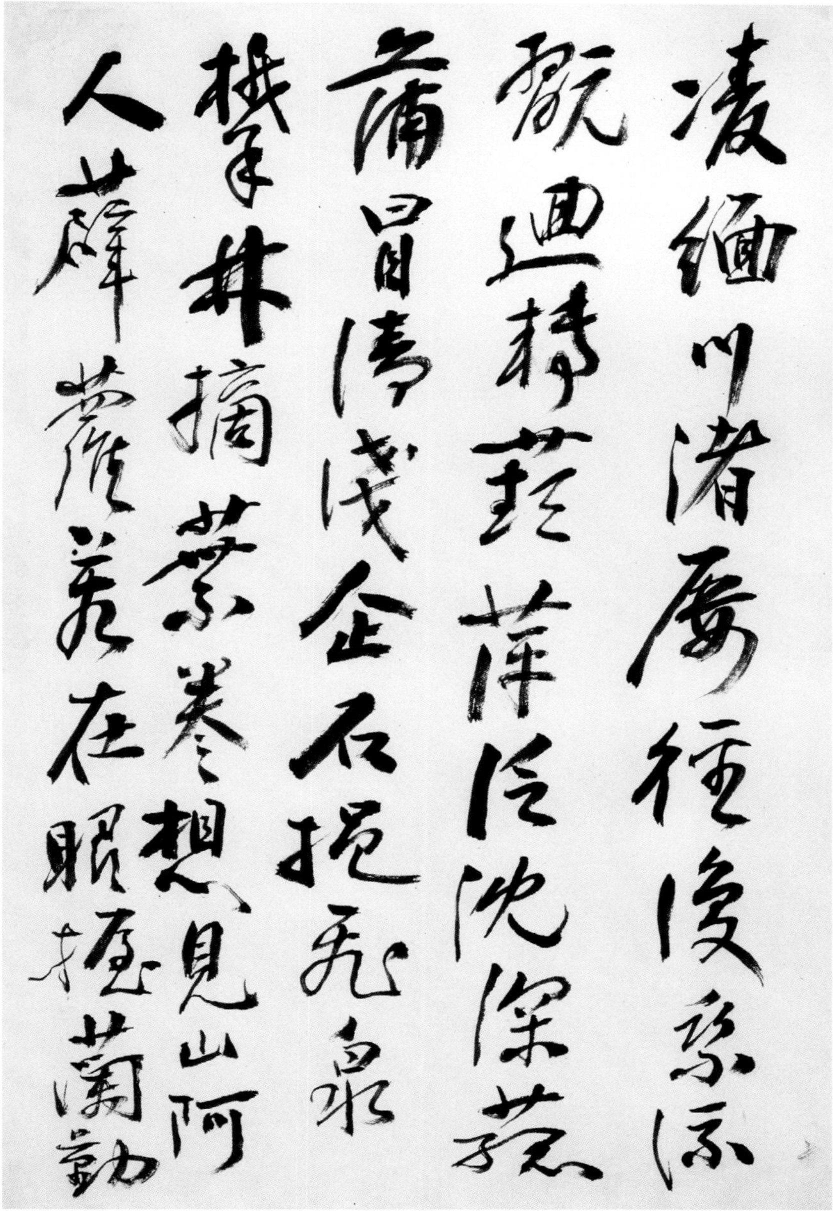

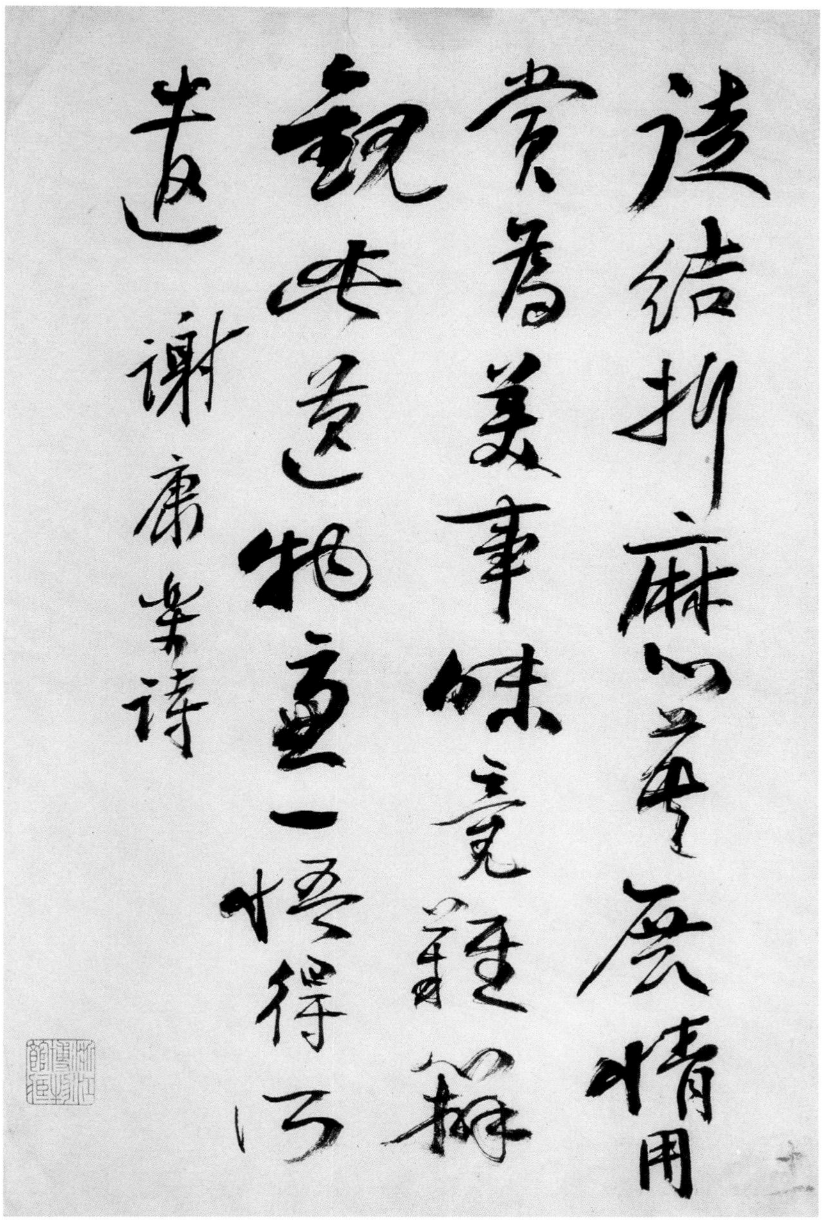

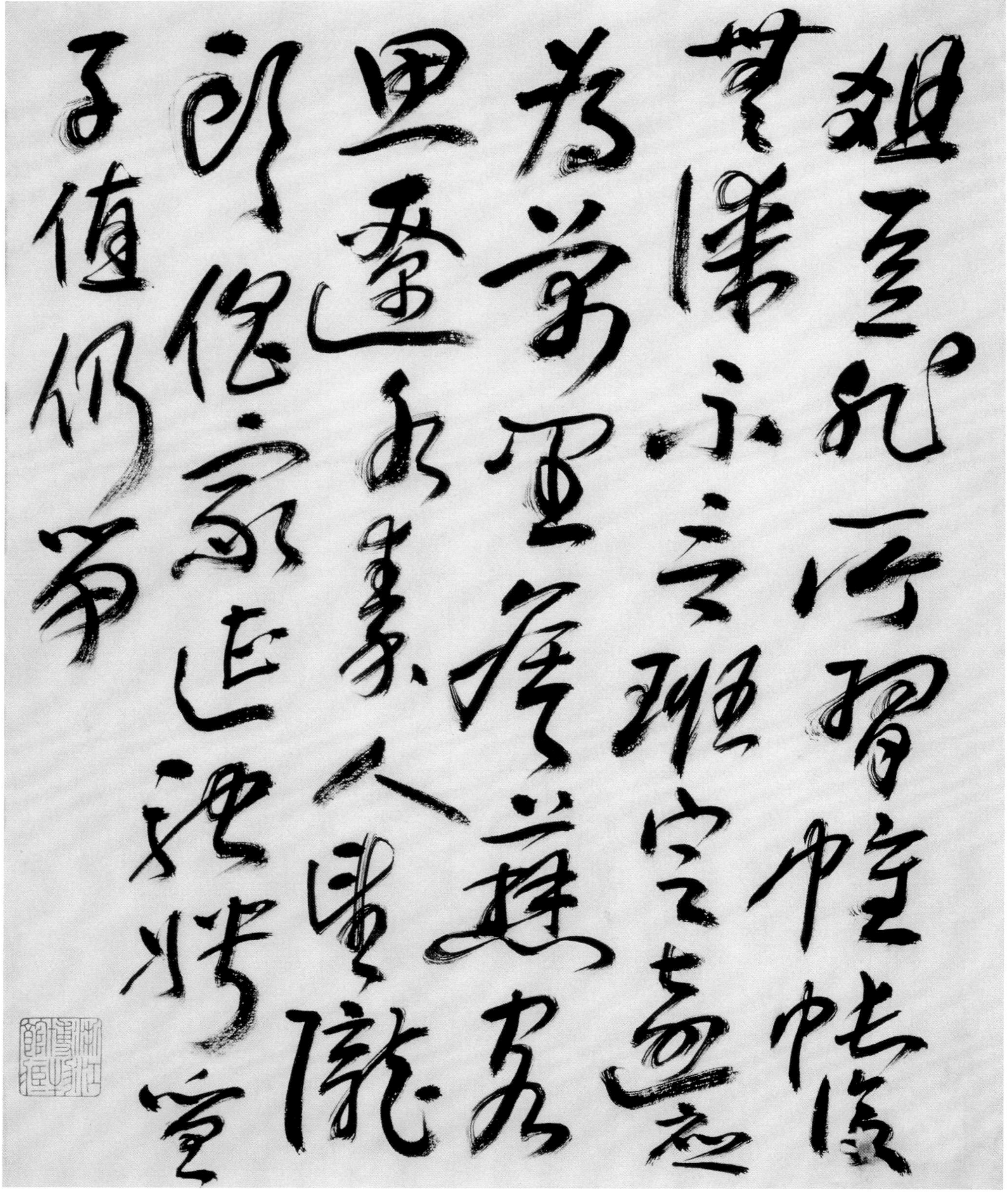

草書庾信五言詩　紙本　縱二七・五厘米　橫二二厘米

浙江省博物館藏

釋文：俎豆非所習　帷帳復無謀　不言班定遠　應爲萬里侯

燕客思遼水　秦人望隴頭　倡家遭强娉（聘）質子值仍留

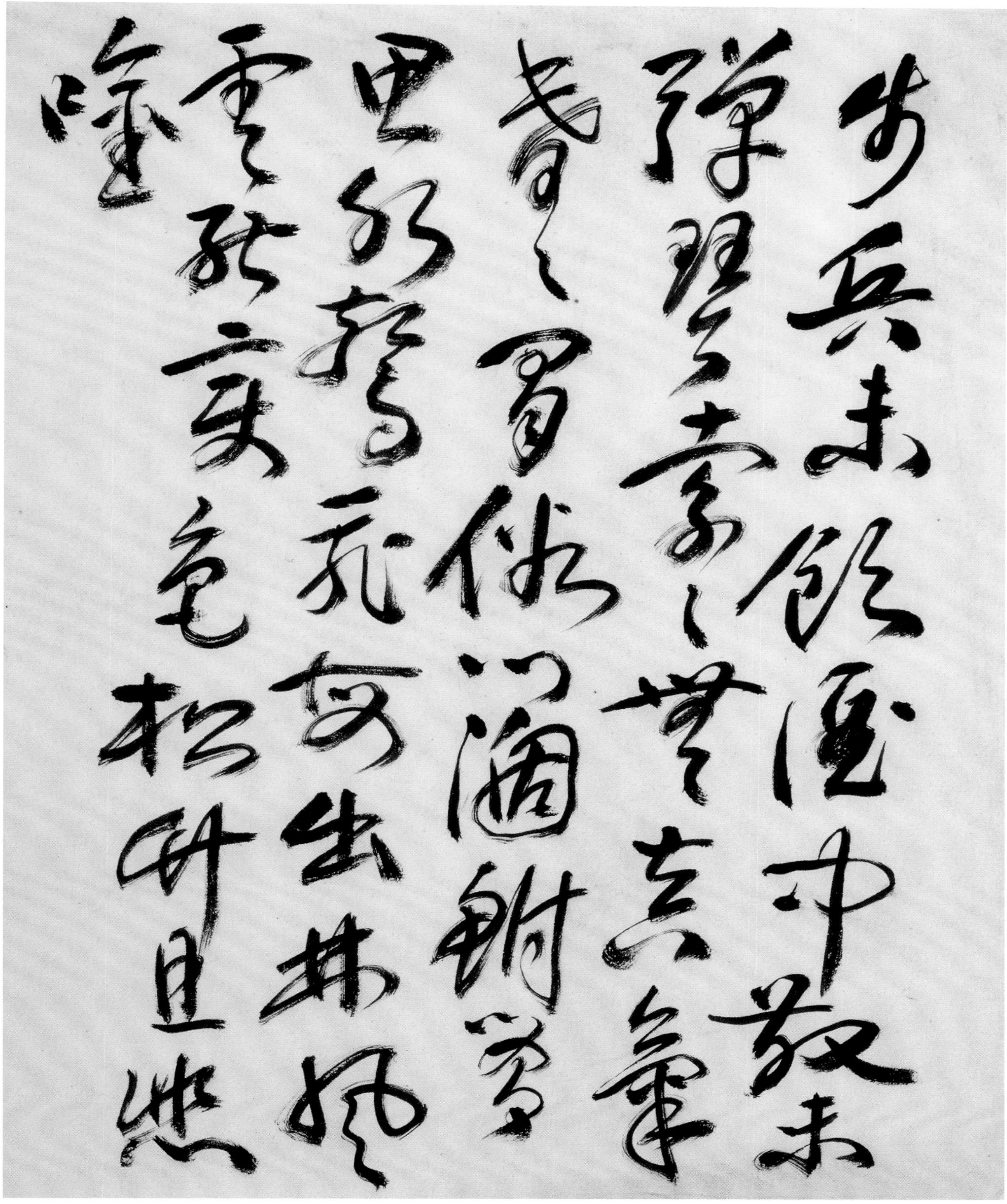

草書庾信五言詩　紙本　縱二七·五厘米　橫二二厘米

浙江省博物館藏

釋文：步兵未飲酒　中散未彈琴　索索無真氣　昏昏有俗心　涸鮒常思水　驚飛每出林　風雲能變色　松竹且悲吟

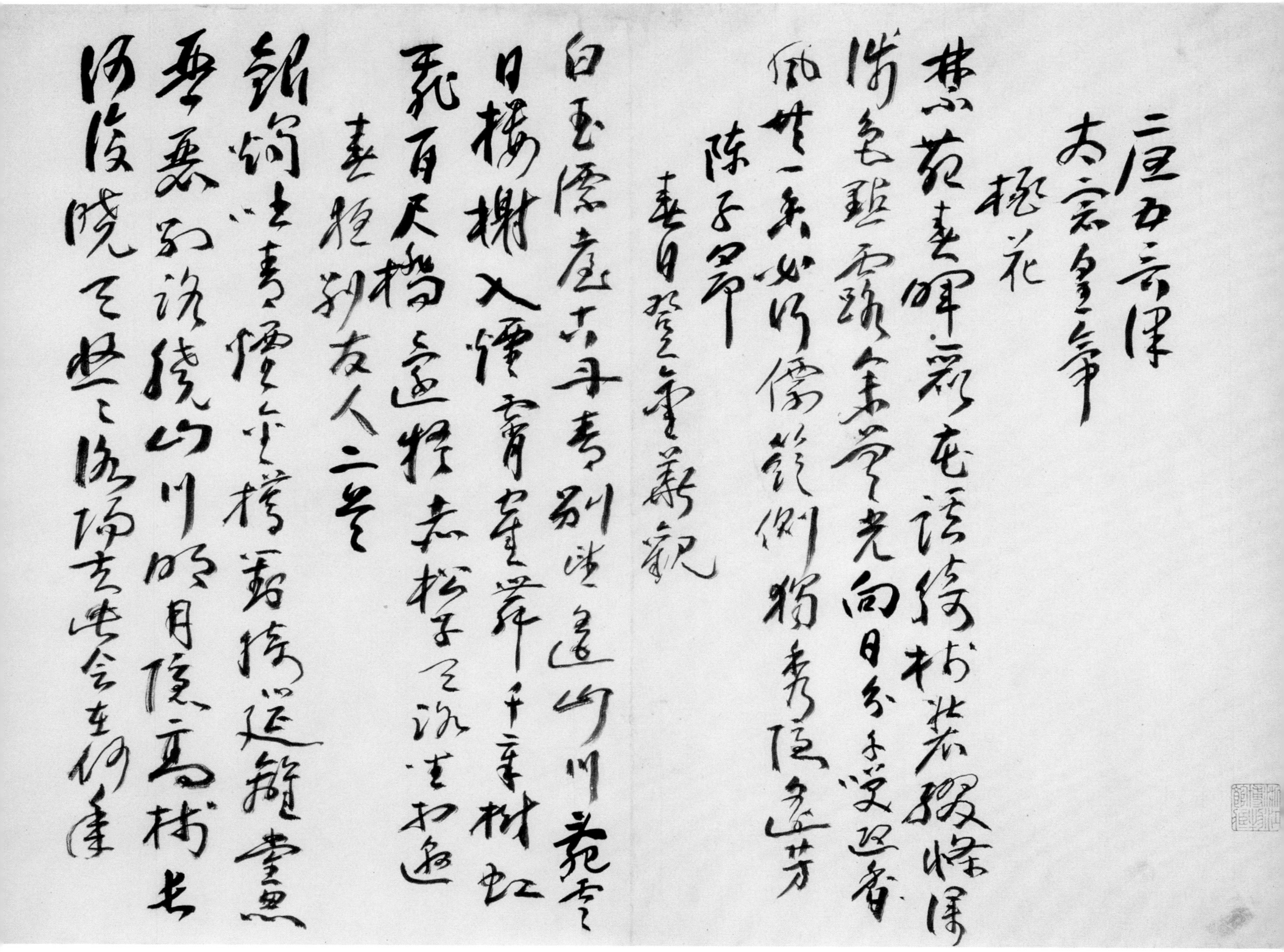

草書唐人五言律　紙本　縱三七．五厘米　橫六二厘米　十四幅

浙江省博物館藏

之一

釋文：唐五言律　太宗皇帝　桃花

禁苑春暉麗　花蹊綺樹裝　綴條深淺色　點露參差光

向日分千笑　迎（香）風共一香　如何仙嶺側　獨秀隱遥芳

陳子昂　春日登金華觀

白玉仙臺古　丹青（丘）別望遥　山川亂雲日　樓榭入烟霄

鶴舞千章（年）樹　虹飛百尺橋　還疑赤松子　天路坐相邀

春夜別友人二首

銀燭吐青烟　金樽對綺筵　離堂思琴瑟　別路繞山川

明月隱高樹　長河復（没）曉天　悠悠洛陽去（道）　此會在何年

其二

紫塞白雲斷　青春明月初　對此芳樽夜　離憂悵有餘

清泠花露滿　滴瀝檐牙虛　懷君欲何贈　願上大臣書

夏日游暉上人山房

山水開精舍　琴歌列梵筵　人疑白樓賞　地似竹林禪

對户池光亂　交軒岩翠連　色空今已寂　乘月弄澄泉

酬暉上人秋夜獨坐山亭有贈

鐘梵經行處　香林坐入禪　岩庭交樹雜　石瀨瀉鳴泉

水月心方寂　雲霞思獨玄　寧知人世裏　疲病得攀緣

其二

崇臺白雲斷春青明月和華長

芳草接餘春情有餘清冷花露

滿前歷歷繁華塵慘果頭何賴願上

大西方

夏日遊暉上人山房

山水開精舍吾能可禁庭人解

白樓黃地收斗林禪上尺池光影

夜軒軒巖霧來遠色空之雲乘

月昇瀑後歸

訪暉上人秋夜獨步山亭有懷

鐘梵經行處秀林生入禪巖

庭之交樹深石徹溜鳴泉秋月心方寂

雲霧思獨言空忘人老推疫病隨

枝指生

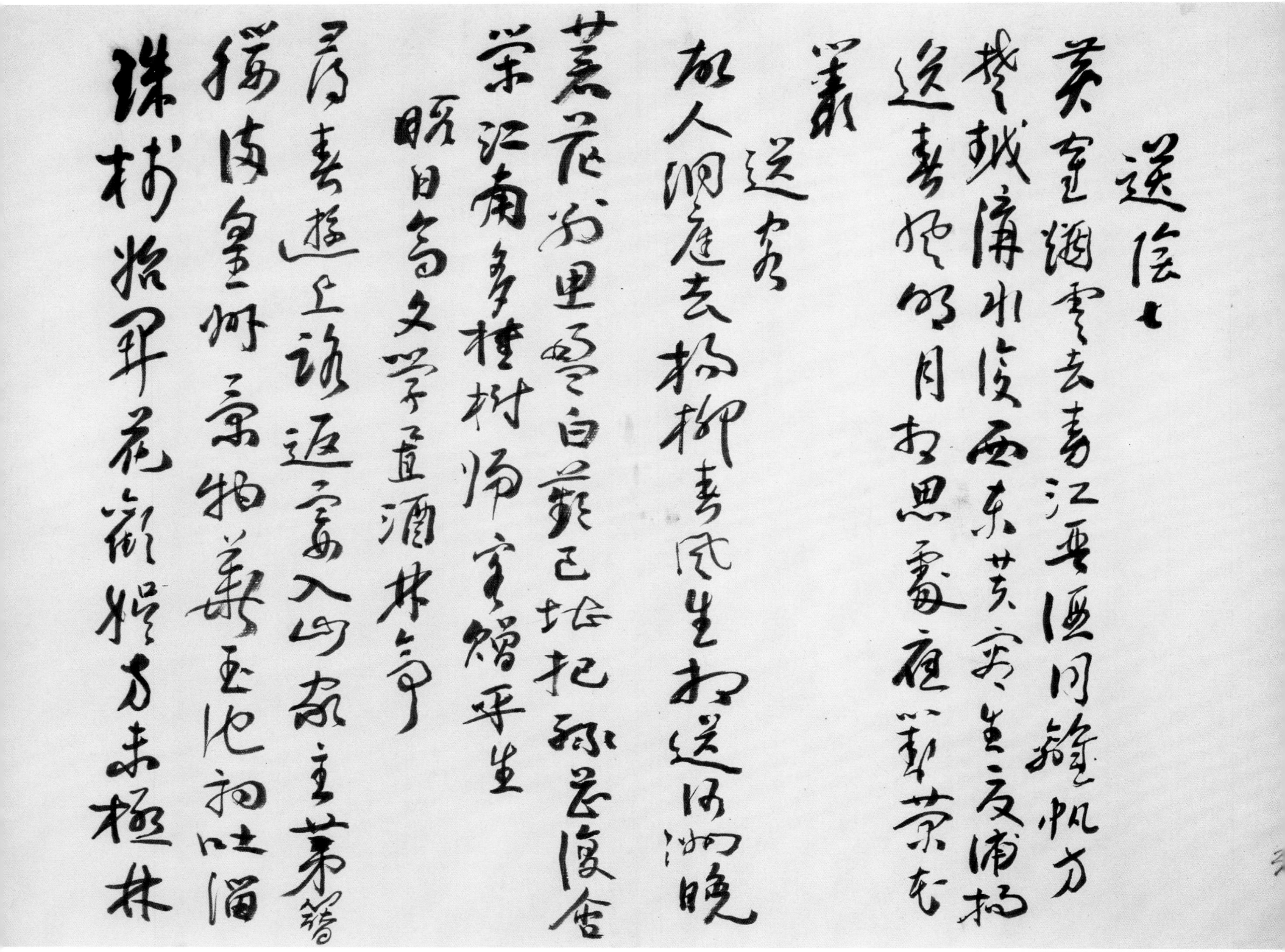

之二

送隱士

黃鶴烟雲去　青江琴酒同　離帆方楚越　溝水復西東

芙蓉生夏浦　楊（柳）送春風　明月（日）相思處　應對菊花叢

送客

故人洞庭去　楊柳春風生　相送河洲晚　蒼茫別思盈

白蘋已堪把　緑芷復含榮　江南多桂樹　歸客贈平生

暇日高文學置酒林亭

尋春游上路　返宴入山家　主第簪纓滿　皇州景物華

玉池初吐溜　珠樹始開花　歡娛方未極　林閣散餘霞

杜審言　望春亭侍游應詔

帝出明光殿　天臨太液池　堯樽隨步輦　舜樂繞行麾

萬壽禎祥獻　三春景物滋　小臣同酌海　歌頌答無爲

宿羽亭侍宴應制

步輦千門出　離宮二月開　風光新柳夜（報）宴賞落花催

碧水摇空閣　春山繞吹臺　聖情留晚興　歌管送餘杯

闾故絛云断
杜审言
董妻争传擢□庭韶
争坐邻光厮之说矢谁也去指遏
牡药舞东绕引磨董寿祯祥
就三妻之京物满小赵月酌临影
项美无为

伯和公传家庭第
步趋千河出雅言二月莘风光新柳
独实贵前花僮赞水捲点阅
寿山俦暖虚重焙时晚卑张昔
迟修栋
大酮
重后亲乾日鬘卹湖唐居宗言

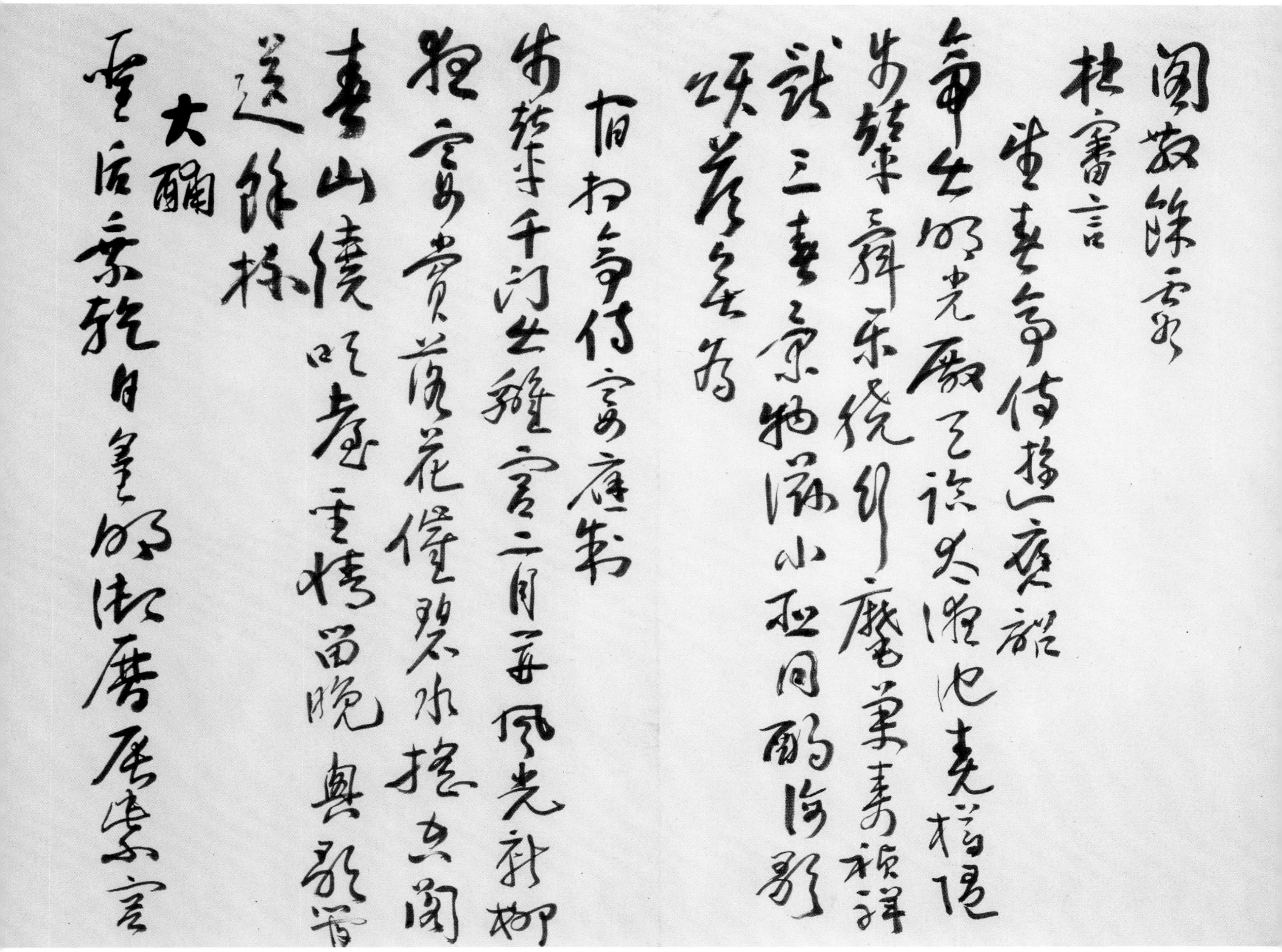

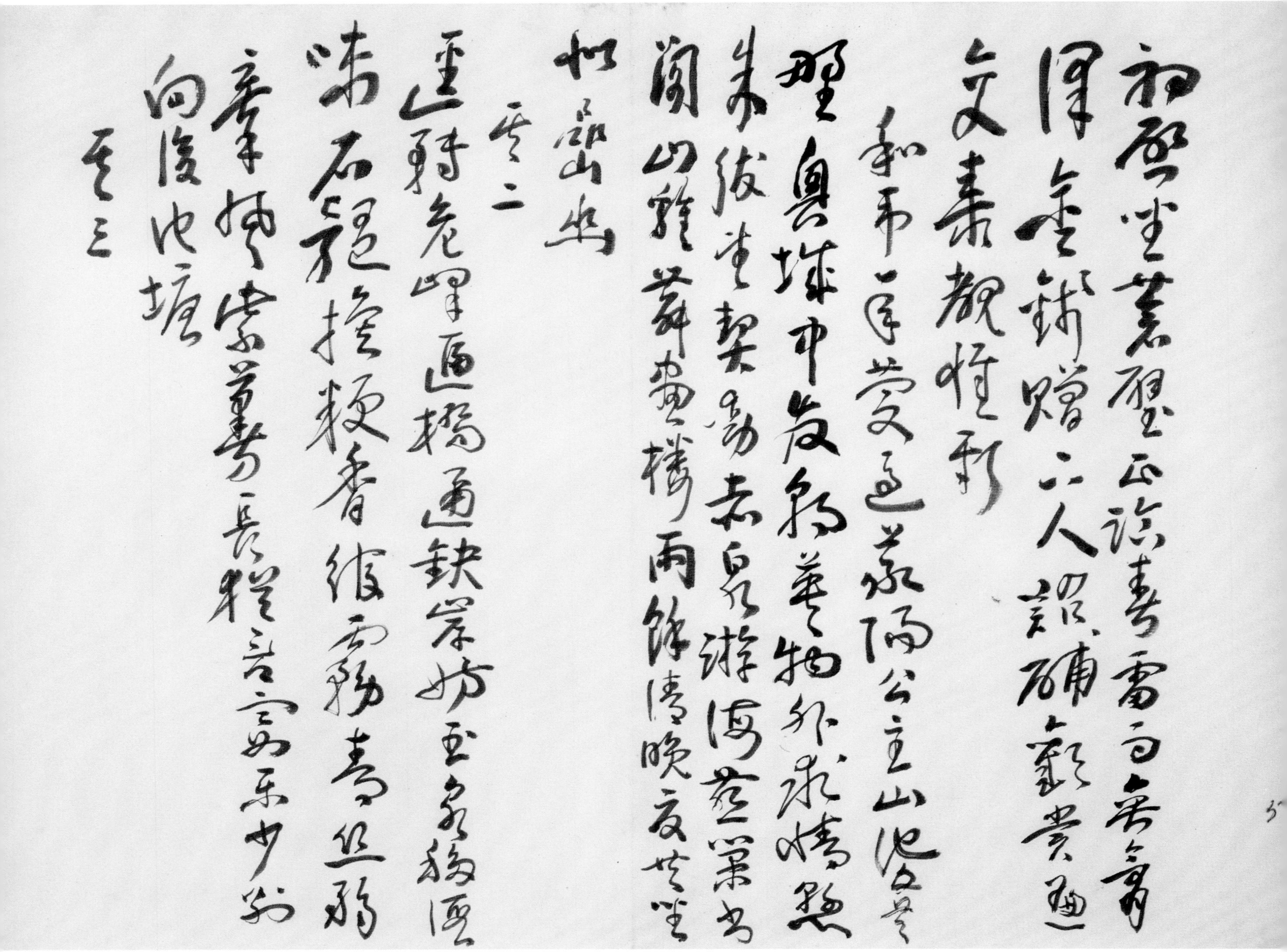

之三

大酺

聖后乘乾日　皇明御曆辰　紫宮初啓坐　蒼璧正臨春

雷雨垂膏澤　金錢贈下人　詔酺歡賞遍　交泰睹惟新

和章承慶過義陽公主山池五首

野興城中發　朝英物外求　情懸朱紱望　契動赤泉游

海燕巢書閣　山鷄舞畫樓　雨餘清晚夏　共坐北岩幽

其二

徑轉危峰逼　橋通（回）缺岸妨　玉泉移酒味　石髓換粳香

綰霧青絲弱　牽風紫蔓長　猶言宴樂少　別向後池塘

其三

携琴繞碧沙　摇筆弄青霞　杜若幽庭草　芙蓉曲沼花

宴游來野客　形勝得山家　往往留仙步　登攀日易斜

其四

攢石當軒倚　懸泉度牖飛　鹿麛衝妓席　鶴子曳童衣

園果嘗難遍　池蓮摘未稀　捲簾唯待月　應在醉中歸

其五

賞玩奇他日　高深愛此時　池分八水背　峰作九山疑

地静魚遍逸　人閑鳥欲欺　青溪留別興　更與白雲期

蓬萊三殿侍宴奉敕咏終

摅望送碧沙撼筆弄毫書雲杜
萬壑庵荒蓁荒生洛寄言遊
素壁容形勝伍山也欲陵宙儒
步聾攀日易斜

撲石帝扎倚軸象度痛氣
新施妝奩奎子曳曳童衣國
云四

果崇難處池蓮摘未稀志崇雄行
月庭存碑中帰
云云

崇觀奇池日為家愛市村池於小子
賓筆此九山將地靜集作起人有云
那瓶書信留若興更云白雲釣
蓮葉三夏付雪東物詠征

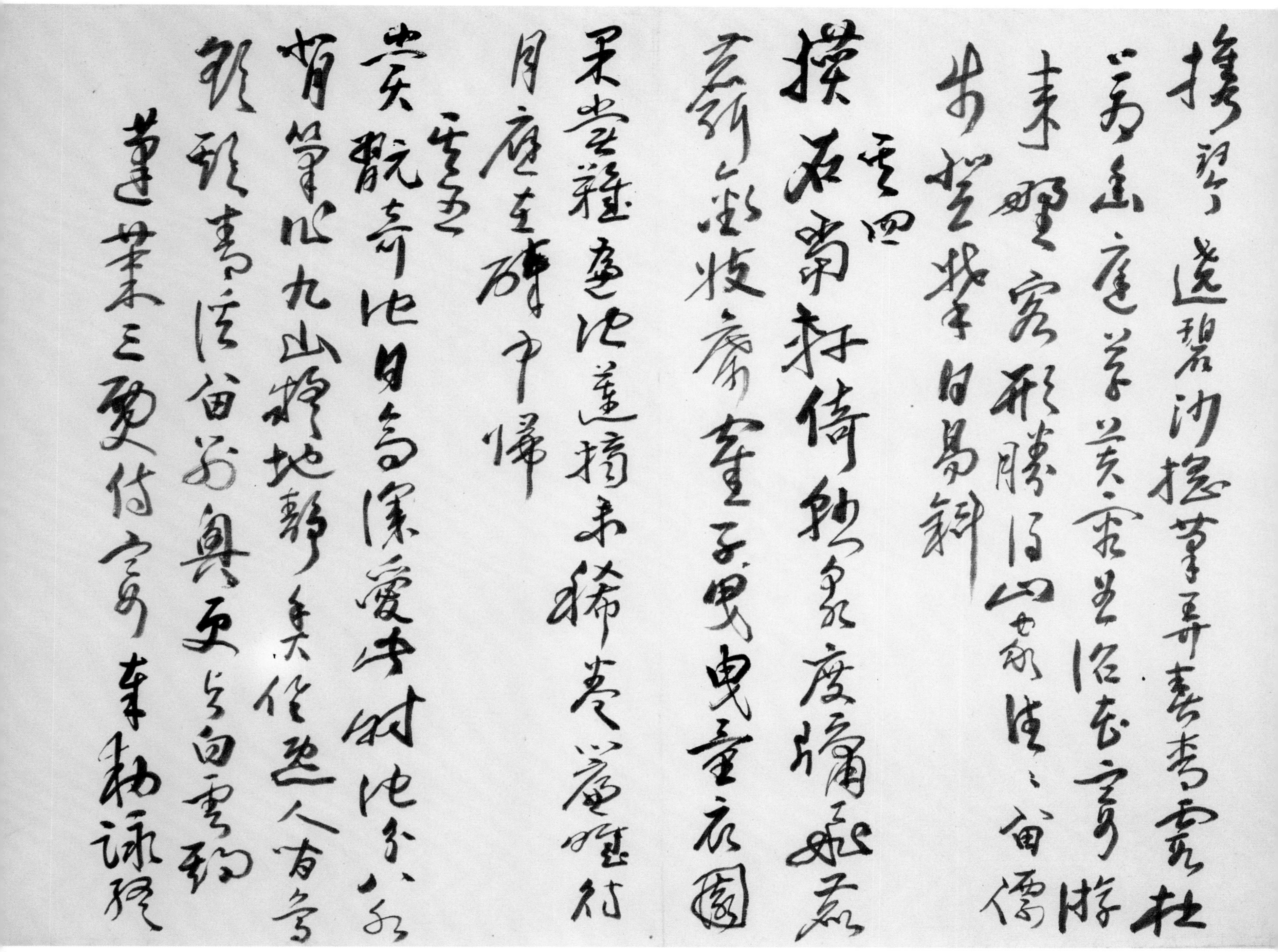

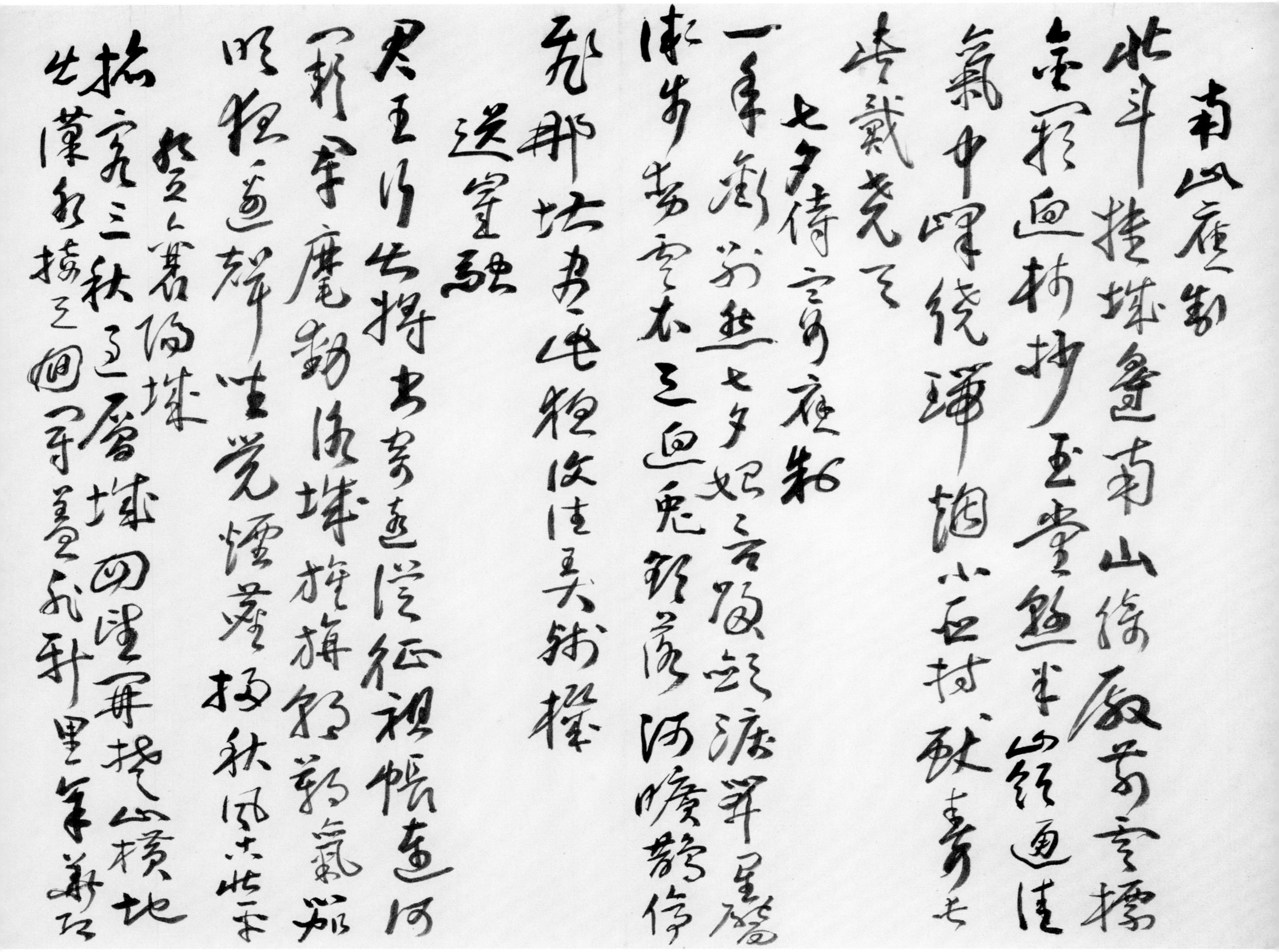

之四

南山應制

北斗挂城邊　南山倚殿前　雲標金闕迴　樹杪玉堂懸
半嶺通佳氣　中峰繞瑞烟　小臣持獻壽　長此戴堯天

七夕侍宴應制

一年銜別怨　七夕始言歸　斂泪開星靨　微步動雲衣
天迴兔欲落　河曠鵲停飛　那堪盡此夜　復往弄殘機

送崔融

君王行出將　書寄（記）遠從征　祖帳連河闕　軍麾動洛城
旌旃朝朔氣　笳吹夜邊聲　坐覺烟塵掃　秋風古北平

登襄陽城

旅客三秋過　層城四望開　楚山橫地出　漢水接天回
冠蓋非新里　章華即舊臺　習池風景异　歸路滿塵埃

夏日過鄭七山齋

共有尊中好　言尋谷口來　薜蘿山徑入　荷芰水亭開
日氣含殘雨　雲陰送晚雷　洛陽鐘鼓過　車馬繫遲迴

歲夜安樂公主滿月侍宴應制

戚里生昌胤　天杯宴重臣　畫樓初月滿　香殿早迎春
睿作堯君寶　孫謀梁國珍　明朝元會日　萬壽樂章陳

除夜有懷

故節當歌守　新年把燭迎　冬氛戀虬箭　春色候鷄鳴
興盡聞壺覆　宵闌見斗橫　還將億萬壽　更謁九重城

沈佺期　仙萼亭初成侍宴應制

蕉屋習池懷三吳三吳揮談陵�’峯塘
庚日過鄭七山齋
世居尊中好言遊吳山來莊蘿山徑入
荷芰蒹葭爭日氣香砌雲陰
玉碗雷隨鐘鼓送天馬珠逐迴
來花風不主海月佳信夜如
開除的約元會日第春樂辛陳
我里生君亂之標高意亞畫樓雨床
体香屏子迎壽寶低先吾寶孤隙幕
不見斗橫重道信萬壽更史詞九秋
等壽龜僬鑽鳴奧帝間七無雲設宵
故蒴尚報史新年把燭迎春氣德記
保夜烏悵
埃
沈佺期
僊掌寺初筆傳賣夜帋

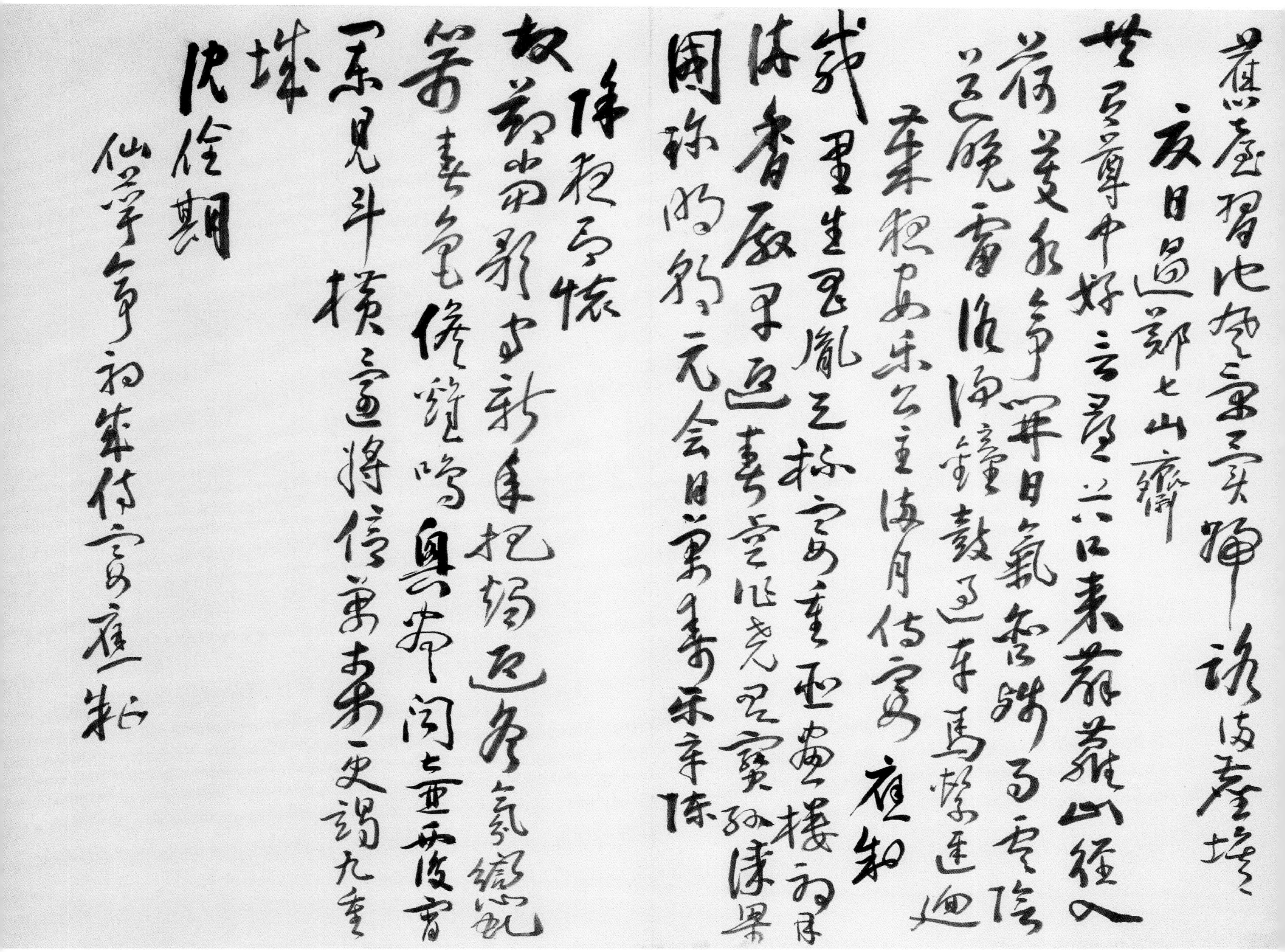

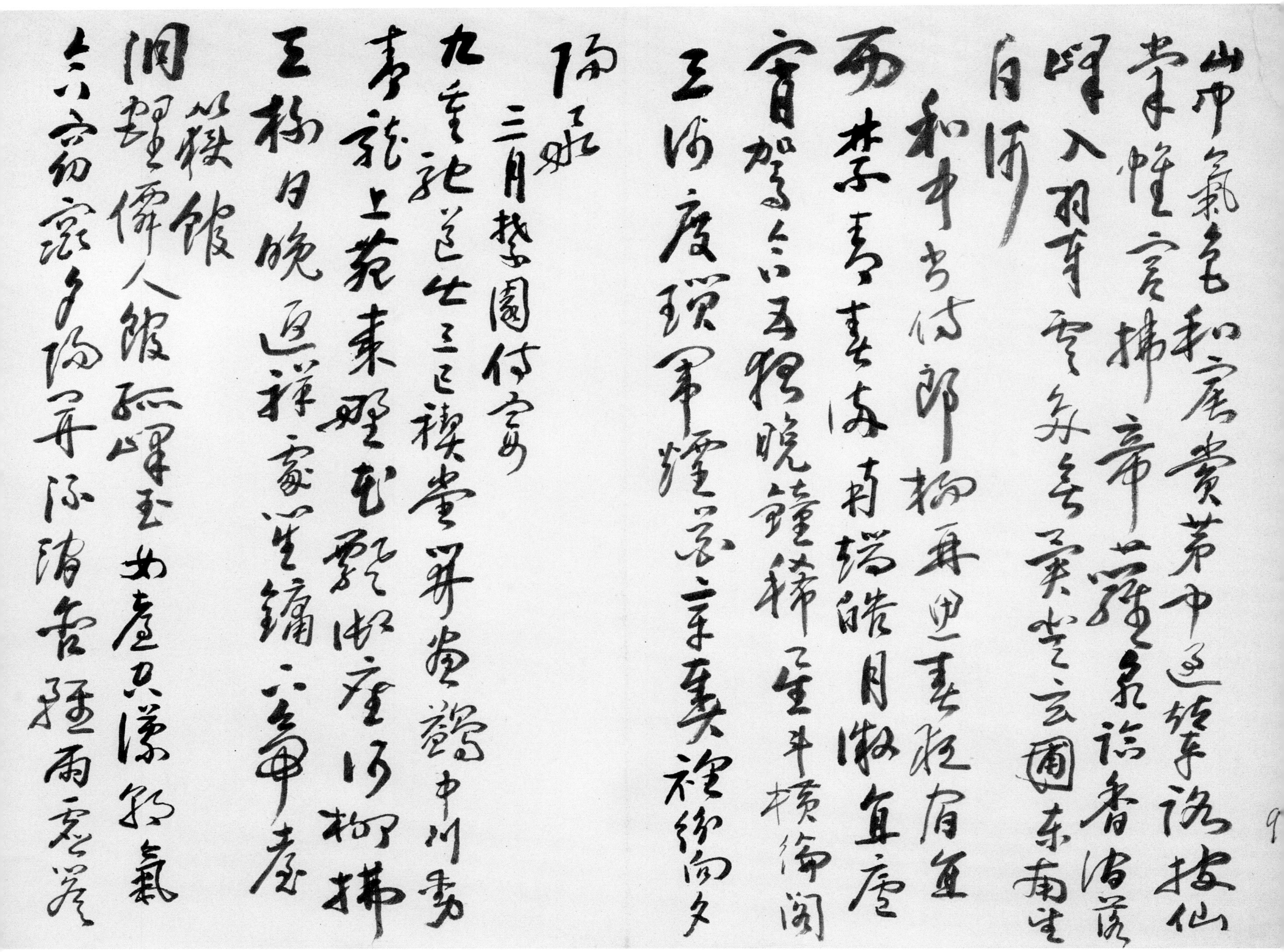

之五

山中氣色和　宸賞第中過　輦路披仙掌　帷宮拂帝蘿

泉臨香澗落　峰入翠雲多　無异登玄圃　東南望白河

和中書侍郎楊再思春夜宿直

西禁青春滿　南端皓月微　直廬宵駕合　五夜晚鐘稀

星斗横綸閣　天河度瑣闈　烟花章奏裏　紛向夕陽飛

三月梨園侍宴

九重馳道出　三巳禊堂開　晝鷁中川動　青龍上苑來

野花飄御座　河柳拂天杯　日晚迎祥處　笙鏞下帝臺

岳館

洞壑仙人館　孤峰玉女臺　空濛朝氣合　窈窕夕陽開

流澗含輕雨　虛檐（應）薄雷　正逢鸞與鶴　歌舞出天來

游少林寺

長歌游寶地　徙倚對珠林　雁塔風霜古　龍池歲月深

紺園澄夕霽　碧殿下秋陰　歸路烟霞晚　山蟬處處吟

樂城白鶴寺

碧海開龍藏　青雲起雁堂　潮聲迎法鼓　雨氣濕天香

樹接前山暗　溪承瀑水涼　無言謫居遠　清静得空王

幸白鹿觀應制

紫鳳真人劫　斑（府）龍太上家　天流芝蓋下　山轉桂旗斜

聖藻垂寒露　仙杯落晚霞　唯應問王母　桃作幾時花

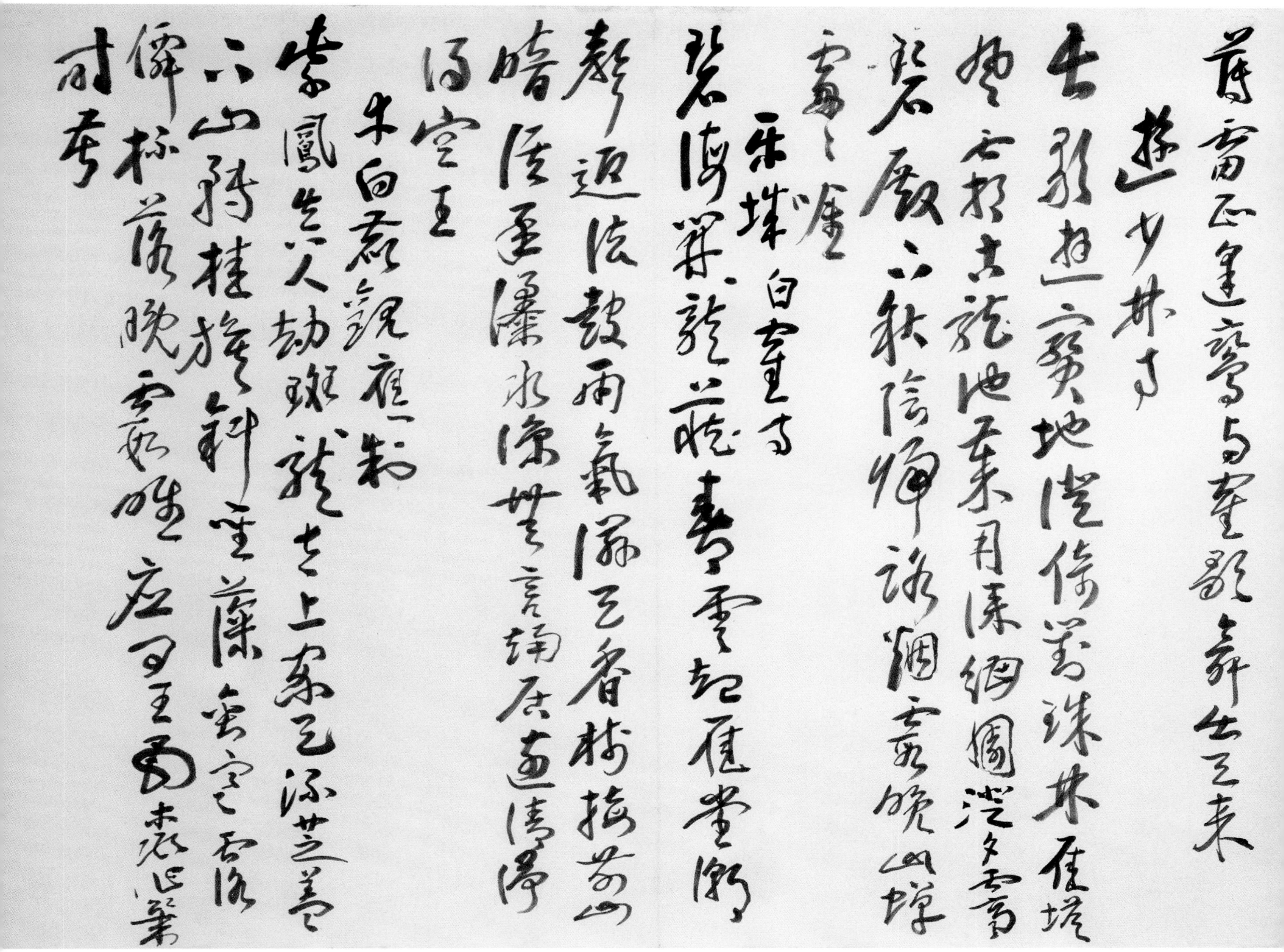

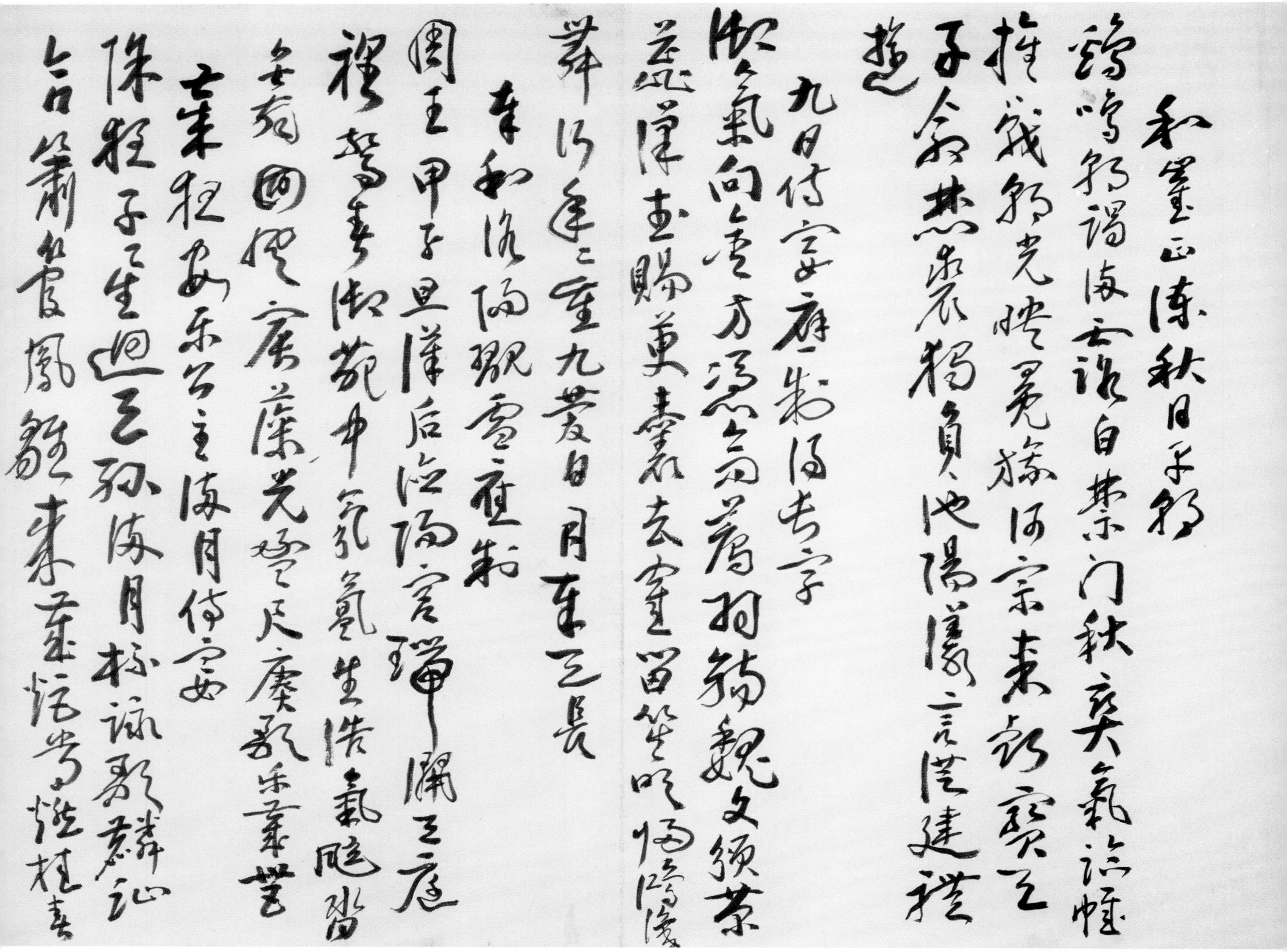

之六

和崔正諫秋日早朝

鷄鳴朝謁滿　露白禁門秋　爽氣臨帷（旌）戟　朝光映冕旒

河宗來獻寶　天子命焚裘　獨負池陽議　言從建禮游

九日侍宴應制得長字

御氣向（幸）金方　憑高薦羽觴　魏文頌菊蕊　漢武賜萸囊

去鶴留笙吹　歸鴻識舞行　年年重九慶　日月奉天長

奉和洛陽玩雪應制

周王甲子旦　漢后德陽宫　瑞（灑）灑（瑞）天庭裏　驚春御苑中

氛氲生浩氣　颯沓舞迴風　宸藻光盈尺　賡歌樂歲豐

歲夜安樂公主滿月侍宴

除夜子星迴　天孫滿月杯　咏歌麟趾合　簫管鳳雛來

歲炬常燃桂　春……

（岑參）　趙少尹南亭送鄭侍郎歸東臺

紅亭酒瓮香　白面綉衣郎　砌冷蟲喧座　簾疏月到床

鐘催離興急　弦逐醉歌長　關樹應先落　隨君滿路霜

寄左省杜拾遺

聯步移丹陛　分曹限紫微　曉隨天仗入　暮惹御香歸

白髮悲花落　青雲得（羡）鳥飛　聖朝無闕事　自覺諫書稀

酬崔十三侍御登玉壘山思故園見寄

玉壘天晴望　諸峰盡覺低　故園江樹北　斜日嶺雲而（西）

曠野看人小　長空共鳥齊　高山徒仰上（止）　不得日攀躋

奉和杜相公初夏發京城作

按節辭黄閣　登壇戀赤墀　銜恩期報主　授律遠行師

野鵲迎金印　郊雲拂畫旗　叨陪幕中客　歌和出車時

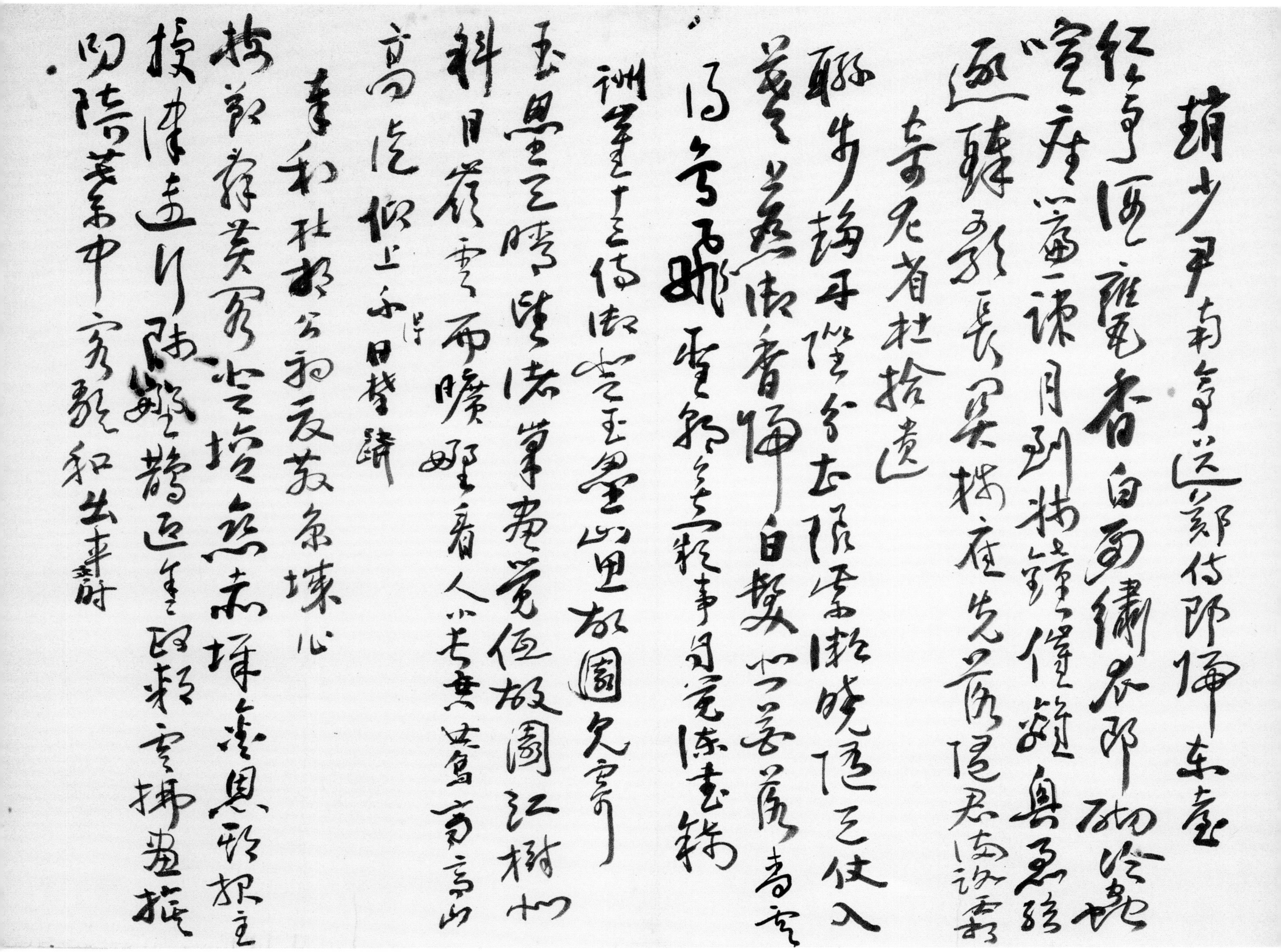

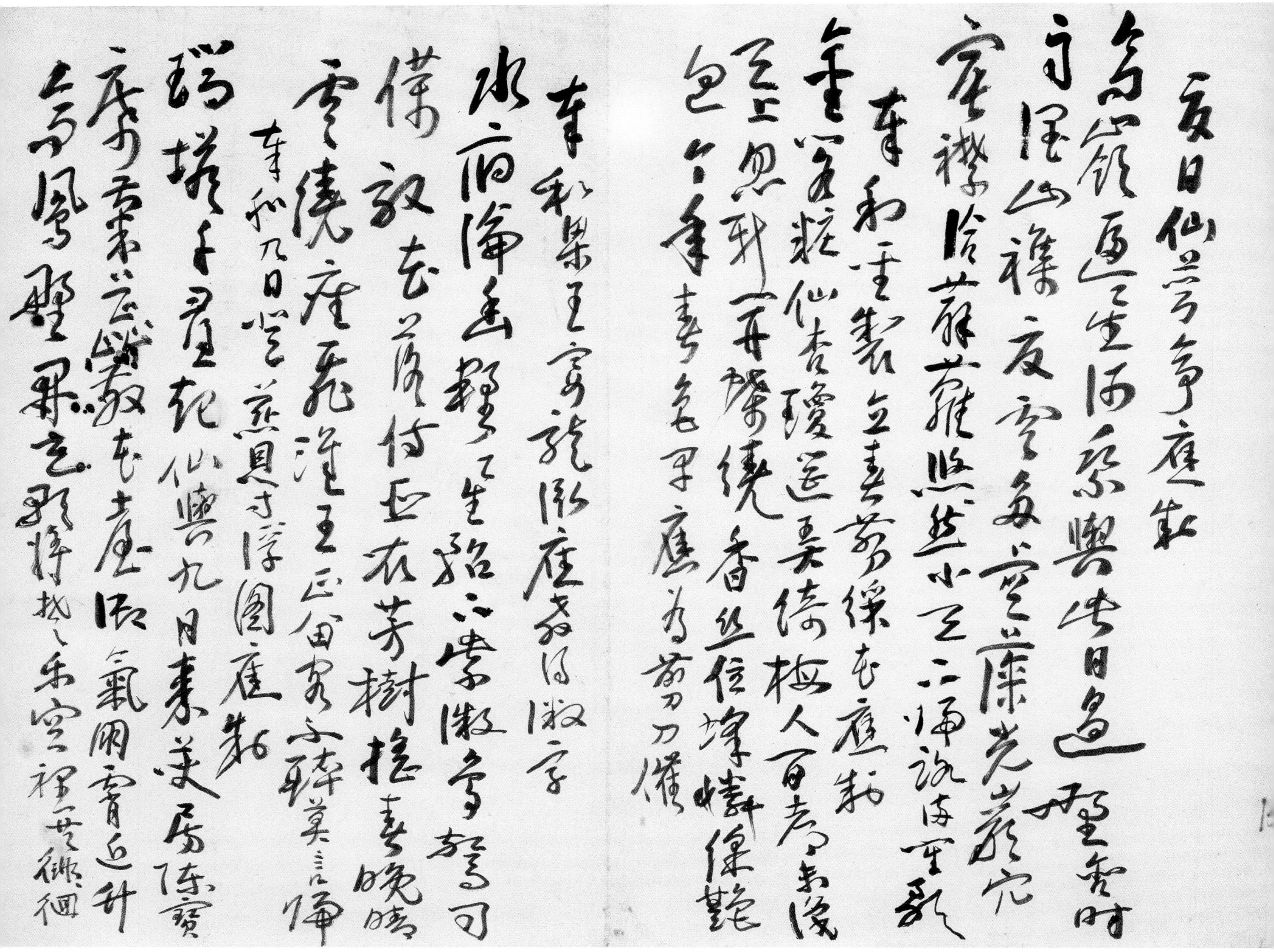

之七

（宋之問） 夏日仙萼亭應制

高嶺逼星河 乘輿此日過 野含時雨潤 山雜夏雲多

睿藻光岩穴 宸襟洽薜蘿 悠然小天下 歸路滿笙歌

奉和聖製立春剪彩花應制

金閣妝仙杏 瓊筵弄綺梅 人間都未識 天上忽新開

蝶繞香絲住 蜂憐彩艷迴 今年春色早 應爲剪刀催

奉和梁王宴龍泓應教得微字

水府淪幽壑 星軺下紫微 鳥驚司僕馭 花落侍臣衣

芳樹搖春晚 晴雲繞座飛 淮王正留客 不醉莫言歸

奉和九日登慈恩寺浮圖應制

瑞塔千尋起 仙輿九日來 萸房陳寶席 菊蕊散花臺

御氣朋（鵬）霄近 升高鳳野開 天歌將梵樂 空裏共徘徊

九月九日登慈恩寺浮圖應制

鳳刹侵雲半 虹旌倚日邊 散花多寶塔 張樂布金田

時菊芳仙醞 秋蘭動睿篇 香街稍欲晚 清嗶（蹕）扈歸天

奉和聖製閏九月九日登莊嚴總持寺閣

閏月再重陽 仙輿歷寶坊 帝歌雲稍白 御酒菊猶黃

風鐸喧行漏 天花拂舞行 豫游多景福 梵宇日先（生）光

奉和九日侍宴應制

仙媛乘龍日 天孫捧雁來 可憐桃李徑 更繞鳳凰臺

燭照香車入 花臨寶扇開 莫令銀箭曉 爲盡合歡杯

（王維） 奉和聖製賜史供奉曲江宴應制

侍從有鄒枚 瓊筵就水開 言陪柏梁宴 新下建章來

對酒山河滿 移舟草樹迴 天文同麗日 駐景惜行杯

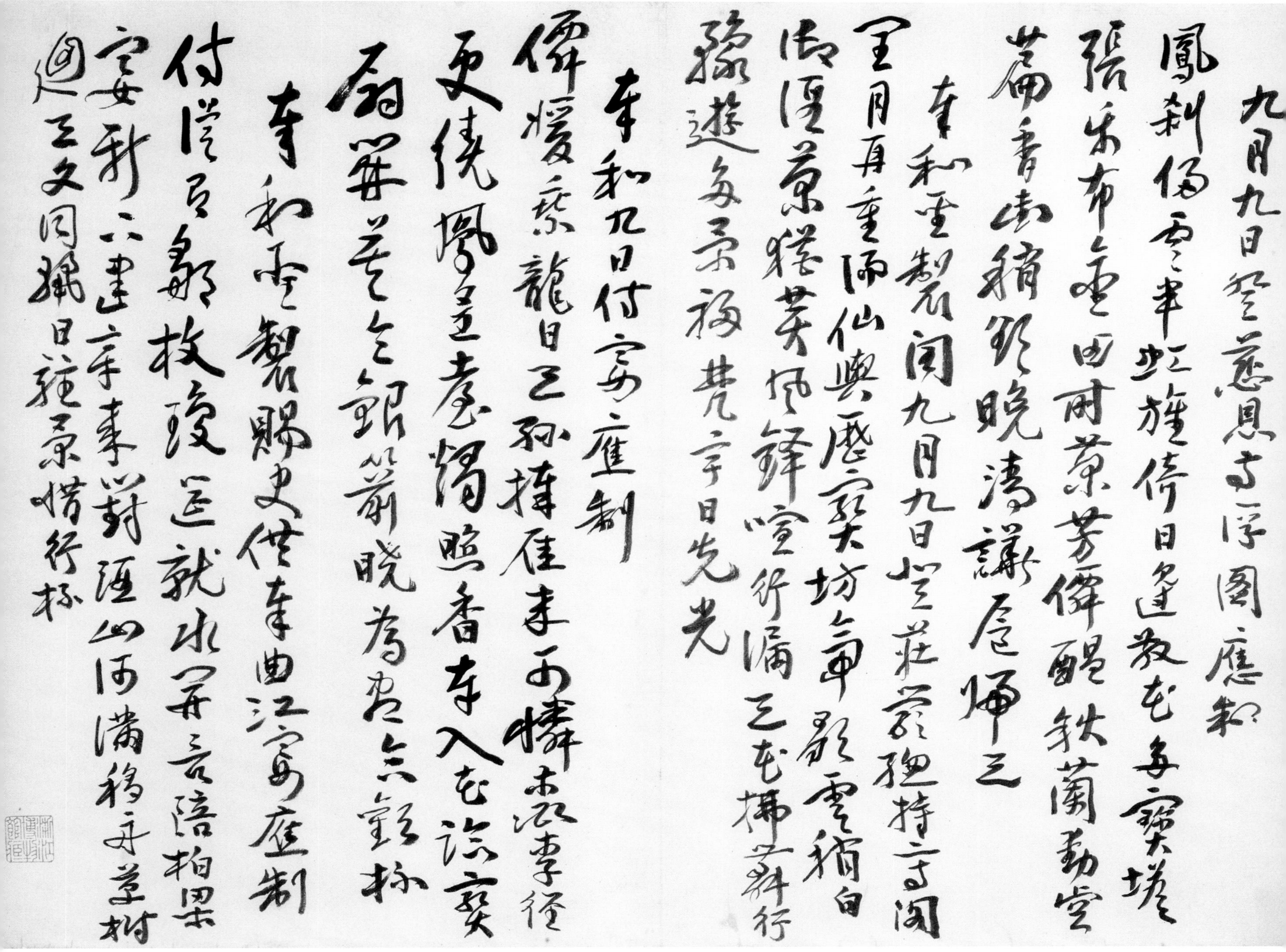
九月九日登慈恩寺浮圖應制
鳳刹侵雲半虹旌倚日邊散花多寶塔
張樂布金田時菊芳仙醞秋蘭動睿
篇香街稍欲晚清蹕扈歸天
奉和聖製同九月九日登莊嚴總持二寺閣
重陽再重陽仙輿歷寶坊帝歌雲稍白
御酒菊猶黃風鐸喧行漏天花拂舞行
豫遊多景福梵宇日生光
奉和九日侍宴應制
僊蹕乘龍日已符佳辰可憐未叔李徑
更繞鳳臺臺獨照香來入花叢
萸筵菊金銀萸晚為君無盡杯
奉和聖製賜史侍奉曲江宴應制
侍從旦象鶴校璣進就水屏言陪柏梁
宴新八曲達京車對涯山河滿稱壽草樹
迴三文同賜日雜景惜行杯

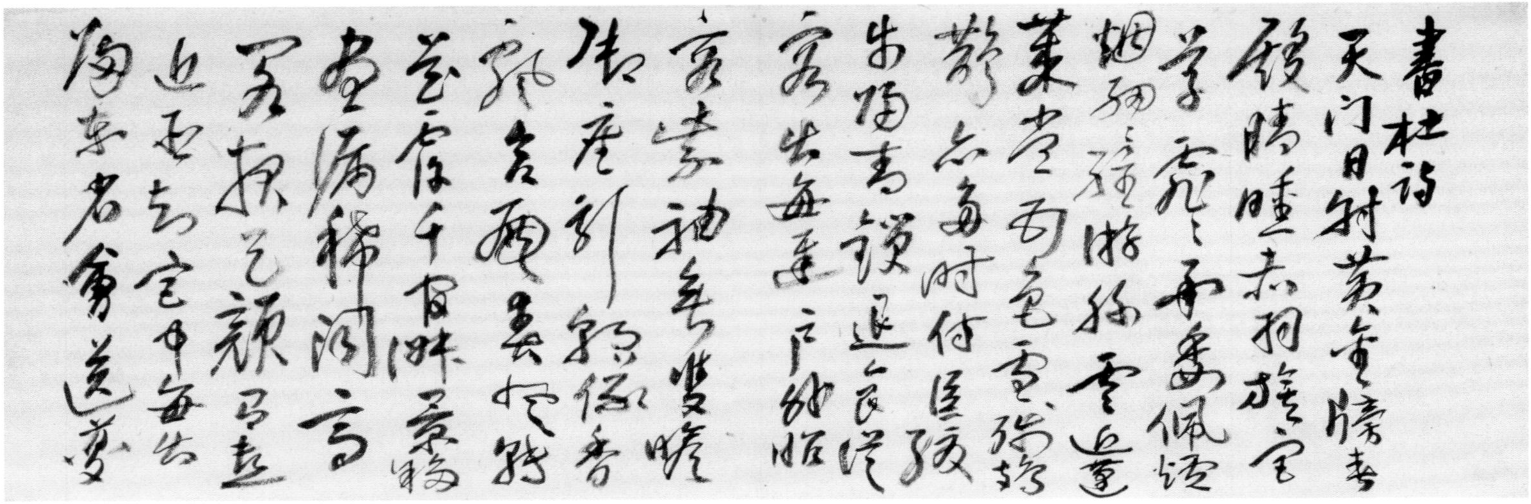

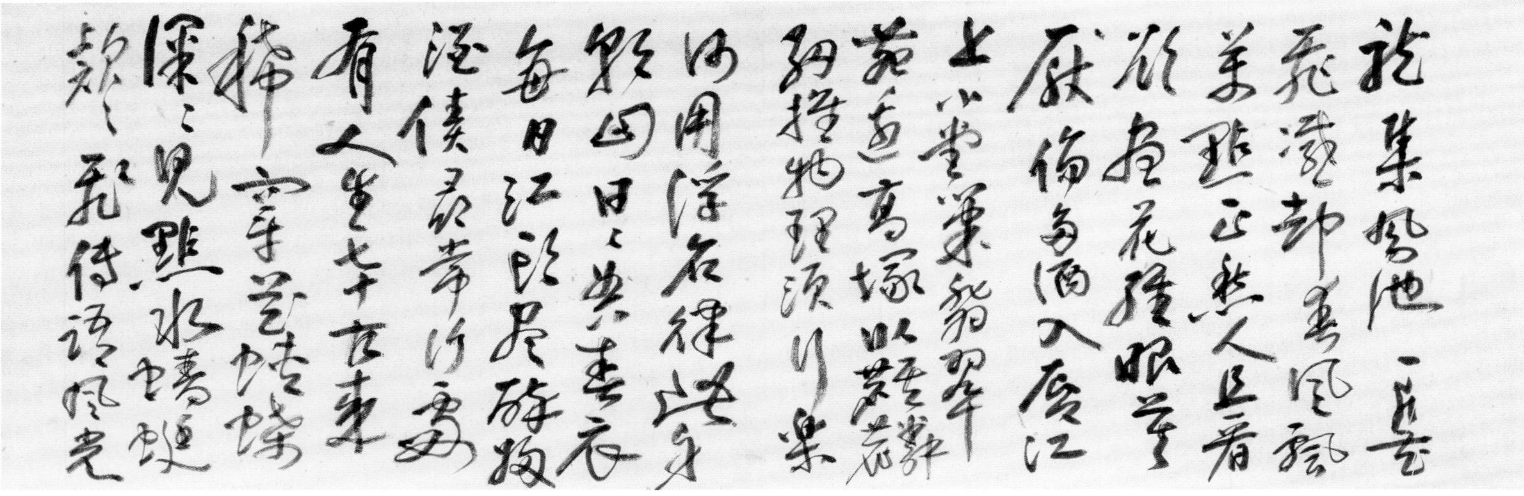

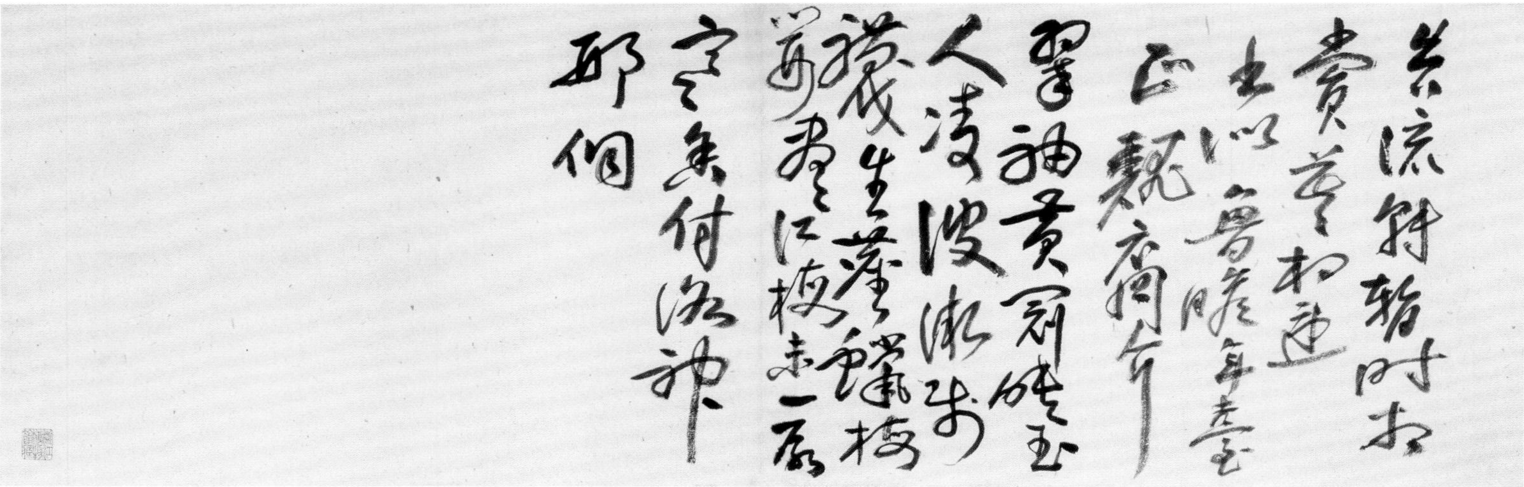

草書杜甫詩　紙本　縱二九厘米　橫九〇厘米　三幅

浙江省博物館藏

釋文：書杜詩

天門日射黃金榜　春殿晴曛赤羽旗　宮草霏霏承委佩　爐烟細細駐游絲
雲近蓬萊常五色　雪殘　鵲亦多時　侍臣緩步歸青瑣　退食從容出每遲
户外昭容紫袖垂　雙瞻御座引朝儀　香飄合殿春風轉　花覆千官淑景移
晝漏稀聞高閣報　天顔有喜近臣知　宮中每出歸東省　會送夔龍集鳳池
一片花飛減却春　風飄萬點正愁人　且看欲盡花經眼　莫厭傷多酒入唇
江上小堂巢翡翠　花邊高冢卧麒麟　細推物理須行樂　何用浮名絆此身
朝回日日典春衣　每日江頭盡醉歸　酒債尋常行處有　人生七十古來稀
穿花蛺蝶深深見　點水蜻蜓款款飛　傳語風光共流轉　暫時相賞莫相違
（下略）

草書杜甫詩（局部）

書杜詩
天門日射黃金牓春
殿晴曛赤羽旗宮
草霏霏承委佩爐
烟細細駐遊絲雲近蓬
萊常五色雪殘鳷鵲
亦多時侍臣緩
步歸青瑣退食從
容出每遲 戶外昭

容紫袖垂雙瞻
御座引朝儀香
飄合殿春風轉
花覆千官淑景移
晝漏稀聞高
閣報天顏有喜
近臣知宮中每出
歸東省會送夔

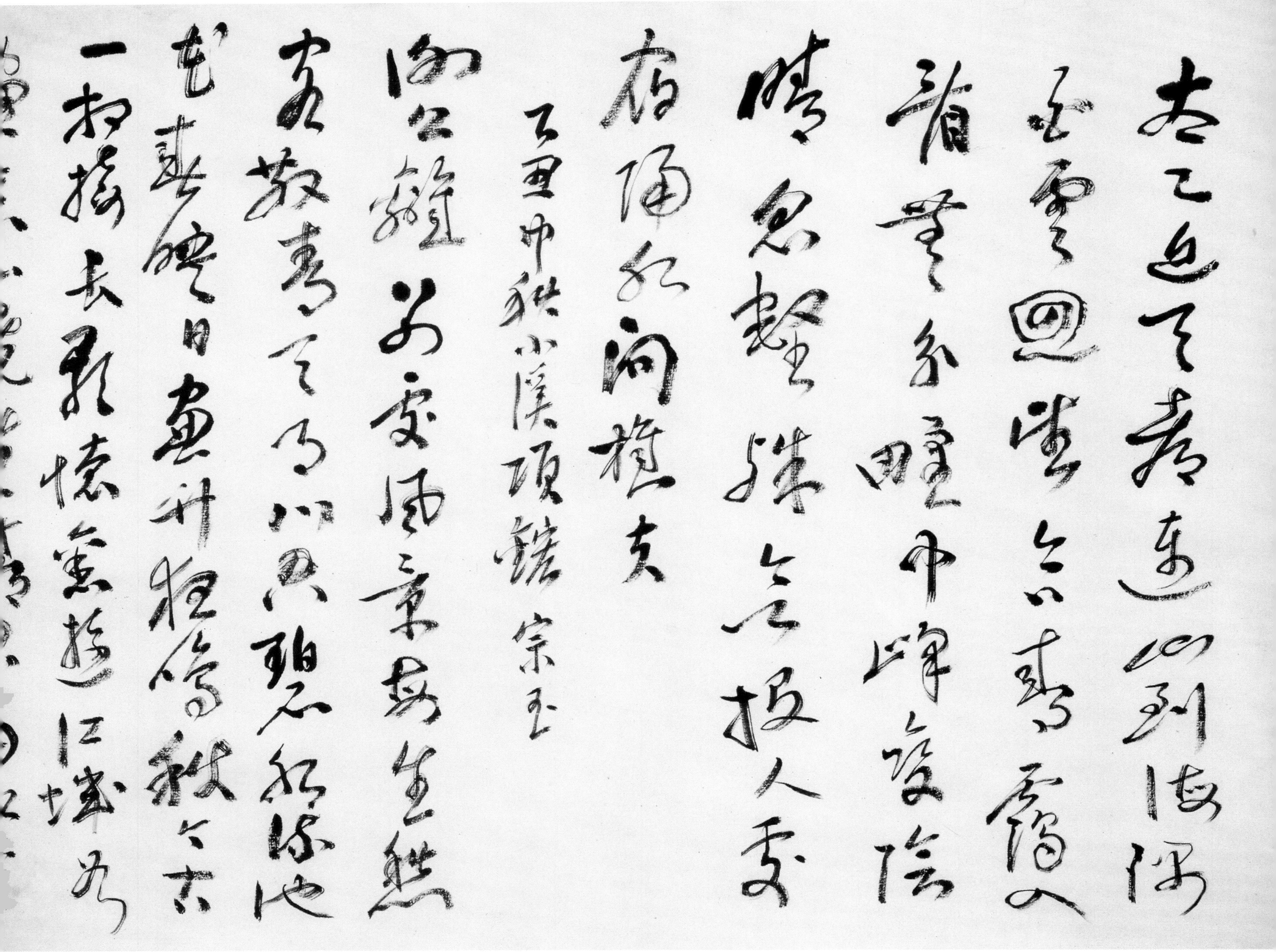

草書唐人詩 紙本 縱二七厘米 橫三七厘米 兩幅

浙江省博物館藏

釋文：太乙近天都 連山到海隅 白雲迴望合 青靄入看無

分野中峰變 陰晴衆壑殊 欲投人處宿 隔水問樵夫

乙丑中秋小溪項鉉宗玉

謝公離別處 風景每生愁 客散青天月 山空碧水流

池花春映日 窗竹夜鳴秋 今古一相接 長歌懷舊游

江城如畫裏 山曉（晚）望晴空 兩水夾明鏡 雙橋落彩虹

人烟寒橘柚 秋色老梧桐 誰念北樓上 臨風（懷）謝公

紺殿橫江上 青山落鏡中 岸迴沙不盡 日映水成空

天樂流香閣 蓮舟揚晚風 恭陪竹林晏（宴） 留醉與陶公

渡遠荆門外 來從楚國游 山隨平野盡 江入大荒（流）

月下飛天鏡 雲生結海樓 仍連（憐）故鄉水 萬里送行舟

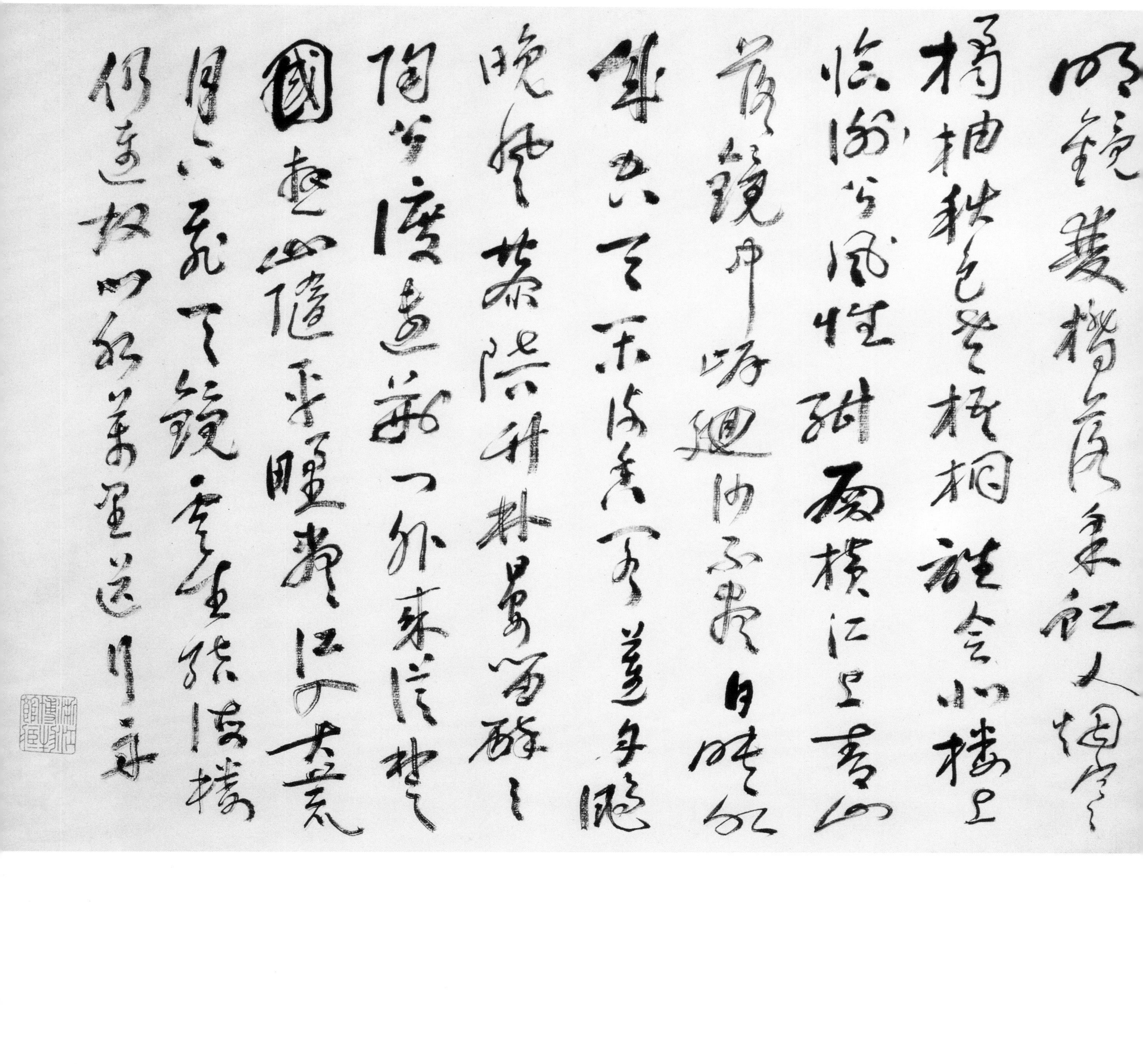

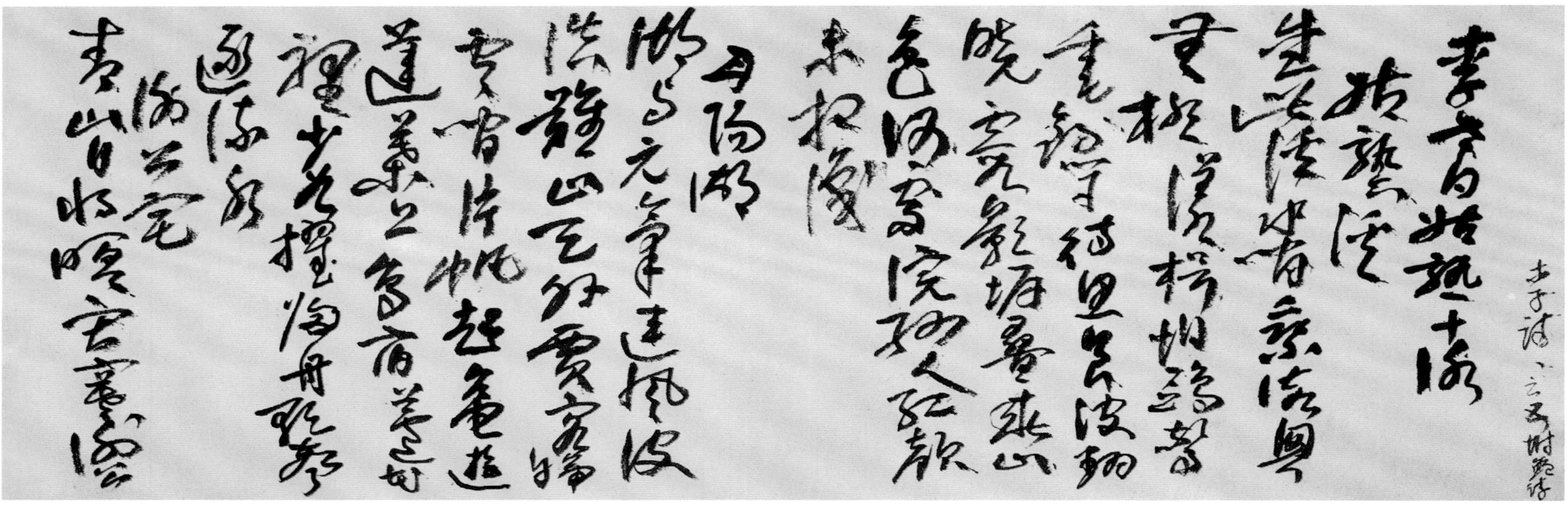

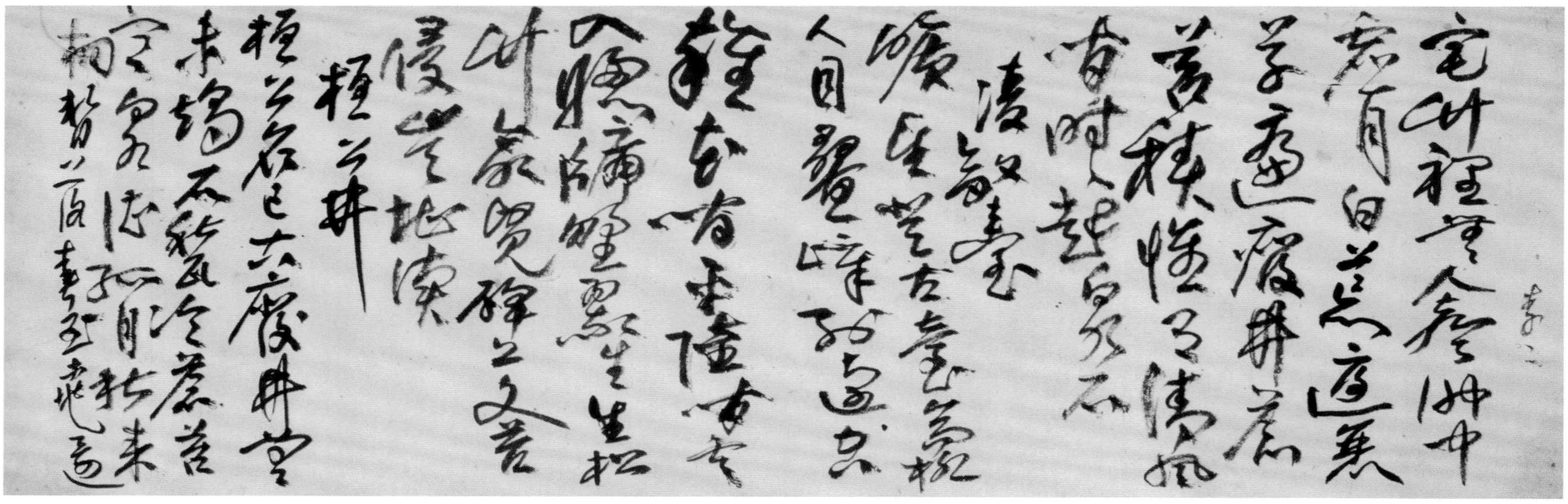

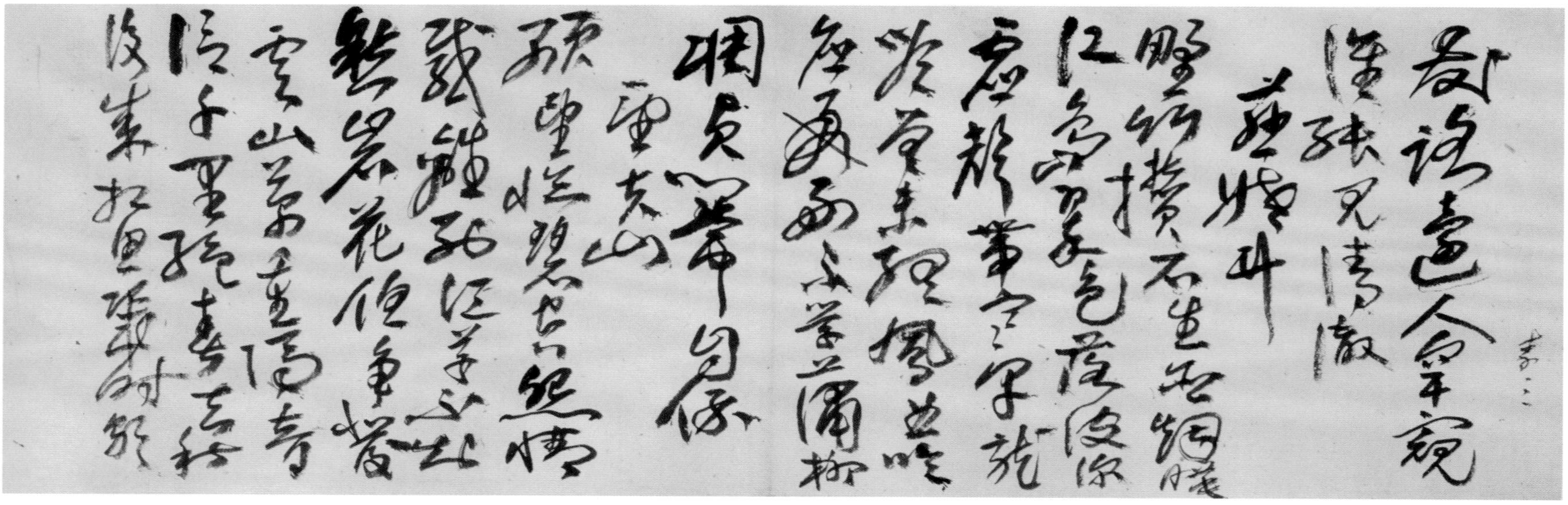

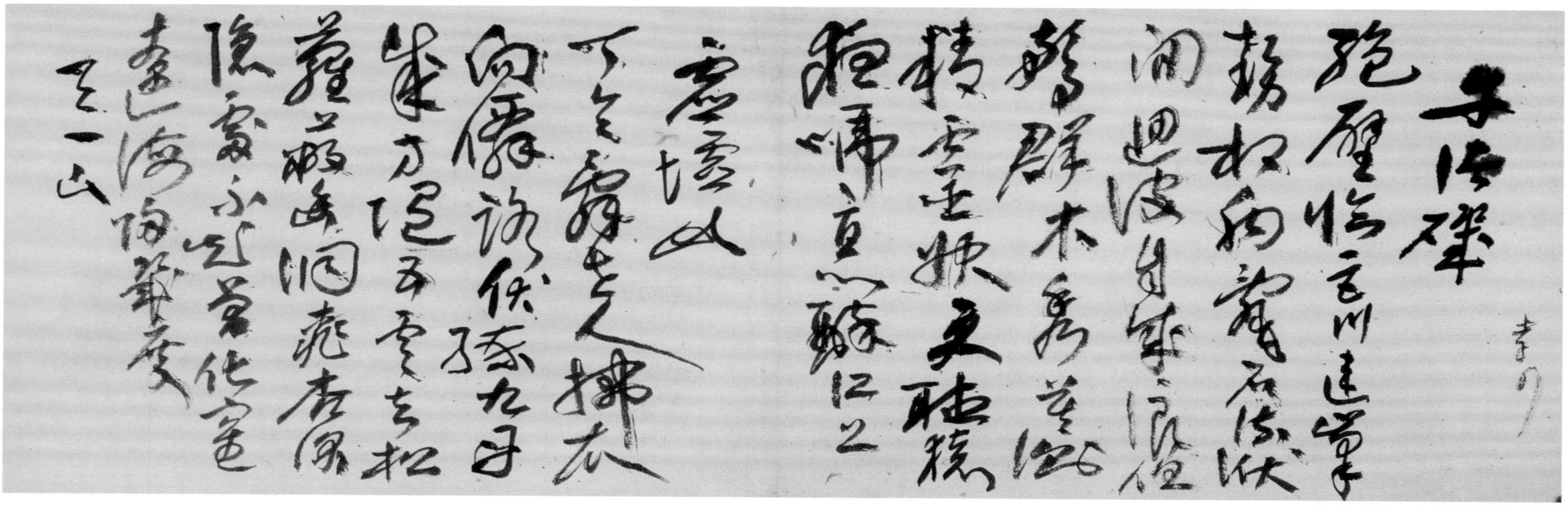

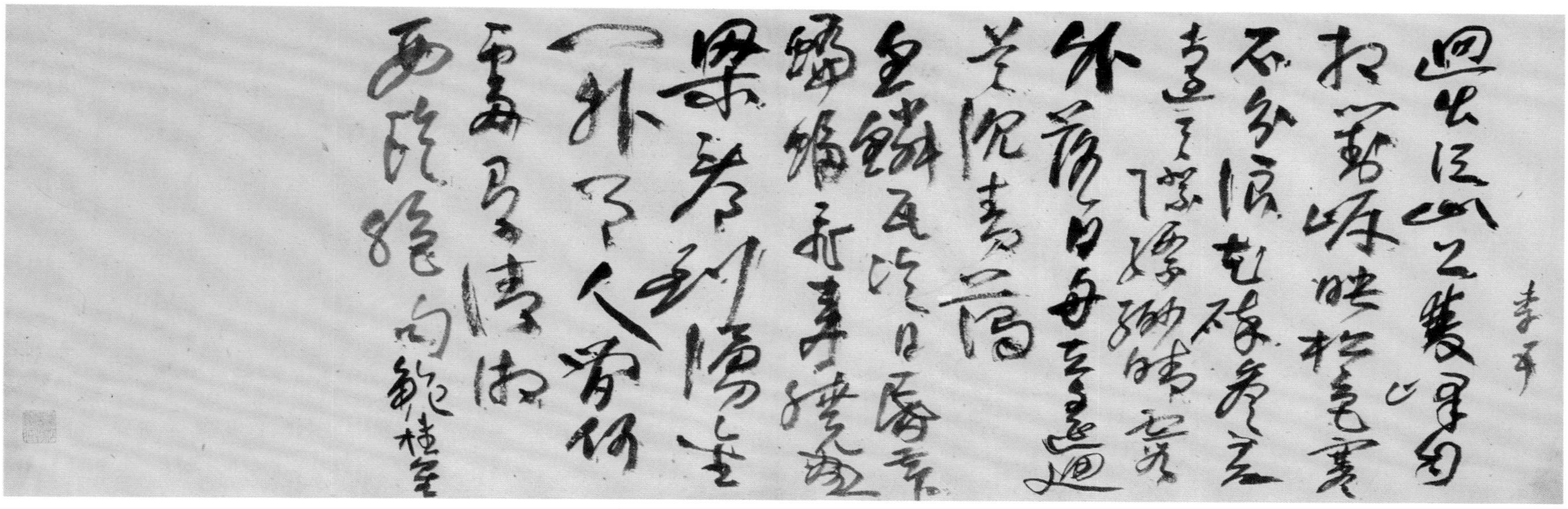

草書李白詩（後頁局部）

草書李白詩　紙本　縱二七厘米　橫八四厘米　五幅

浙江省博物館藏

釋文：李太白姑孰十咏　姑孰溪

愛此溪水閑　乘流興無極　漾楫怕鷗驚　垂竿待魚食

波翻曉霞影　岸叠春山色　何處浣紗人　紅顔未相識

丹陽湖

湖與元氣連　風波浩難止　天外賈客歸　雲間片帆起

龜游蓮葉上　鳥宿蘆花裏　少女棹歸舟　歌聲逐流水

謝公宅

青山日將暝　寂寞謝公宅　竹裏無人聲　池中虚月白

荒庭衰草遍　廢井蒼苔積　惟有清風閑　時時起泉石

凌歊臺

曠望登古臺　臺高極人目　叠嶂列遠空　雜花間平陸

閑雲入窗牖　野翠生松竹　欲覽碑上文　苔侵豈堪讀

桓公井

桓公名已古　廢井曾未竭　石甃冷蒼苔　寒泉湛孤月

秋來桐暫落　春至桃還發　路遠人罕窺　誰能見清澈

慈姥竹

野竹攢石生　含烟映江島　翠色落波深　虚聲帶寒早

龍吟曾未聽　鳳曲吹應好　不學蒲柳凋　貞心常自保

望夫山

顒望臨碧空　怨情感離别　江草不知愁　岩花但争發

雲山萬重隔　音信千里絶　春去秋復來　相思幾時歇

牛渚磯

絶壁臨巨川　連峰勢相向　亂石流洑間　迴波自成浪

但驚群木秀　莫測精靈狀　更聽猿夜啼　憂心醉江上

靈墟山

丁令辭世人　拂衣向仙路　伏煉九丹成　方隨五雲去

松蘿蔽幽洞　桃杏深隱處　不知曾化鶴　遼海歸幾度

天門山

迴出江山上　雙峰自相對　岸映松色寒　石分浪花碎

參差遠天際　縹緲晴霞外　落日舟去遥　迴首沉青靄

（下略）

宅从程里入金山中
家有白云意遗恩
子孙遗腹舞[illegible]
菩稀怜否清风
昔时起白鸟石
请叙意
喉生星古奇气范
人问罗汉诗道

其二

春设意近人今年宽
笑殊见青徽
藤枝井
野纷攒石生花钢
江鸟崖草色花皮深
应报笔字字说
破原来现风声呼
写无更客茶间柳

其三

種松有千歲生長
入暖滴鯉魚生松
竹家覺穿之文著
便無地突
種之井
種之者已六歲丹黃
未遇不能風霜落
字奠陰下那抄來
柳楷八月書于某地寓

壯夏峰日保
望夫山
頭望溪頭出浬
我雖孫汲芒之
能岩花作魚發
雲山若吾高寺
晴千里鶴春去移
後來指望羨時節

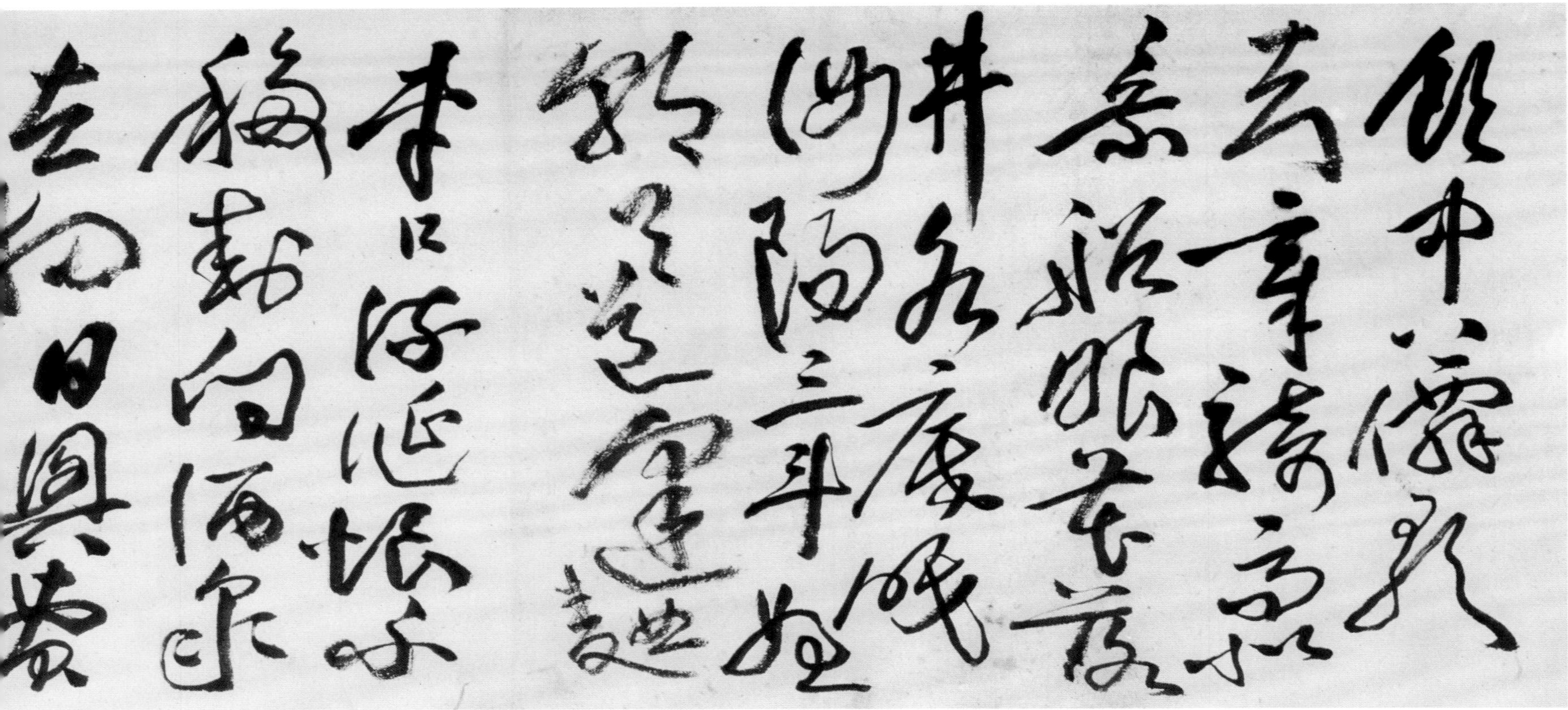

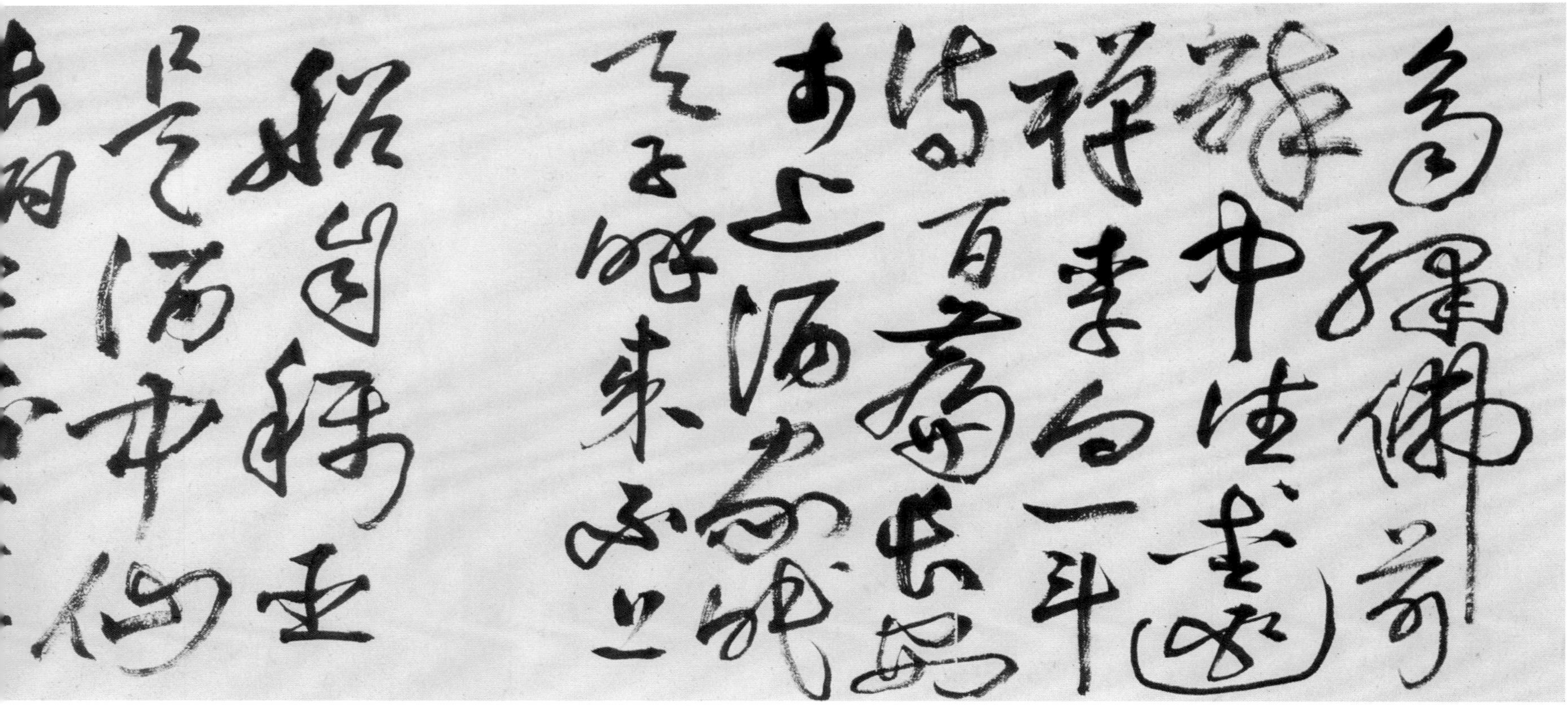

草書杜甫飲中八仙歌　紙本

縱二九厘米　橫八五厘米　三幅

浙江省博物館藏

釋文：飲中八仙歌

知章騎馬似乘船　眼花落井水底眠

汝陽三斗始朝天　道逢麯車口流涎

恨不移封向酒泉　左相日興費萬錢

飲如長鯨吸百川　銜杯樂聖稱世賢

宗之瀟灑美少年　舉觴白眼望青天

皎如玉樹臨風前　蘇晉長齋綉佛前

醉中往往愛逃禪　李白一斗詩百篇

長安市上酒家眠　天子呼來不上船

自稱臣是酒中仙　張旭三杯草聖傳

脱帽露頂王公前　揮毫落紙如雲烟

焦遂五斗方卓然　高淡（談）雄辨（辯）驚

四筵　予向

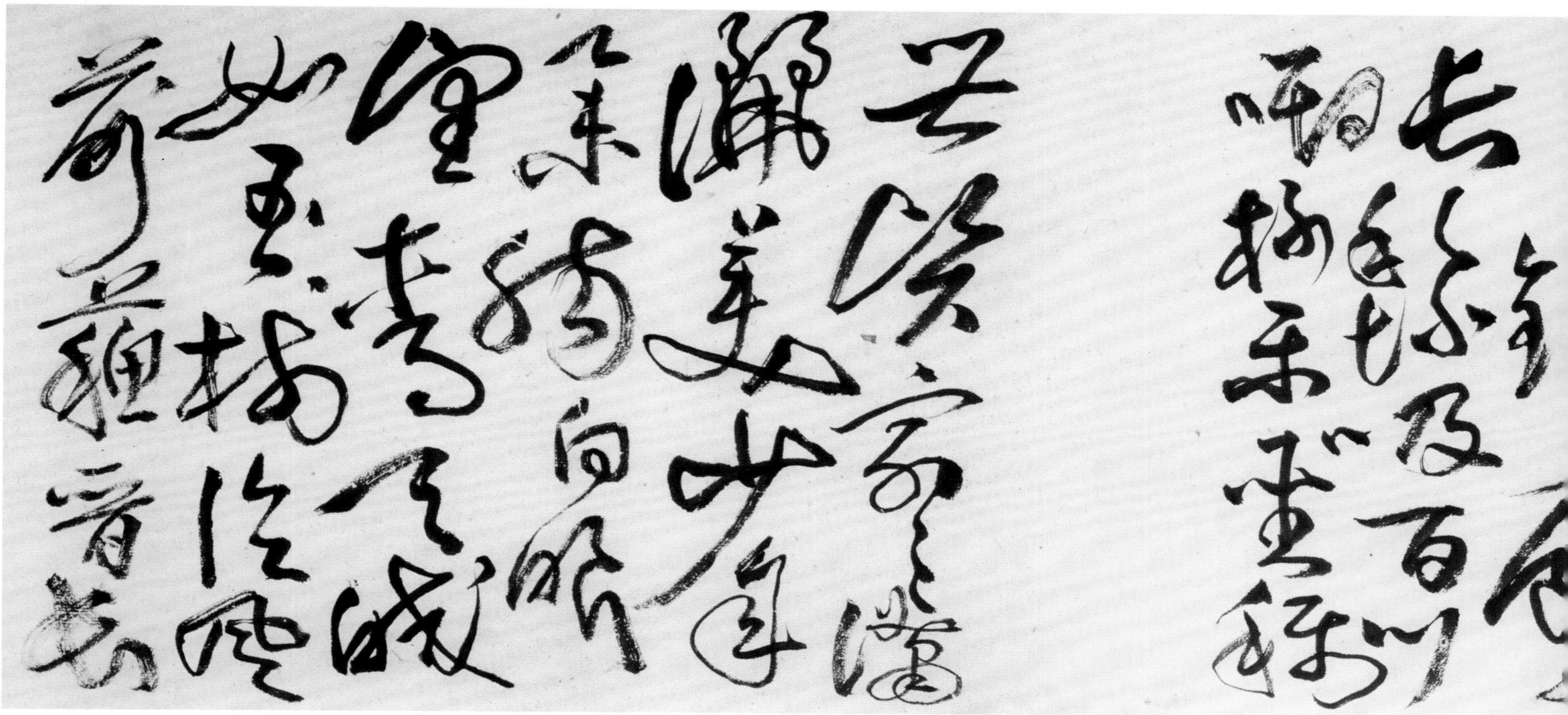

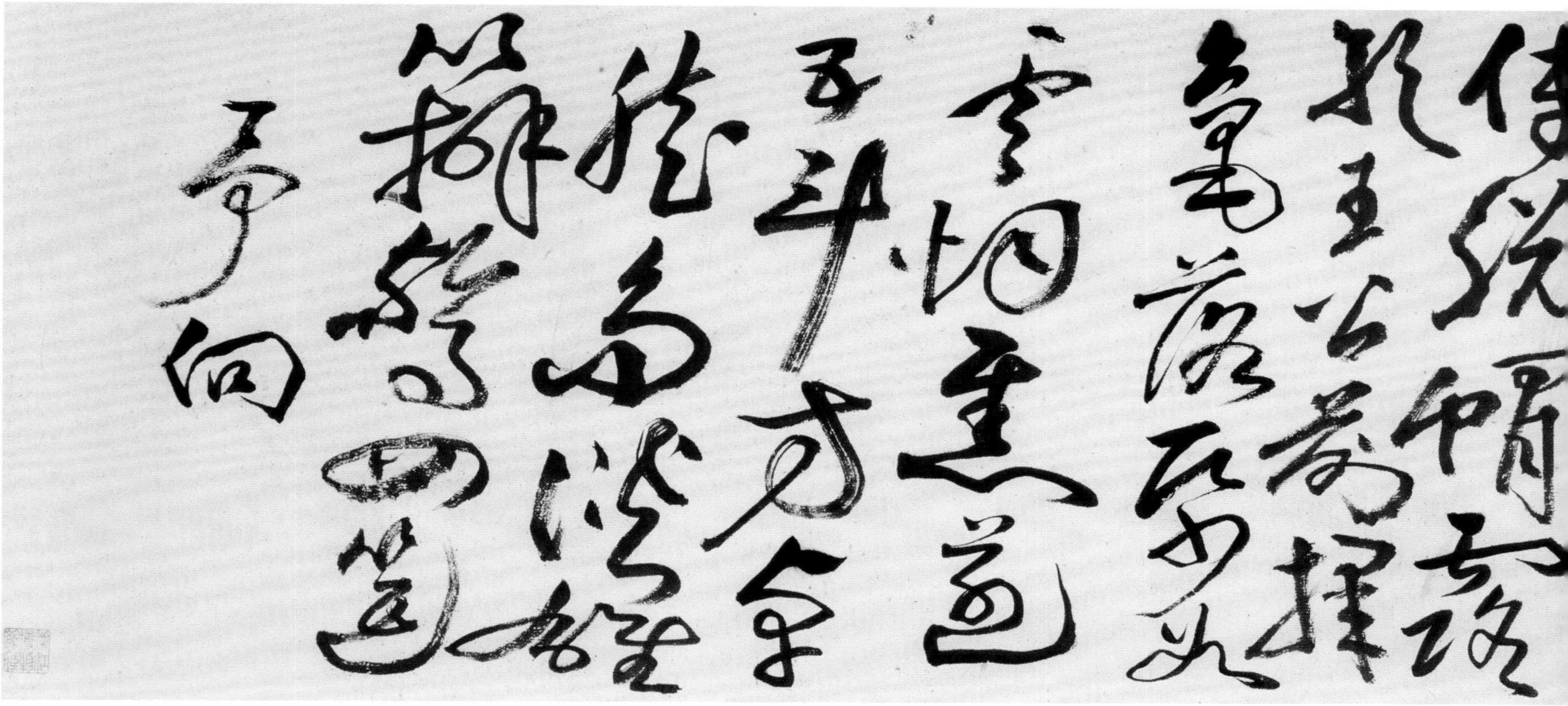

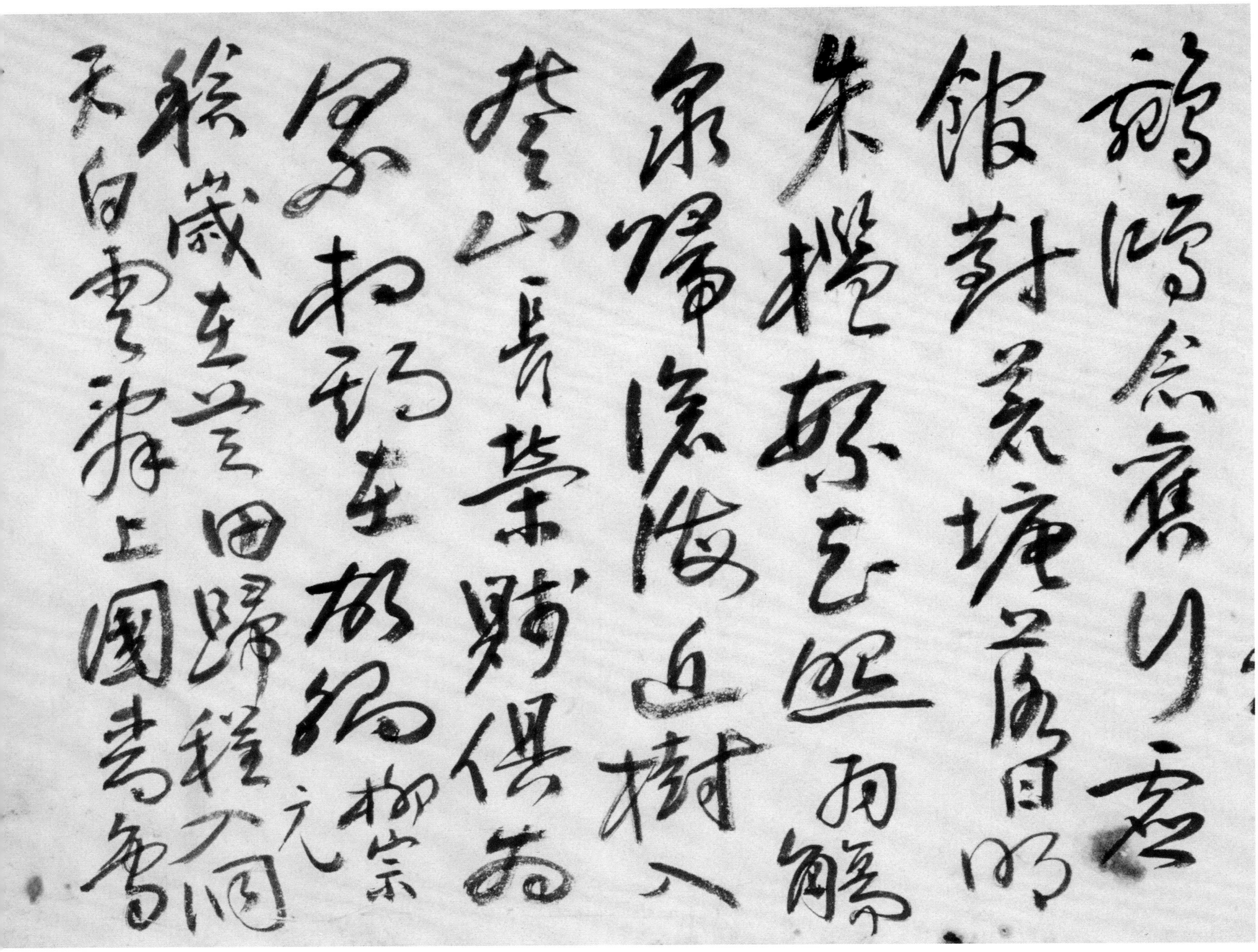

草書唐人詩　紙本

縱二九・五厘米　橫八七・五厘米

浙江省博物館藏

釋文：鵷鴻念舊行　虛館對荒（芳）塘

落日明朱檻　繁花照羽觴　泉歸滄海近

樹入楚山長　榮賤俱爲累　相期在故鄉

柳宗元

稔歲在芝田　歸程入洞天　白雲辭上國

青鳥會群仙　自以棋消日　寧資藥駐年

相看話離別　風馭忽泠然

權德輿（下略）

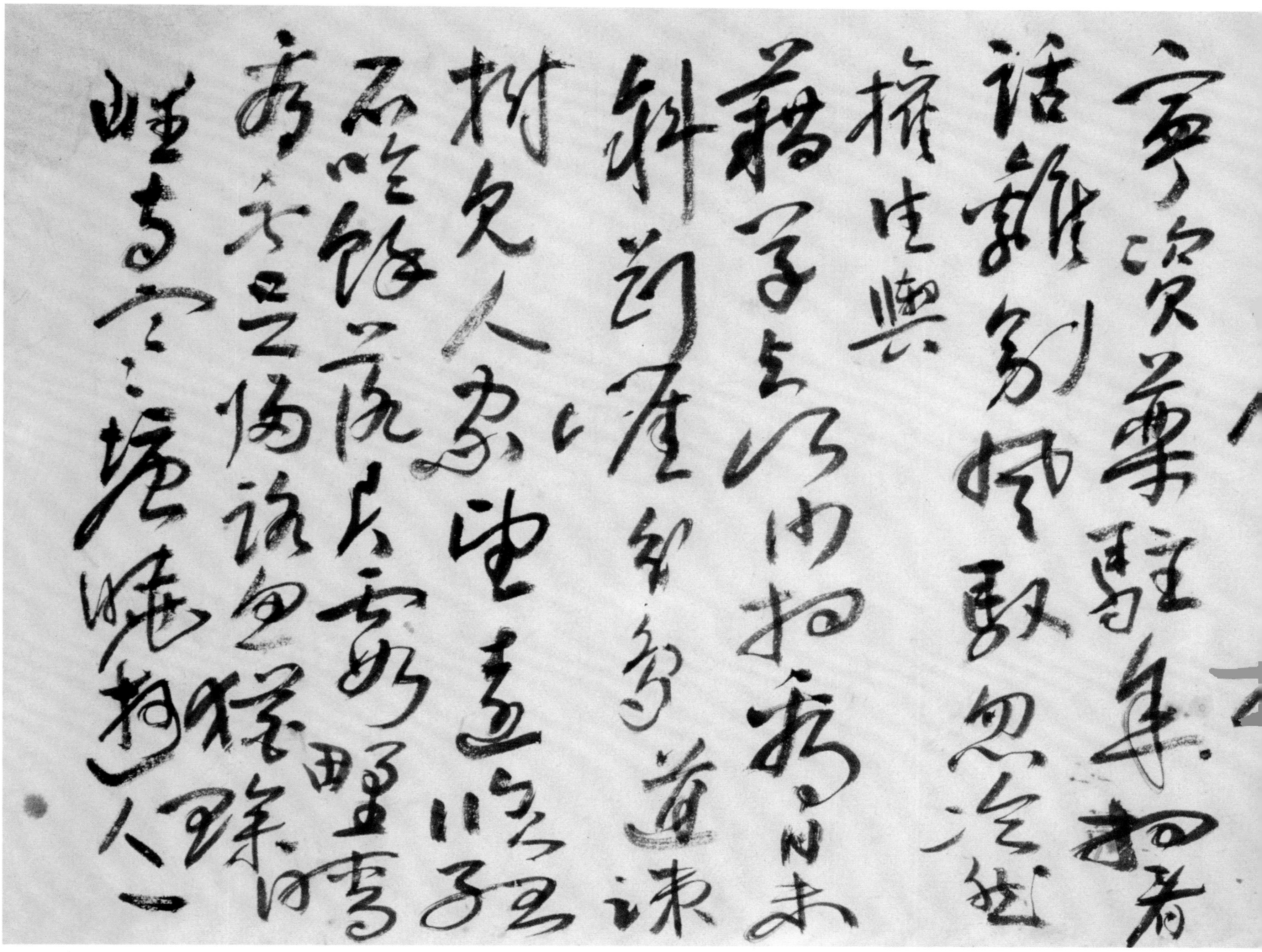

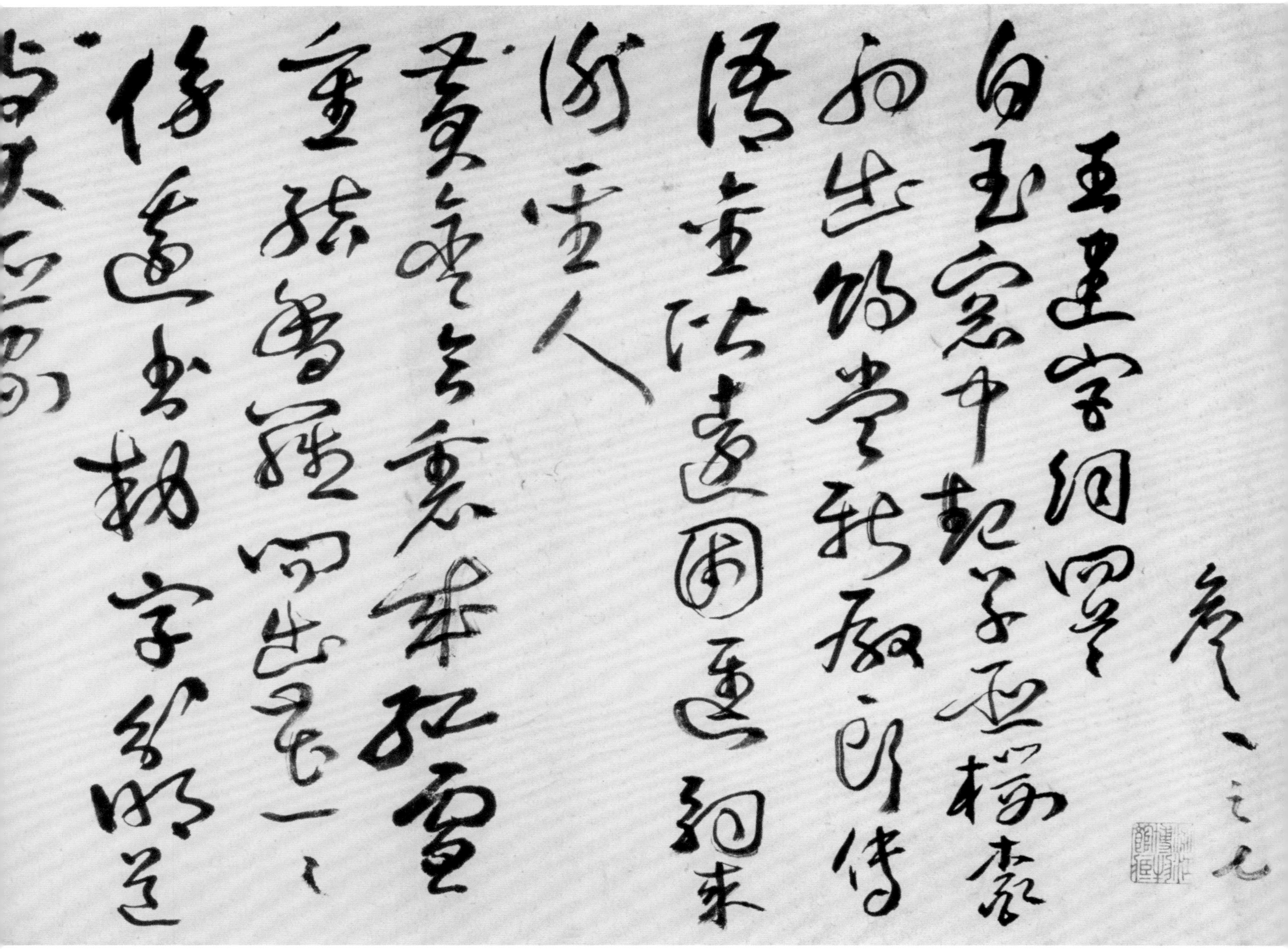

草書王建詩　紙本

縱二八厘米　橫九〇厘米

浙江省博物館藏

釋文：王建宮詞四首

白玉窗中起草臣　櫻桃初出賜嘗新

殿頭傳語金階遠　因（只）進詞來謝聖人

黃金合裏盛紅雪　重結香羅四出花

一一傍邊書敕字　分明送與大臣家

龍烟日氣（暖）紫曈曈　宣政門當玉殿風

午刻閣前卿相出　下簾身在半天中

聖人生日明朝是　私地先須（教人）屬内監

自寫金花紅榜子　前頭先進鳳凰衫

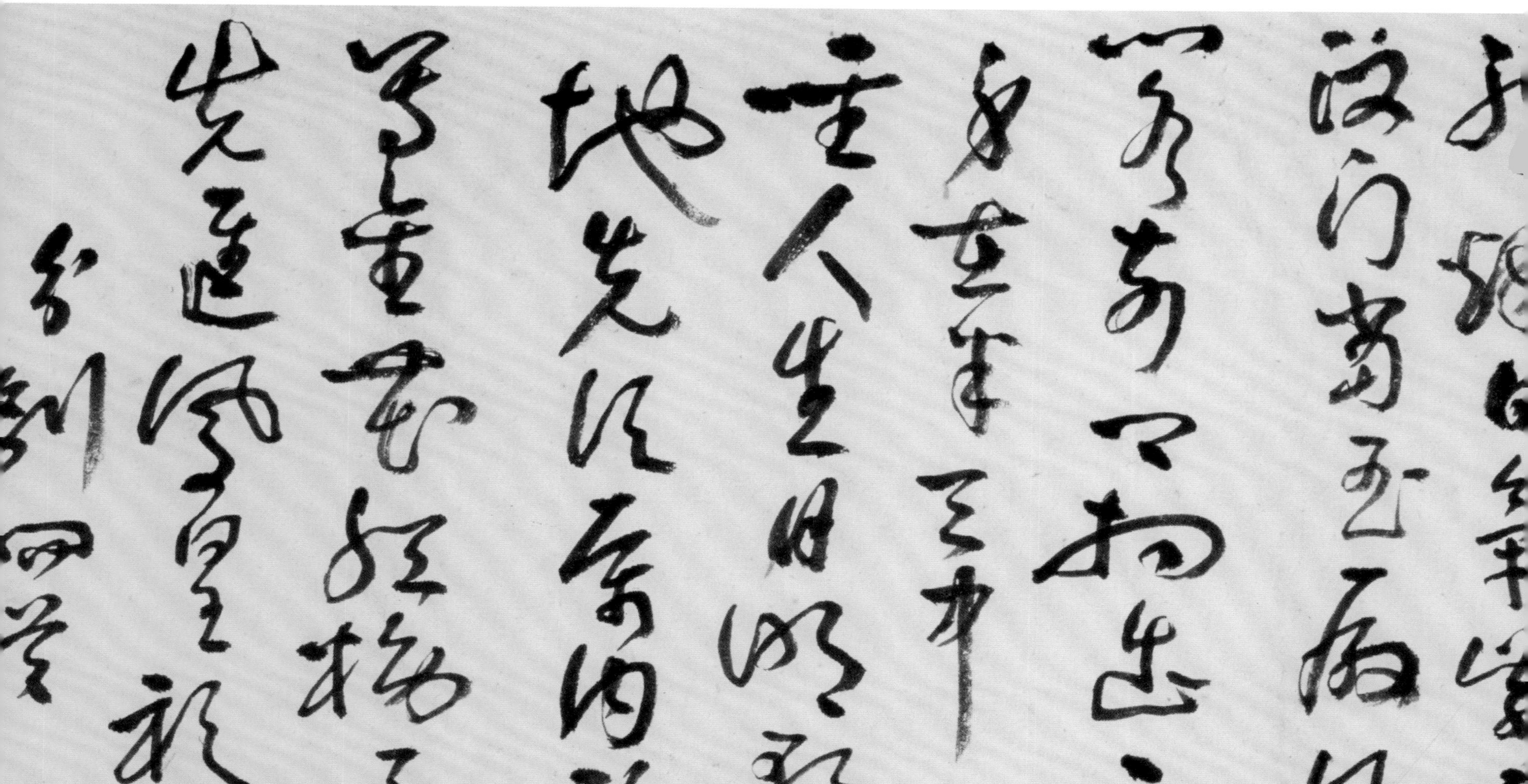

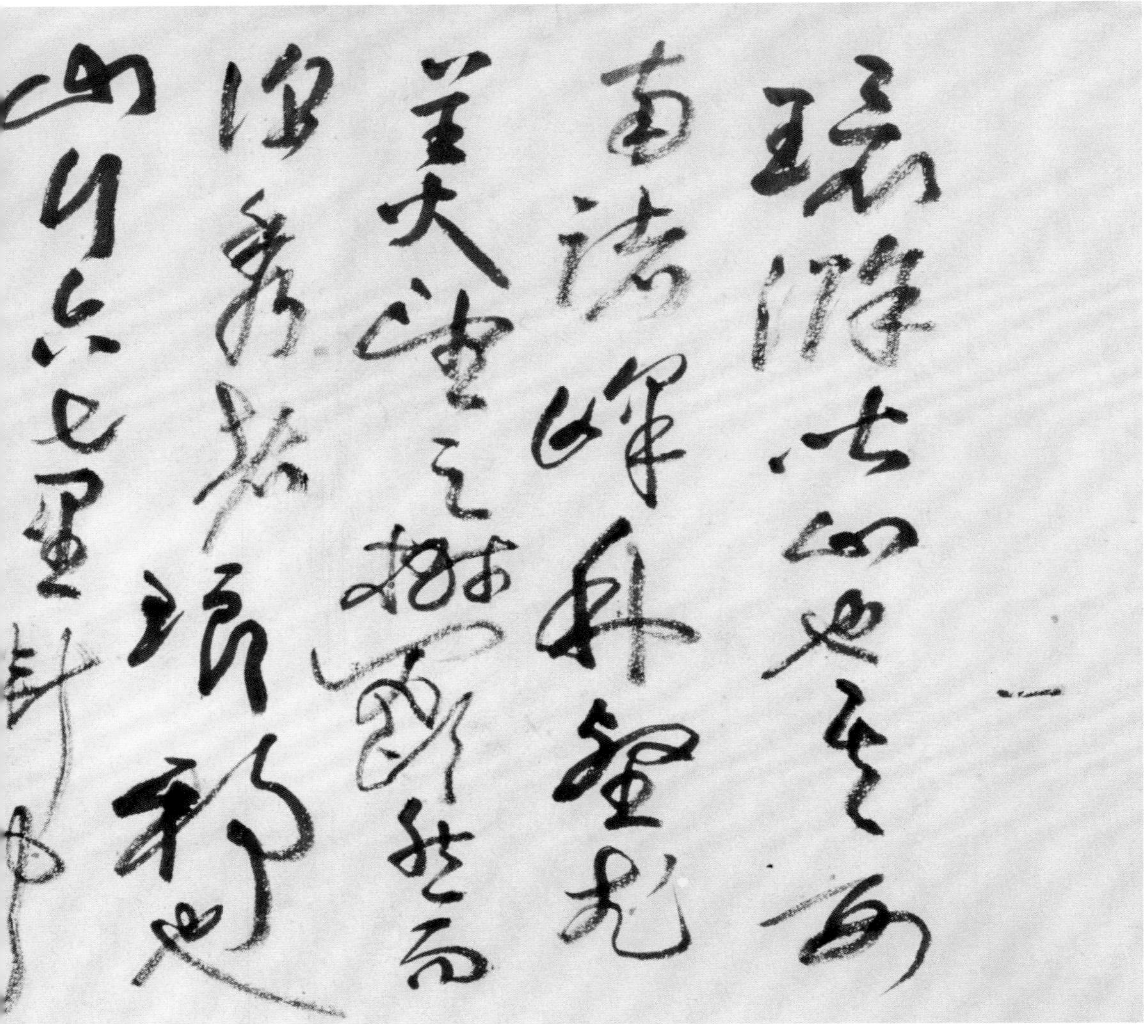

一

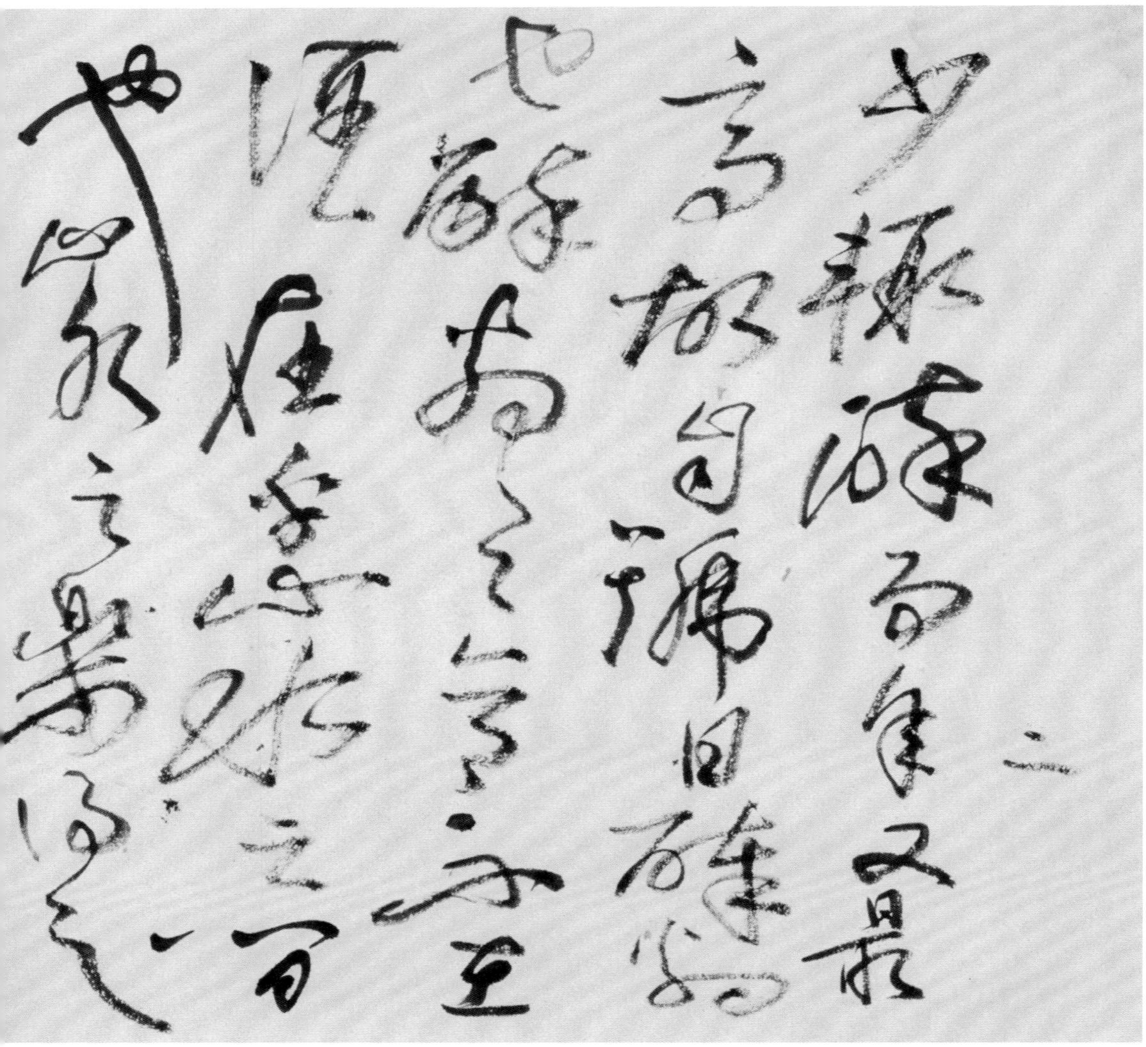

二

草書歐陽修醉翁亭記　紙本　縱三〇厘米　橫九〇厘米　四幅

之一　之二

浙江省博物館藏

釋文：環滁皆山也　其西南諸峰　林壑尤美　望之鬱（蔚）然而深秀者
琅琊也　山行六七里　漸聞水聲潺潺　而瀉出于兩曲峰之間者
釀泉也　峰回路轉　有亭翼然　臨于泉上者　醉翁亭也　作亭者誰　山之僧曰智仙也
名之者誰　太守自謂也　太守與客來飲于此　飲少輒醉　而年又最高　故自號曰醉翁也
醉翁之意不在酒　在乎山水之間也　山水之樂　得之心而寓之酒也　若夫日出而林霏開
雲歸而岩穴暝　晦明變化者　山間之朝暮也　野（芳）發而幽香　佳木秀而繁陰
風霜高潔　水落而石出者　山間之四時也　朝而往　暮而歸　四

若夫……朴素……

……一张……雨……

……六时……化也

……崖石……

……若……太古……

源……太古

……绢素……手……

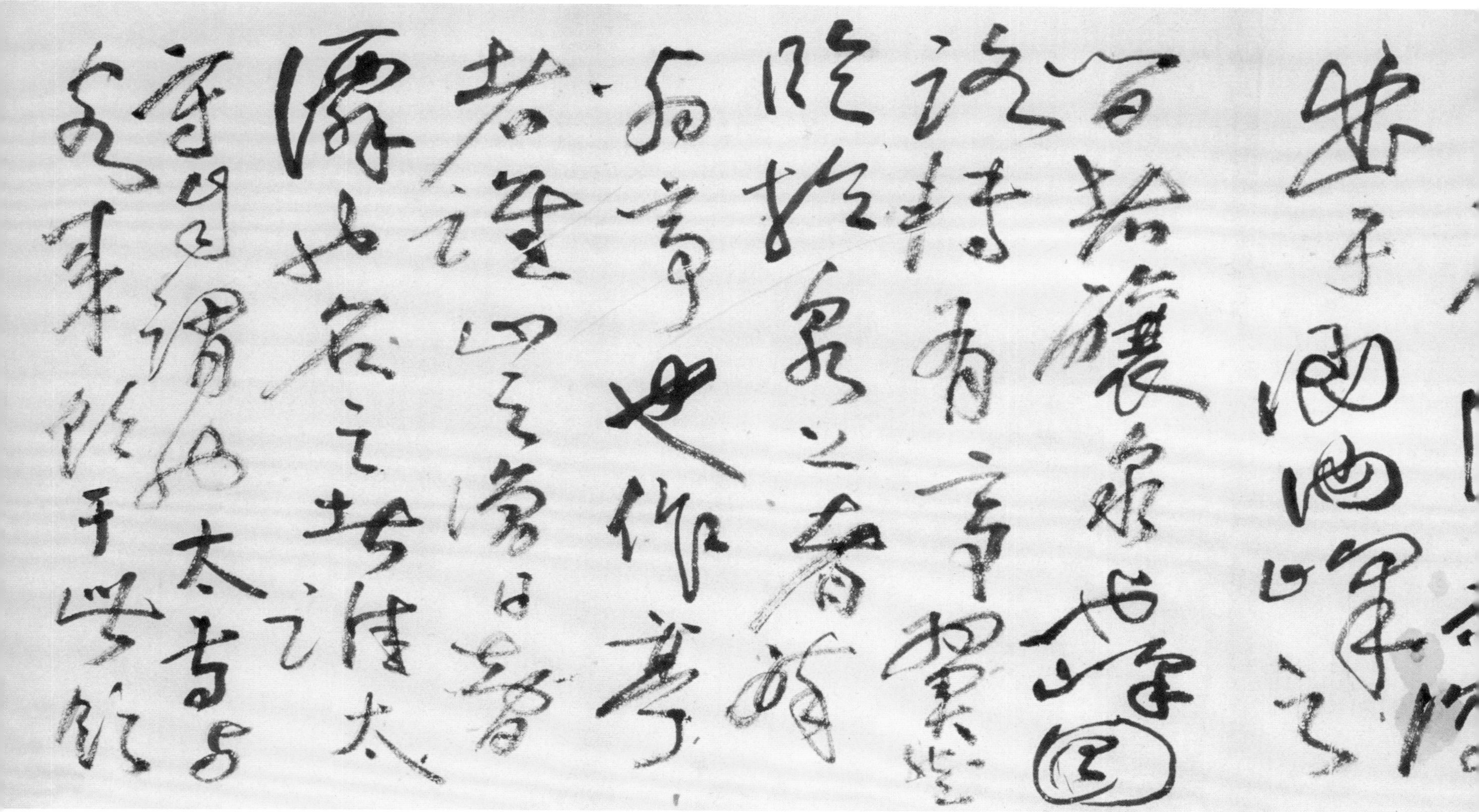

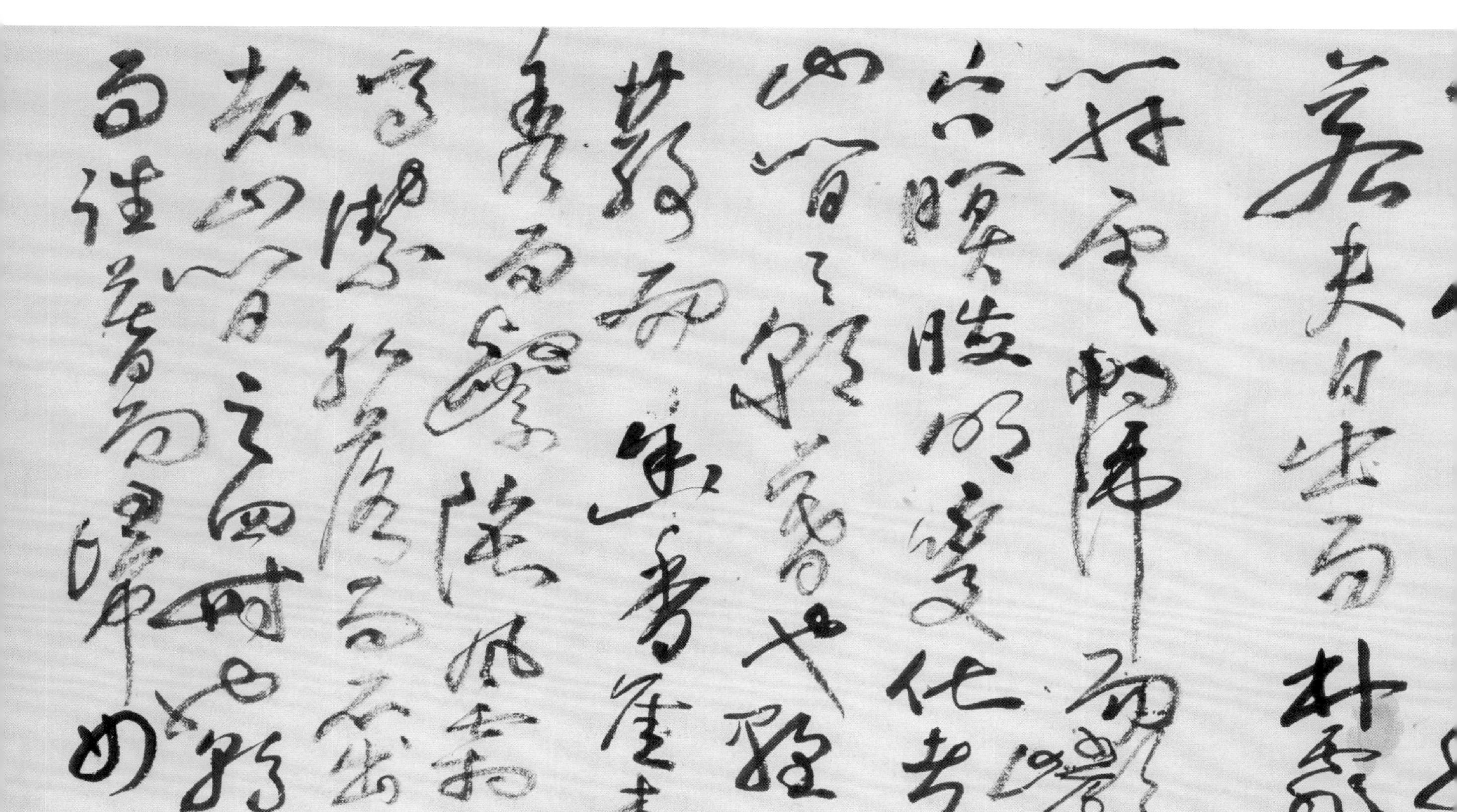

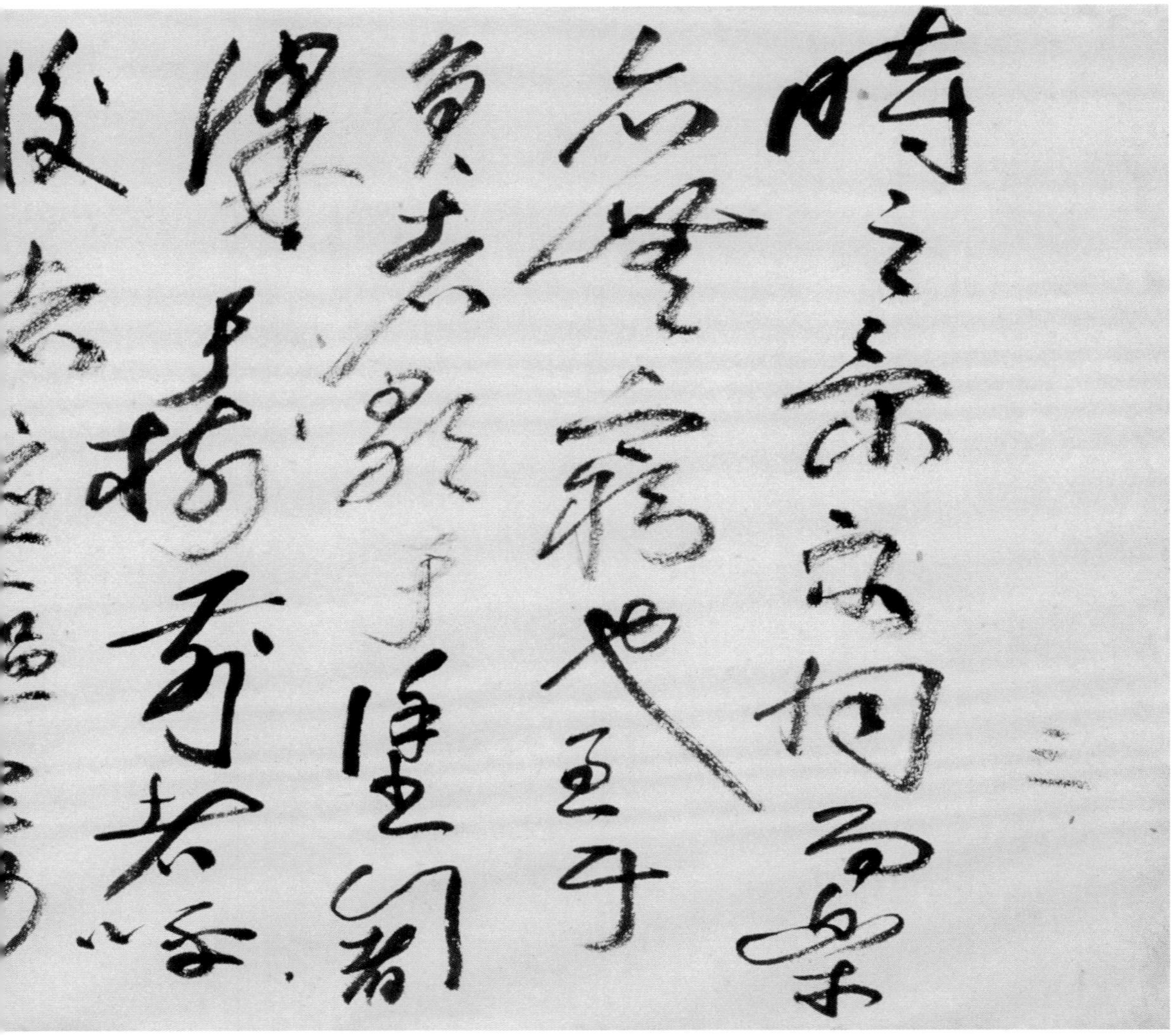

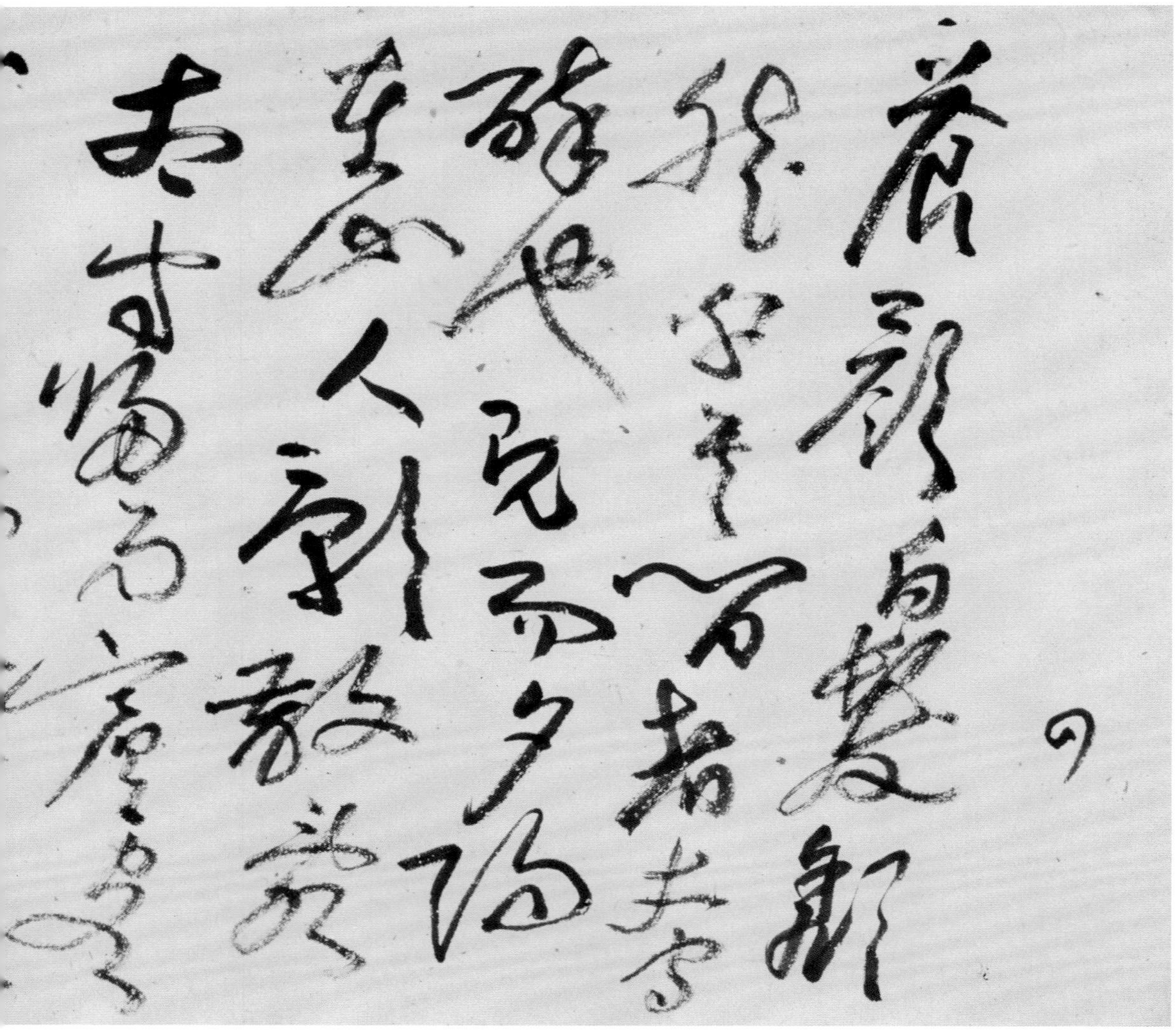

之三　之四

釋文：時之景不同　而樂亦無窮也

至于負者歌于塗　行者休于樹　前者呼　後者應　傴僂提携　往來而不絶者

滁人游也　臨溪而漁（溪深而魚肥）釀泉爲酒　泉香而酒洌

山肴野蔌　雜然而前陳者　太守宴也　宴酣之樂　非絲非竹　射者中

弈者勝　觥籌交錯　起坐而喧嘩者　衆賓歡也　蒼顔白髪　頹然乎其間者

太守醉也　既（已）而夕陽在山　人影散亂　太守歸而賓客從也　樹林陰翳

鳴聲上下　游人去而禽鳥樂也　然而禽鳥知山林之樂　而不知人之樂

人知從太守游而樂　不知太守之樂其樂也　醉能同其樂　醒能述以文者

太守也　太守謂誰　廬陵歐陽修也

临溪而渔，溪深而鱼肥，酿泉为酒，泉香而酒洌，山肴野蔌，杂然而前陈者，太守宴也。宴酣之乐，非丝非竹，射者中，弈者胜，觥筹交错，起坐而喧哗者，众宾欢也。

苍颜白发，颓然乎其间者，太守醉也。已而夕阳在山，人影散乱，太守归而宾客从也。树林阴翳，鸣声上下，游人去而禽鸟乐也。然而禽鸟知山林之乐，而不知人之乐；人知从太守游而乐，而不知太守之乐其乐也。醉能同其乐，醒能述以文者，太守也。太守谓谁？庐陵欧阳修也。

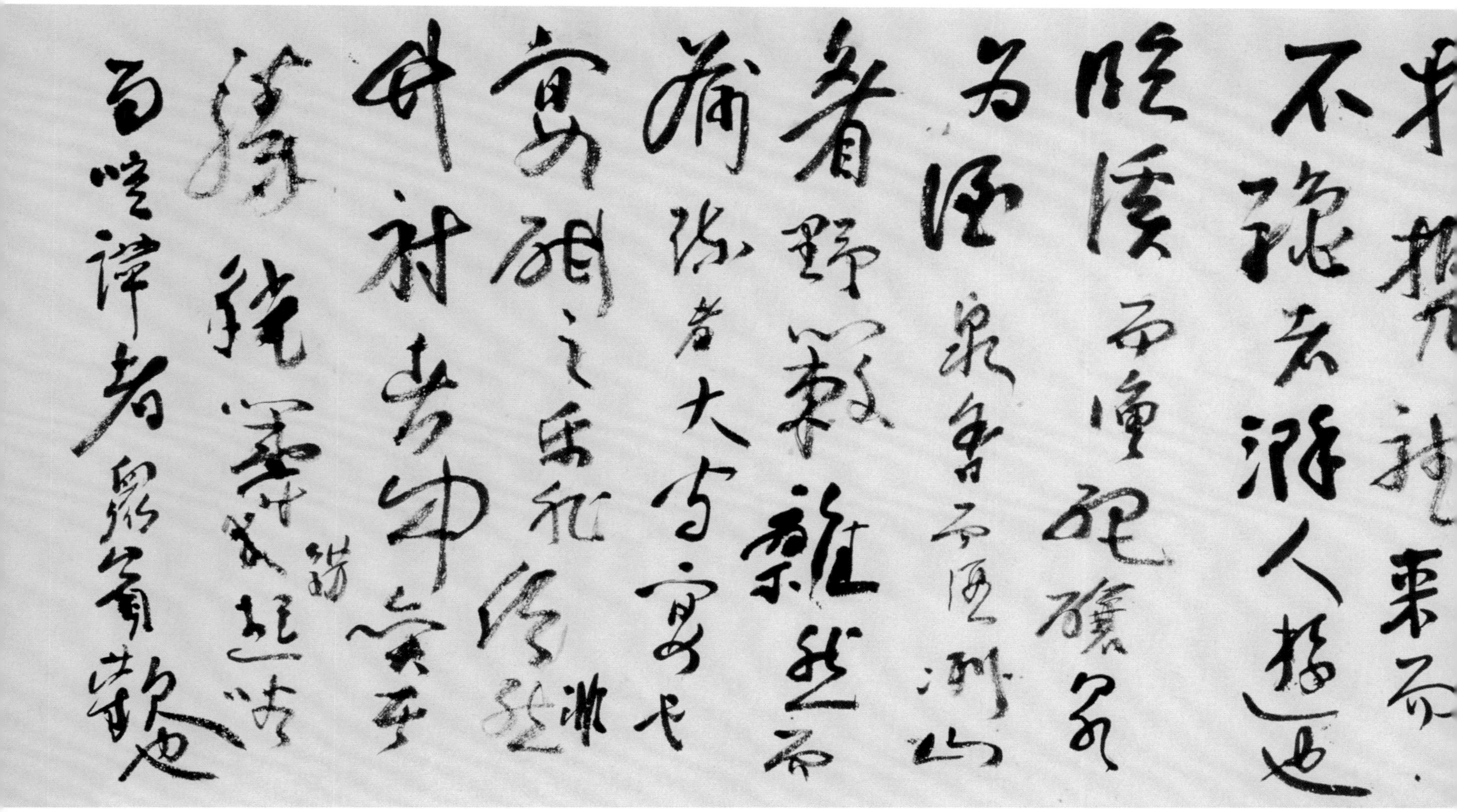

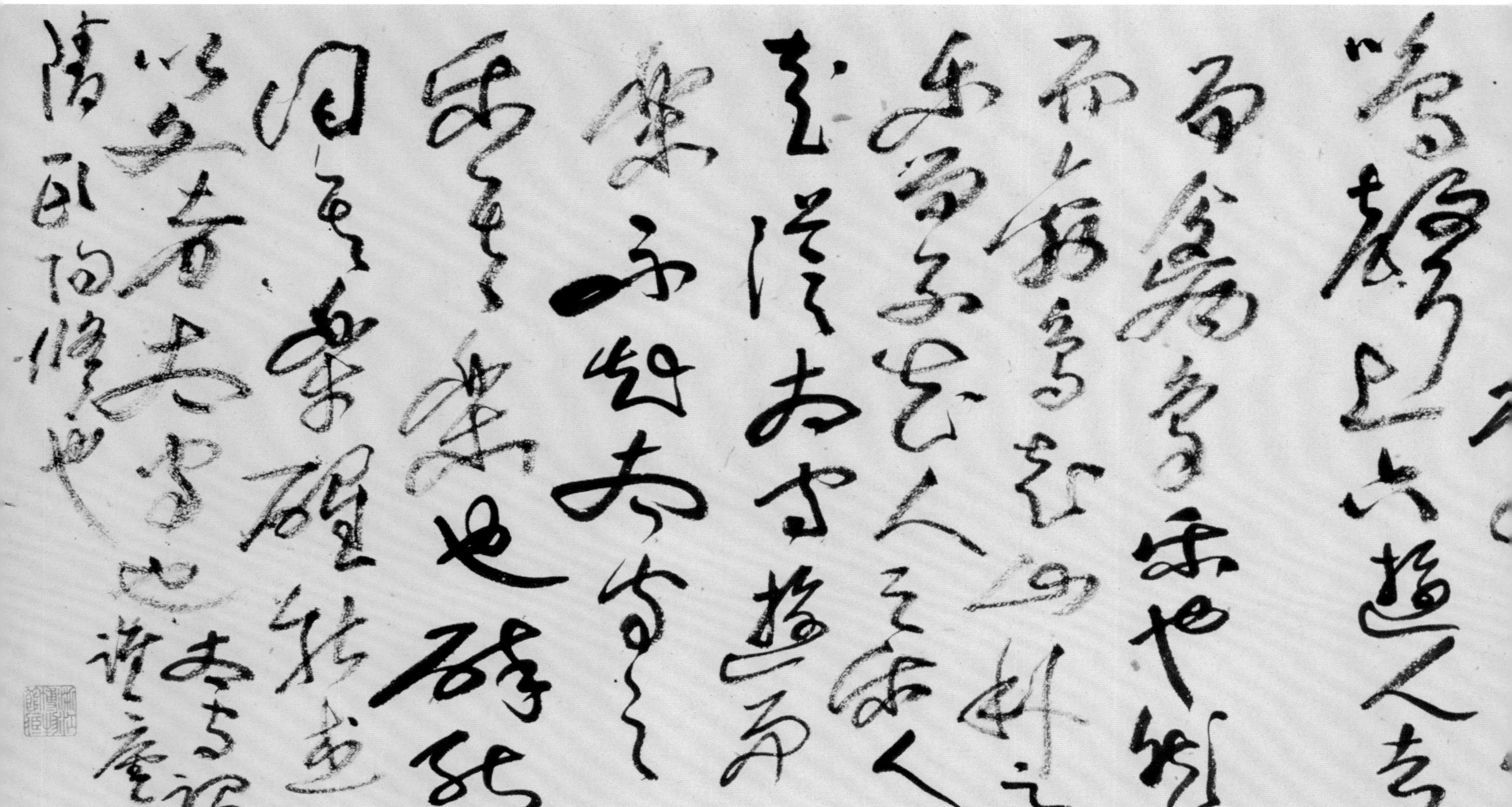

環滁皆山也其西南
諸峰林壑尤美
望之蔚然而深
秀者琅琊也
山行六七里漸
聞水聲潺潺
而瀉出於兩峰
之間者釀泉也
峰迴路轉有亭
翼然臨於
泉上者醉翁
亭也作亭
者誰山之僧智仙也

開雲歸而巖
穴暝晦明變
化者山間之朝暮也
野芳發而幽香
佳木秀而繁陰風
霜高潔水落而
石出者山間之四時
也朝而往暮而歸
四時之景不同而樂亦
無窮也至於負
者歌於途行者休於
樹前者呼後者應
傴僂提攜往
來而不絕者滁

者太守醉也已
而夕陽在山人
影散亂太守
歸而賓客從
也樹林陰翳
鳴聲上下遊
人去而禽鳥
樂也然而禽鳥
知山林之樂而
不知人之樂人
知從太守遊
而樂而不知太
守之樂其樂

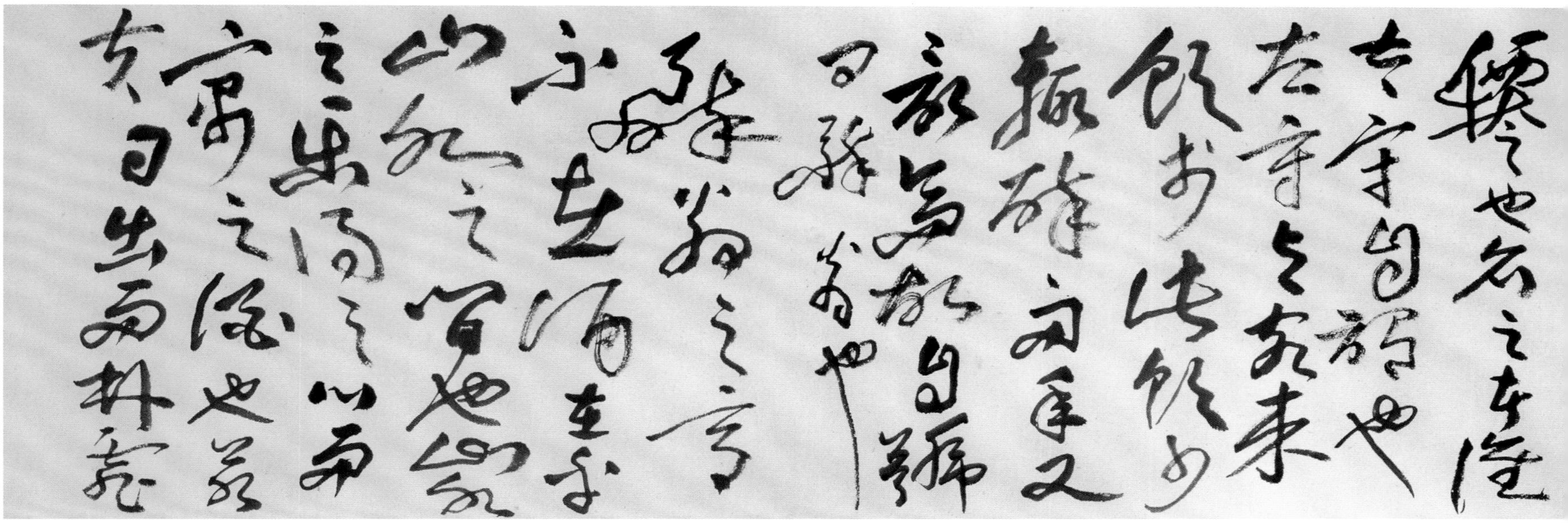

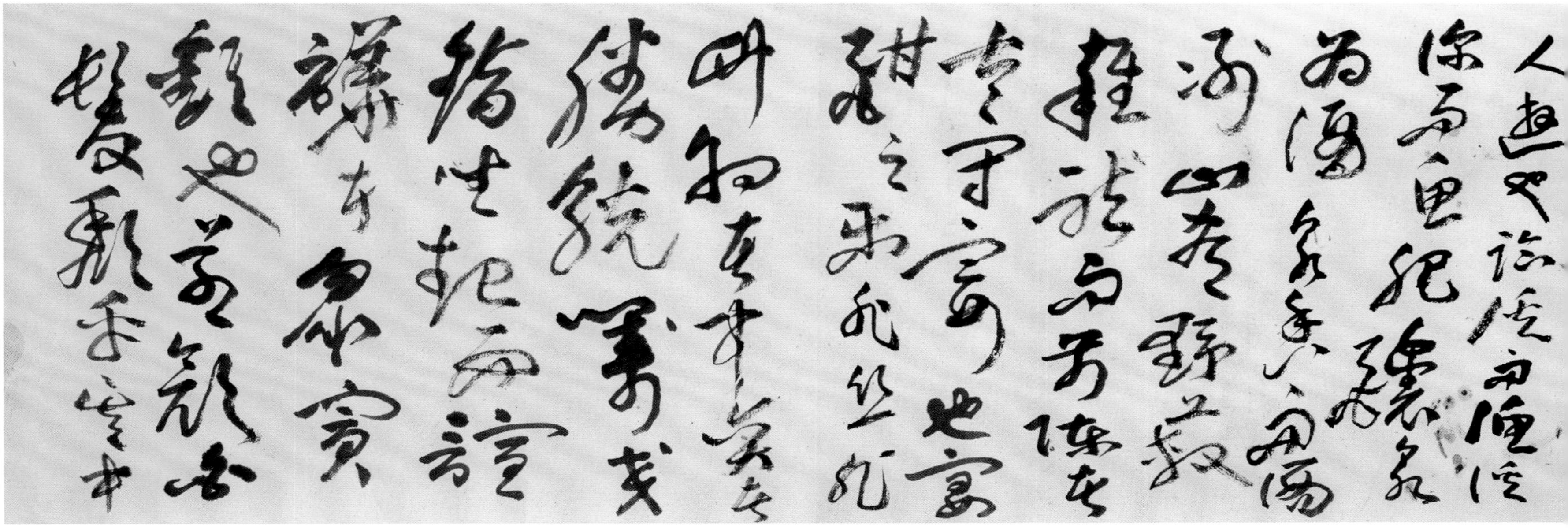

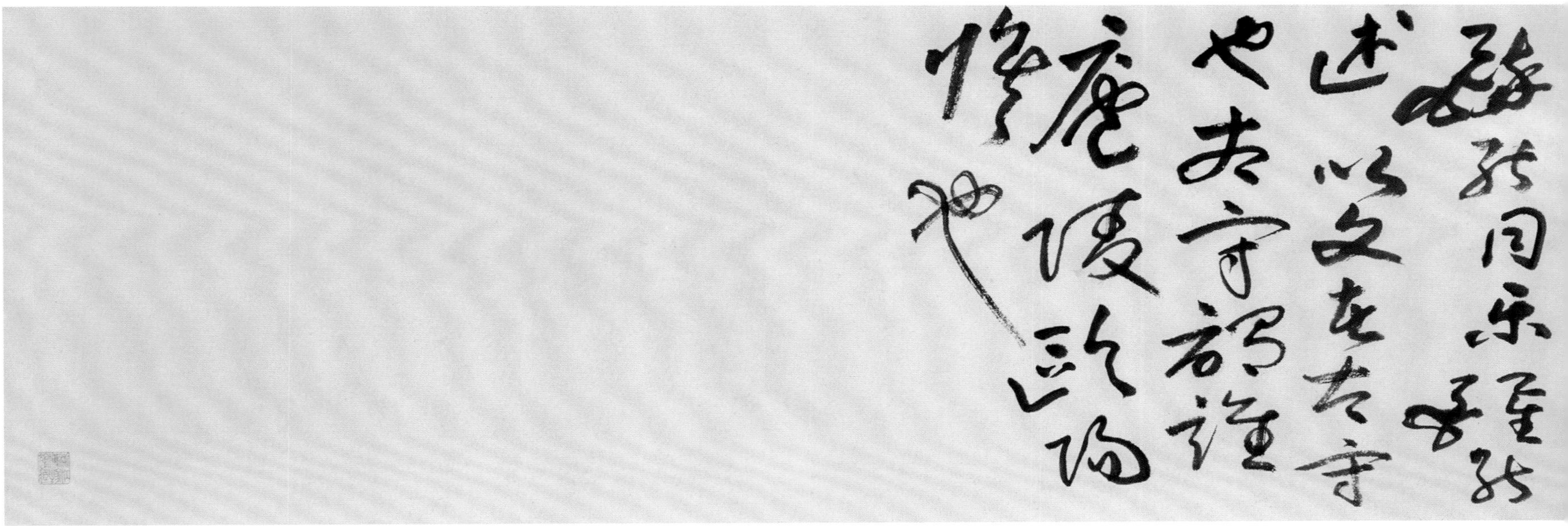

草書歐陽修醉翁亭記　紙本

縱三〇厘米　橫五五二厘米　六幅

浙江省博物館藏

釋文：環滁皆山也　其西南諸峰　林壑尤美
望之蔚然而深秀者　琅琊也　山行六七里
漸聞水聲潺潺而瀉出于兩峰之間者　釀泉也
峰回路轉　有亭翼然　臨于泉上者　醉翁亭也
作亭者誰　山之僧智仙也　名之者誰
太守自謂也　太守與客來飲于此（飲）少輒醉
而年又最高　故自號曰醉翁也
醉翁之意不在酒　在乎山水之間也　山水之樂
得之心而寓之酒也　若夫日出而林霏開
雲歸而岩穴暝　晦明變化者
山間之朝暮也　野芳發而幽香　佳木秀而繁陰
風霜高潔　水落而石出者　山間之四時也
朝而往　暮而歸　四時之景不同
而樂亦無窮也　至于負者歌于塗　行者休于樹
前者呼　後者應　傴僂提携　往來而不絶者
滁人游也　臨溪而漁　溪深而魚肥　釀泉爲酒
泉香而酒洌　山肴野蔌　雜然而前陳者
太守宴也　宴酣之樂　非絲非竹
射者中　弈者勝　觥籌交錯　起坐而喧嘩者
衆賓歡也　蒼顔白髮　頹乎其中者　太守醉也
已而夕陽在山　人影散亂　太守歸而賓客從也
樹林陰翳　鳴聲上下　游人去而禽鳥樂也
然而禽鳥知山林之樂　而不知人之樂
人知從太守游而樂　而不知太守之樂其樂
醉能同（其）樂　醒能述以文者
太守也　太守謂誰　廬陵歐陽修也

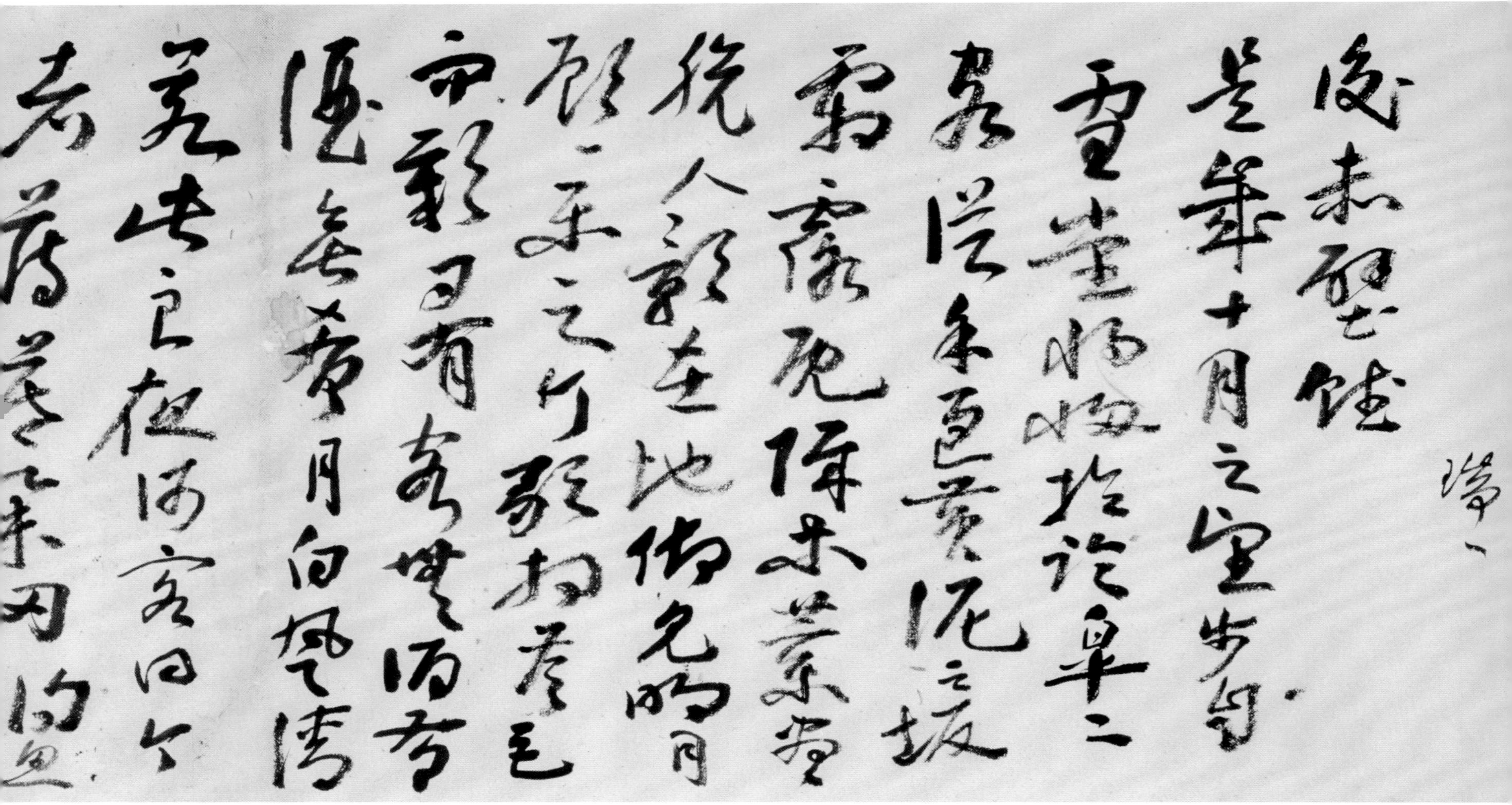
後赤壁賦
是歲十月之望步自
雪堂將歸於臨皋二
客從余過黃泥之坂
霜露既降木葉盡
脫人影在地仰見明月
顧而樂之行歌相答已
而歎曰有客無酒
有酒無肴月白風清
如此良夜何客曰今
者薄暮舉網得魚

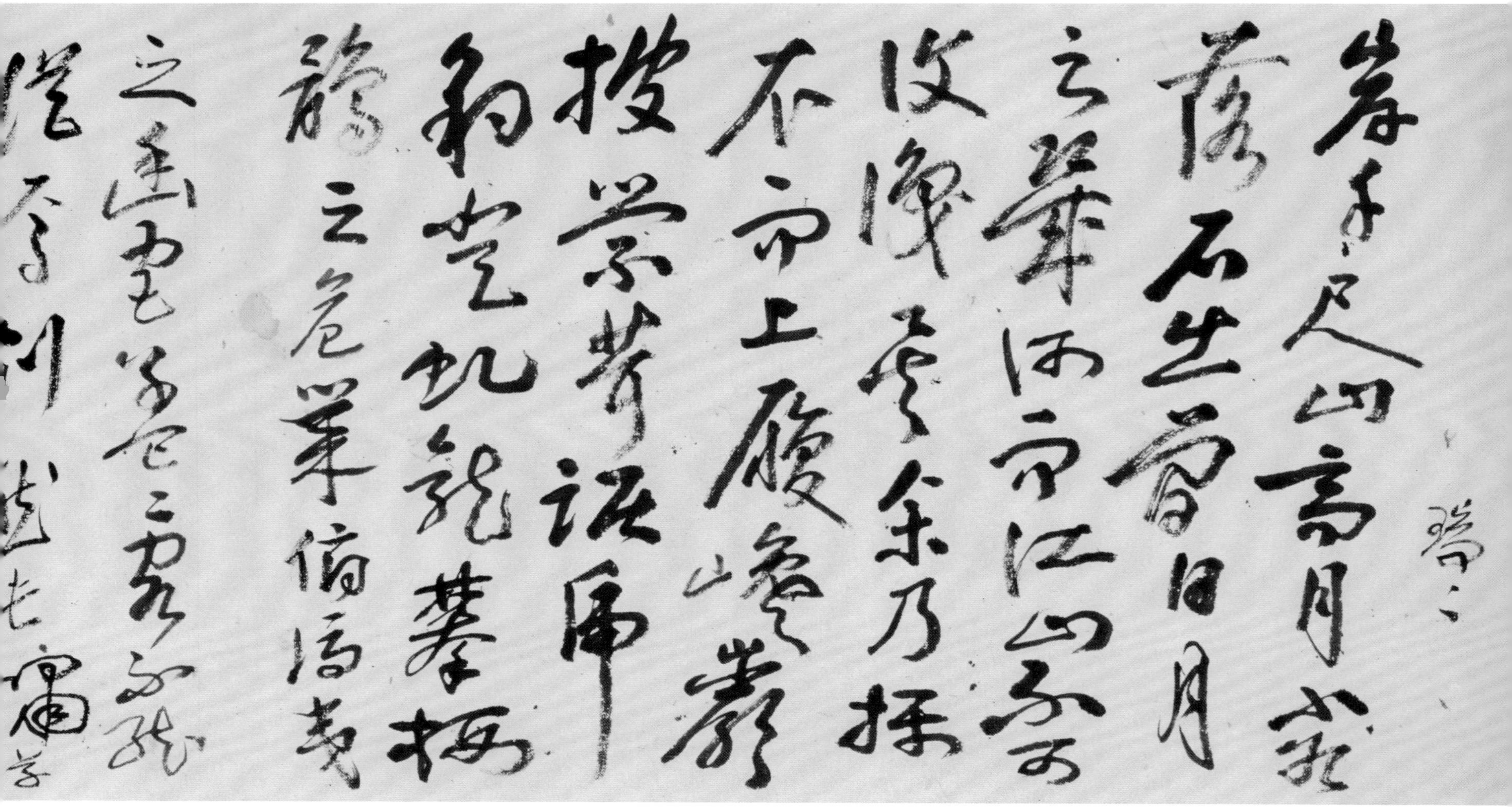
岸千尺山高月小
水落石出曾日月
之幾何而江山不可
復識矣余乃攝
衣而上履巉巖
披蒙茸踞虎豹
登虬龍攀栖
鶻之危巢俯馮夷
之幽宮蓋二客不能
從焉劃然長嘯

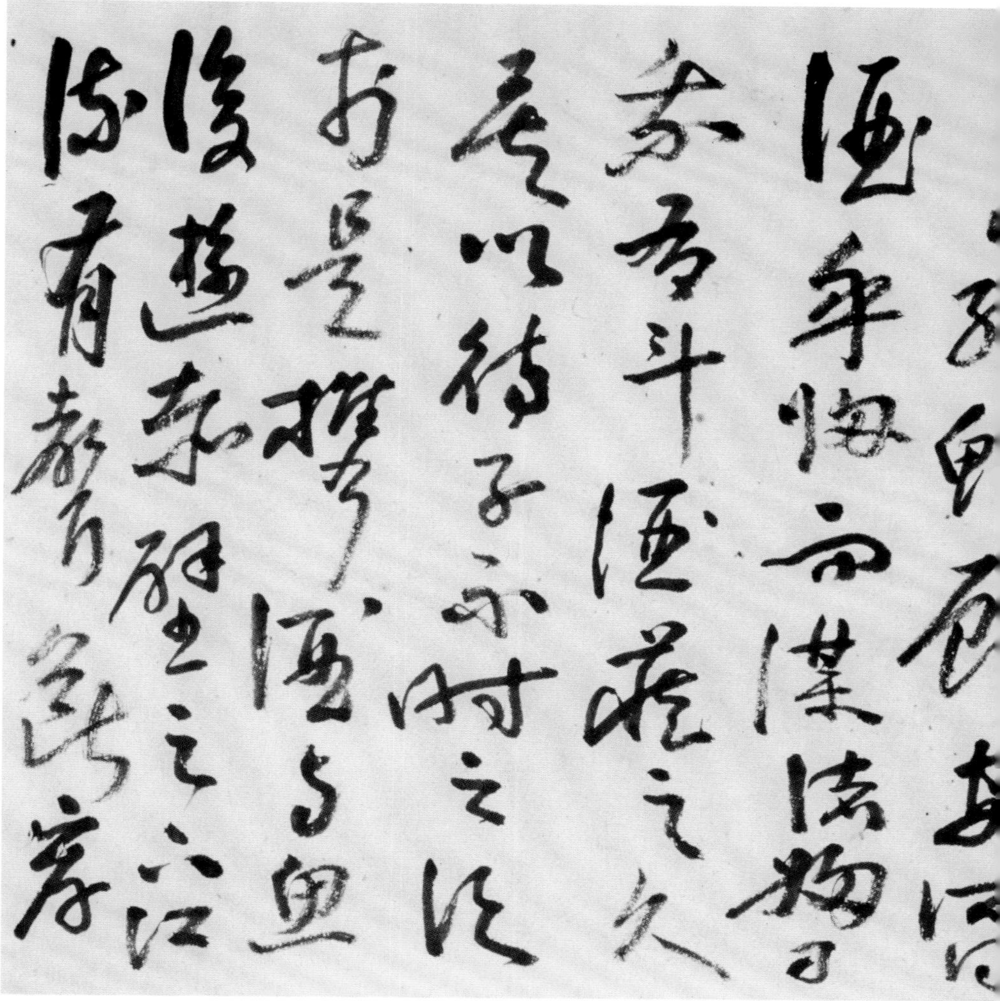

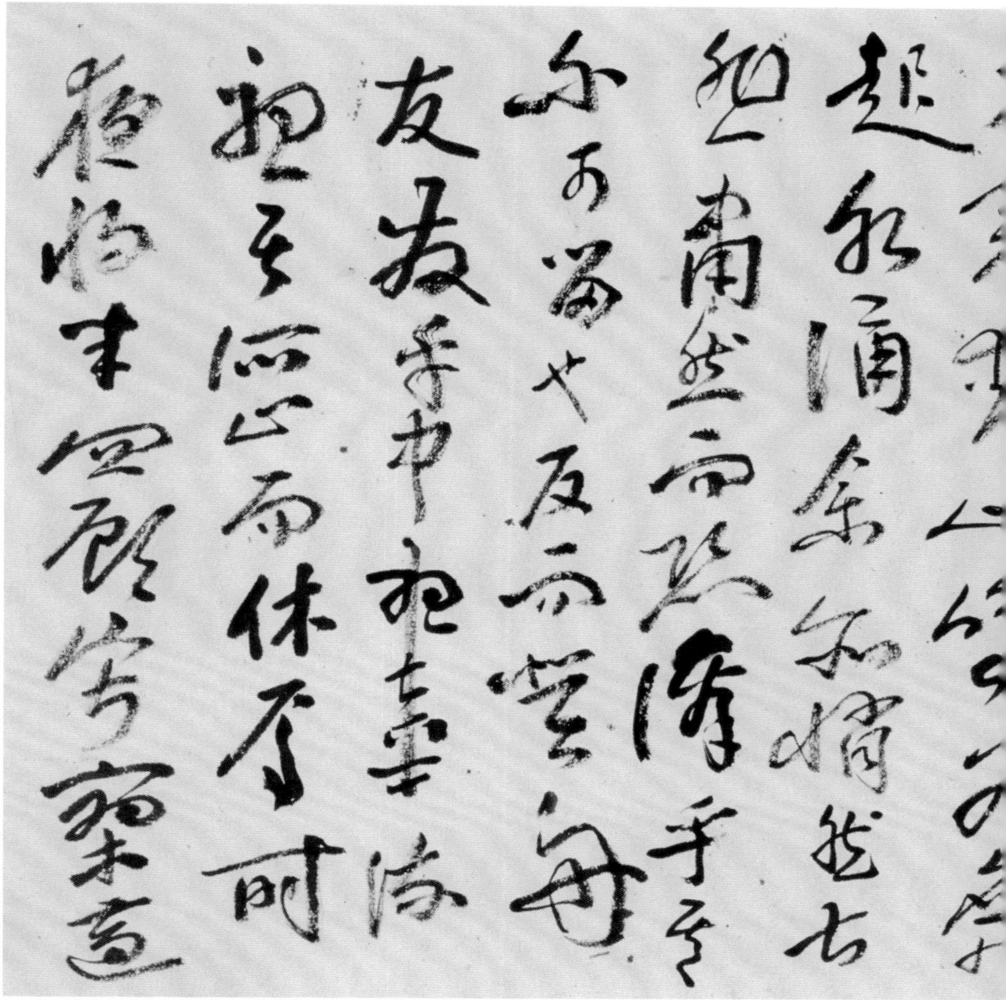

草書蘇軾後赤壁賦　紙本　縱三〇·五厘米　橫九〇厘米　兩幅

浙江省博物館藏

釋文：後赤壁賦　是歲十月之望　步自雪堂　將歸于臨皋　二客從余
過黃泥之坂　霜露既降　木葉盡脱　人影在地　仰見明月
顧（而）樂之　行歌相答　已而嘆曰　有客無酒　有酒無肴　月白風清
若此良夜何　客曰　今者薄暮　舉網得魚　巨口細鱗（狀似松江之鱸）
顧安所得酒乎　歸而謀諸婦　（婦）曰　我有斗酒　藏之久矣　以待子不時之須
于是携酒與魚　復游（于）赤壁之下　江流有聲　斷岸千尺　山高月小
水落石出　曾日月之幾何　而江山不可復識矣　余乃攝衣而上　履巉岩
披蒙茸　踞虎豹　登虬龍　攀栖鶻之危巢　俯馮夷之幽宫　蓋二客不能從焉
劃然長嘯　草木震動　山鳴谷應　風起水涌　余亦悄然甚（而）悲　肅然而恐
凛乎其不可留也　反而登舟　友放乎中流　聽其所止而休焉
時夜將半　四顧寂寥　適

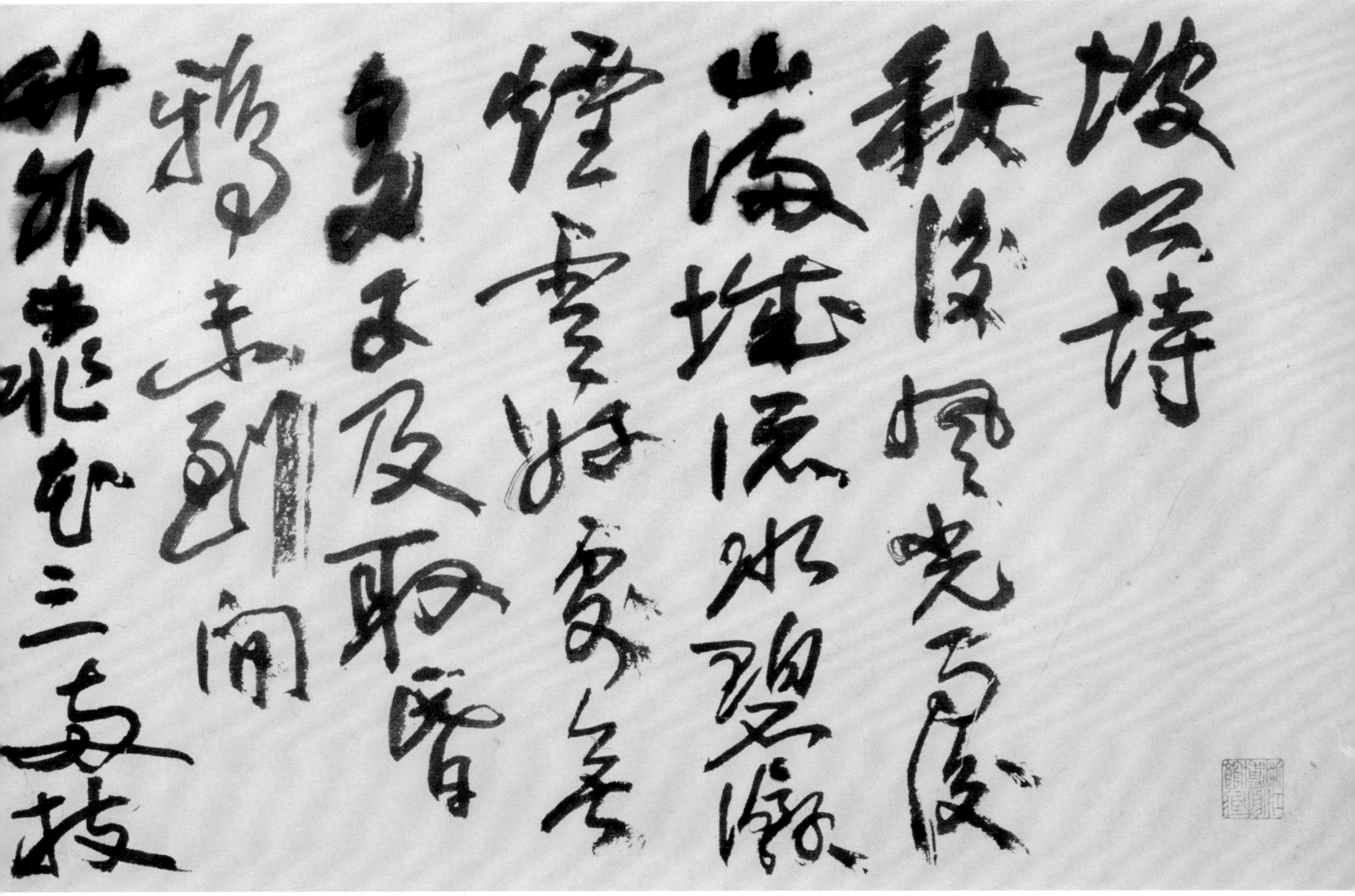

草書蘇軾詩　紙本　縱二七·五厘米　橫八三厘米

浙江省博物館藏

釋文：坡公詩

秋後風光雨後山　滿城流水碧潺潺　烟雲好處無多子　及取昏鴉未到閑

竹外桃花三兩枝　春江水暖鴨先知　蔞蒿地滿蘆芽短　正是河豚欲上時

此生已覺都無事　今歲仍逢大有年　山寺歸來聞好語　野花啼

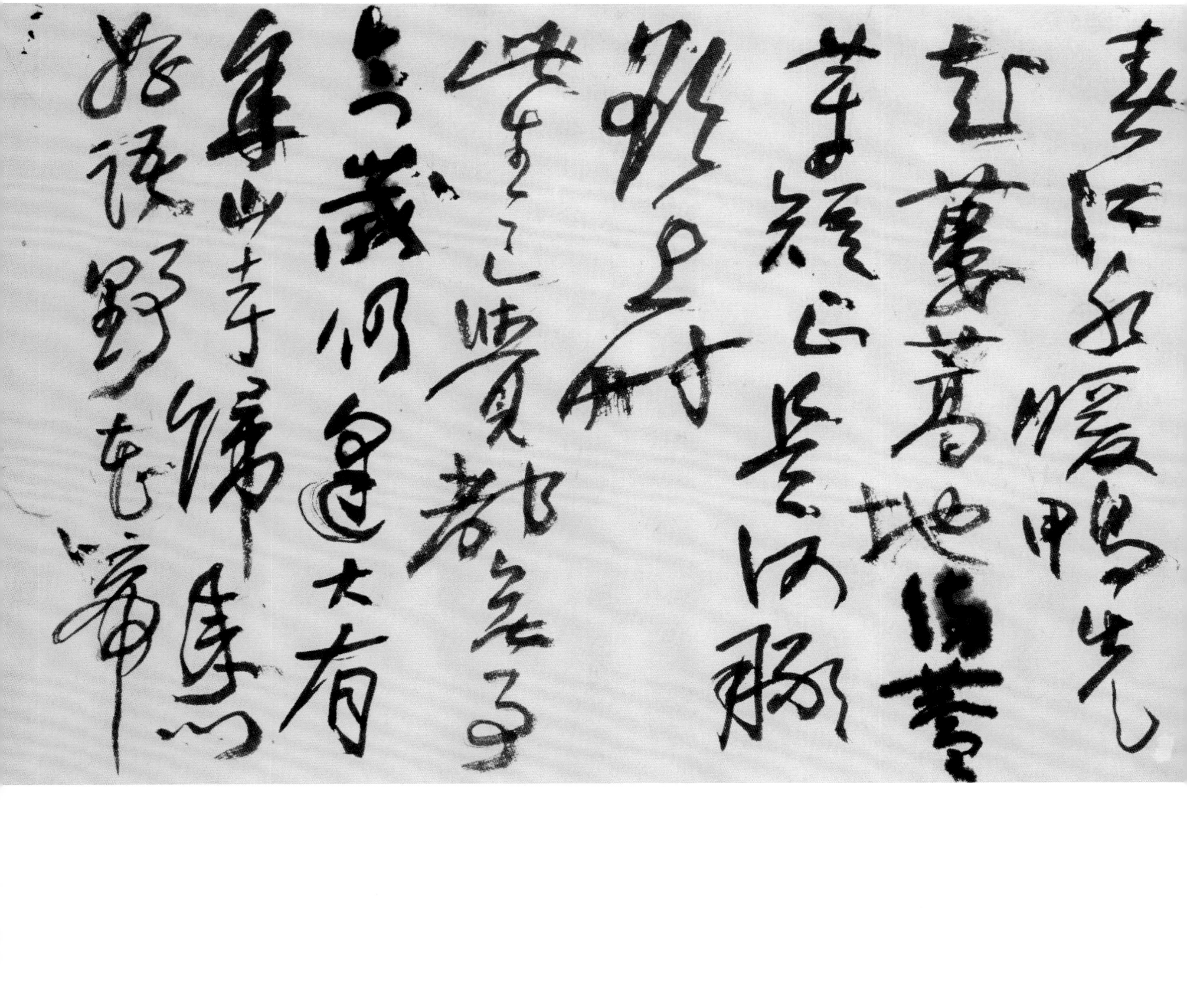

草書黄庭堅詩　紙本　縱二九厘米　横八八厘米　兩幅　浙江省博物館藏

釋文：渡水傍山尋絶壁　白雲深處洞天開　幽人來往行無迹　石徑春陰長緑苔
疏林茅屋水雲邊　溪静林空謝世喧　南野胦田秋萬頃　此中風味向誰言　戲寫江南雨後山　平林遠水接荒灣
憑誰寄語雪鴻足　爲我草堂添數間　坦腹江亭枕束書　澄清江水自空虚　修篁古木悠悠思　何處青山可卜居
山中宰相有仙骨　坐愛隴頭生白雲　壁張此畫定驚倒　先請倩人扶着君　常愛宓子賤　鳴琴能自親
邑中静無事　豈不由其身　何意千年後　寂寥無此人　闕伯去已久　高丘臨道傍　人皆有兄弟　爾獨爲參商
終古猶如此　而人安可量　清洛思君晝相流　北歸何日片帆收　未生白髮猶堪酒　垂上青雲却佐州
飛雪堆盤膾魚腹　明珠論斗煮鷄頭　利生行樂自不惡　豈有竹西歌吹愁　涪翁詩

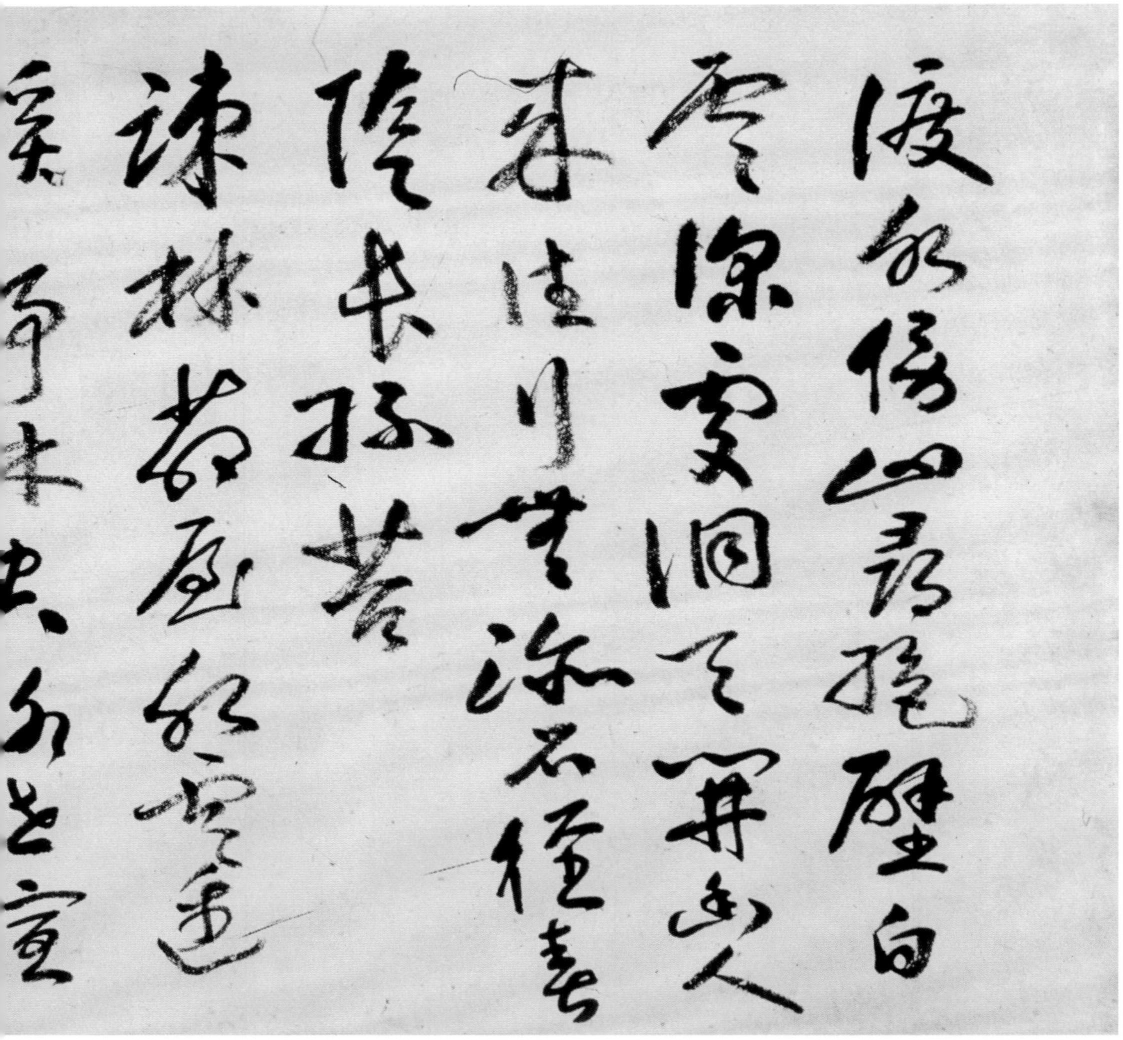

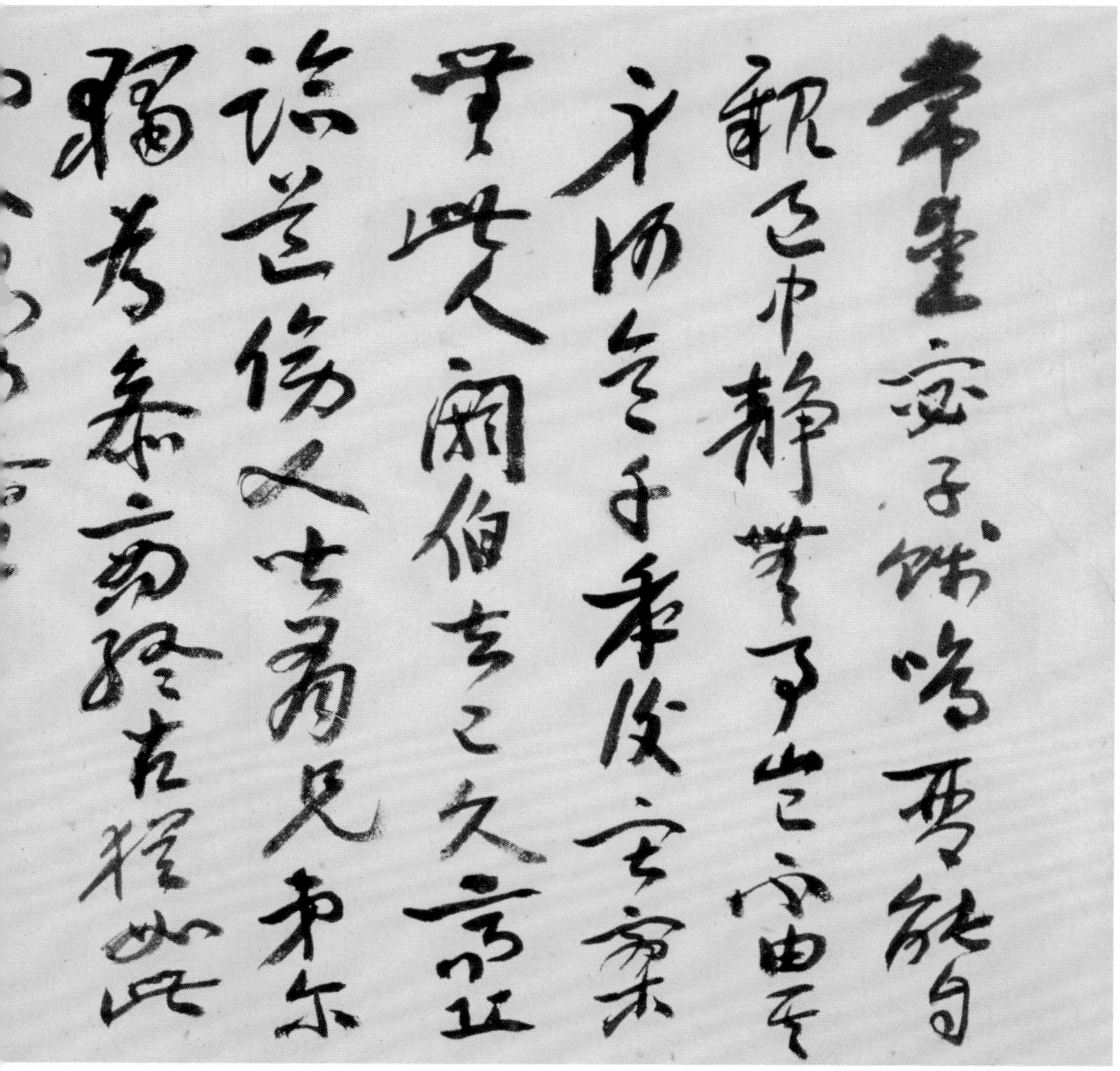

草書黄庭堅詩（後頁局部）

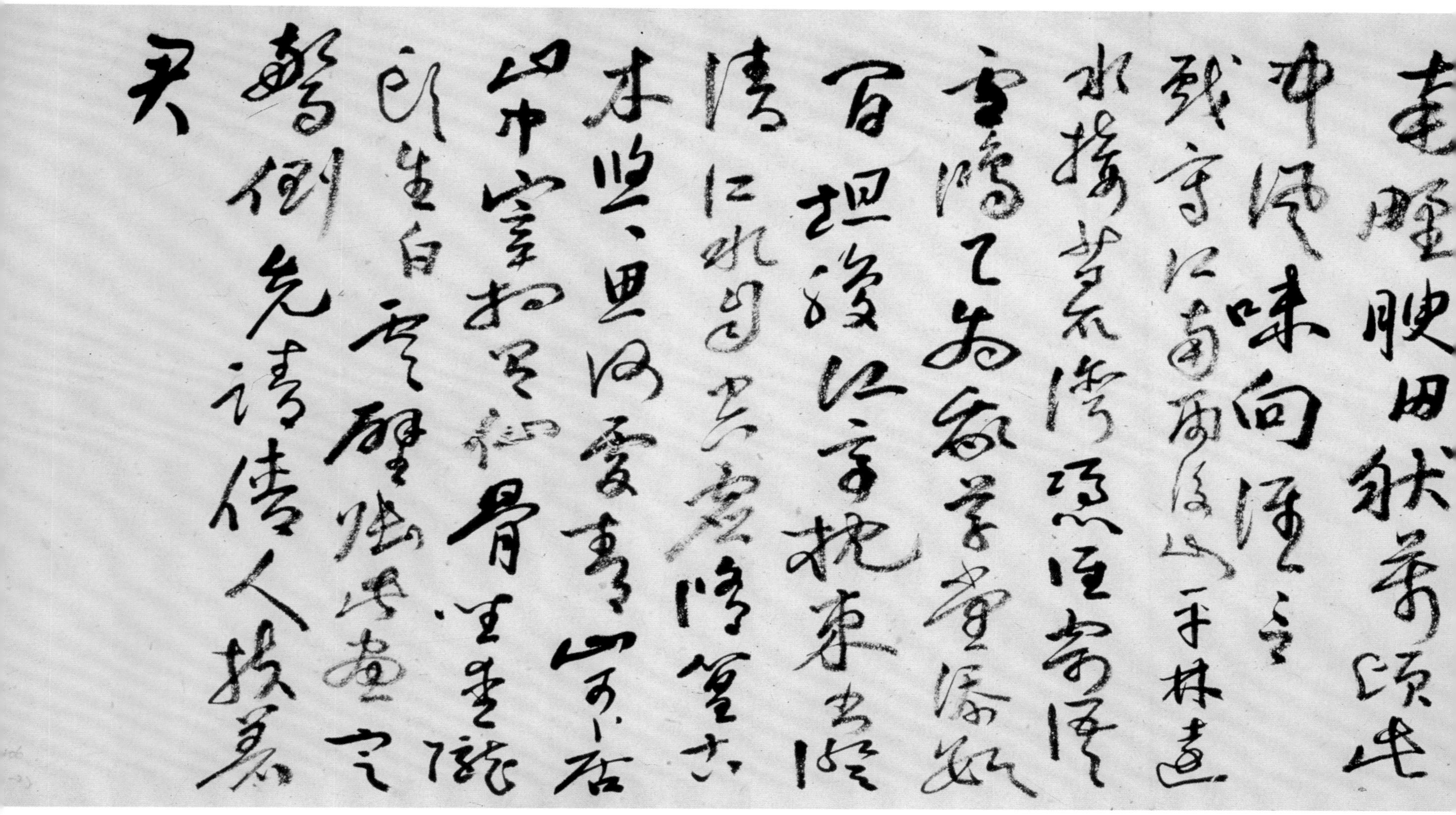

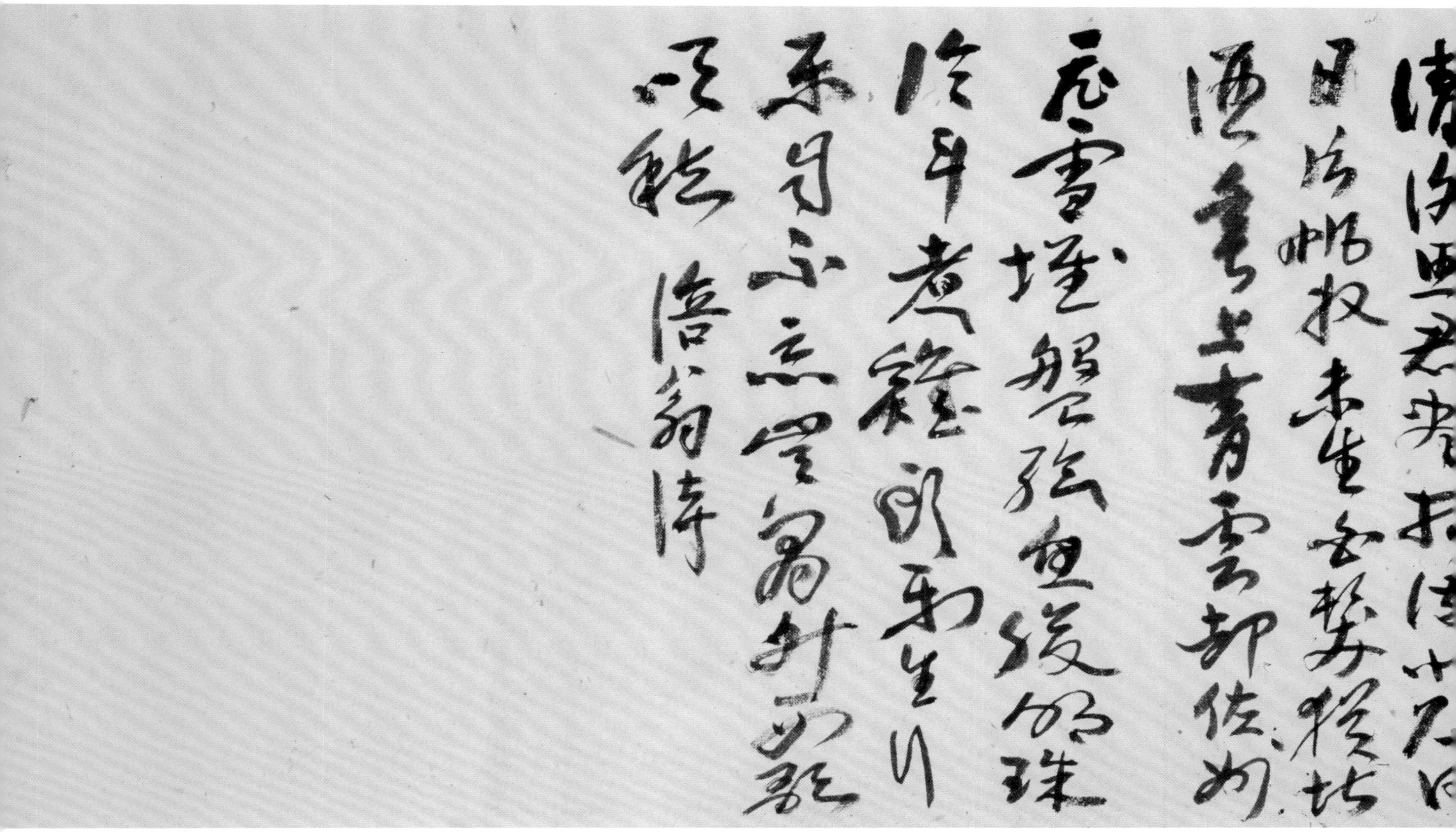

獨有春歸之翁猶在程如此

所人安而之意

清流田君寒樹佳十隔洞

日從帆收來變安勢程挺

西風去上青雲卻作妙

飛雪擁船弦魚復如珠
隱斗老縱詠雨生川
平明下点罾舄射出聲
右錄陸放翁詩

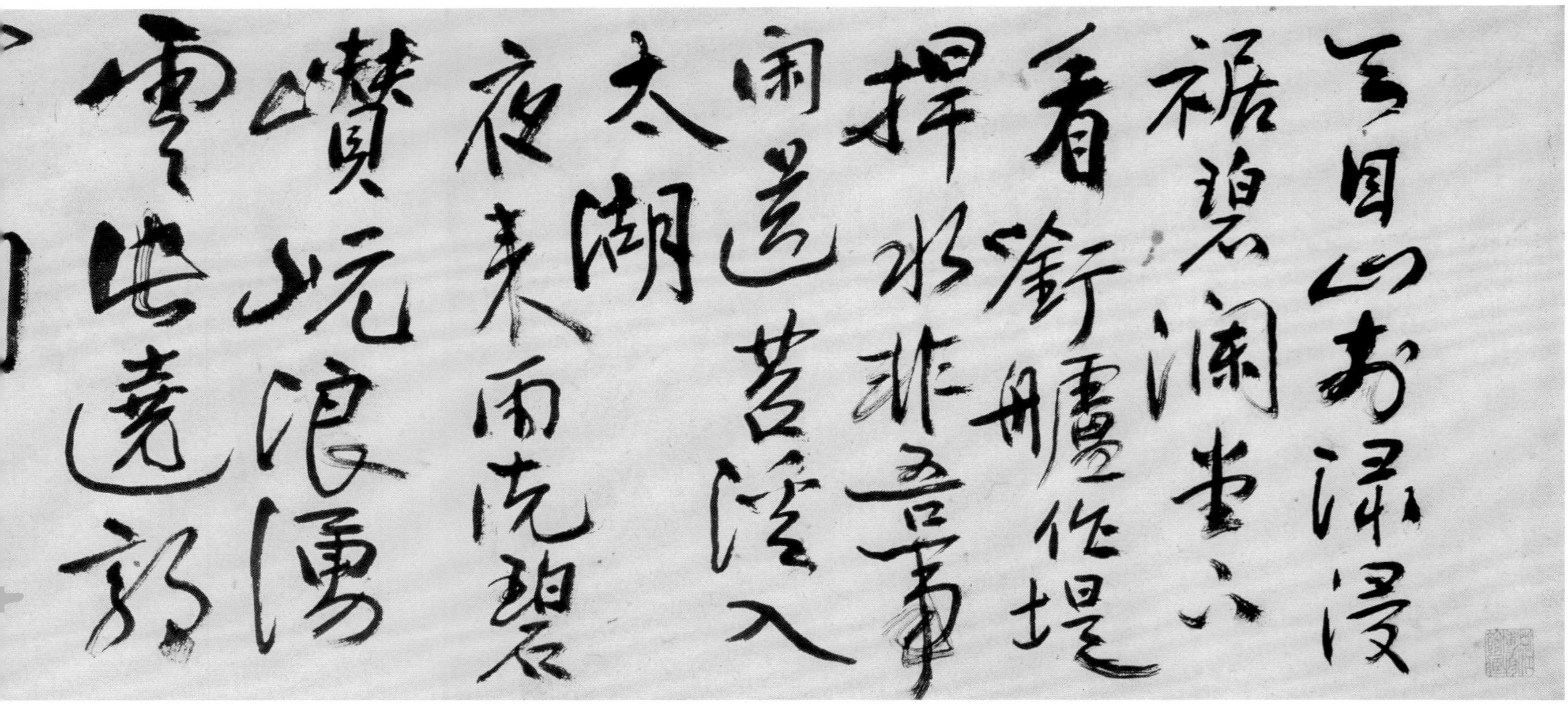

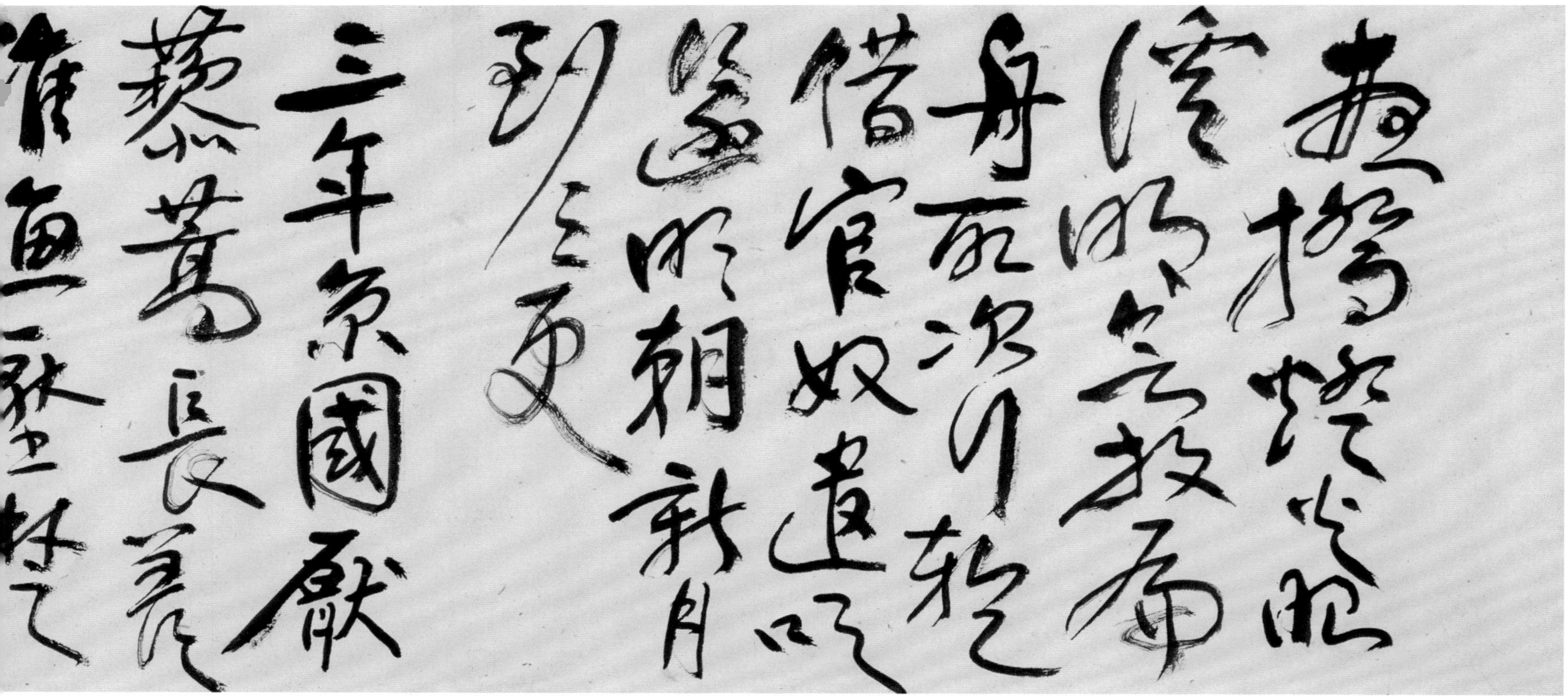

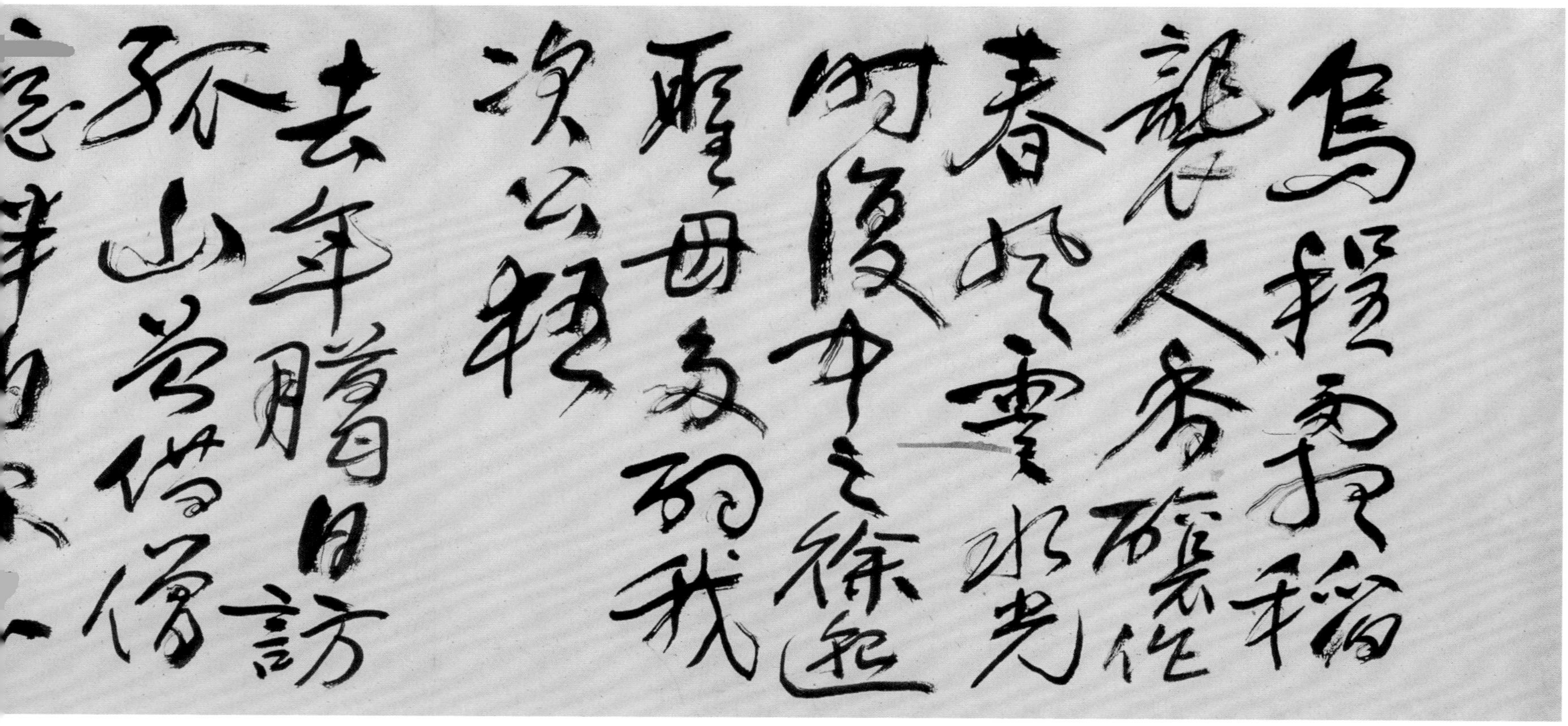

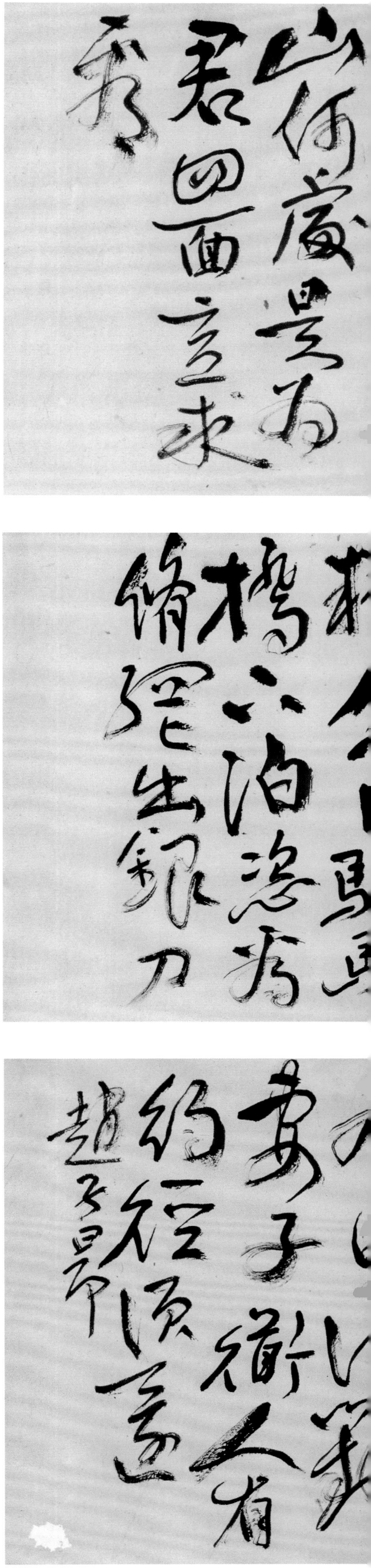

草書古人七言詩　紙本　縱二七·五厘米　橫八五厘米　三幅　浙江省博物館藏

釋文：天目山前淥浸裾　碧瀾堂下看銜艫　作堤捍水非吾事　閑送苕溪入太湖
夜來雨洗碧巑岏　浪涌雲屯繞郭寒　聞有弁山何處是　爲君四面意求看　夜橋燈火照溪明　欲放扁舟取次行
暫借官奴遣吹笛　明朝新月到三更　三年京國厭藜蒿　長羨淮魚壓楚糟　今日駱駝橋下泊　恣看修網出銀刀
烏程霜稻襲人香　釀作春風霅水光　時復中之徐邈聖　毋多酌我次公狂　去年臘日訪孤山　曾借僧窗半日閑
不爲思歸對妻子　道人有約徑須還　趙子昂

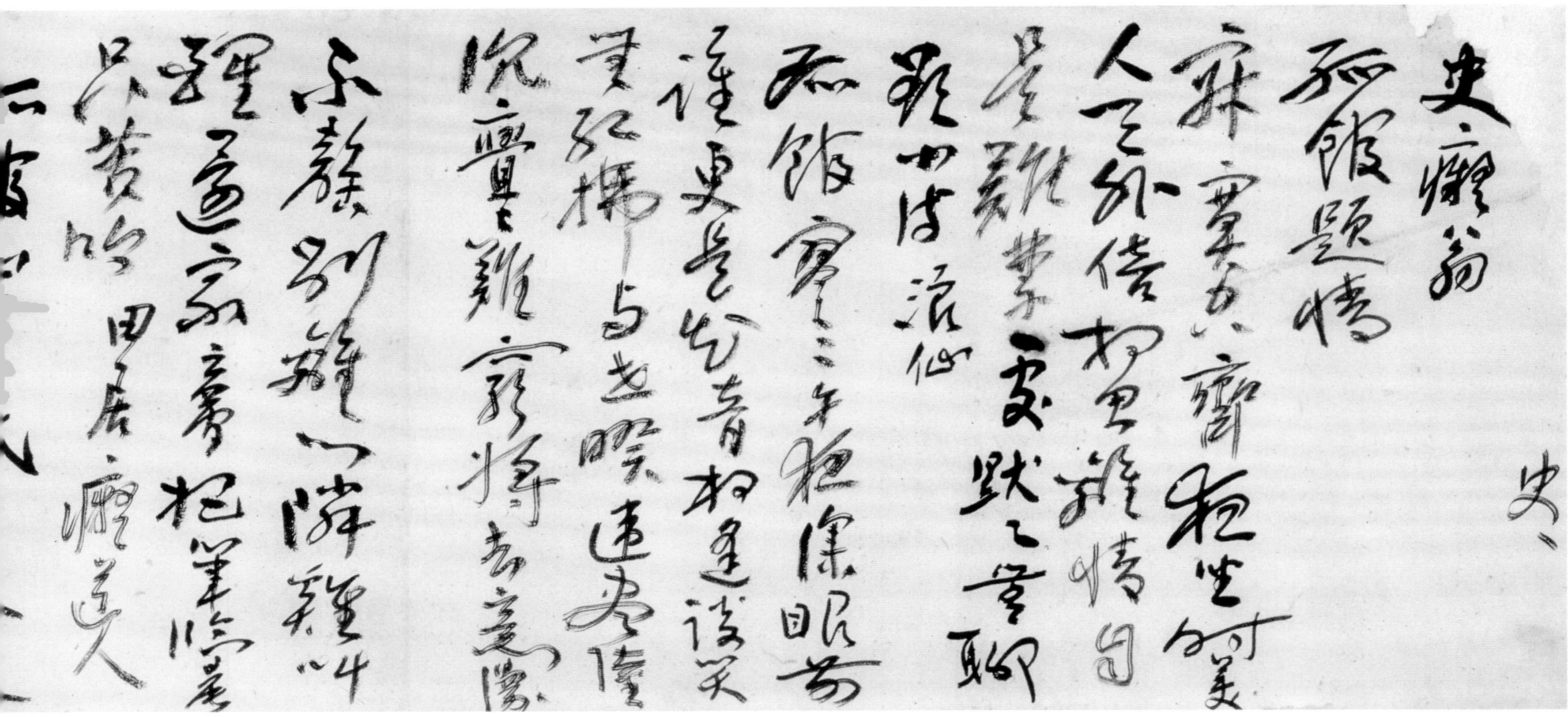

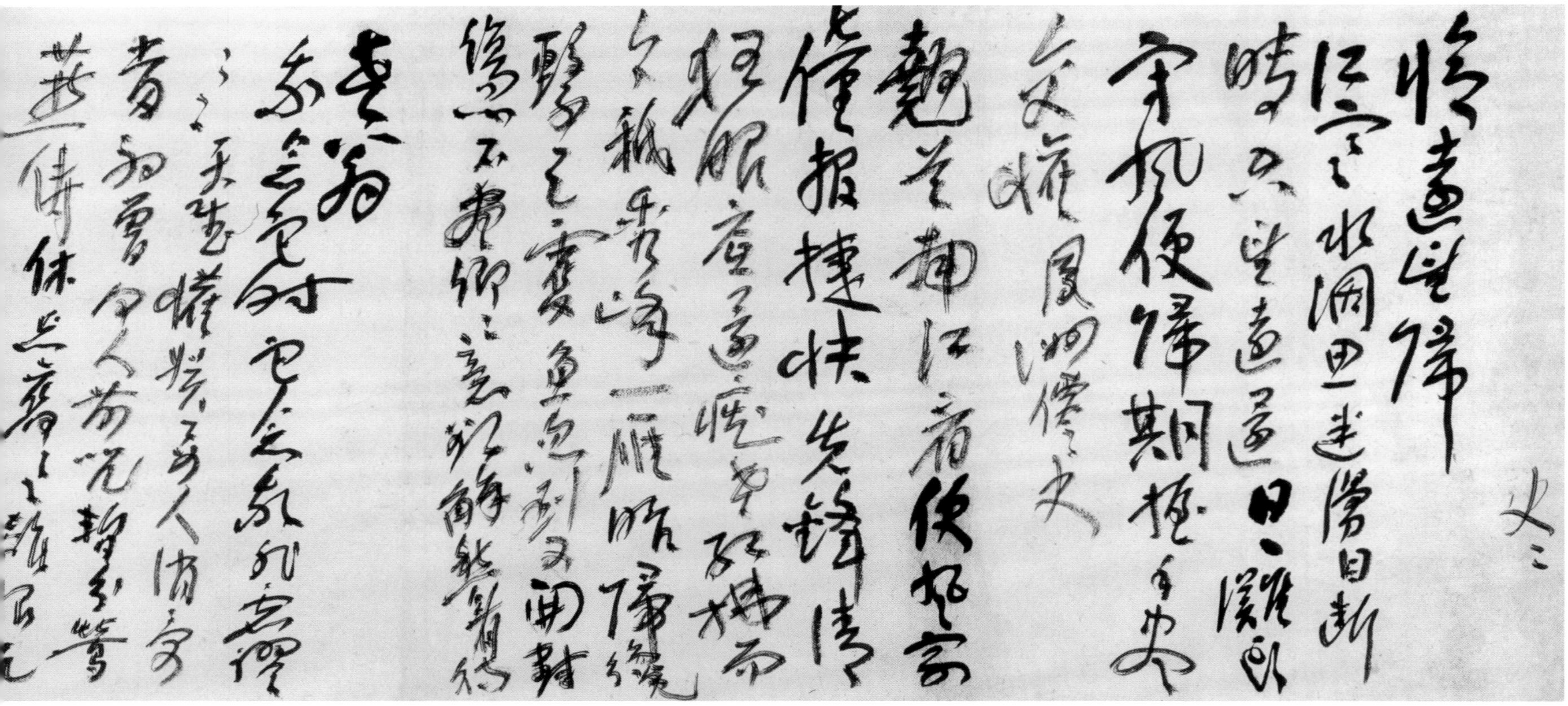

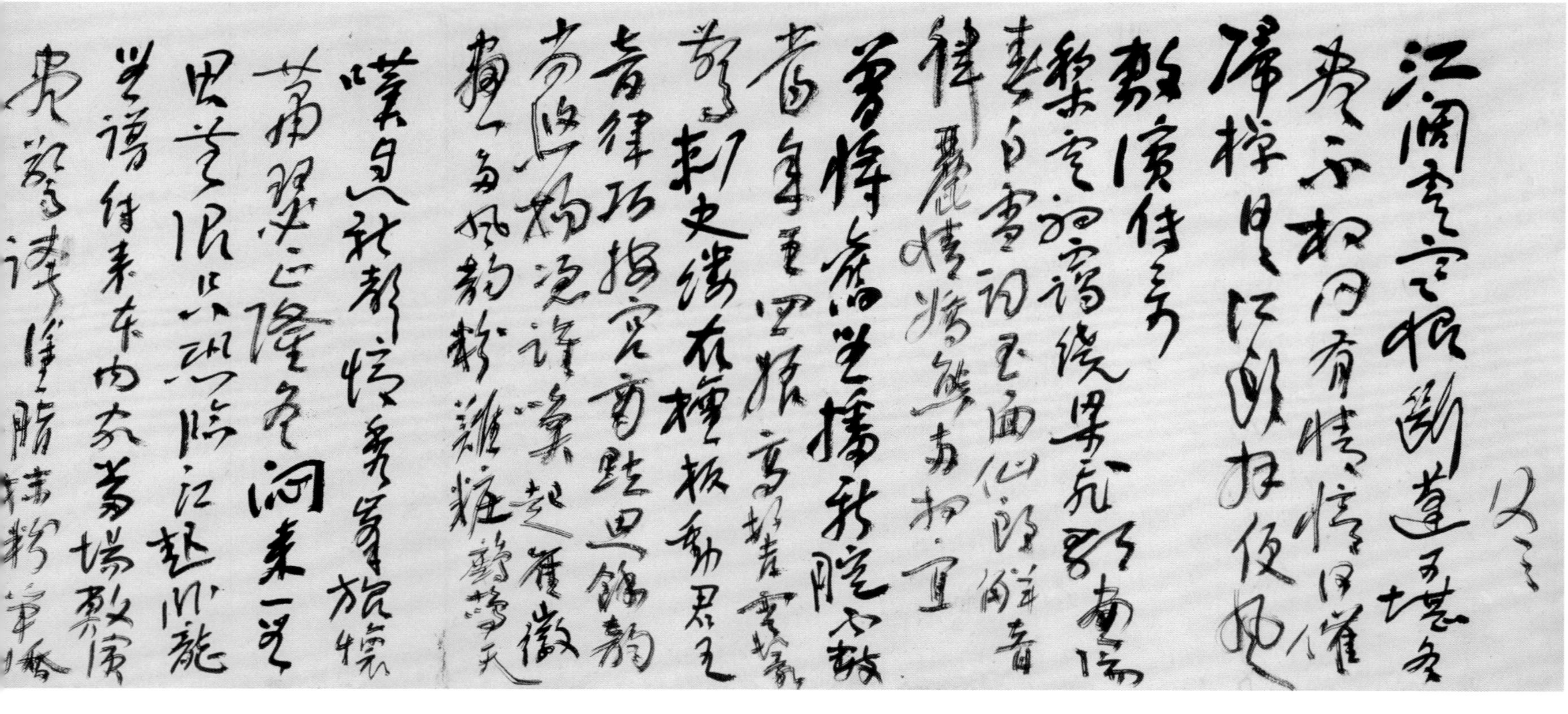

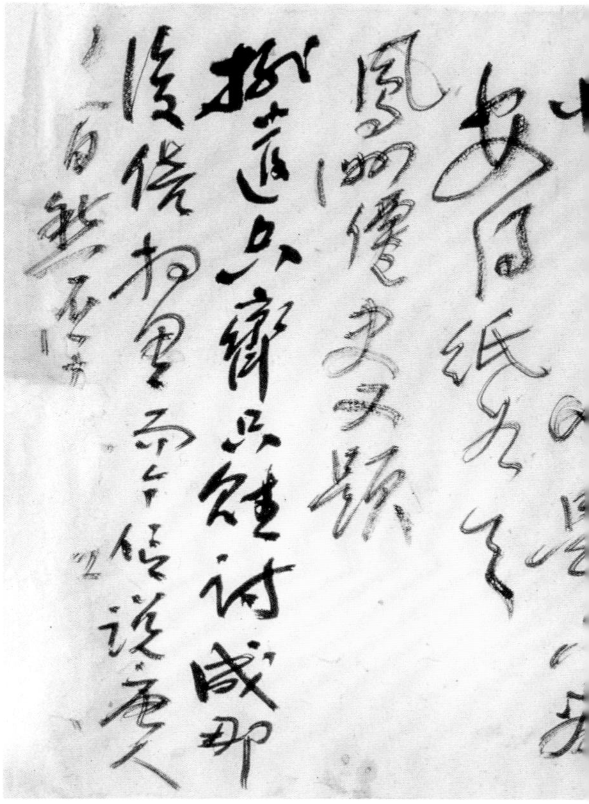

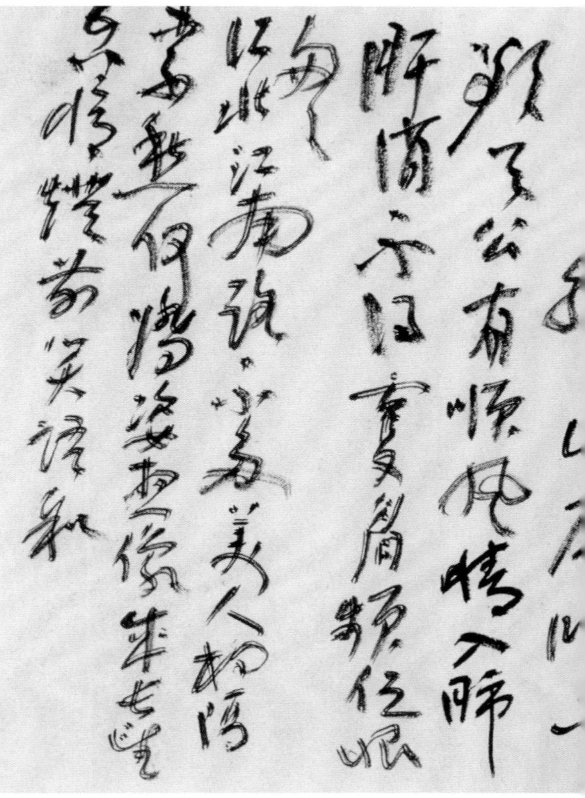

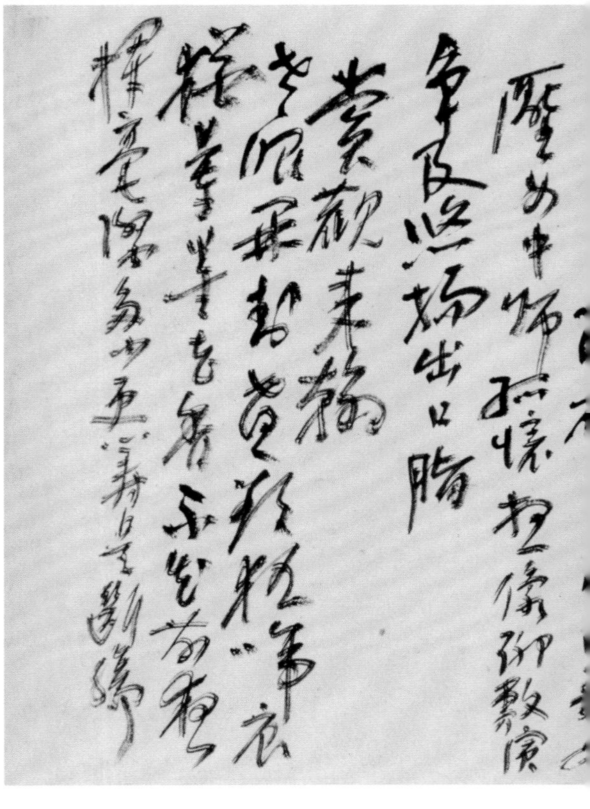

草書史忠詩詞

紙本　縱二八厘米　橫八五厘米　六幅

浙江省博物館藏

釋文：史痴翁　孤館題情

寂寞空齋夜坐時　美人天外倍相思　離情自是難禁處　默默無聊欲小詩　浪仙

孤館寥寥午夜深　眼前誰更是知音　相逢談笑無紅拂　與世睽違盡陸沉

亹亹難窮將去意　漫漫不罄別離心　鄰鷄叫醒還家夢　把筆臨晨只苦吟

田居痴道人

孤館正無眠　長更夜似年　苦情題未盡　安得紙如天

鳳洲仙史又題　排遣空齋只賦詩　詩成那復倍相思　而今信說唐人□　□閑愁□□□□

憶遠留歸

江寒水闊思迷漫　目斷晴空望遠還　日日灘頭守風便　歸期握手盡交歡

鳳洲仙史

翹首南江看便風　家僮報捷快先鋒　清狂眼底還痴老　紅拂而今只秀峰

一雁昨歸才繫足　雙魚忽到又開封　傷心不盡卿卿意　欲解愁眉待老翁

我念它時它念我　非虛謬　非虛謬　天賦歡娛　要人消受　當初曾何人前咒

暫分鶯燕儔　休忘舊　休忘舊　離恨足　自有日成就

眼穿終日望歸鴻　只欲天公有順風　情入肺肝消不得　雙眉頻促恨匆匆

江北江南路不多　美人相隔奈愁何　嬌姿想像成長望　空憶燈前笑語和

江闊雲寒恨斷蓬　可堪冬盡不相同　有情憶得催歸棹　日日江頭拜便風

敷演傳奇

梨雲初靄繞梁飛　歌盡陽春白雪詞　玉面仙郎解音律　麗情嬌態兩相宜

曾將舊曲播新腔　不數當年王四娘　高髻雲鬟驚刺史　縷衣檀板動君王

音律巧　按宮商　點思餘韵尚悠揚　憑誰喚起崔徽畫　多□風韵粉難妝

鷓鴣天

嘆息秋聲憶秀峰　旅懷蕭瑟正隆冬　悶來一曲思無限　只恐臨江起卧龍

曲譜傳來本內家　當場敷演盡驚誇　塗脂抹粉爭嬌艷　曾解宮商一字差

記得花陰勸酒巵　清歌盡壓女中師　孤懷想像聊敷演　爭及悠揚出口脂

賞觀來翰

老眼開封喜欲狂　啼痕猶暈墨花香　不知前夜揮毫際　多少更籌是斷腸

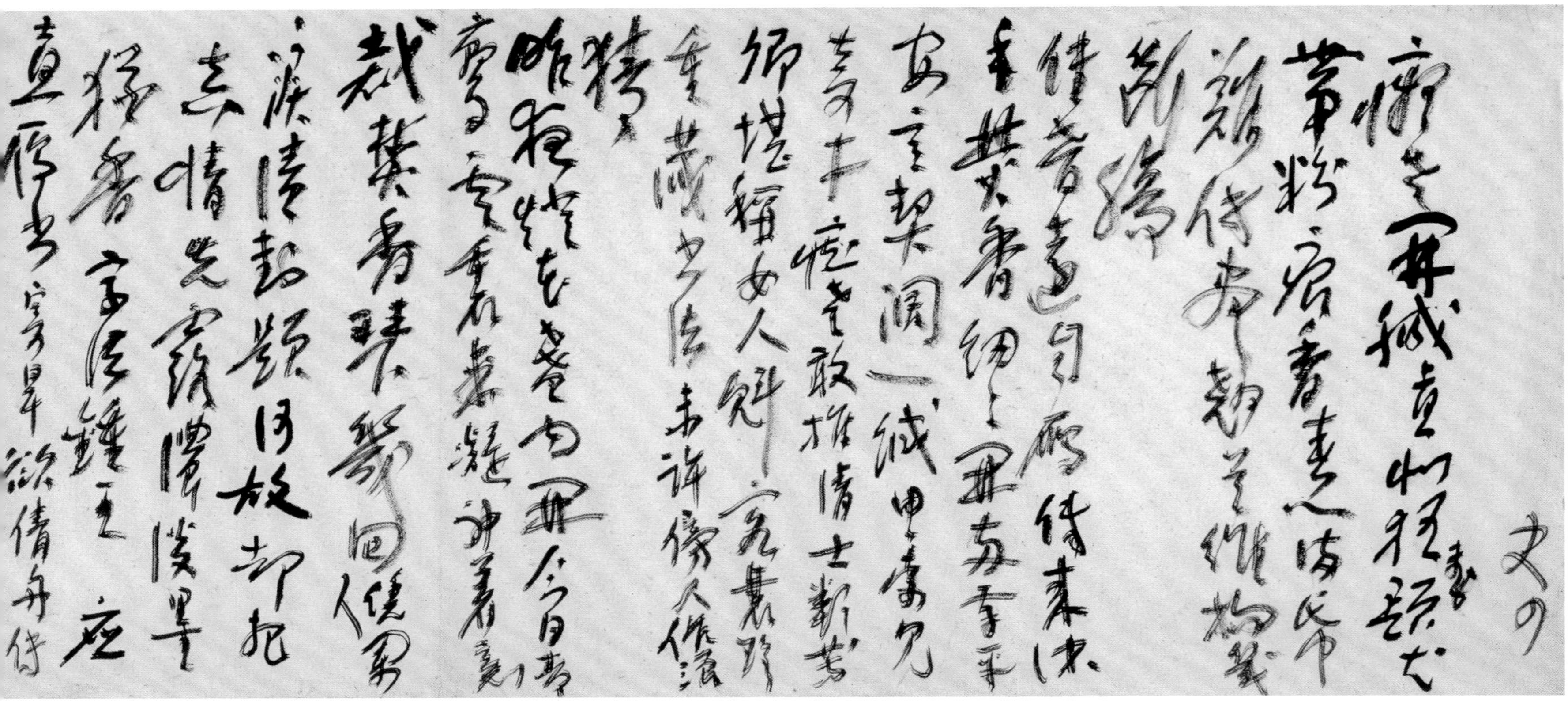

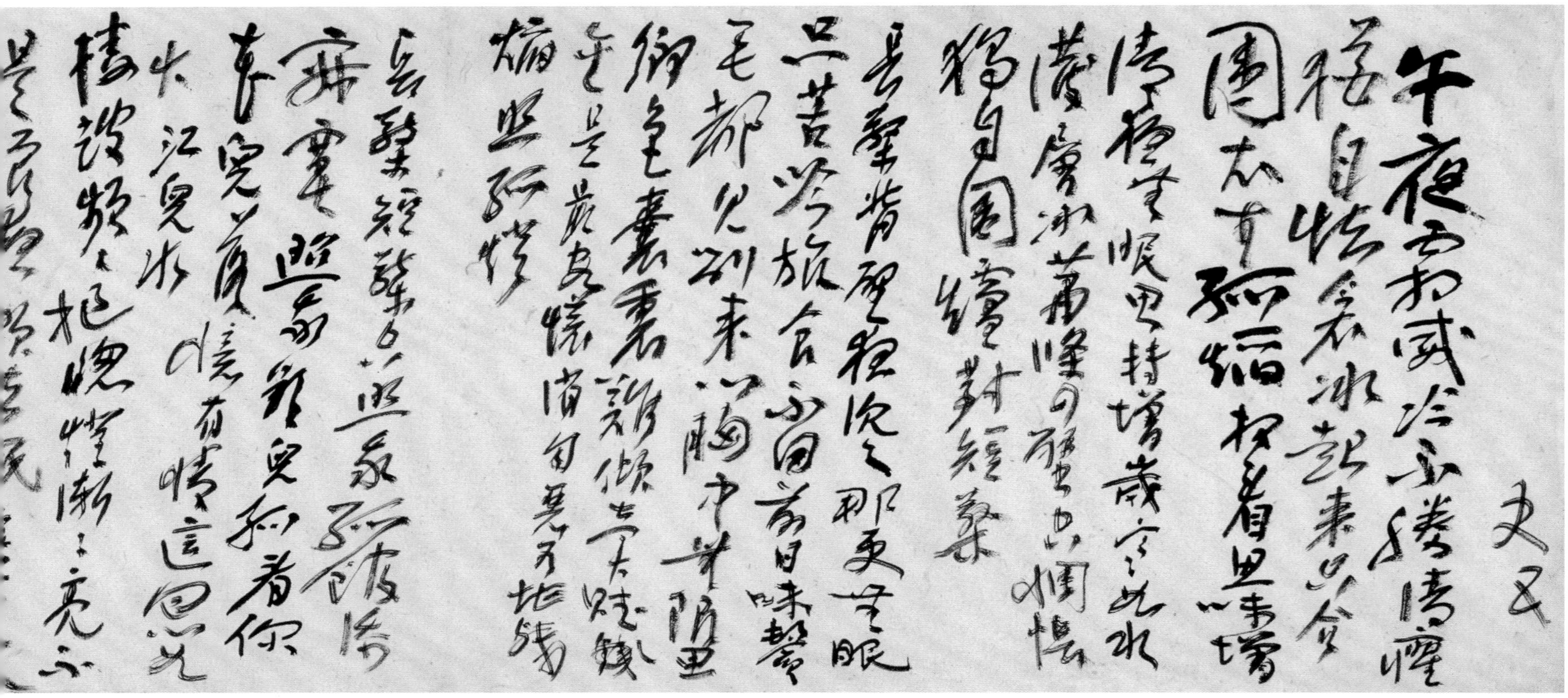

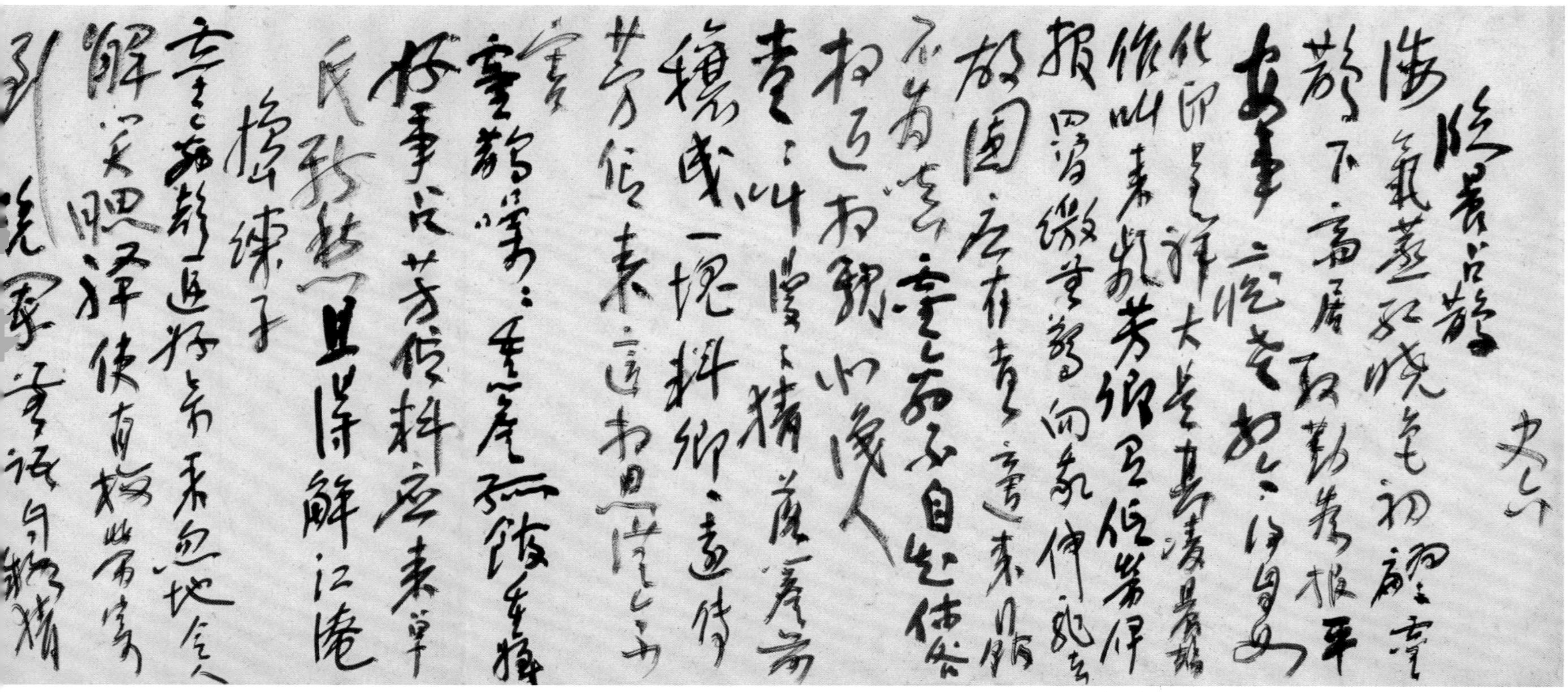

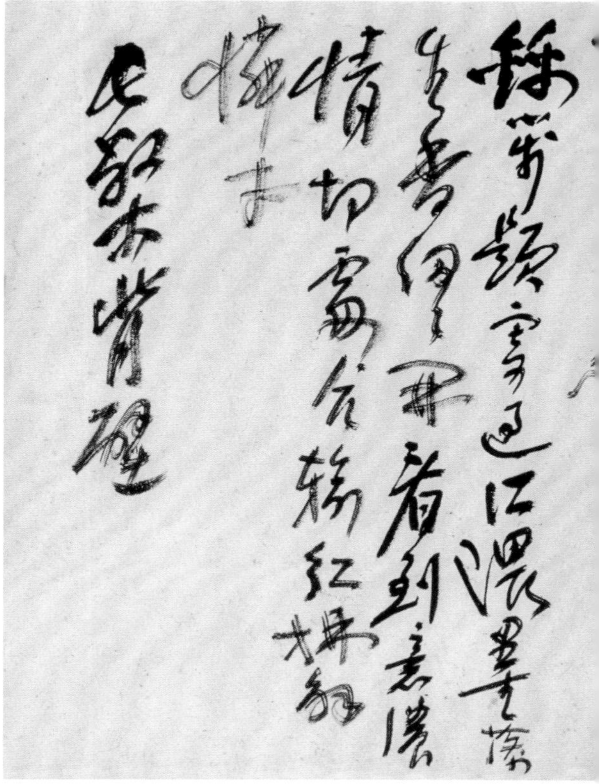

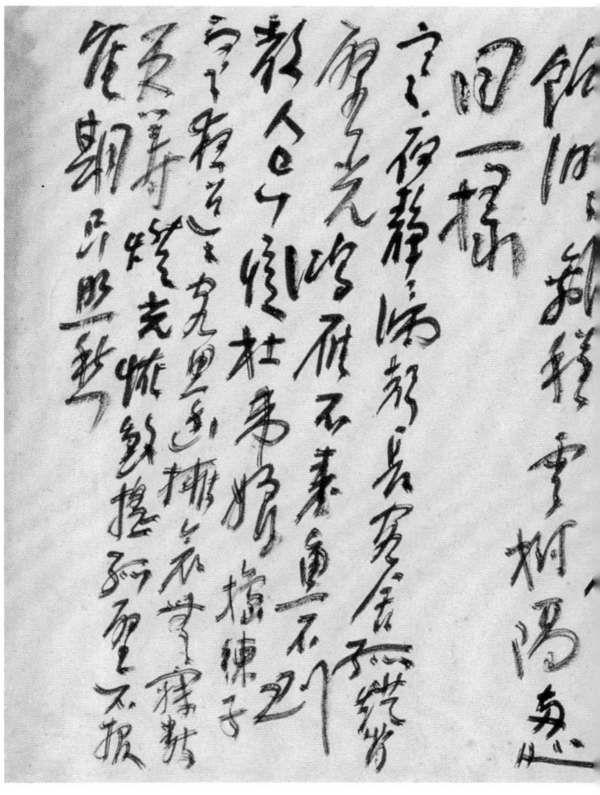

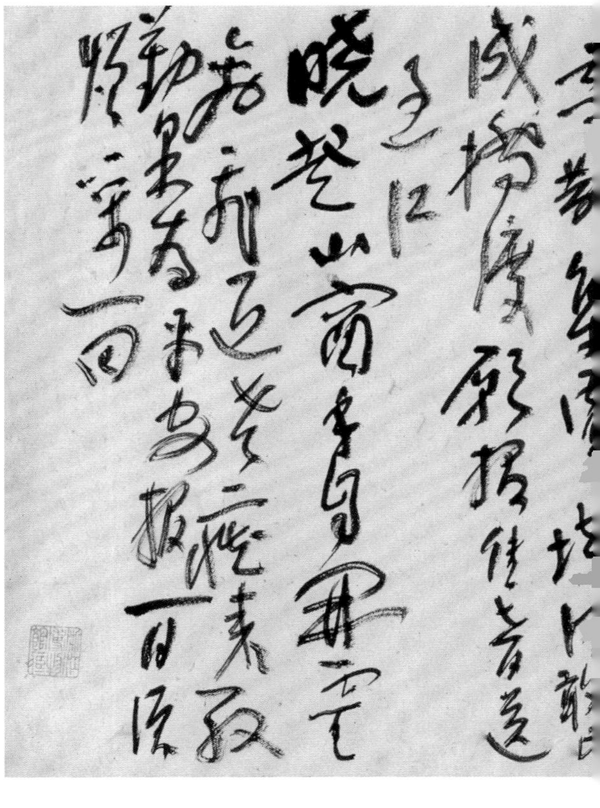

痴老開緘直似狂　素題尤帶粉痕香　春心滿紙難傳盡　翹首維揚幾斷腸
佳音遠自雁傳來　沐手焚香細細開　兩歲平安言契闊　一緘思索見奇才
痴老敢推清士類　芳卿堪稱女人魁　客囊珍重藏書法　未許傍人作浪猜
昨夜燈花盞內開　今日青鸞雲裏來　凝神着意裁　焚香拜幾回　憑闌人　泪漬封題
何故却把真情先露　濃淡墨猶香　字法鍾王　應喜雁書寄早　欲倩舟傳更好
珍翰罄相思　我自知　昭君怨　錦箋題寄過江限　墨藻生香細細開　看到意濃情切處
合輸紅拂解憐才

長槳背壁

午夜霜威冷不勝　清癯猶自怯衾冰　起來只合圍衣坐　孤焰相看思味增
清夜無眠思轉增　歲寒如水潑層冰　蕭條四壁空惆悵　獨自圍爐對短槳
長槳背壁夜沉沉　那更無眠只苦吟　旅食不同前日味　鬢毛都見別來心
胸中無限思鄉色　囊裏難傾賣賦金　是最客懷消自惡　可堪殘焰照孤燈
長槳短槳　空照我　孤館添寂寞　照我影兒孤　看你花兒落　憶有情　這回心如火
江兒水　樓鼓頻頻撾　窗燈漸漸亮　不是良夜懶去眠　無倚仗　鄰鷄報五更　披衣坐
一餉　渺渺離程雲樹隔　兩心同一樣　寒夜靜漏聲聲長　客舍孤燈背壁光

鴻雁不來魚不到　教人空憶杜韋娘　搗練子
寒夜迢迢客思幽　擁衾無寐數更籌　燈光怪煞搖孤壁　不報佳期只照愁

臨晨占鵲

海氣蒸紅曉色初　翩翩靈鵲下齋居　殷勤爲報平安事　痴老于今得自如
化印呈祥大是真　凌晨鵲作叫來頻　芳卿有信勞伊報　晋繳無驚向我伸
飛去故國應有喜　適來行館不爲嗔　靈禽不自知休咎　相近相親似識人
查查叫　漫漫猜　落檐前穰成一塊　料卿卿　遠傳芳信來　這相思從今不害
靈鵲噪　噪重檐　孤館重將好事占　芳信料應來卓氏　新愁且得解江淹

搗練子

靈禽聲近好奇來　忽地令人解笑腮　驛使有梅勞寄到　憑闌無語自疑猜
晴日流輝上客窗　喳喳靈鵲集雙雙　填河敢望成橋渡　願報佳音送過江
曉起山窗手自開　靈禽飛近老痴來　殷勤果爲平安報　一日須煩噪一回

草書史忠詩詞（後頁局部）

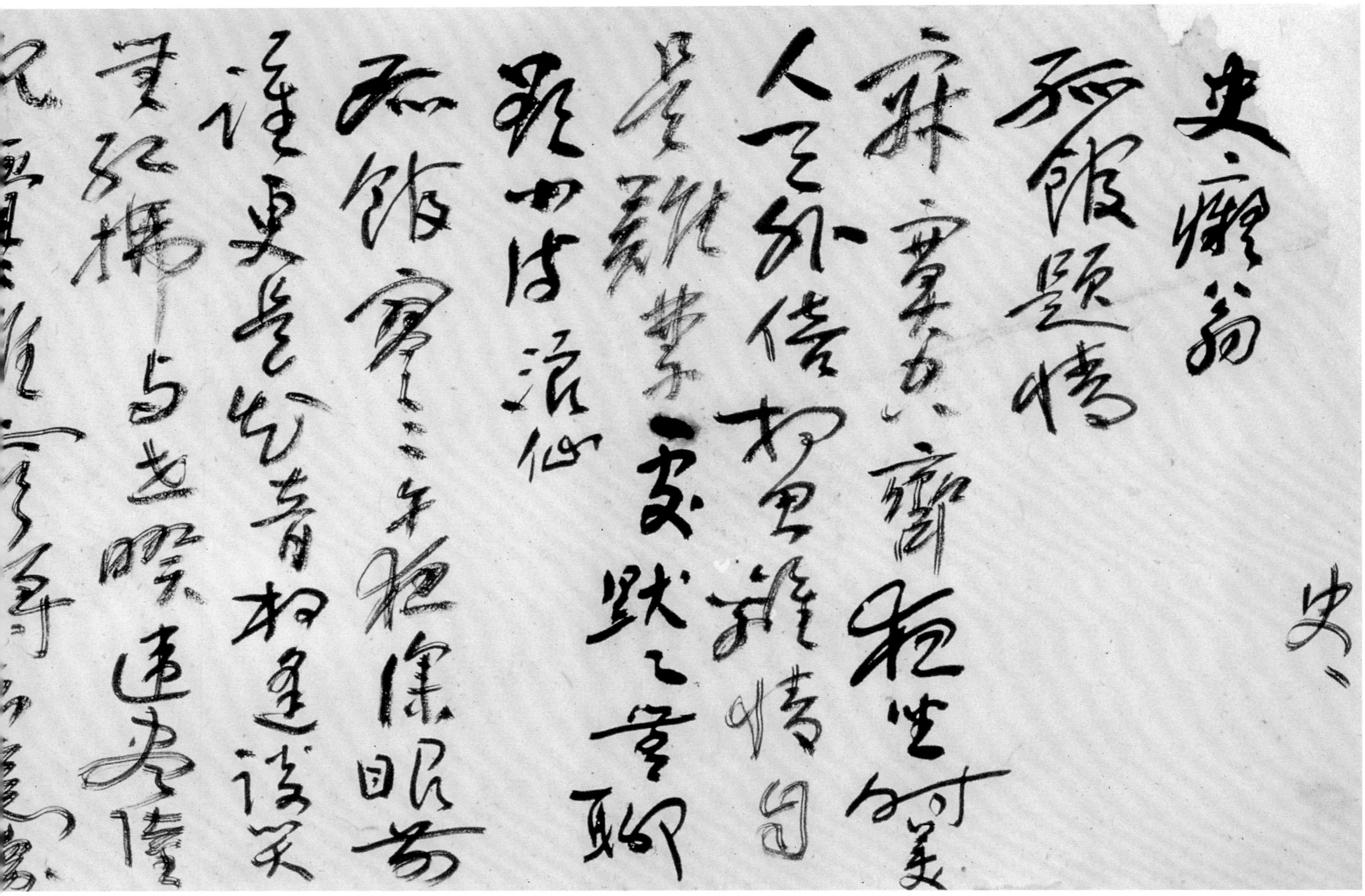
史癡翁
秋館題情
史一

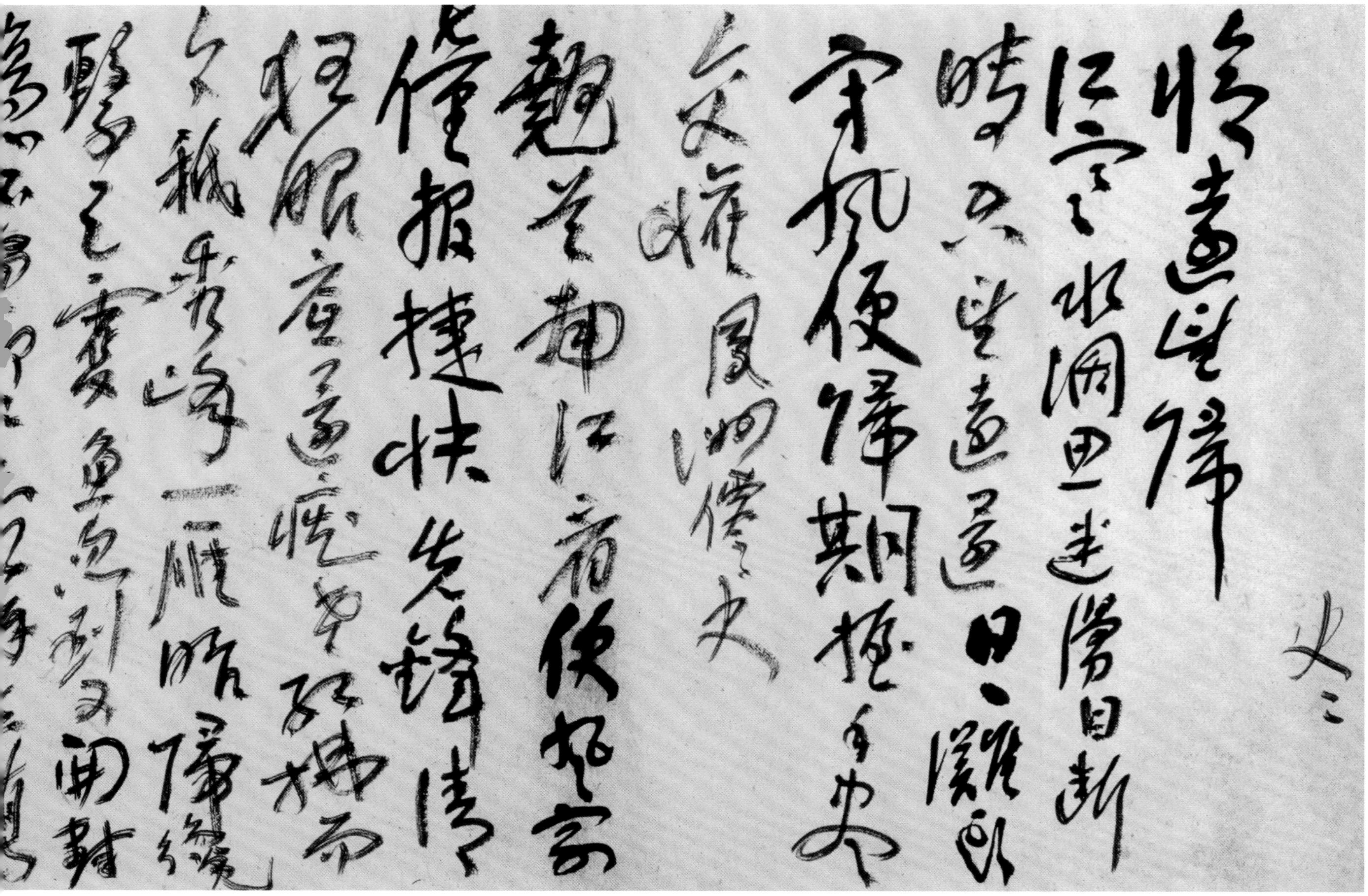
史二

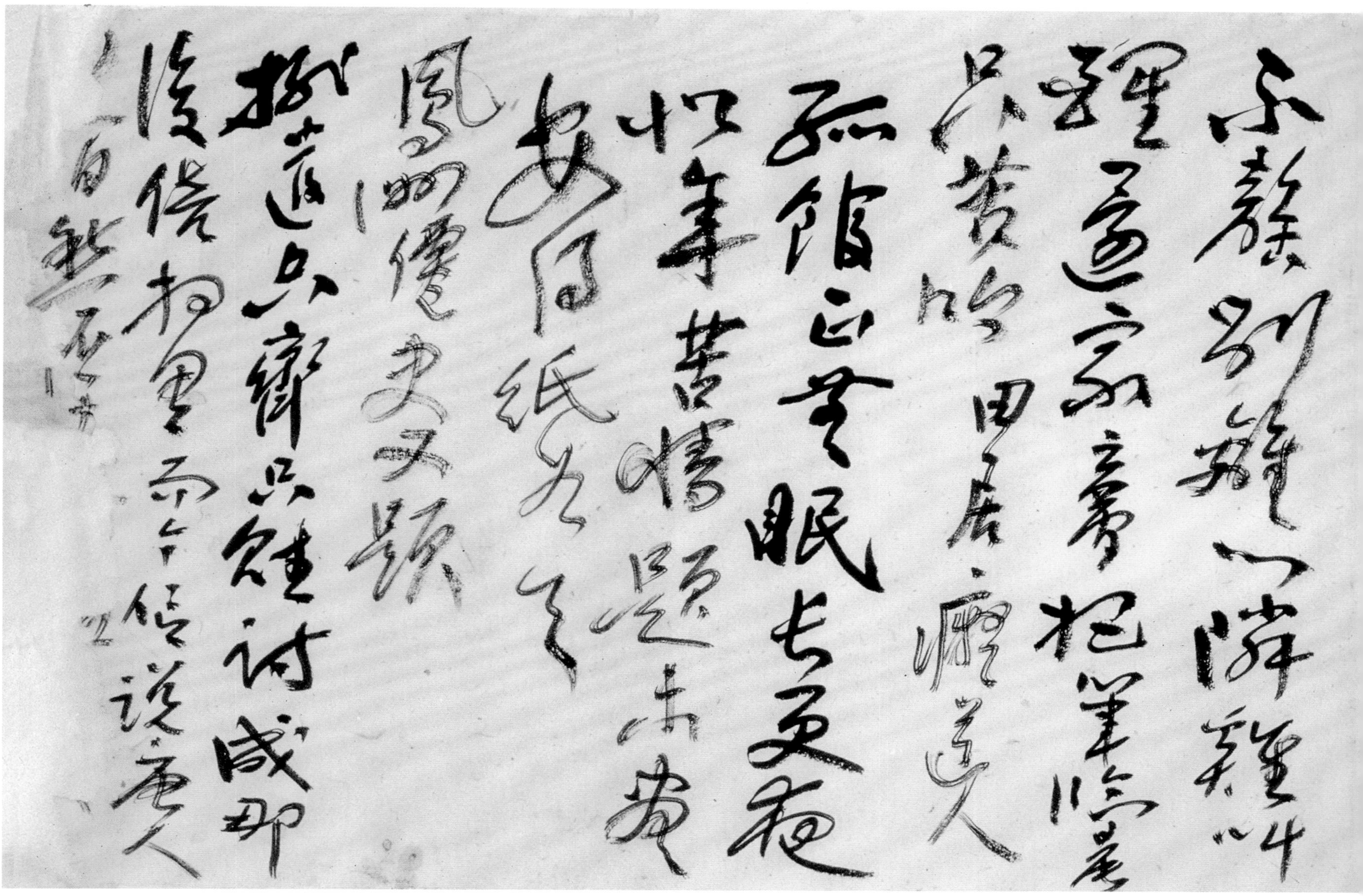

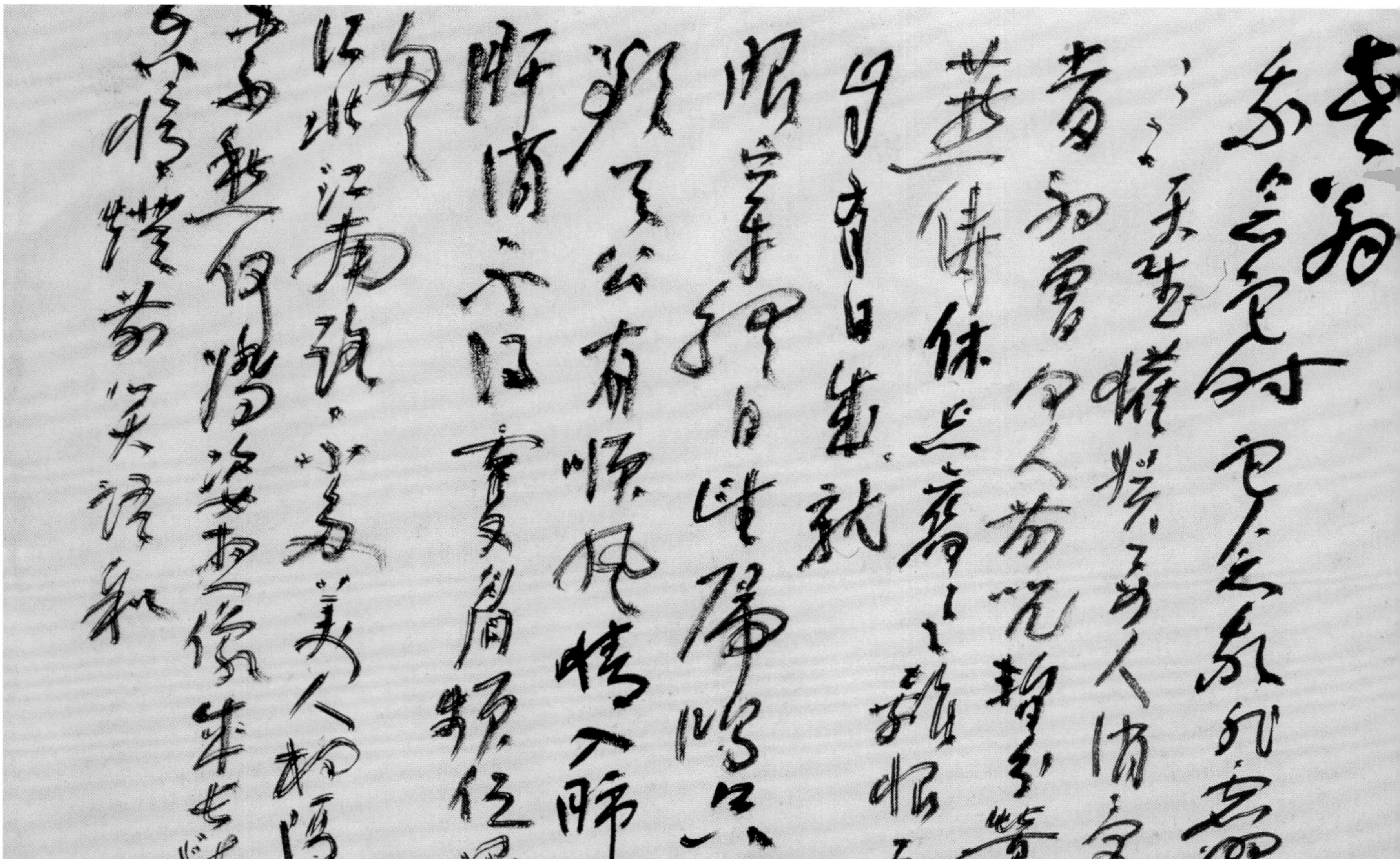

草書宋訥詩　紙本　縱二九厘米　橫三九厘米　九幅

浙江省博物館藏

釋文：

離宮別館樹森森　秋色荒寒上苑深　北塞君臣方駐足　中華將帥已離心
興隆有管鸞笙歇　劈正無官玉斧沉　落日憑高望燕薊　黄金臺上棘如林
禁路隨人不忍行　臨風立馬倍傷情　千年王室山河壯　萬里宮車社稷輕
金鼎夔龍興聖殿　紫駝部落受降城　憑誰爲問天魔女　唱得陳宮玉樹聲
六宮春色一宵殘　夷難何人策謂奸　去國登瀛唐學士　降城執戟漢材官
瑶宮有扇捐金雀　紫塞無旗卷角端　花柳亦知宮女散　妝紅顰翠簇金鑾
土木窮奢過楚臺　披香……
扶運匡時計已差　青山重疊故京遮　九華宮殿燕王府　百扇門庭戍卒家
文武衣冠更制度　綾羅巷陌失繁華　氈車盡載天魔去　唯有鼠銜御苑花
黄葉西風海子橋　橋頭行客吊前朝　鳳凰城改佳游歇　龍虎臺荒王氣消
十尺天魔金屋貯　八千霜塞玉鞭摇　不知亡國盧溝水　依舊東風接海潮
鬱葱佳氣散無踪　宮外行人認九重　一曲歌殘羽衣舞　五更妝罷景陽鐘
雲間有闕摧雙鳳　天外無車駕六龍　欲訪當時泛舟處　滿池風雨脱芙蓉
灤京南下是中華　夜出居庸去路差　何處又栖王謝燕　故侯誰種邵平瓜
九重門闢人騎馬　萬歲山空樹集鴉　獨有天池秋水滿　西風吹入釣魚槎
仙裳宮袖擁龍舟　一夕兵來罷盛游　萬户千門銀燭冷　六軍百職布袍秋
御橋路壞盤龍石　金水河成飲馬溝　日暮胡笳和羌笛　舞兒羞見錦纏頭
漢皇愛舞起龍船　錦纜舊維御柳烟　侍女争開妝鏡匣　後宮不理敗弓弦
青油幕之登壇將　金馬門空待詔賢　惟有廣寒西畔柏　不知争戰翠參天
清寧宮殿閉殘花　塵世回頭换物華　寶鼎百年歸漢室　錦帆千古似隋家
後宮鸞鏡投江渚　北狩龍旌没塞沙　想見扶蘇城上月　照人清泪落胡笳
瑶臺瓊室倚清虚　佳氣潜消諫疏疏　帥閫有兵空虎衛　經筵無講過鑾輿
侯封一代皇孫爵　帝紀千年太史書　斜日五雲山下路　老儒騎馬重躊躇
黼座簪裳列俊髦　禁闈環佩立仙曹　兩京臺閣公輸巧　四海泥塗赤子勞
端本有書遺鶴禁　宣文無客進龍綍　拂郎天馬空逾海　千駕朝元玉輅高
事事傷心亂若絲　宮前重咏黍離詩　百年禮樂華夷主　一旦干戈喪亂師
鳳詔用非麟閣老　雉門降是羽林兒　行人莫上城樓望　惟有山河似舊時
雲霄宮闕錦山川　不在穹廬毳幕前　螢燭夜游隨苑圃　羊車春醉晋嬋娟
翠華去國三千里　玉璽傳家四十年　今日消沉何處問　居庸關外草連天

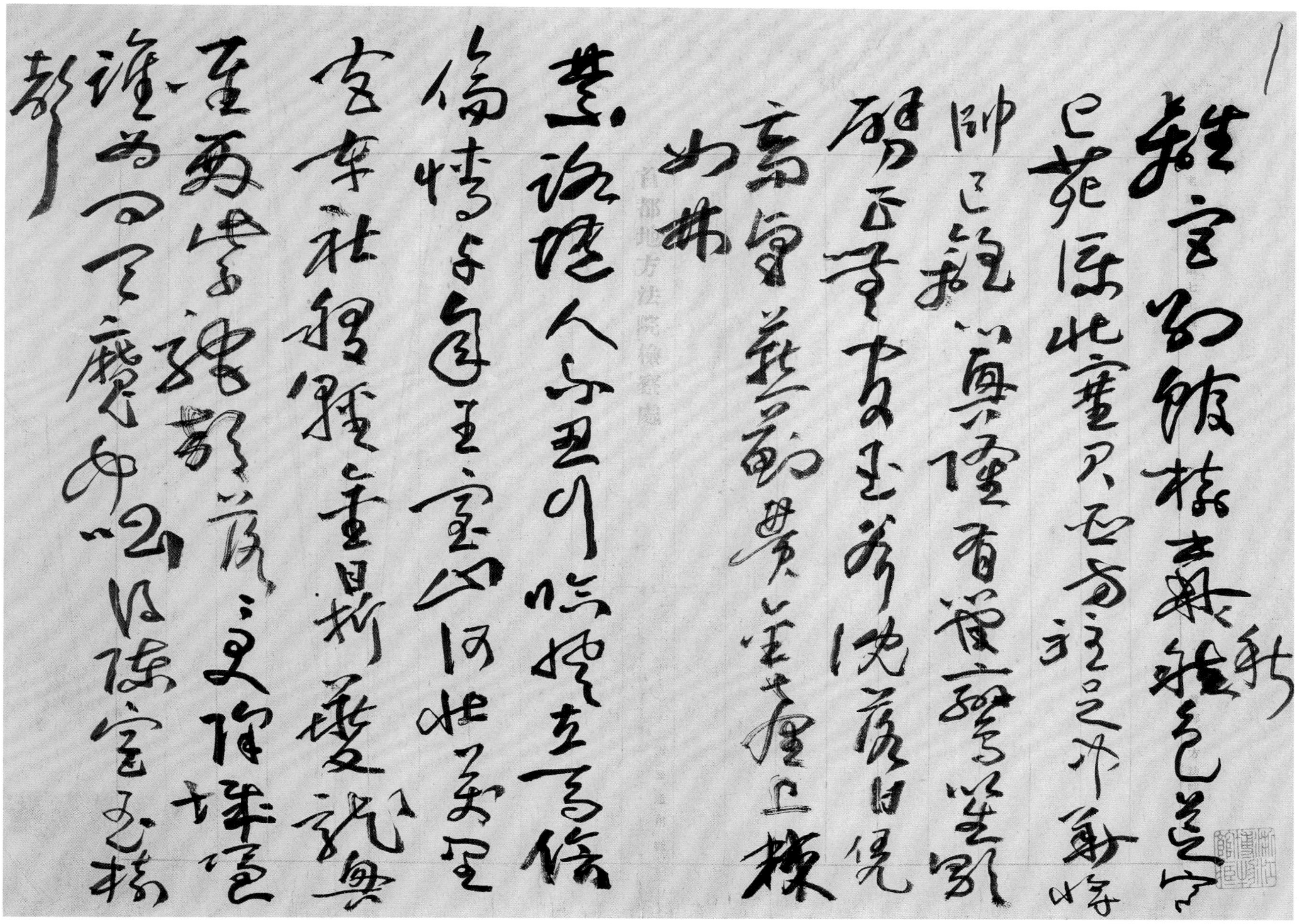

之一

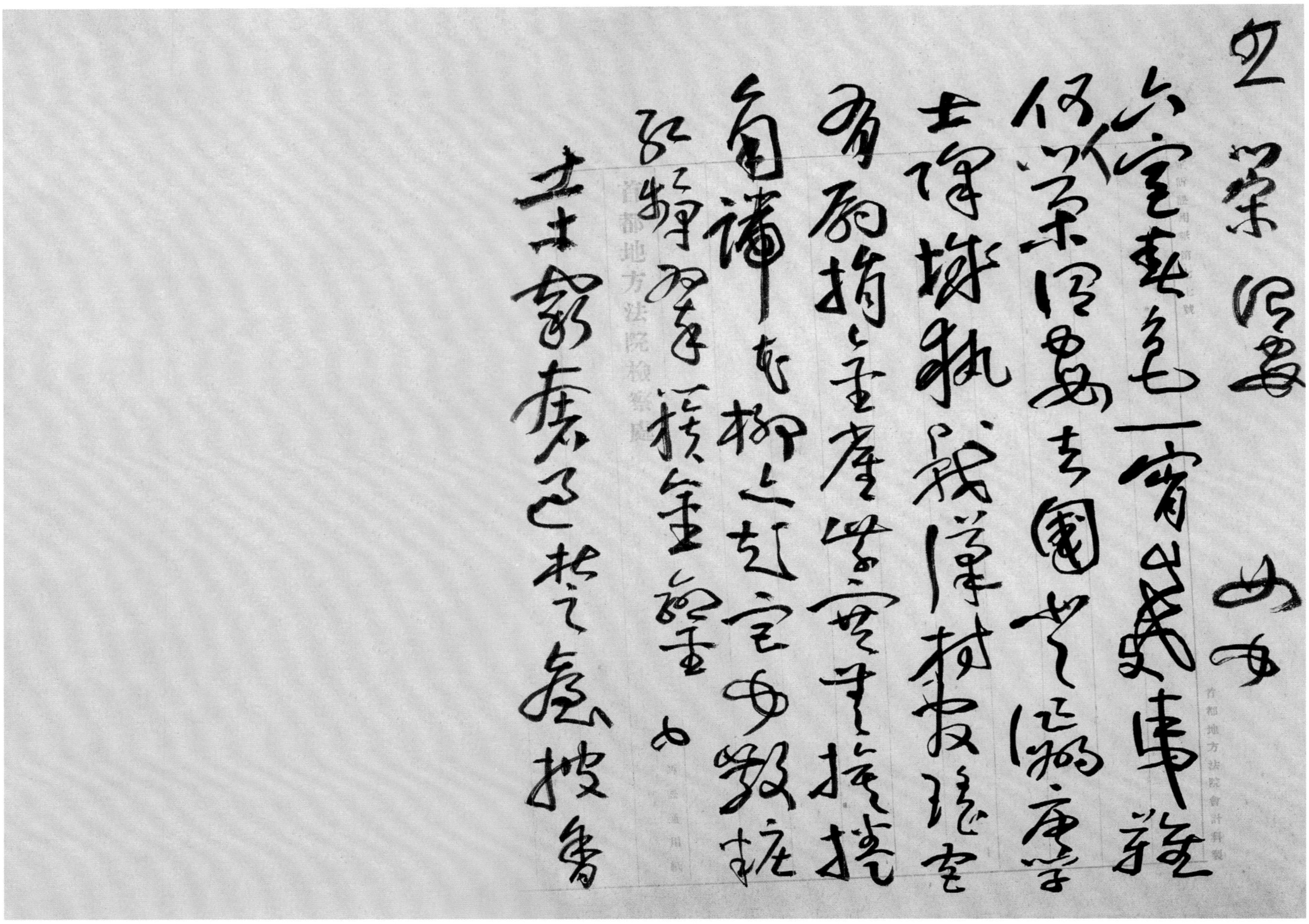

之二

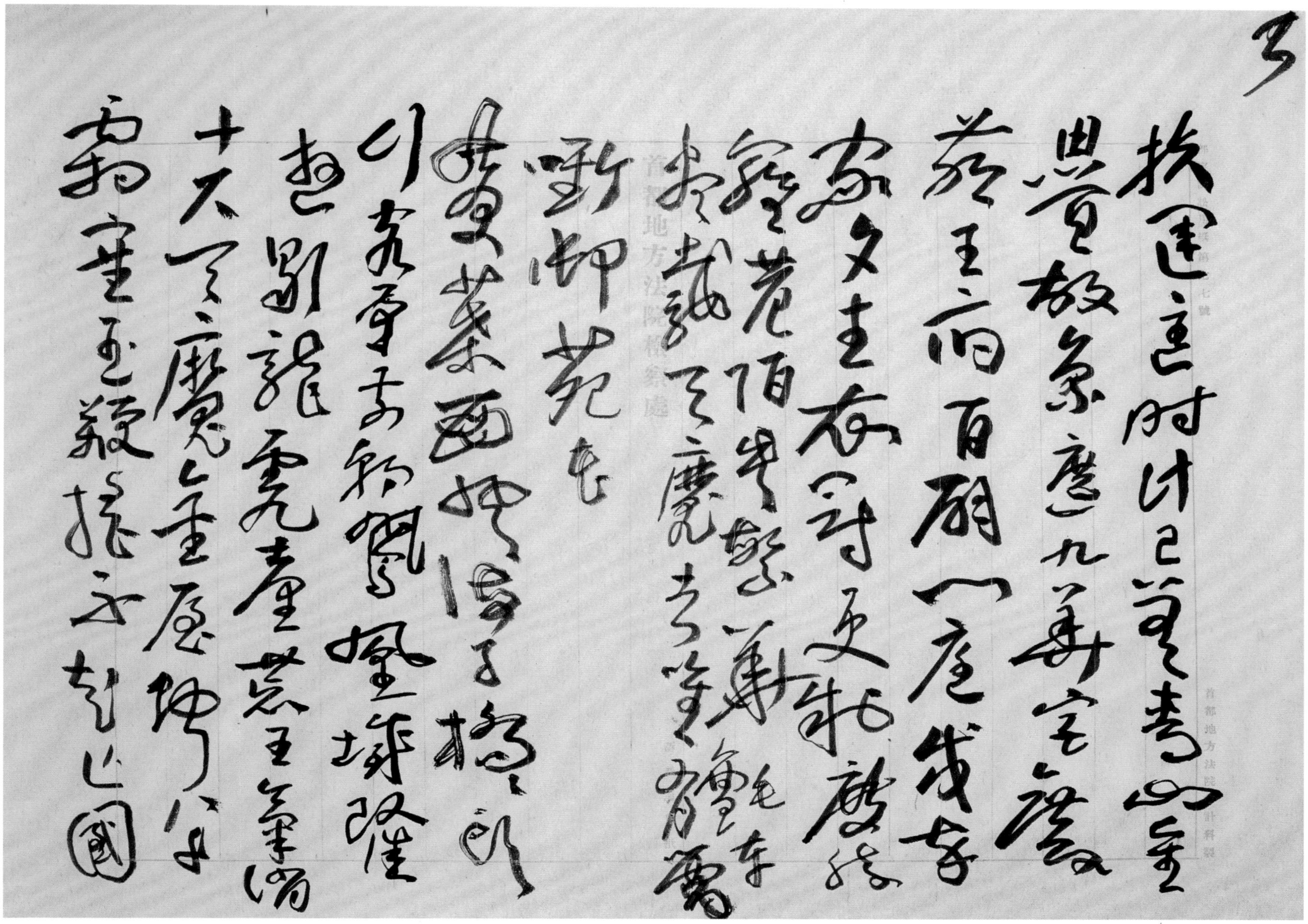

之三

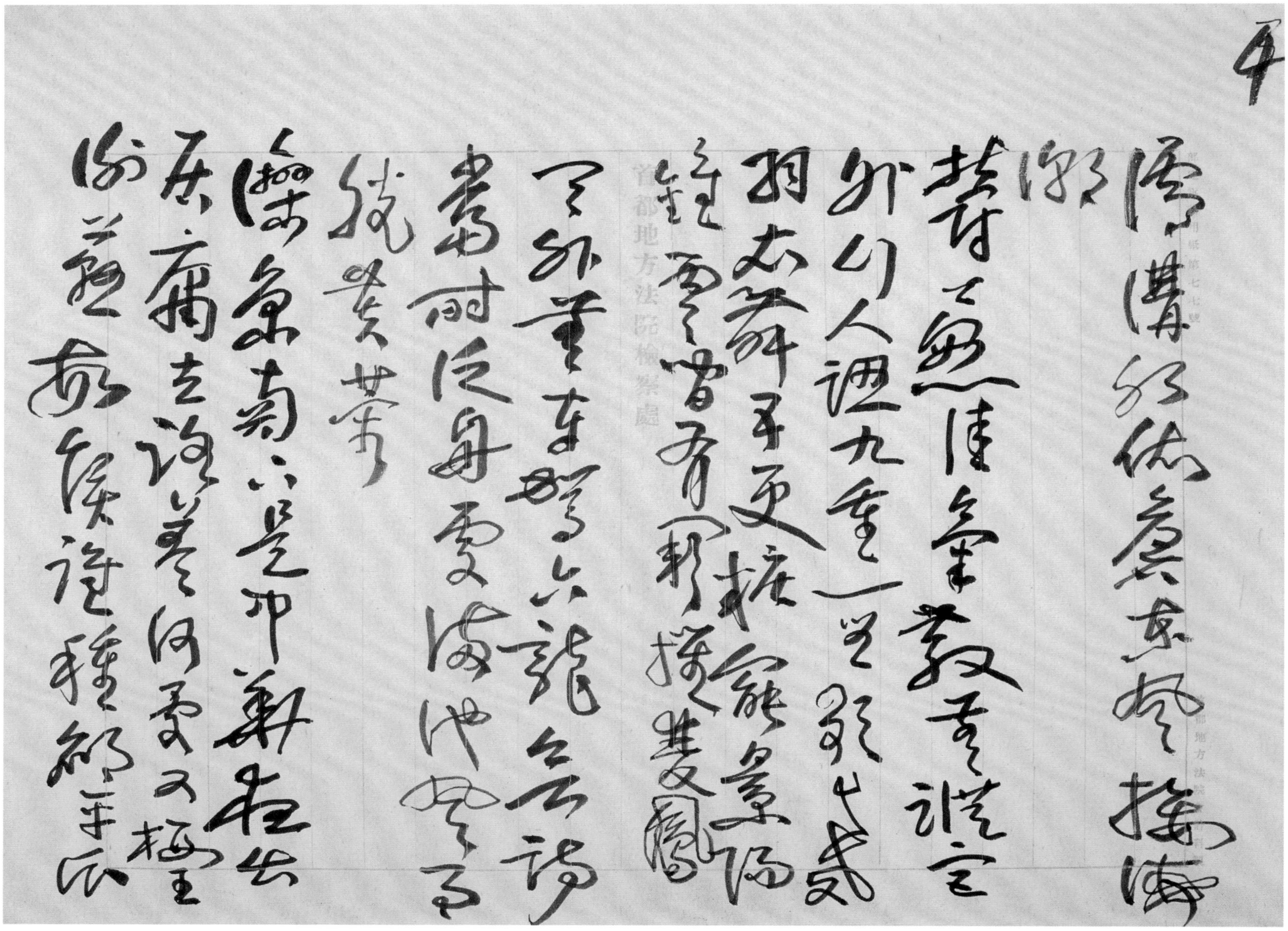

之四

南京地方法院會計專用紙　七號

章山頌人請予書莫愁山共揩
筆墨猶獨有一地然如凌虛
娜嘆观寶楨
仙意空袖揮龍毋一及
束頦筆枚薜魚干一錦塘
冷上軍马孫布袍衫诗枸
南京地方法院會計專用紙
誠壞驚龍不金知何生
即弓涛曰复妙然如花
留舞見羞免誅狸
小舞虧凱龍毋錄
漳曰建舞

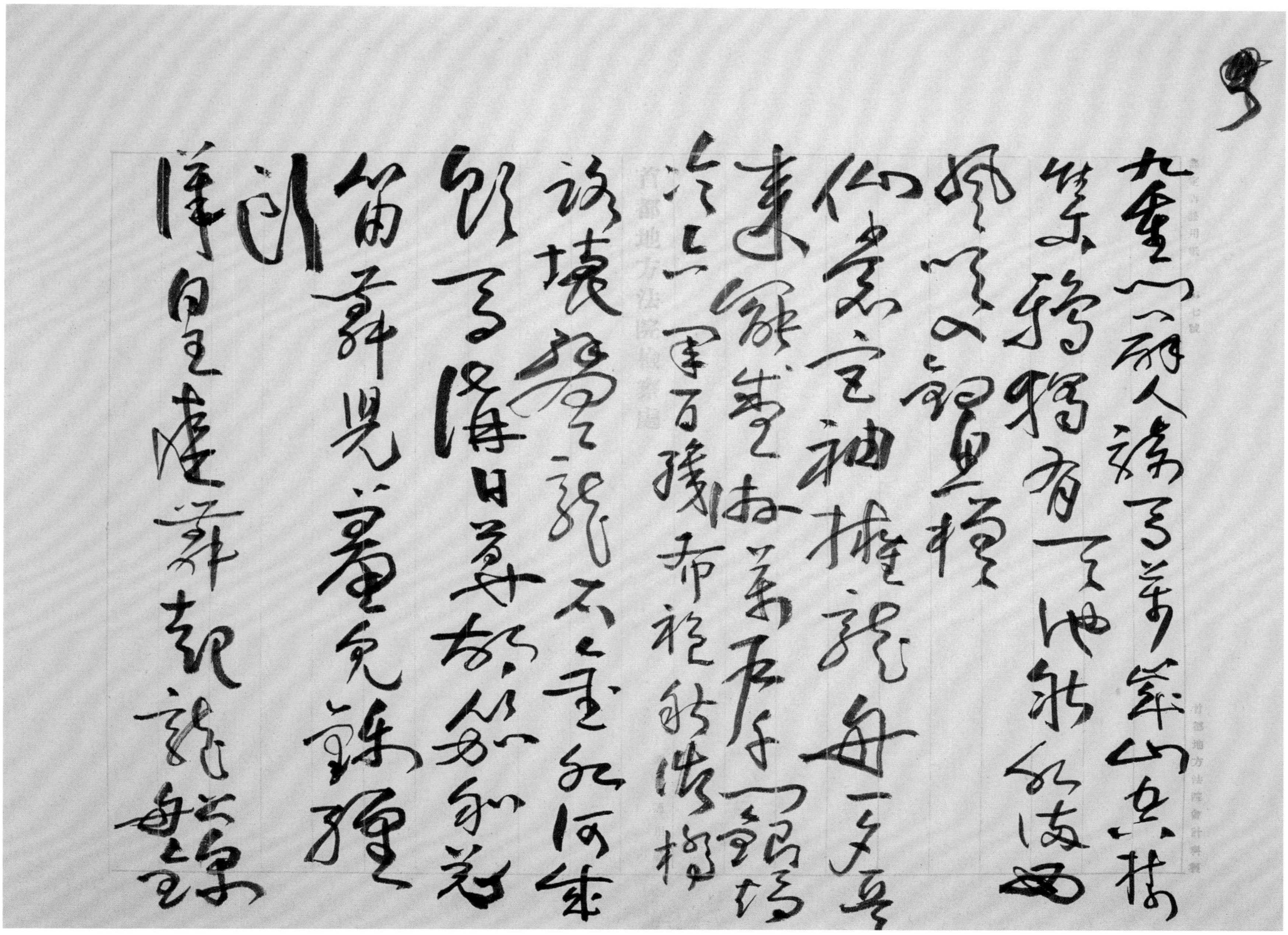

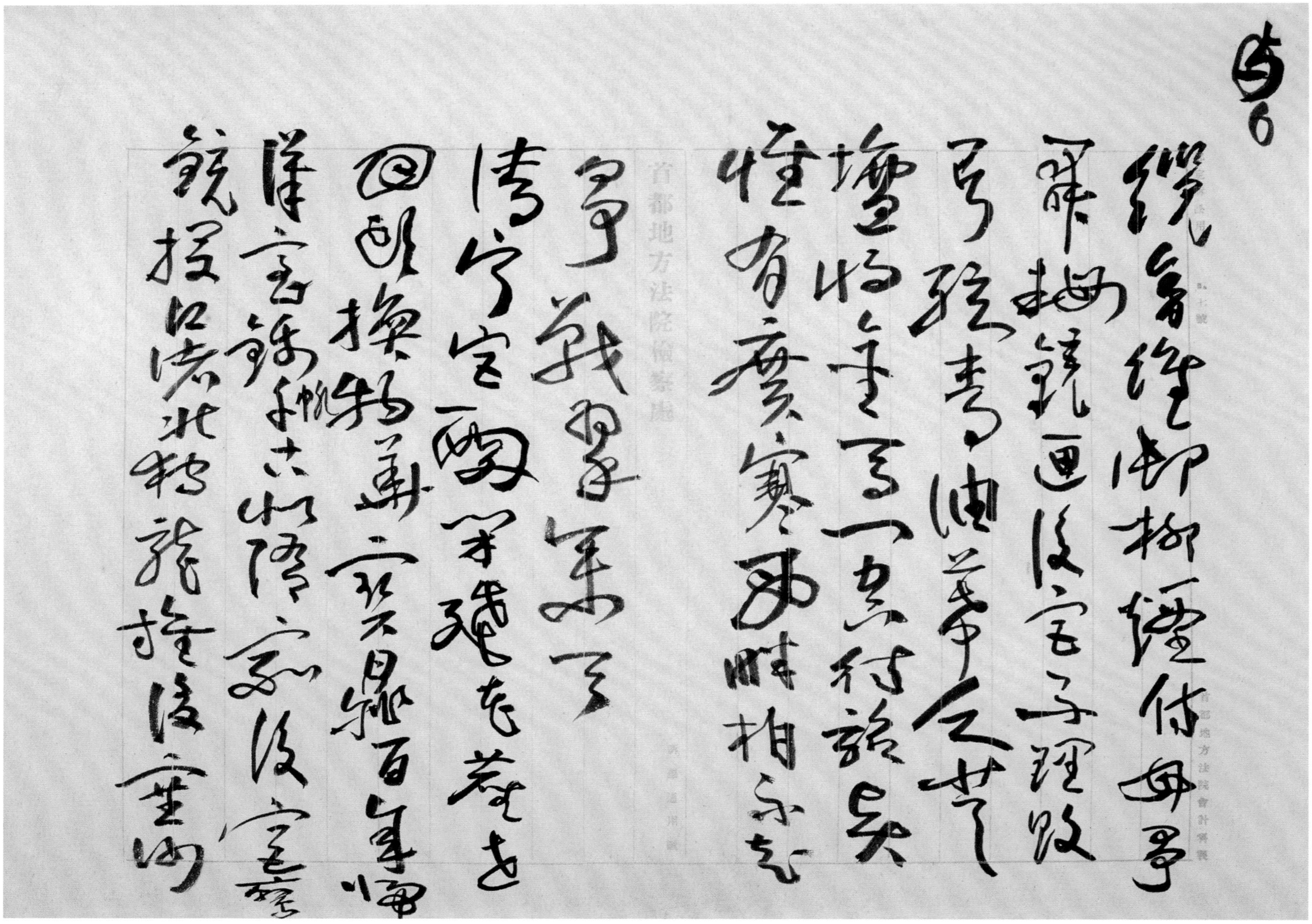

之六

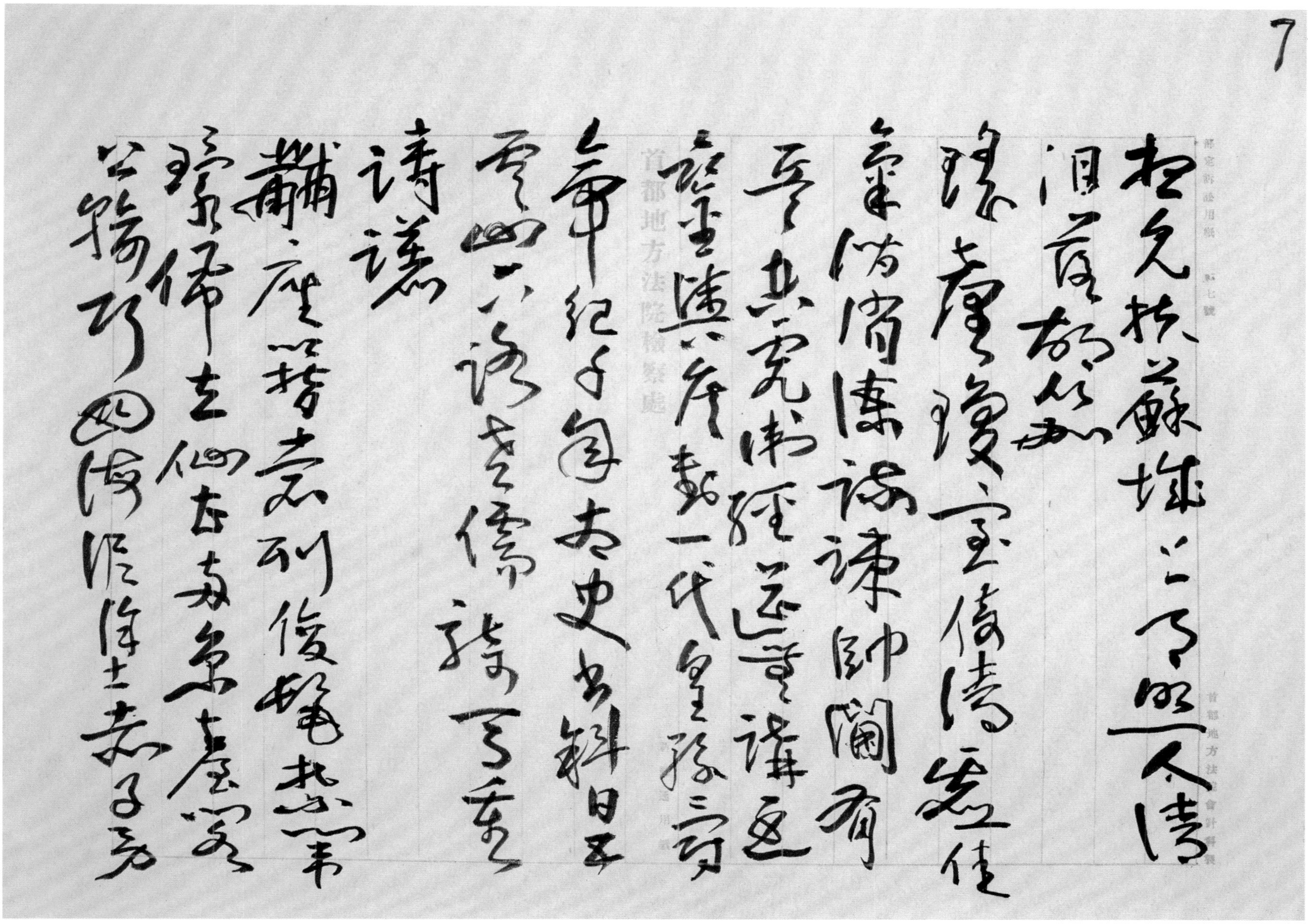

之七

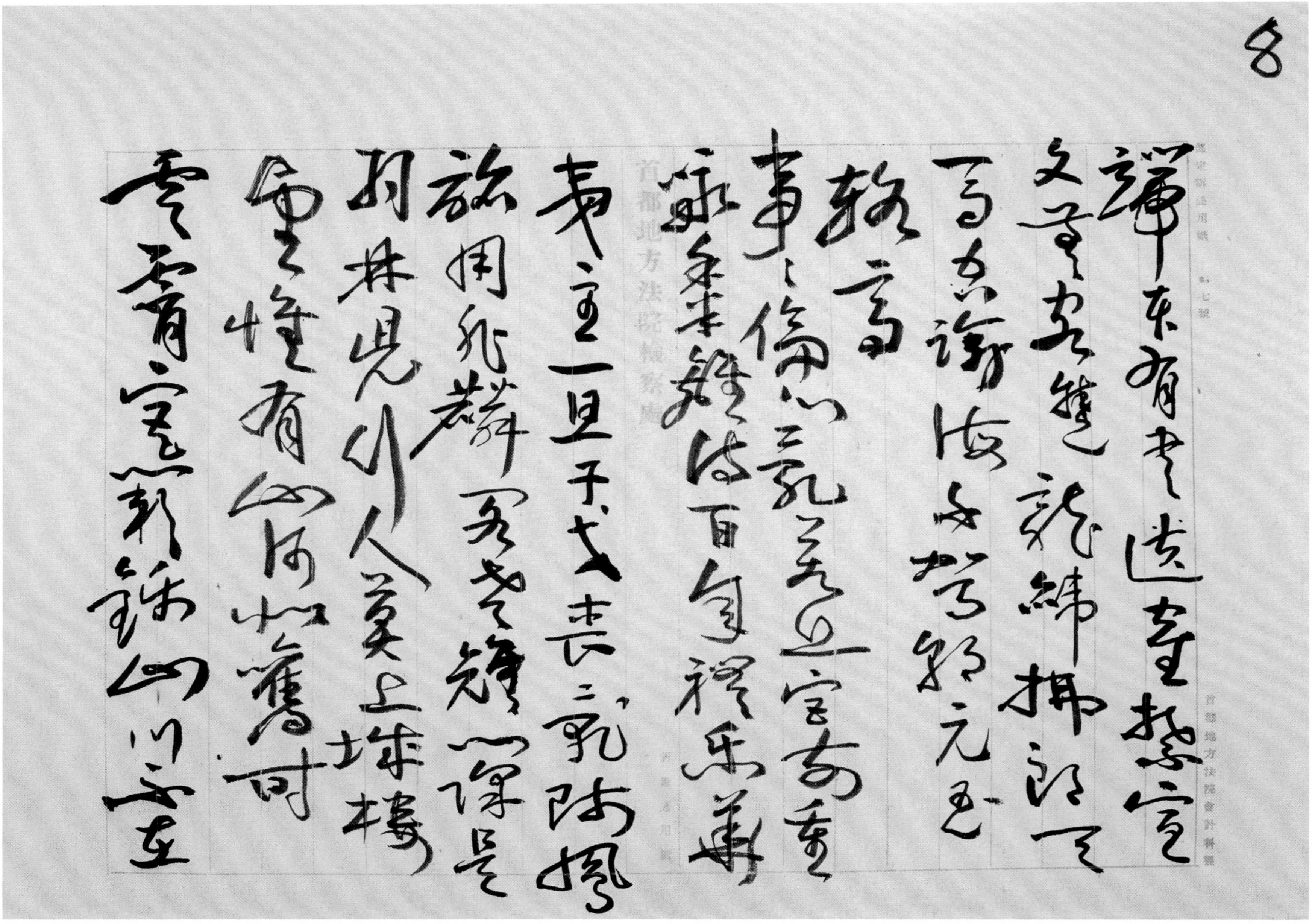

之八

都定制歷用箋　五七版

首都地方法院會計賽贈

首都地方法院檢察廳

寧處無譁莫卷縞池
起倨苑圃葦圭春雄
晋禪脩羽弄勇吉國
三秊垩玉金傳宗四
秊旨日清沈何憂可床
廣渠外辛垂通

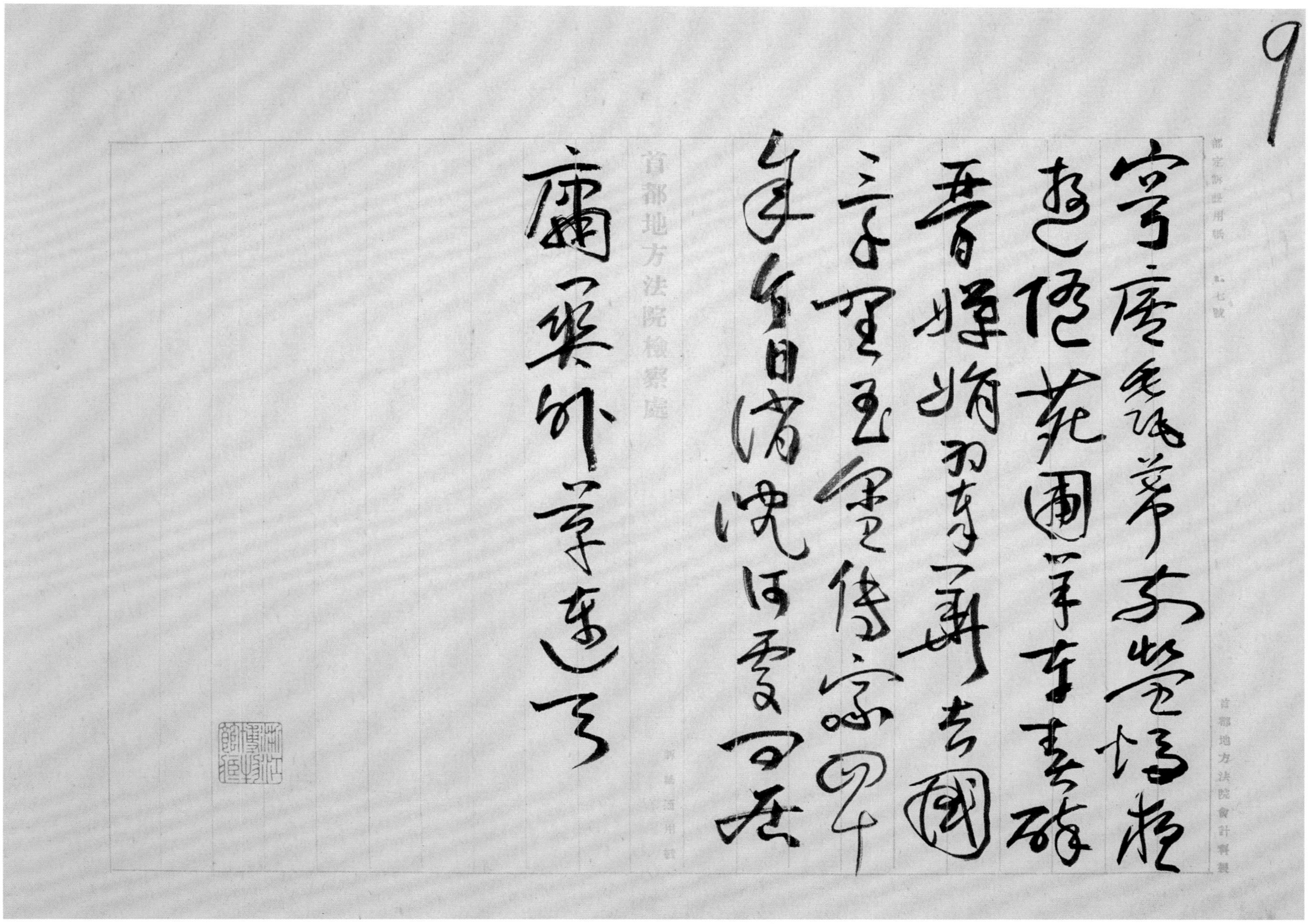

之九

清氣撲人湖面水匜
聲到耳樹頭啼
家鶯老櫻桃已熟
盛淮南四月中
高低柳莘不烏浸汀
紅白桃花不傳枝
自嘆江南無用家
墨子是題詩

派去雲短聲你嗽
水雨神道去以如
秋音霞誰方听
筆月明中

瑞雪歸坐早書
沈坐盒府陽紅蕃不
帆以綠鳥倍馬
上輕室不署人小
次珠稳不士西寮
雲話從誰夜竹中
鶴叮枝葉公主秋
茅幾多爹豆時

清氣撲人湖面水匜
聲到耳樹頭啼人
家鶯老櫻桃已栲
盛淮南四月中
高低柳茅不鳥浸汀
紅白桃花不傳枝
自嘆江南無用家
墨子是題詩

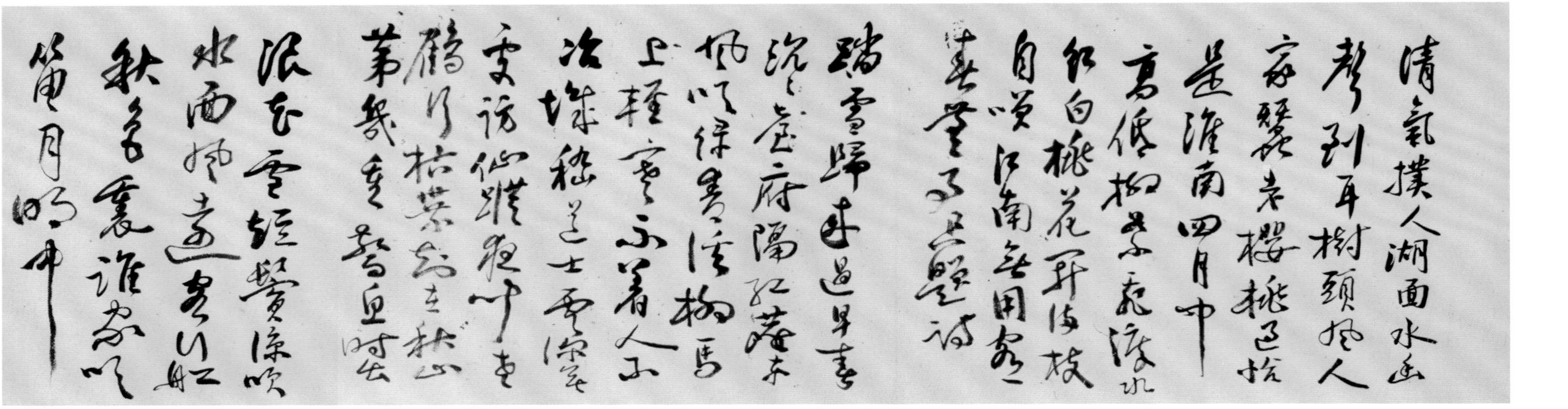

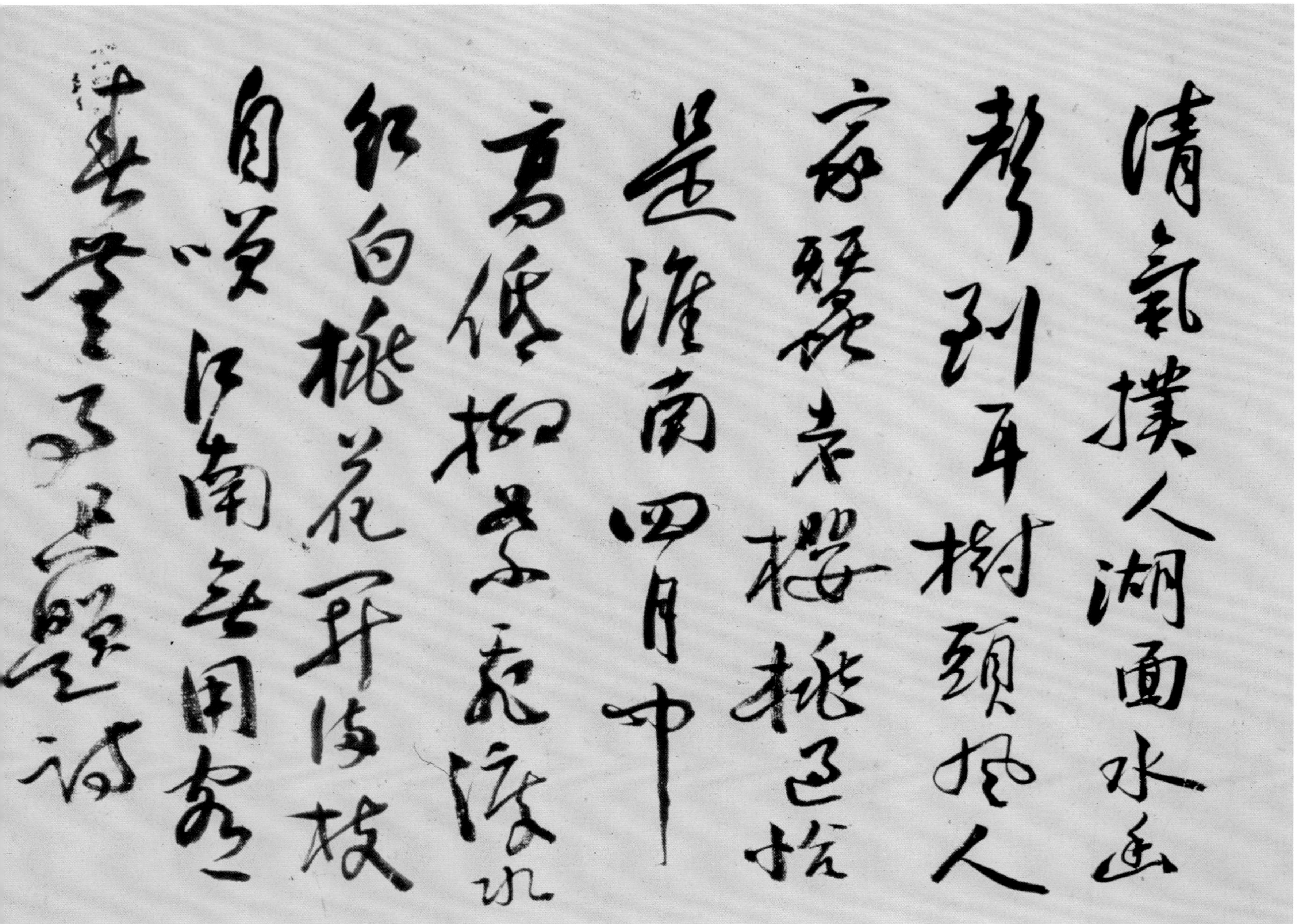

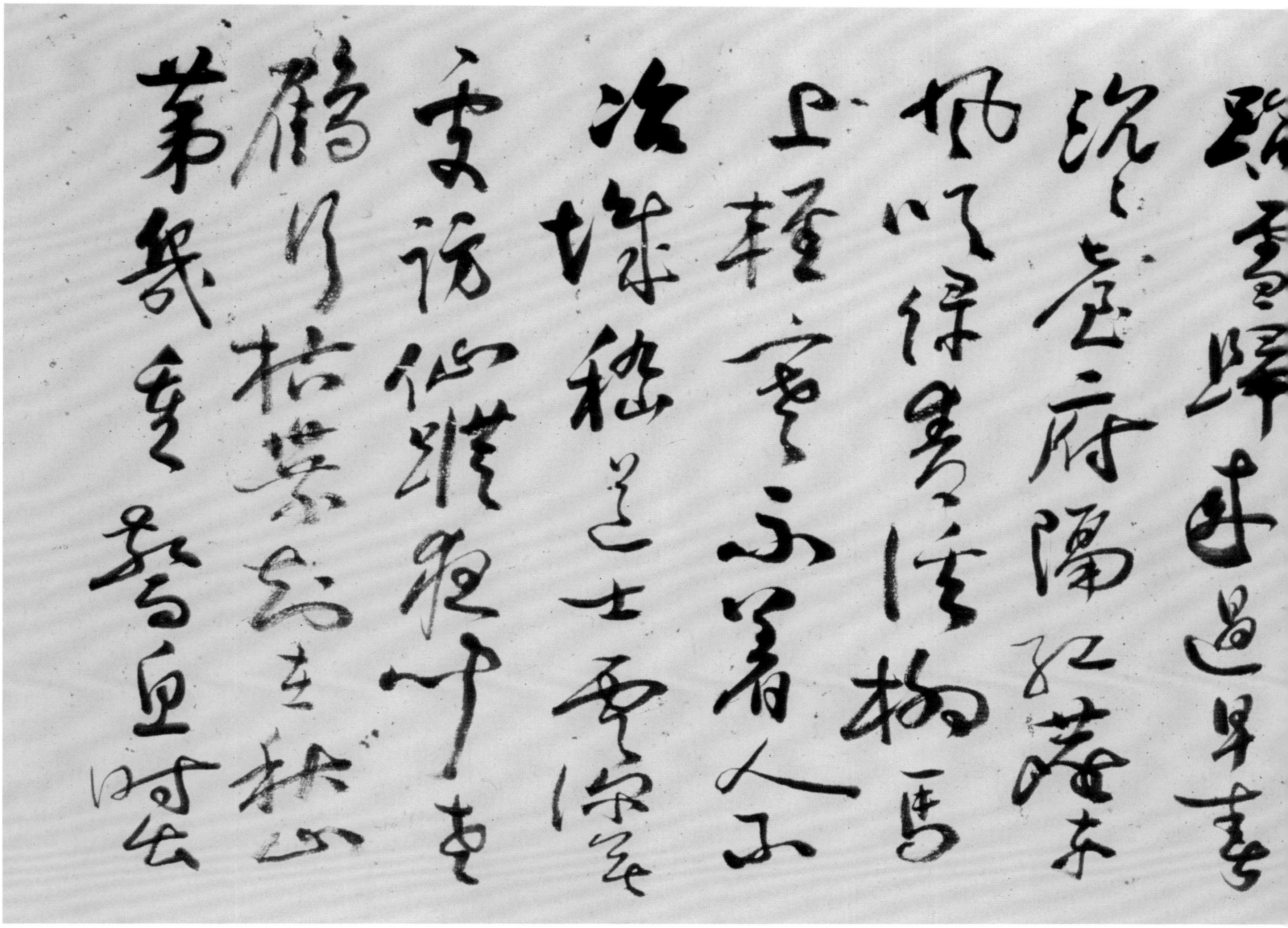

行草七言詩　紙本

縱二八·五厘米　横八七厘米　兩幅

浙江省博物館藏

釋文：清氣撲人湖面水　幽聲到耳樹頭風
人家蠶老櫻桃過　恰是淮南四月中
高低柳絮飛渡水　紅白桃花開滿枝
自笑江南無用客　一春無事只題詩
踏雪歸來過早春　沉沉臺府隔紅塵
東風吹緑青溪柳　馬上輕寒不着人
不□冶城嵇道士　雲深無處訪仙踪
夜聞老鶴行枯葉　知在秋山第幾重
鷺魚時出浪花雪　短鬢涼吹水面風
遠客行船秋色裏　誰家吹笛月明中

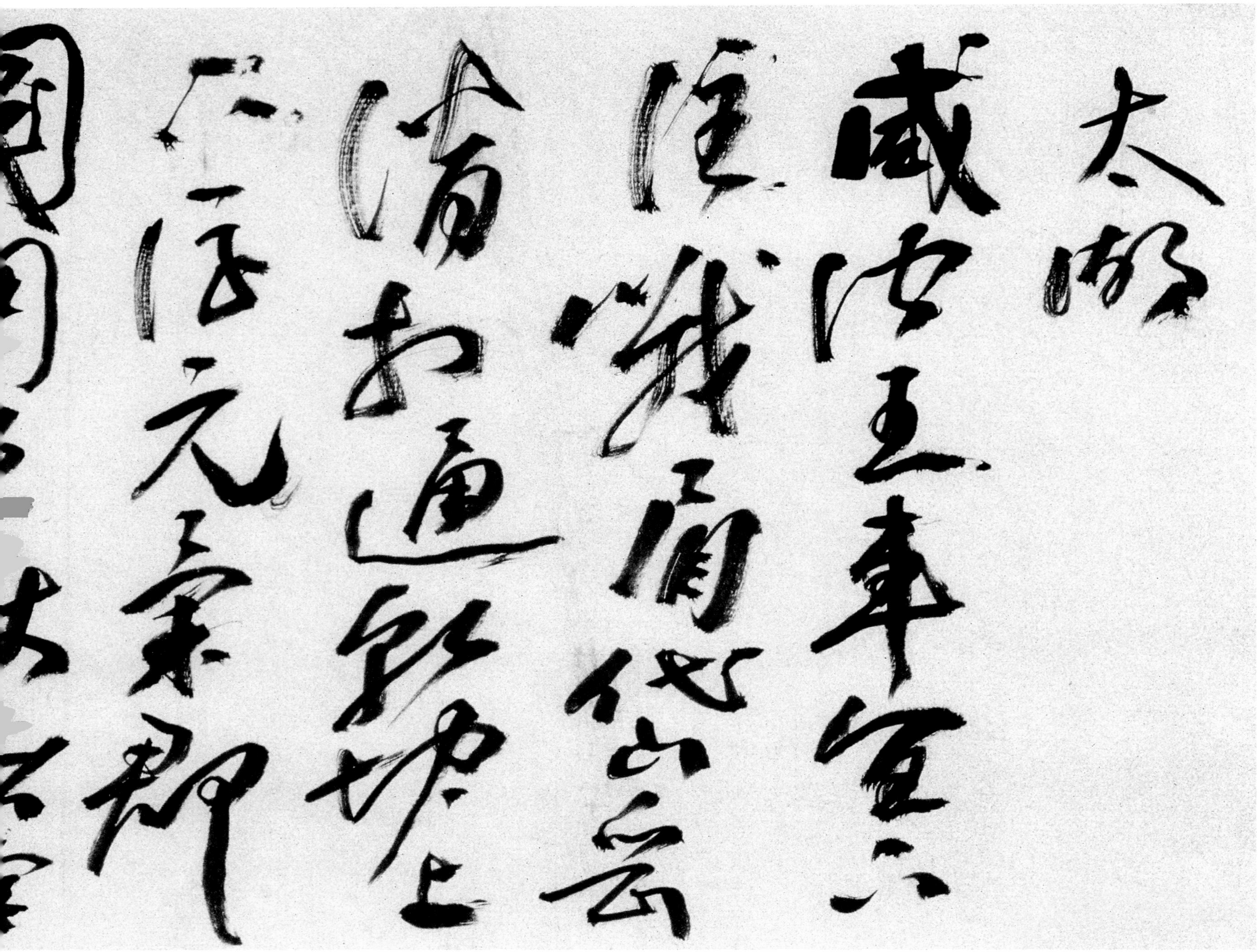

草書太湖詩　紙本

縱一八·五厘米　橫五二厘米　浙江省博物館藏

釋文：太湖

咸池王車宜下注　峨嵋岱岳潛相通　乾坤上下浮元氣　郡國周遭護諸宮

岩穴欲因仙迹幻　魚龍不助霸圖雄　擬把玄圭獻天子　再看文翁生神功

龙穴无名园似说
幻鱼龙不知春
园雄掠招室荒
天子再猎公卿
生怕功
庚五

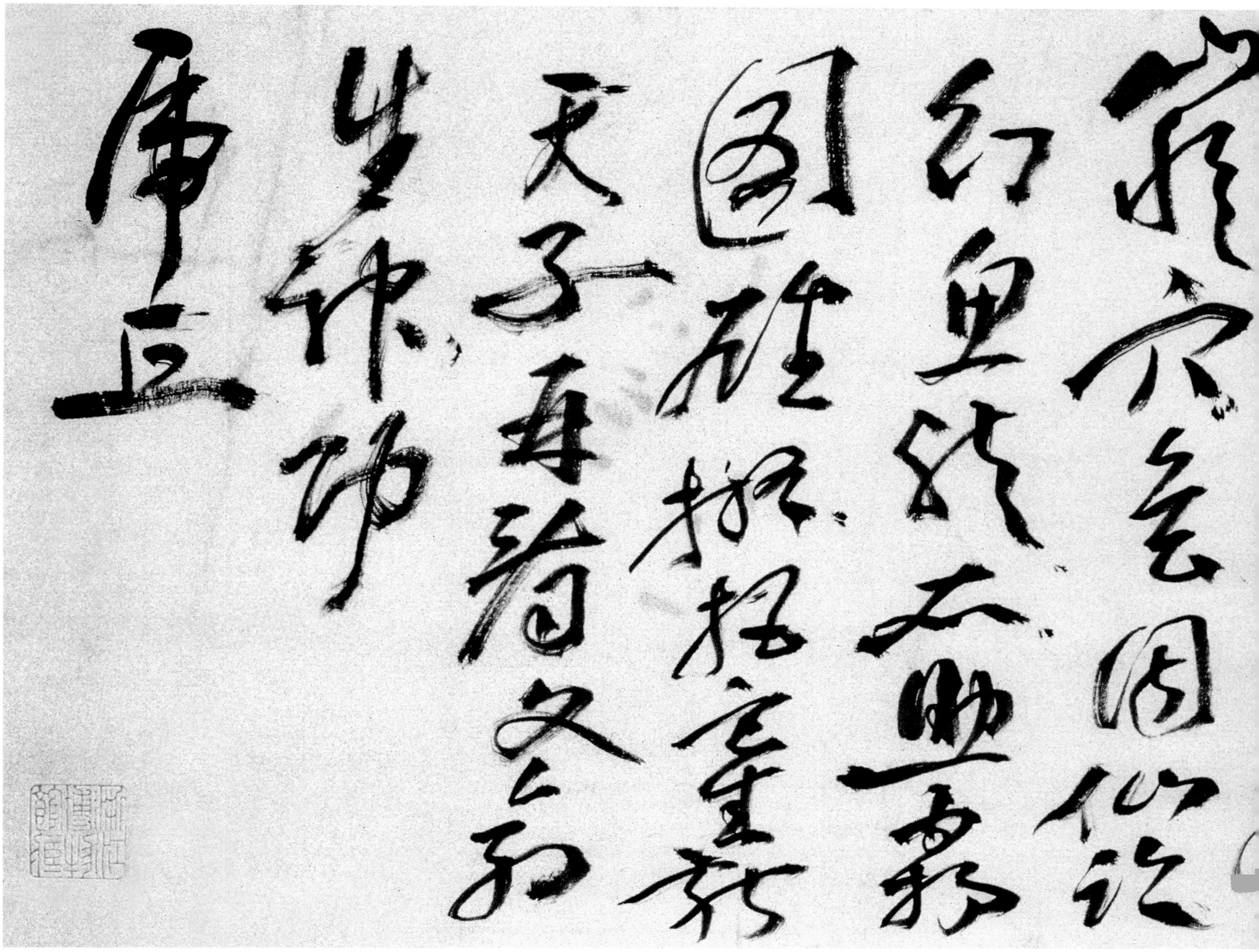

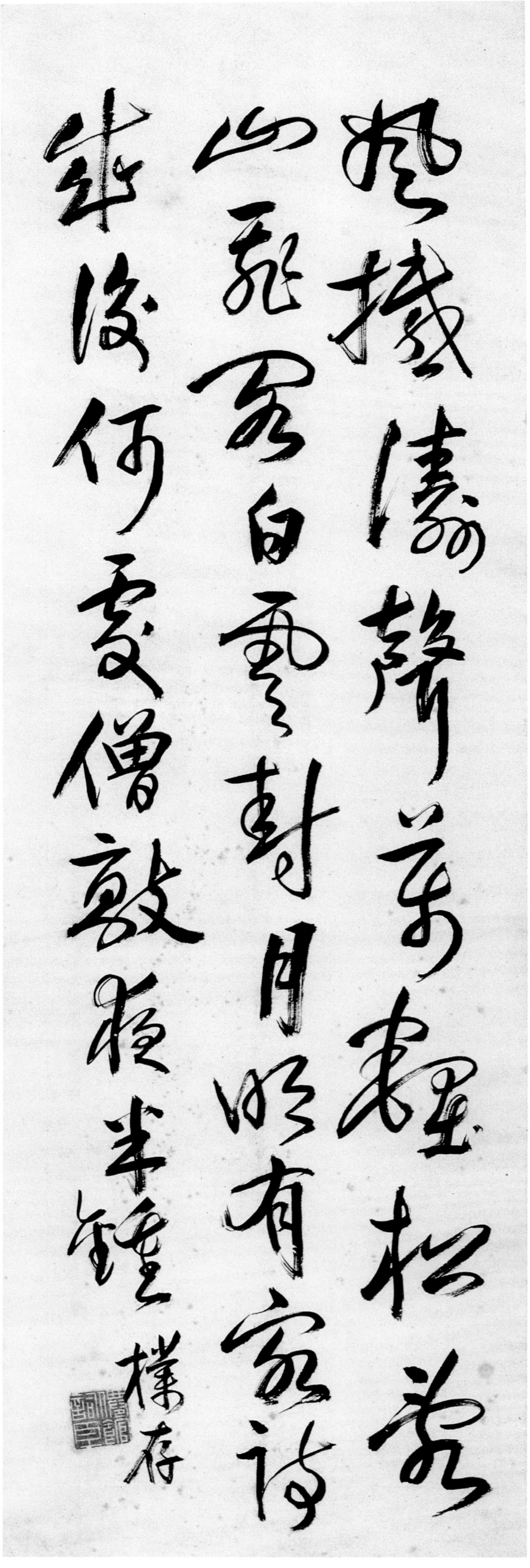

草書七言詩　紙本　縱一三七厘米　橫四五厘米　安徽省博物館藏

釋文：風撼濤聲萬壑松　亂山飛閣白雲封　月明有客詩成後　何處僧敲夜半鐘　樸存

鈐印：仙館詞臣

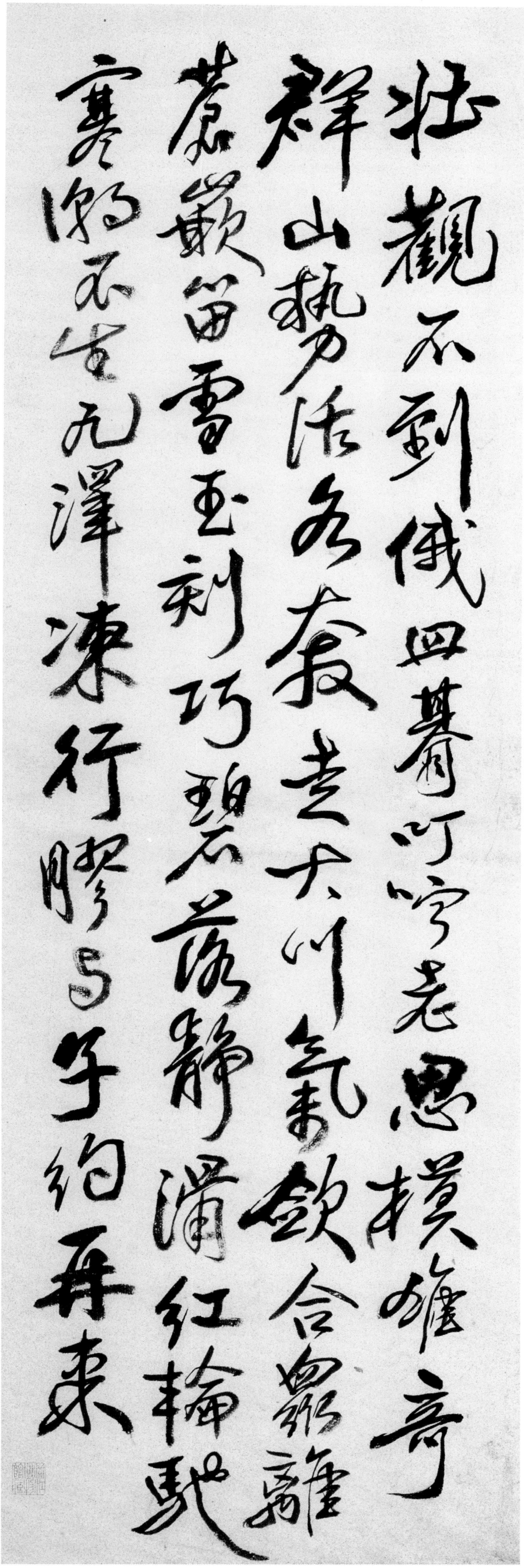

行書七言詩　紙本　縱八九厘米　橫二九厘米　浙江省博物館藏

釋文：壯觀不到俄四期　叮嚀老思模雄奇　群山勢活各奔走　大川氣斂合衆離
蒼嵌留雪玉刻巧　碧落静滑紅輪馳　寒潮不生九澤凍　行膠與子約再來

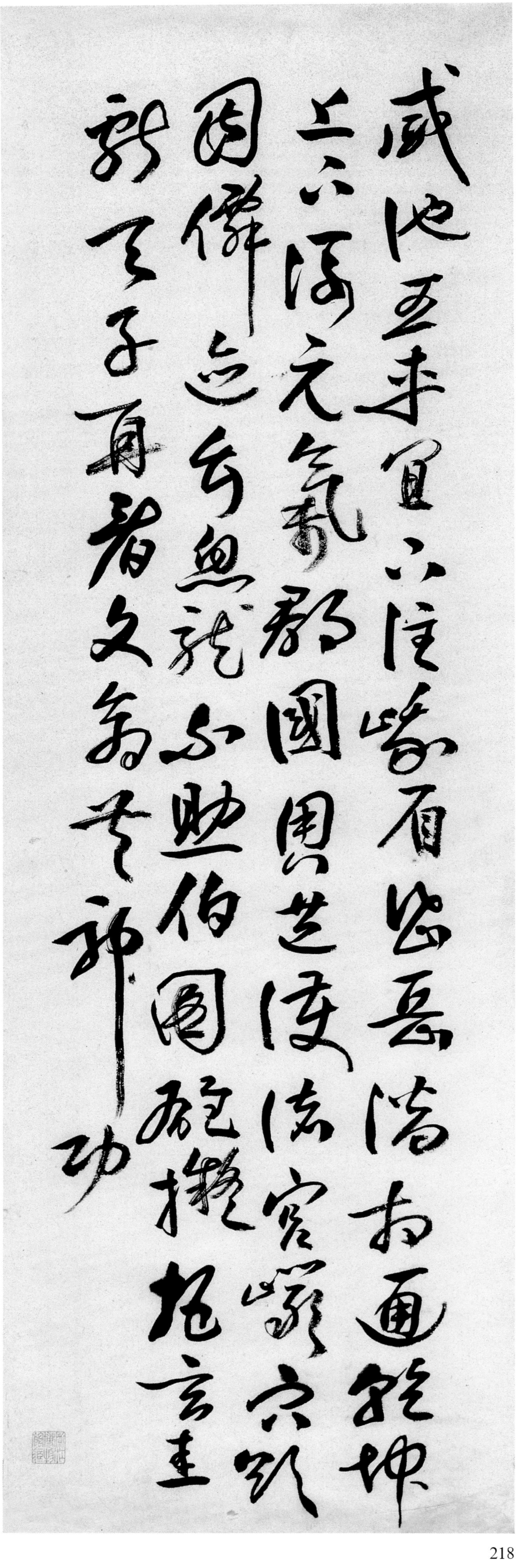

草書七言詩　紙本　縱九〇厘米　橫二八・五厘米　浙江省博物館藏

釋文：咸池王車宜下注　峨嵋岱岳潛相通　乾坤上下浮元氣　郡國周遭護諸宮
岩穴欲因仙迹出　魚龍不助伯圖雄　擬把玄圭獻天子　再看文翁共神功

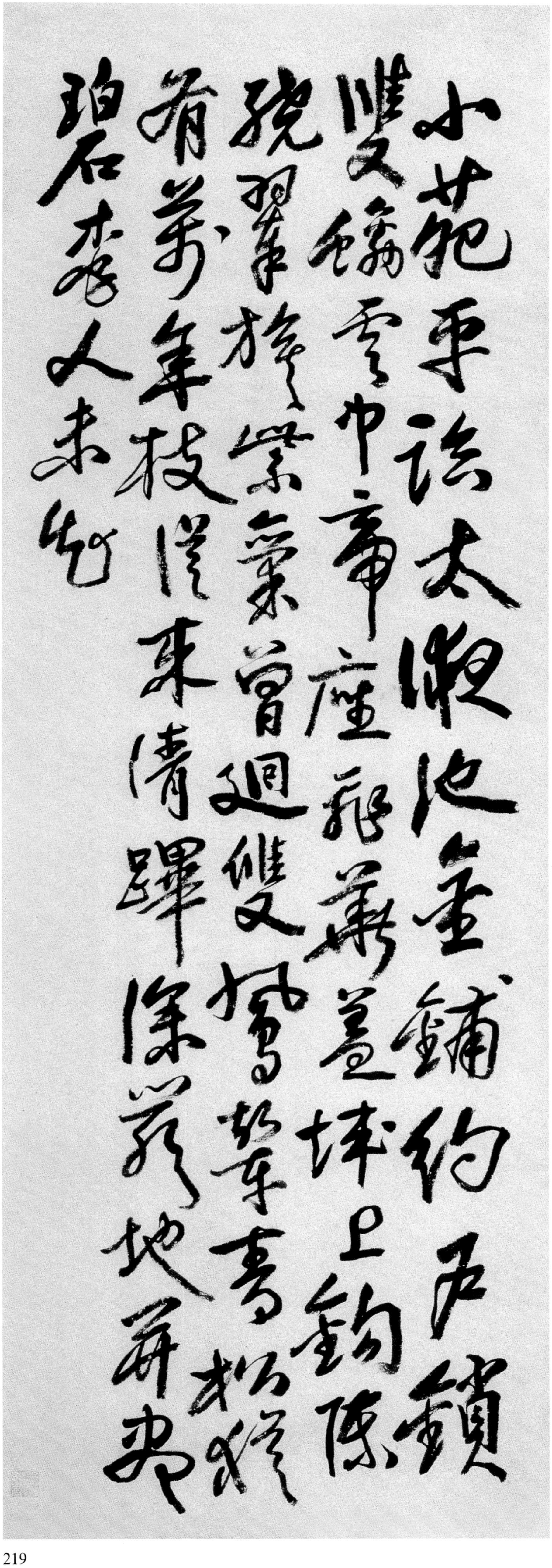

行草七言詩　紙本　縱一六〇厘米　橫三七厘米　浙江省博物館藏

釋文：小苑平臨太液池　金鋪約户鎖雙螭　雲中帝座飛華蓋　城上鈎陳繞翠旗
紫氣曾迴雙鳳輦　青松猶有萬年枝　從來清蹕深嚴地　開盡碧桃人未知

行書惕哉道士閨體詩 紙本 縱八三厘米 橫三四厘米 五幅 浙江省博物館藏

釋文：璇□醉骨三千歲 玉顆聯情一萬重 狂蝶不曾離寶苑 好花都願嫁春風 醉斜小杜吳王國 錯認揚州十里紅 寶月香雲萬燭紅 玉容當面出簾櫳 仙人也愛人間樂 只是人間無路通 見仙天樂曾聞奏 宮花未見開 媚菌尋客喚 春漏要人催 始調惟當戲 重情不索猜 幾時容阮肇 相伴兩仙來 兩仙重咏 左扶大姊肩 右携小妹手 揚葉聯四眉 含桃對雙口 恩怨交陳間 因依各疏剖 無奈小娘謂大娘 駡郎偷兒郎認不 雙妹 駡偷兒 重千金 金有量 歡無量 回情測意合雙聲 萬巧千奇夜不足 冥冥真會會難詳 爲生爲死莫相忘 千金曲 又遠香 月淡鴉鳴別象床 兩宵渾不斷思量 朝來自捲青綾被 認得鴛鴦頸上香 曉風 月色花陰未擬休 靈宮夕雨促運籌 曉風吹斷瑶池路 方朔凄凉 阿母愁 爲愛 爲愛君王賦洛才 曾差青翼降瑶臺 女郎須見崔羅什 魏帝休誇舞夜來 頰暈 頰暈絳酥宜蕊粉 鬢摇玄鑒借花煤 花枝處處經吟遍 只有香心未品裁 嗣葉愛僕閨體詩 忙邊姑以此應 余有小集十卷 伺彼此暇日 當爲盡出 同作懺悔 惕哉道士

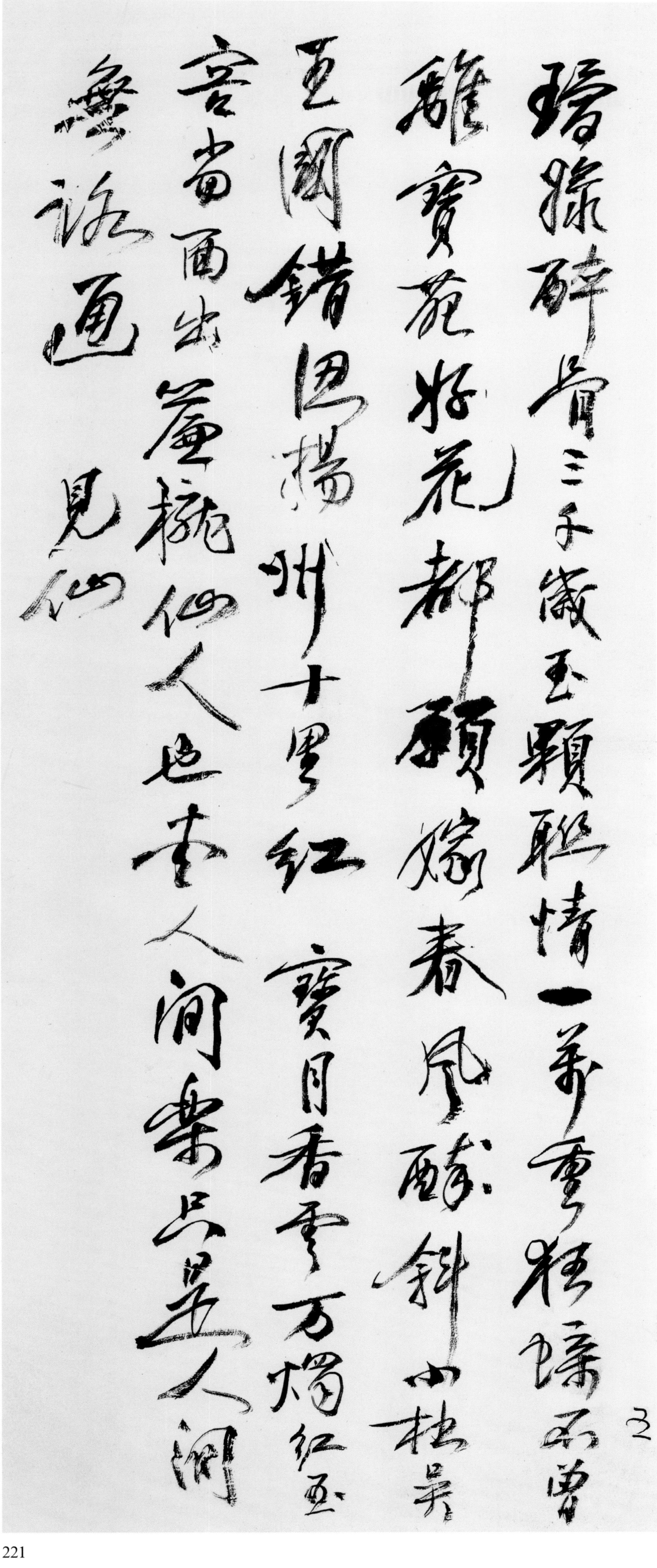

之一

天要曾開泰宮花未見開媚菌尋宮妝

春偏雪人催妲調唯当雪重情不索精幾

時安院肇筆松伴雨徤来兩仙重呼

左拔大姝眉右墙小妹手揚葉聰眉舎桃

等誓口且怨女陳口目你名吭剗

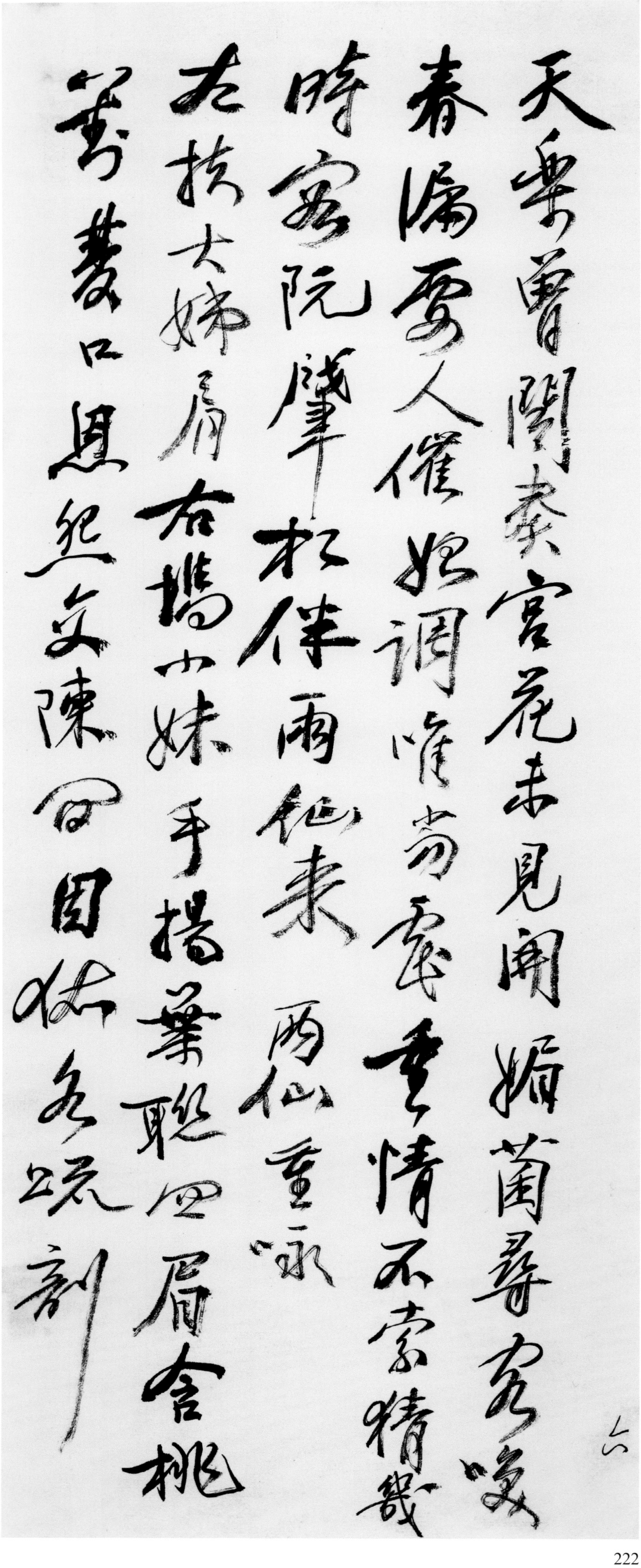

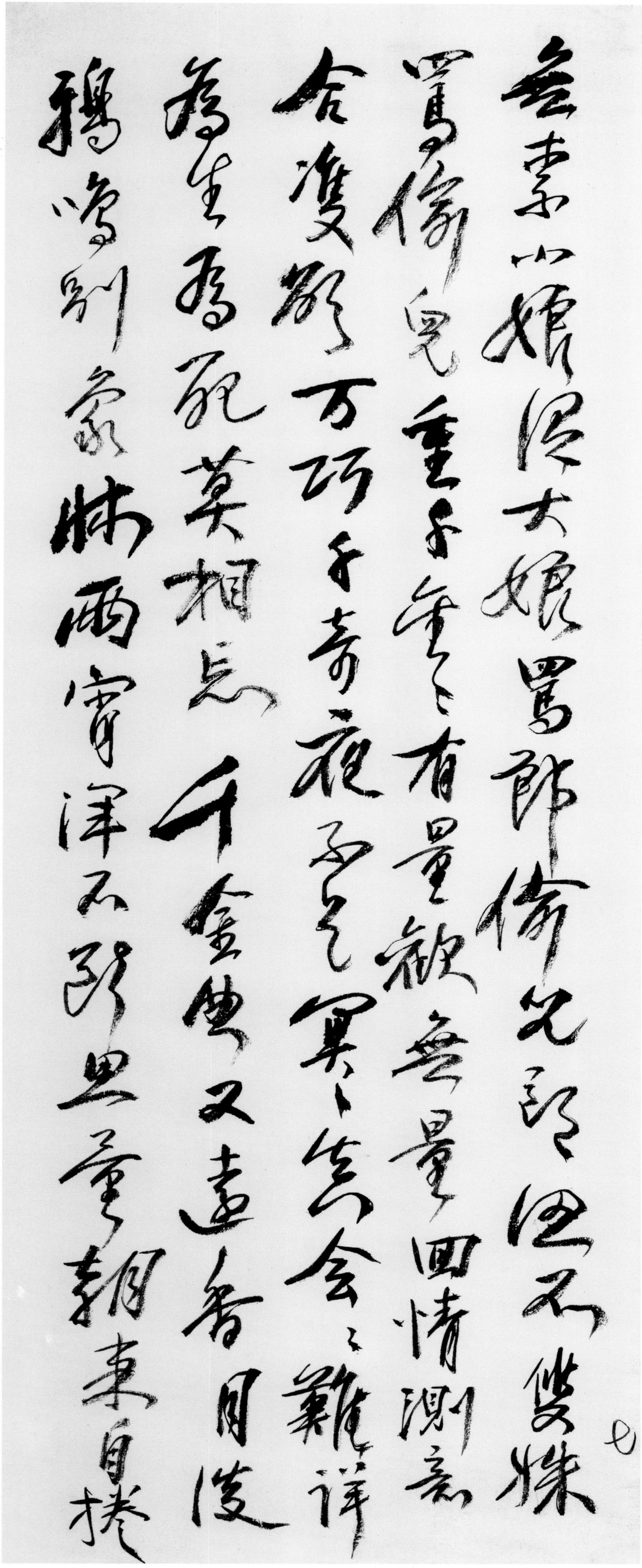

之三

青綾被認得鴛鴦頸上者曉風月色八

花陰未擬休雲宮夕雨任蓬籌曉風吹新

絶地詭方朔凄凉阿母獨

賦洛才名羨青翠降琛臺女師頃見室

羅什貌非體降荷有來頽年

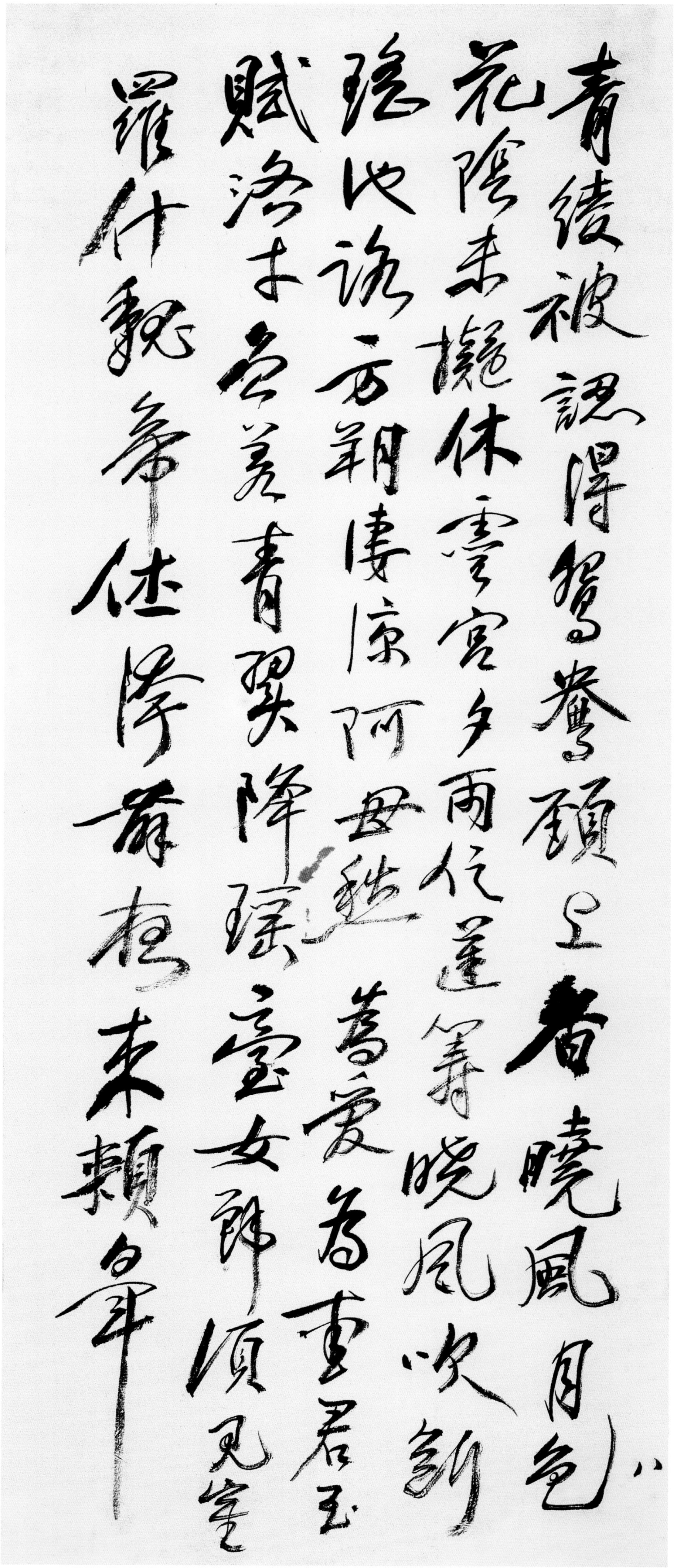

之四

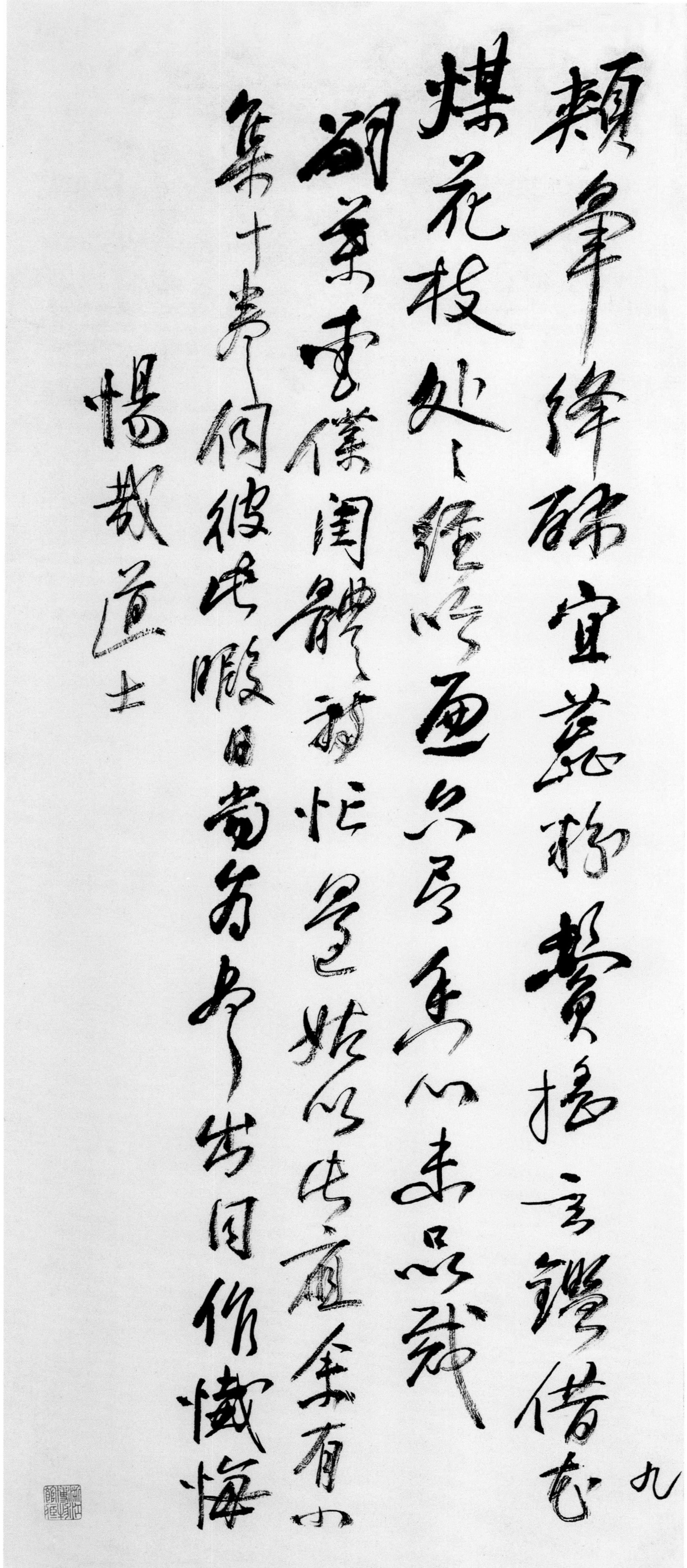

之五

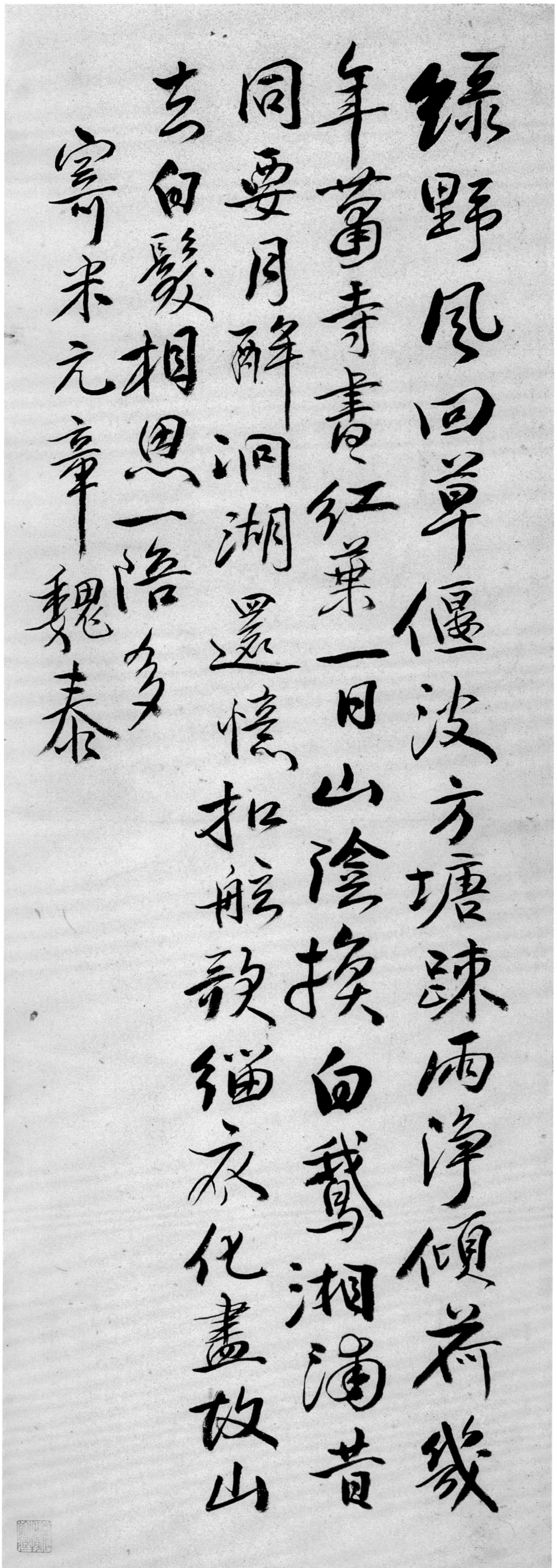

行書魏泰寄米芾詩　紙本　縱八八厘米　横二九厘米　浙江省博物館藏

釋文：緑野風回草偃波　方塘疏雨浄傾荷　幾年蕭寺書紅葉　一日山陰換白鵝
湘浦昔同要月醉　洞湖還憶扣舷歌　緇衣化盡故山去　白髮相思一陪（倍）多
寄米元章　魏泰

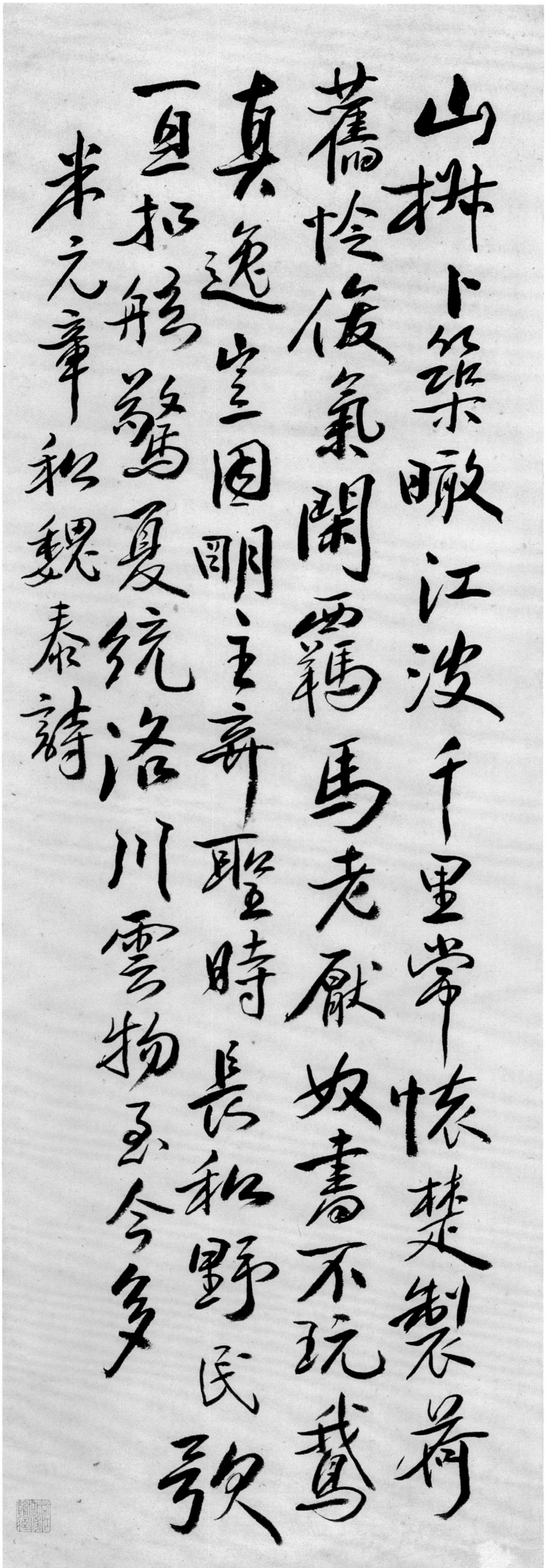

行書米芾和魏泰詩　紙本　縱八六厘米　横二九厘米　浙江省博物館藏

釋文：山椒卜築瞰江波　千里常懷楚製荷　舊憐俊氣閑羈馬　老厭奴書不玩鵝
真逸豈因明主弃　聖時長和野民歌　一旦扣舷驚夏統　洛川雲物至今多
米元章和魏泰詩

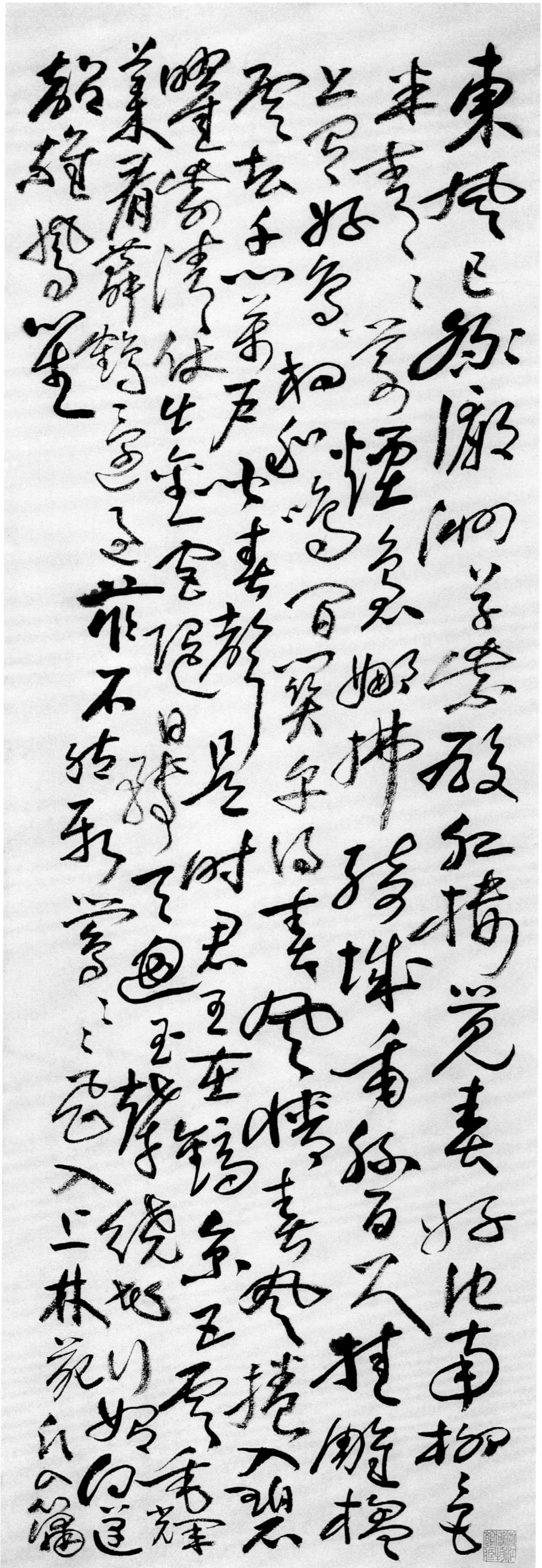

草書李白七言詩　紙本　縱九一厘米　橫三二厘米　浙江省博物館藏

釋文：東風已緑瀛洲草　紫殿紅樓覺春好　池南柳色半青青　縈烟裊娜拂綺城
垂絲百尺挂雕楹　上有好鳥相和鳴　間關早得春風情　春風捲入碧雲去
千門萬户皆春聲　是時君王在鎬京　五雲垂輝耀紫清　仗出金宫隨日轉
天迴玉輦繞花行　始向蓬萊看舞鶴　還過茝石聽新鶯　新鶯飛入上林苑
願入簫韶雜鳳笙

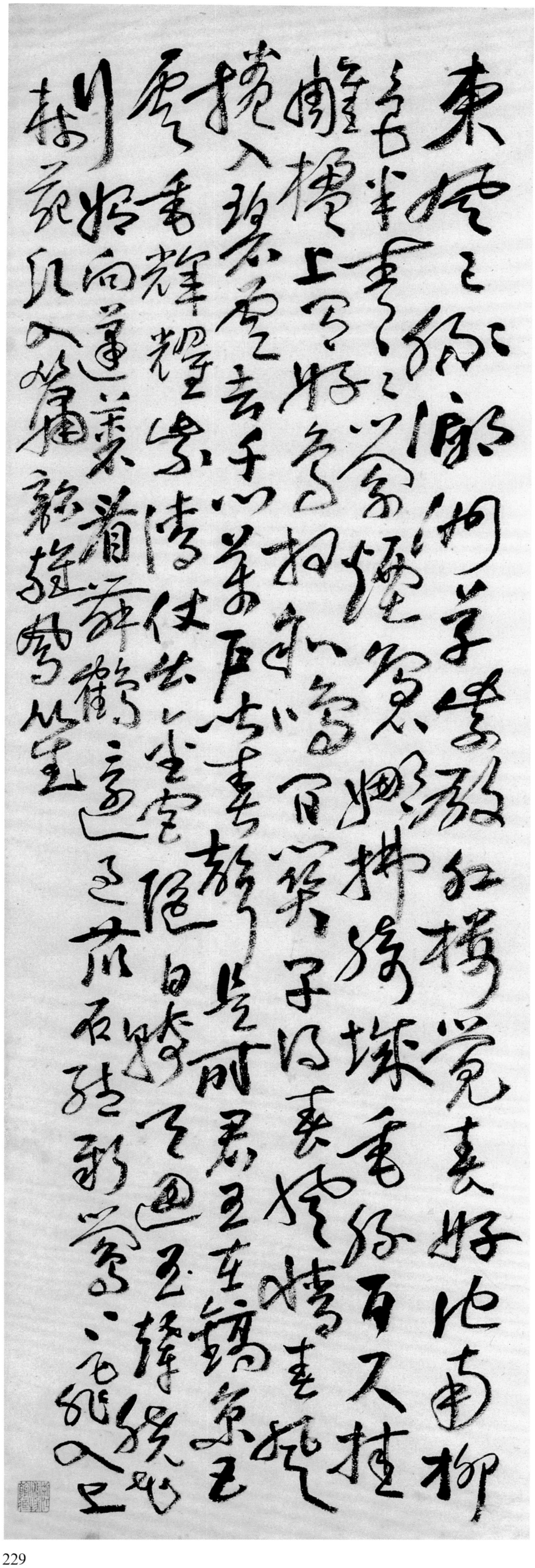

草書李白七言詩　紙本　縱九一厘米　横三二厘米　浙江省博物館藏

釋文：東風已緑瀛洲草　紫殿紅樓覺春好　池南柳色半青青　縈烟裊娜拂綺城
垂絲百尺挂雕楹　上有好鳥相和鳴　間關早得春風情　春風捲入碧雲去
千門萬户皆春聲　是時君王在鎬京　五雲垂輝耀紫清　仗出金宮隨日轉
天迴玉輦繞花行　始向蓬萊看舞鶴　還過茝石聽新鶯　新鶯飛入上林苑
願入簫韶雜鳳笙

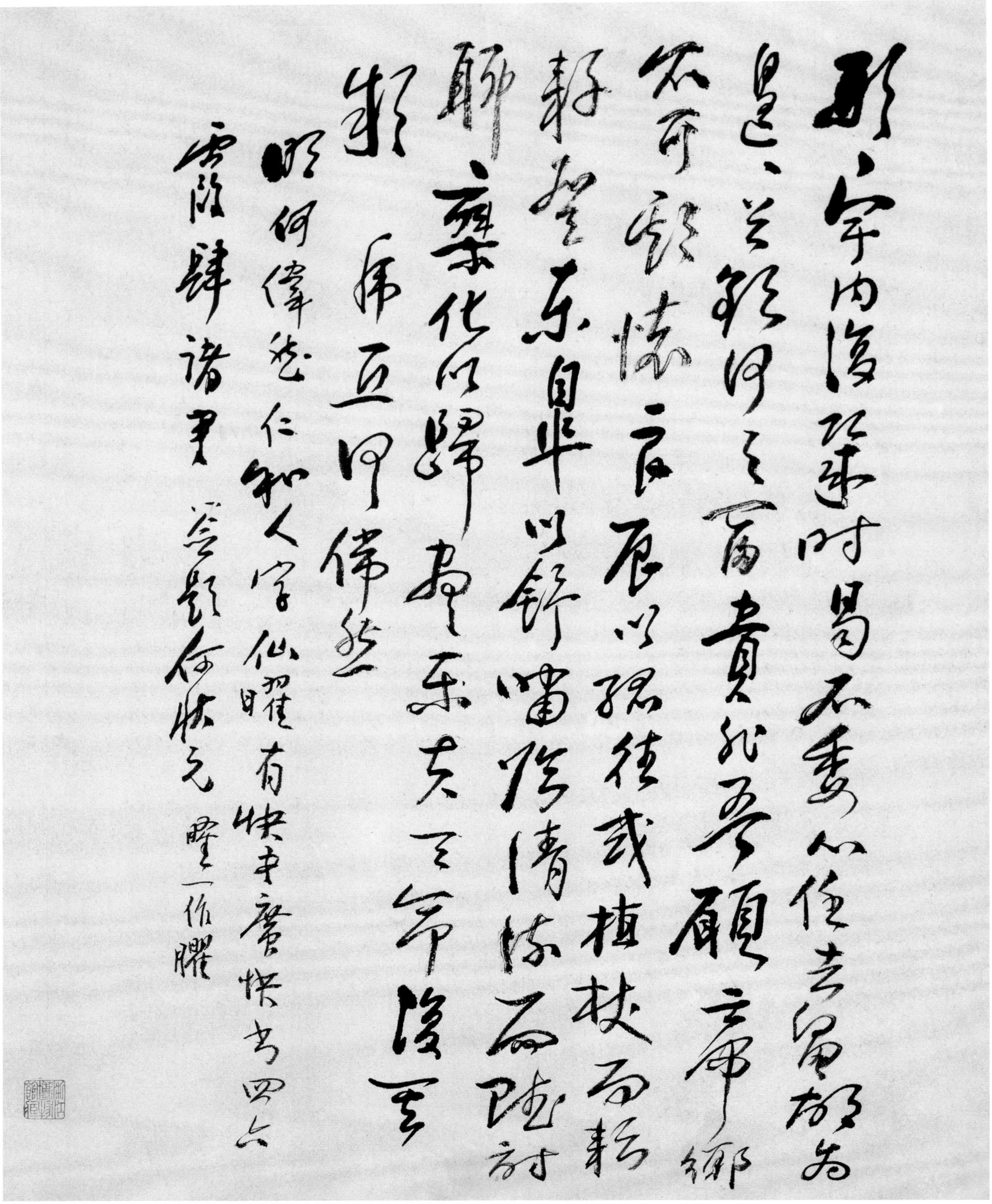

臨何偉然書陶潛歸去來辭　紙本

縱五九厘米　橫四六・五厘米

浙江省博物館藏

釋文：形宇内復幾時　曷不委心任去留　胡爲遑遑兮
欲何之　富貴非吾願　帝鄉不可期　懷良辰以孤往
或植杖而耘耔　登東皋以舒嘯　臨清流而賦詩
聊乘化以歸盡　樂夫天命復奚疑　虎丘何偉然
明何偉然　仁和人　字仙曜　有快書　廣快書
四六霞肆諸書　籤題何狀元　曜一作癯

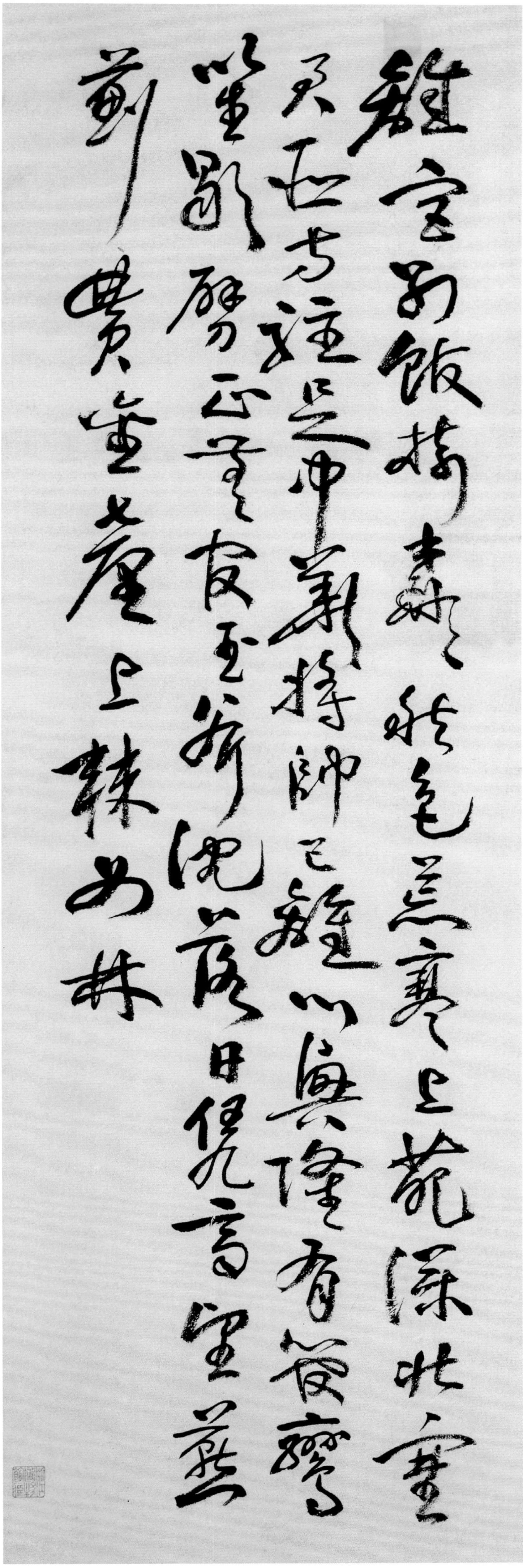

草書七言詩 紙本 縱九四厘米 橫二〇・五厘米 浙江省博物館藏

釋文：離宮別館樹森森 秋色荒寒上苑深 北塞君臣方駐足 中華將帥已離心
興隆有管鸞笙歇 劈正無官玉斧沉 落日憑高望燕薊 黃金臺上棘如林

行書題畫詩 紙本 縱一八厘米 橫五〇厘米

浙江省博物館藏

釋文：冰雪淡相看 心期許歲寒 莫同桃李伴 容易及春殘 題畫

鈐印：黃賓虹

行書紀游詩　紙本　縱一八厘米　橫五〇厘米

浙江省博物館藏

釋文：度索山中行　桃花水千尺　水窮花發處　知有群仙宅　乙亥　虹若

鈐印：黃賓虹

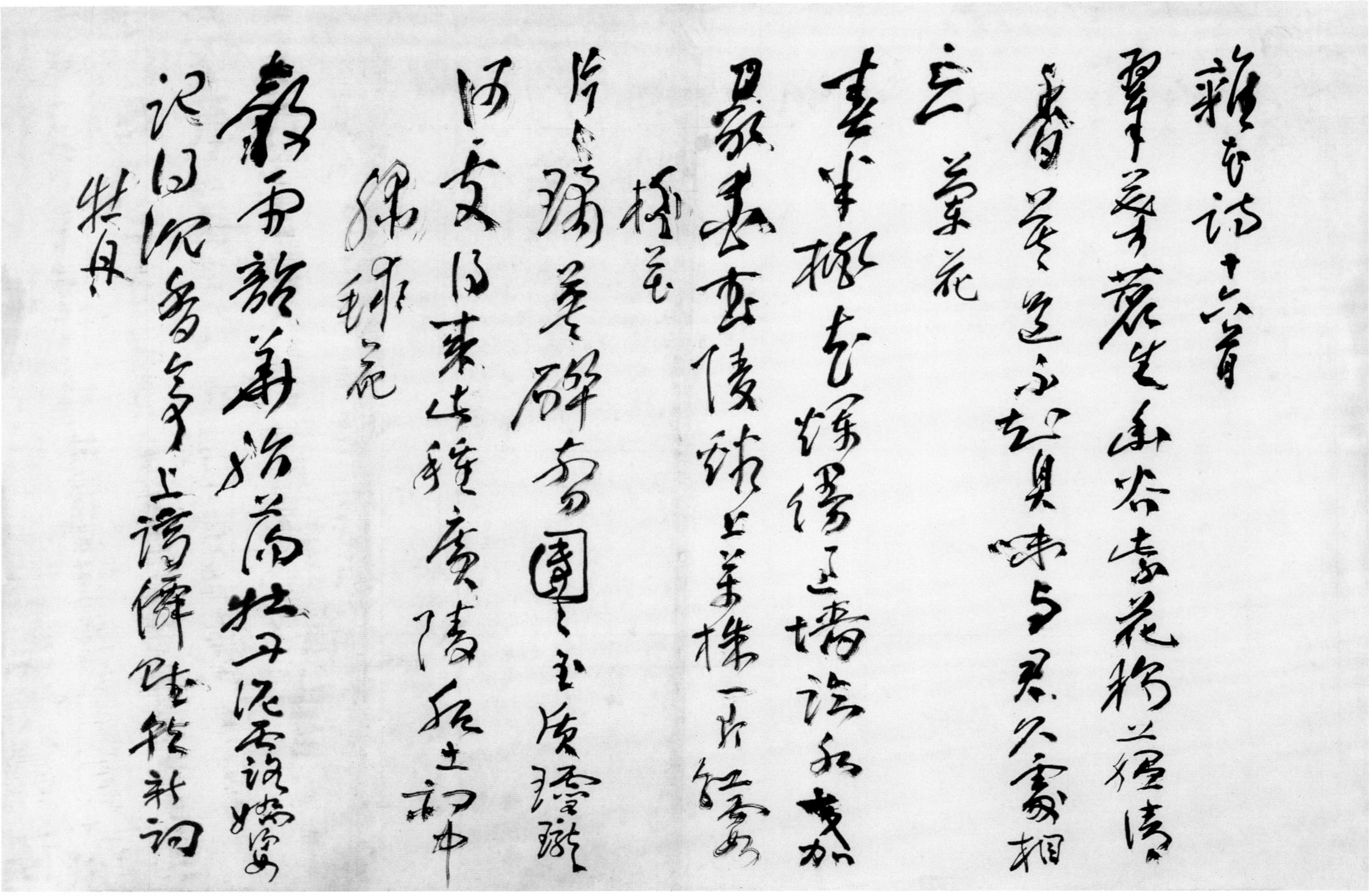

臨文彭草書雜花詩　紙本　縱三八·五厘米　橫五八厘米　四幅

浙江省博物館藏

之一

釋文：雜花詩十六首

翠葉叢生幽谷　紫花獨藴清香　莫道不知臭味　與君久處相忘　蘭花

春半桃花爛漫　過墻臨水交加　最愛武陵溪上　萬株一片紅霞　桃花

片片瓊英碎剪　團團玉質玲瓏　何處得來此種　廣陵后土祠中　綉球花

穀雨韶華駘蕩　牡丹泥露嬌姿　記得沉香亭上　謫仙賦就新詞　牡丹

臨文彭草書雜花詩（局部）

梅花
片片瑶英碎为团玉质琼瑶
何夜月来此种广陵孤山初种
绿萼花
数开韵萼始落枝头泥不涴娇姿
识同沉香亭上谪仙能赋新词
牡丹

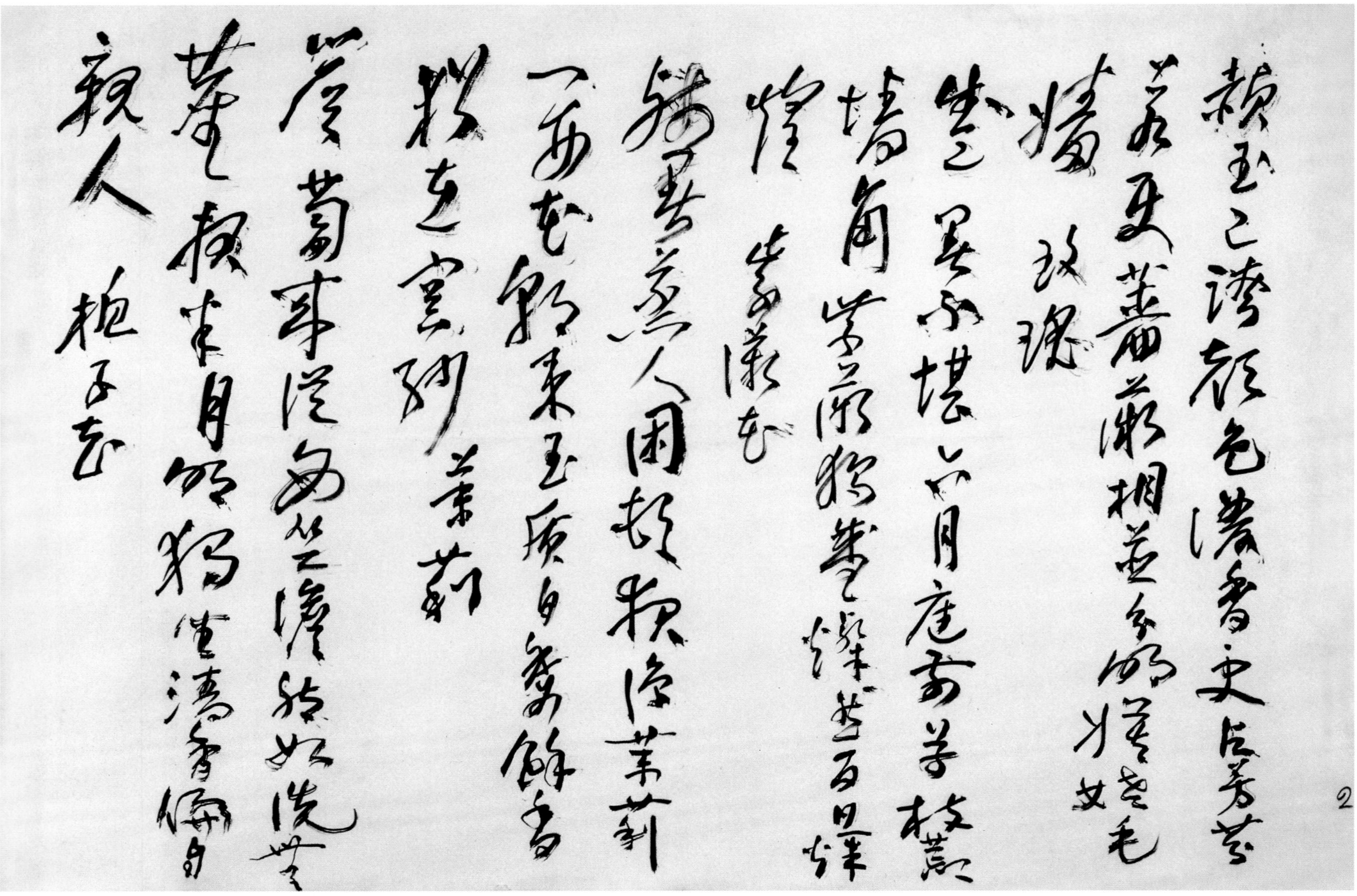

之二

釋文：禎玉已誇顏色　濃香更占芳芬　若使薔薇相并　分明嫫姥毛嬙　玫瑰

盛暑不堪六月　庭前草枝荒荒　墻角紫薇獨盛　燦然百日輝煌　紫薇花

殘暑蒸人困頓　夜凉茉莉開花　朝來玉質自委　餘香猶在窗紗　茉莉

薝蔔來從西竺　澹然如洗無塵　夜半月明獨坐　清香偏自親人　梔子花

臨文彭草書雜花詩（局部）

生之最不堪六月庭前芳枝蔫
靖角紫薇将笑躲楚百日红
煌紫薇花
绿云芳人困极根净茉莉
一雨花频来玉质白发解香
斜去宫翻茉莉

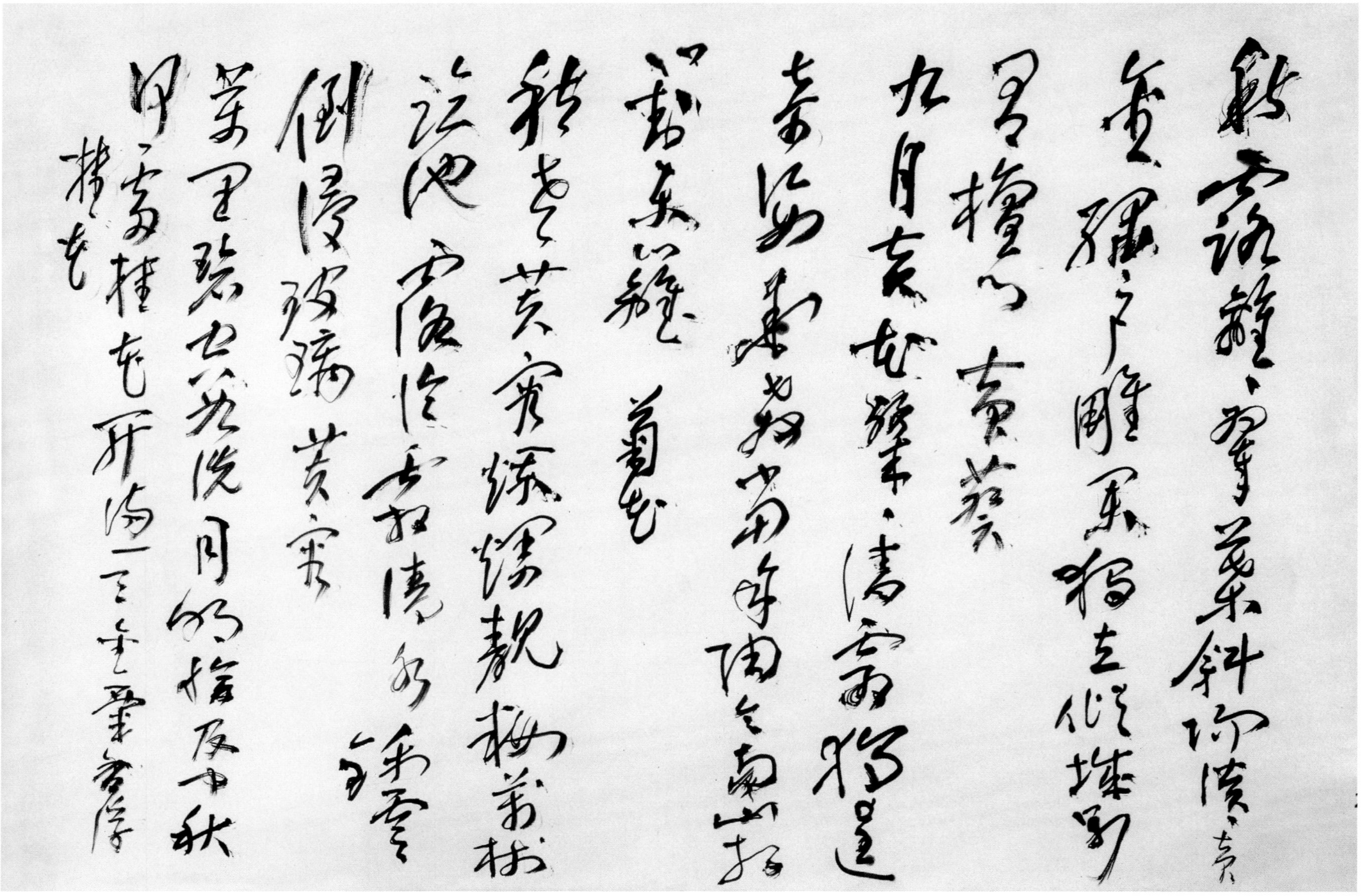

之三

釋文：秋露離離翠葉　斜陽淡淡黃金　綉户雕闌獨立　傾城別有檀心　黃葵

九月黃花粲粲　清霜獨逞奇姿　愛教當年陶令　南山相對東籬　菊花

秋老芙蓉爛熳　靚妝萬樹臨池　露冷霜清□水　錦雲倒浸玻璃　芙蓉

萬里碧空如洗　月明恰及中秋　何處桂花開滿　一天金氣香浮　桂花

臨文彭草書雜花詩（局部）

飄零說離離，黃葉斜陽漬黃

香羅之下雕闌獨立倚樓頭

月檀心黃蕊

九月衰花發華華清霜獨逞

黃江如某也有中南第陶令東山者

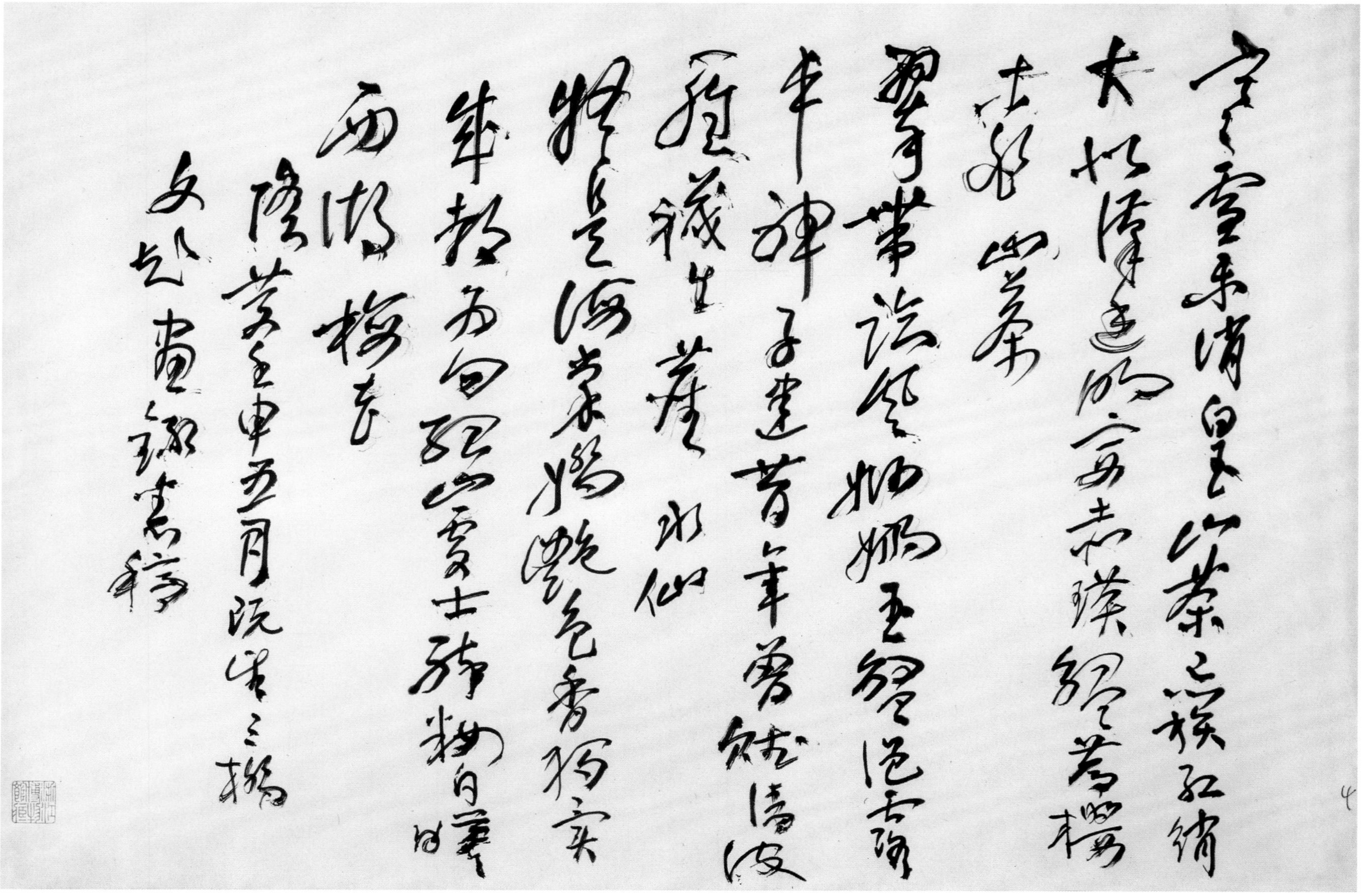

之四

釋文：寒雪未消白玉　山茶已簇紅綃　大似漢廷明宴　赤瑛盤薦櫻桃　山茶

翠帶臨風婀娜　玉盤浥露豐神　子建昔年曾賦　清波羅襪生塵　水仙

疑是海棠嬌艶　色香獨异成都　爲問孤山處士　殘妝自映西湖　梅花

隆慶壬申五月既望　三橋文彭畫録舊稿

臨文彭草書雜花詩（局部）

翠帶搖風如嬌玉質絕色去隨

來陳子建芳年曾妙凌波

羅襪生塵水仙

特是海棠絕艷色香獨寔

年教為白玉雪士殊粉自寒

兩湘梅萼

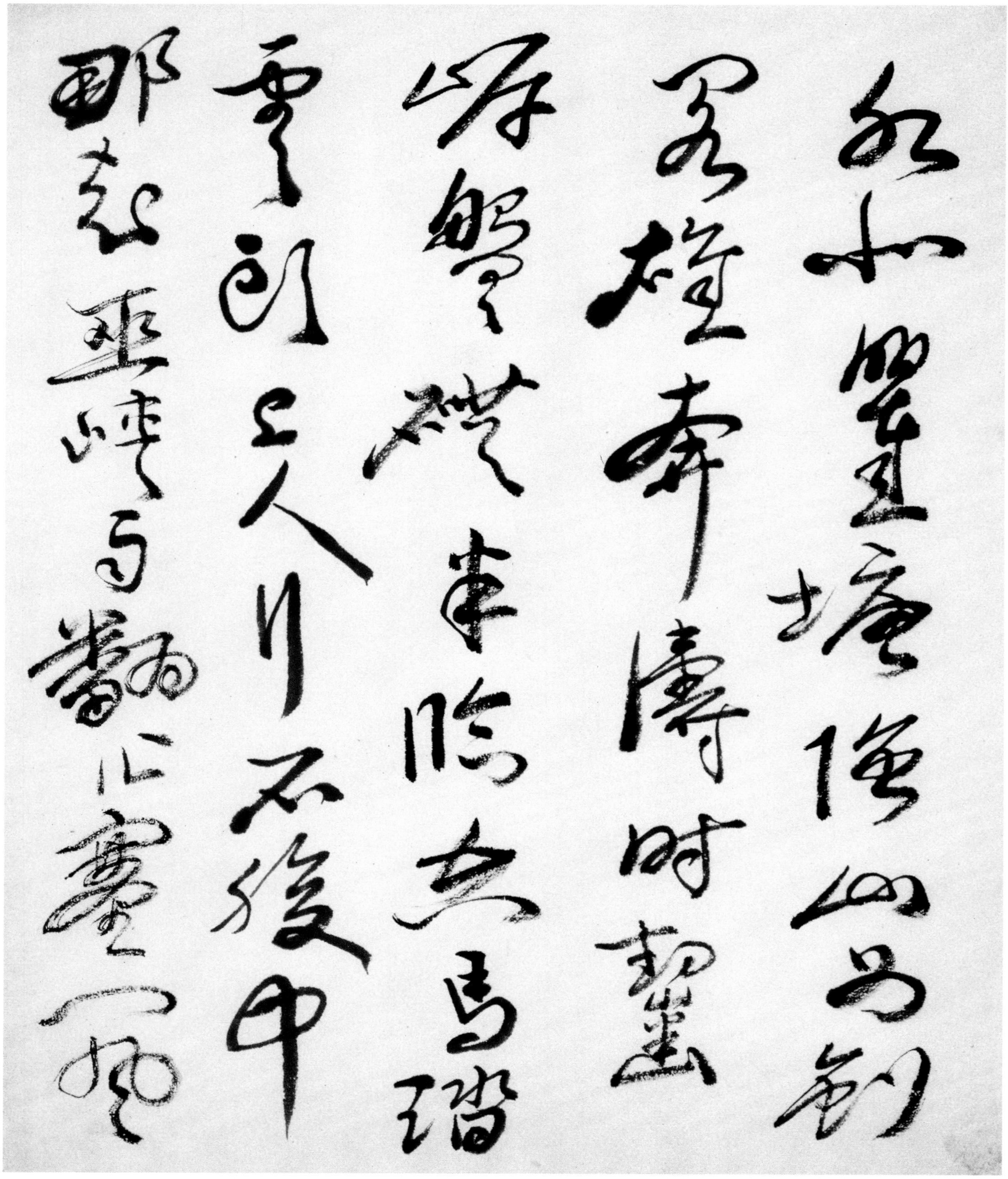

草書王寵詩　紙本　縱二七·五厘米　橫二三厘米　兩幅
浙江省博物館藏
之一

釋文：水似瞿塘險　山如劍閣雄　奔濤時嚙岸
盤磴半臨空　馬踏雲頭上　人行石腹中　那知巫峽雨
翻作塞門風　水田湖岸乍涼秋　雨後山光分外幽
香遠浪深何處好　稻陂邁徑足勾留　王雅宜詩

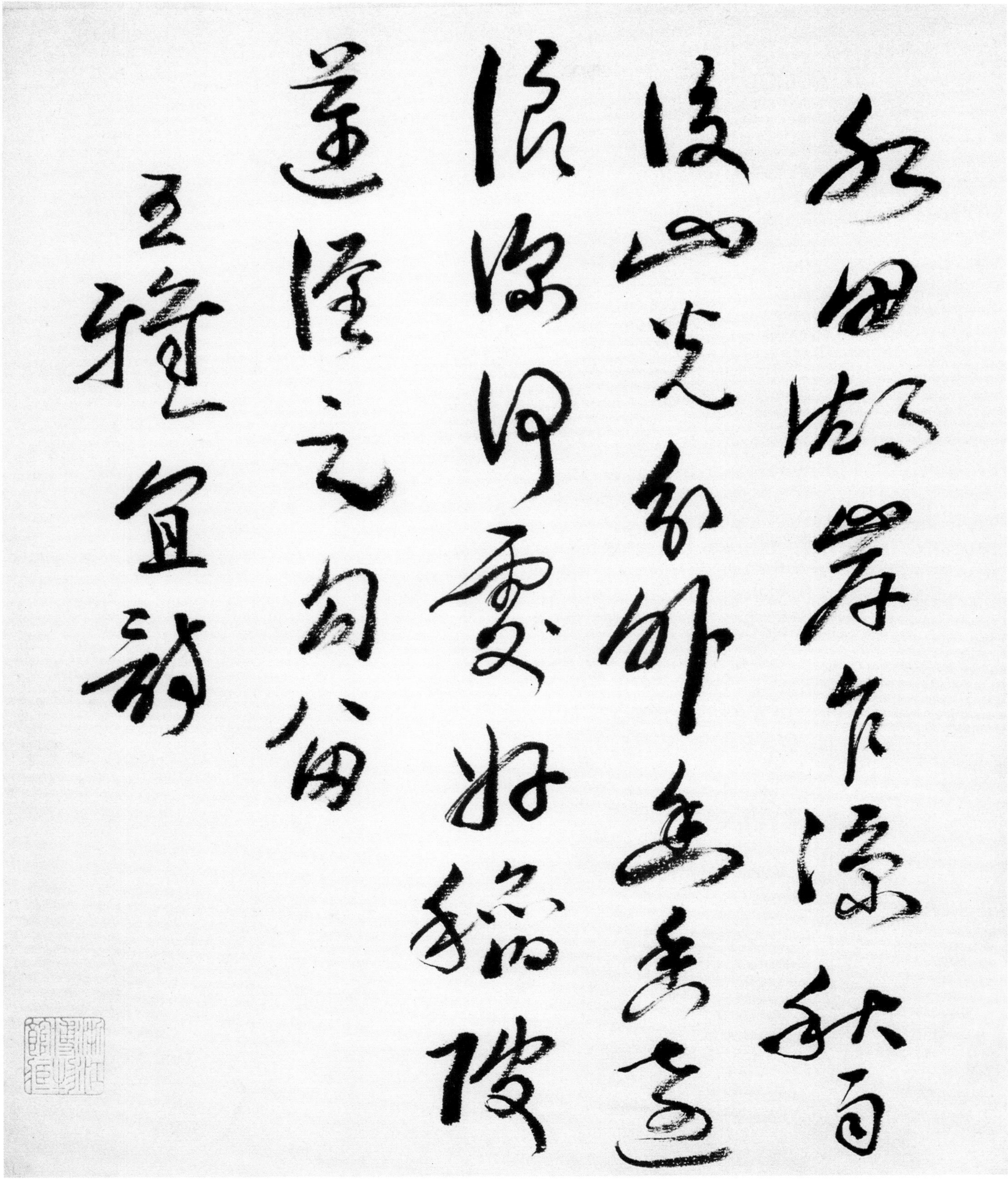

之二

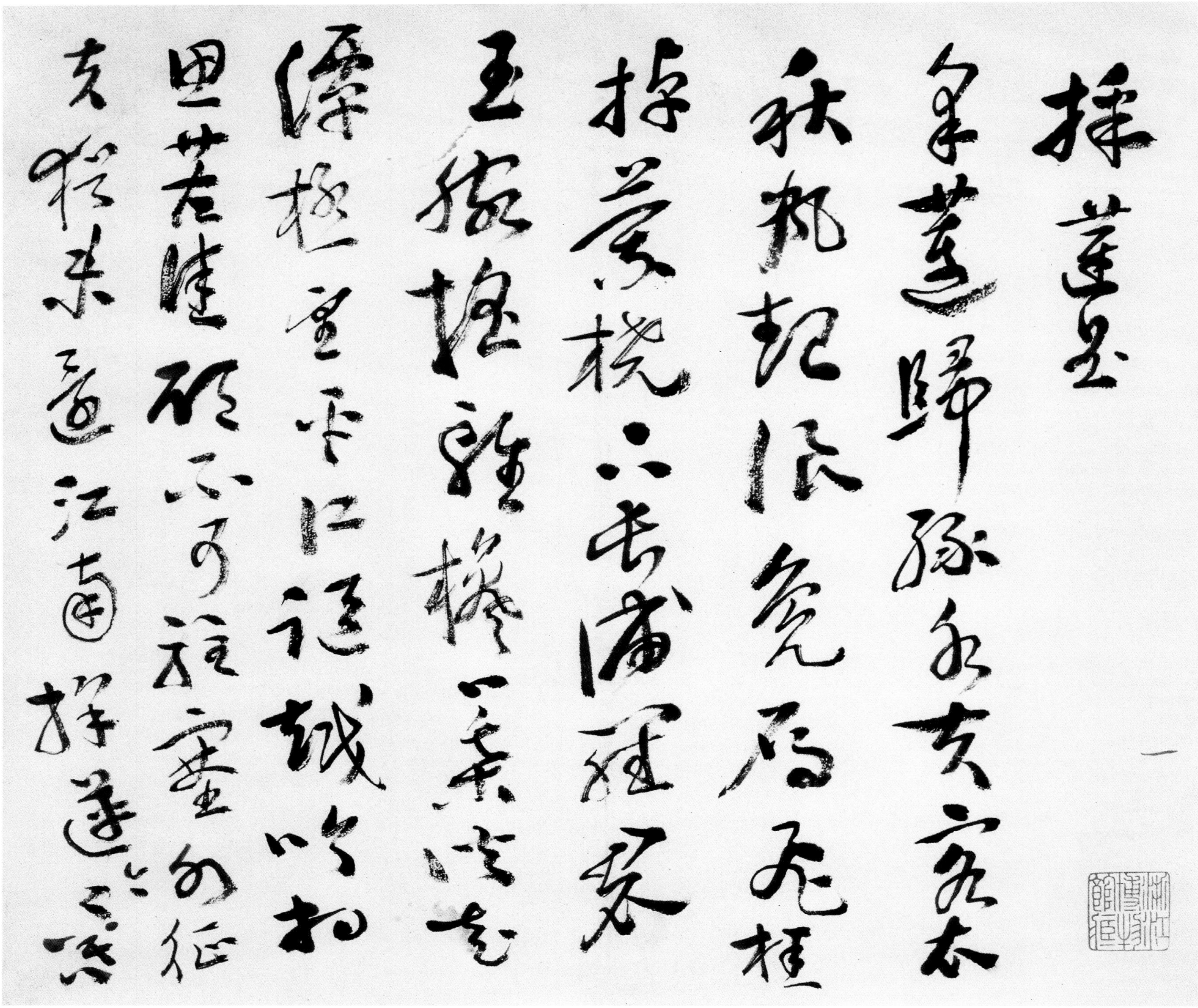

草書采蓮曲　紙本　縱二一厘米　横二七厘米　四幅

浙江省博物館藏

之一

釋文：采蓮曲

采蓮歸　緑水夫容衣　秋風起浪鳧雁飛　桂棹蘭橈下長浦

羅裙玉腕摇輕櫓　葉嶼花潭　極望平江謳越吟　相思苦　佳期不可駐

塞外征夫猶未還　江南采蓮今已暮　采蓮花　渠今那必盡倡家

官道城南把桑葉　何如江上采蓮花　蓮花復蓮花　花葉何稠叠

葉翠本羞肩　花紅强如頰　佳人不在兹　悵寂別離時　牽花憐共蒂

折藕愛連絲　故情無處所　新物從華滋　不惜西津交珍解

還羞北海雁書遲　采蓮歌有節　采蓮夜未歇　正逢浩蕩江上風

又值徘徊江上月　徘徊蓮浦夜相逢　吴娼越女何豐茸　共問寒江□

千里又征客　關山路幾重（下略）

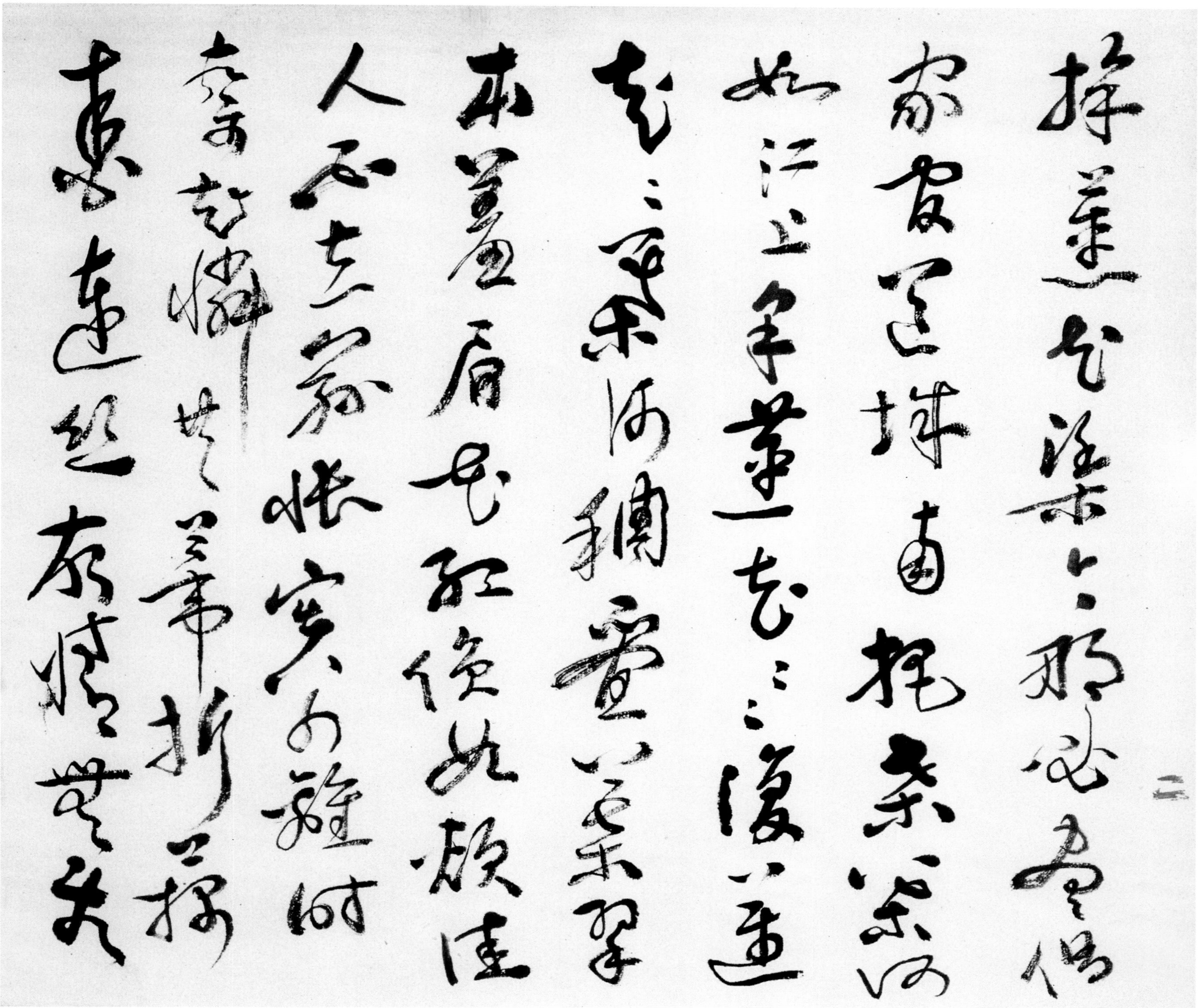

之二

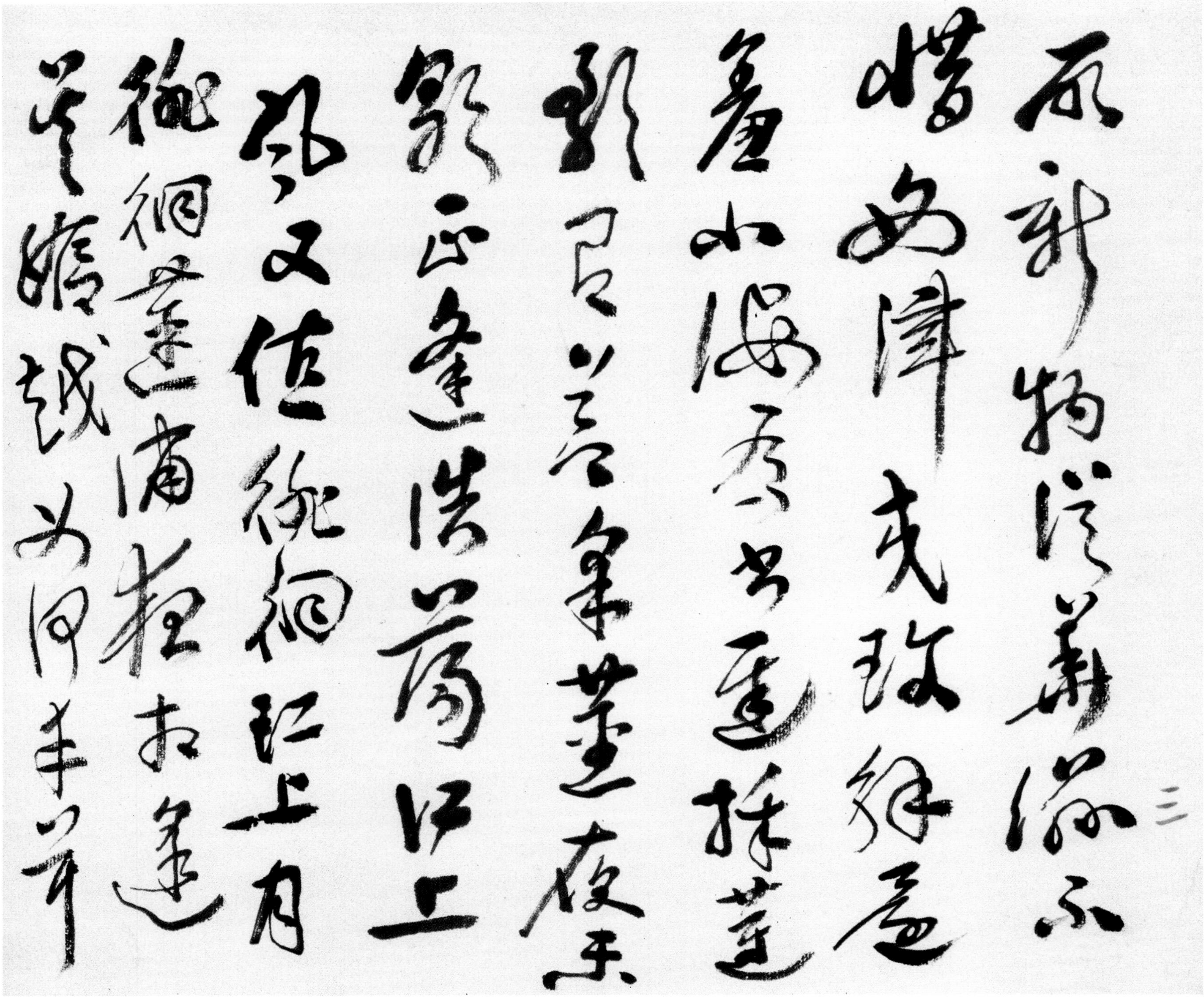

之三

草書作品

乙未正月廿又五日
三橋文彭

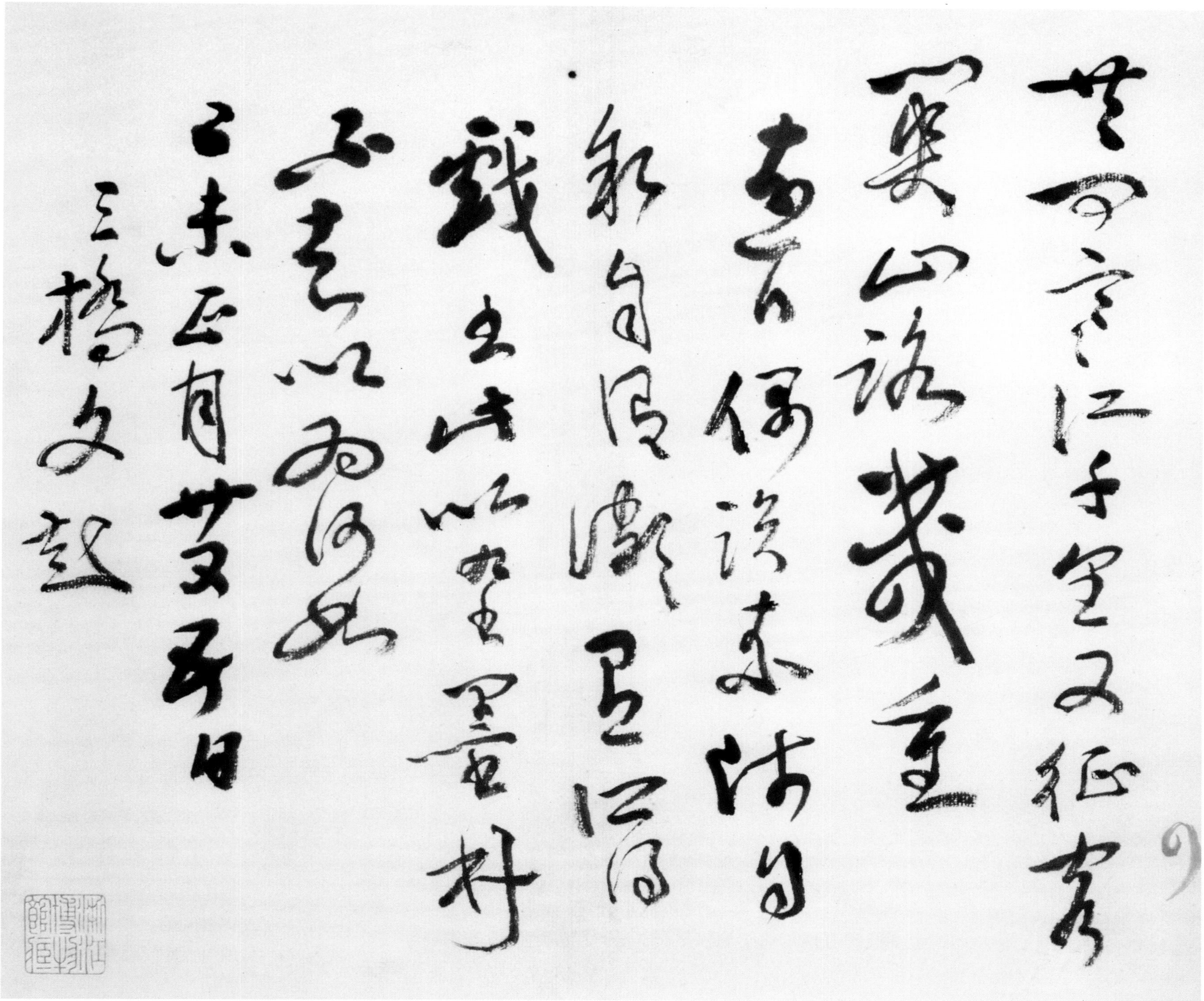

之四

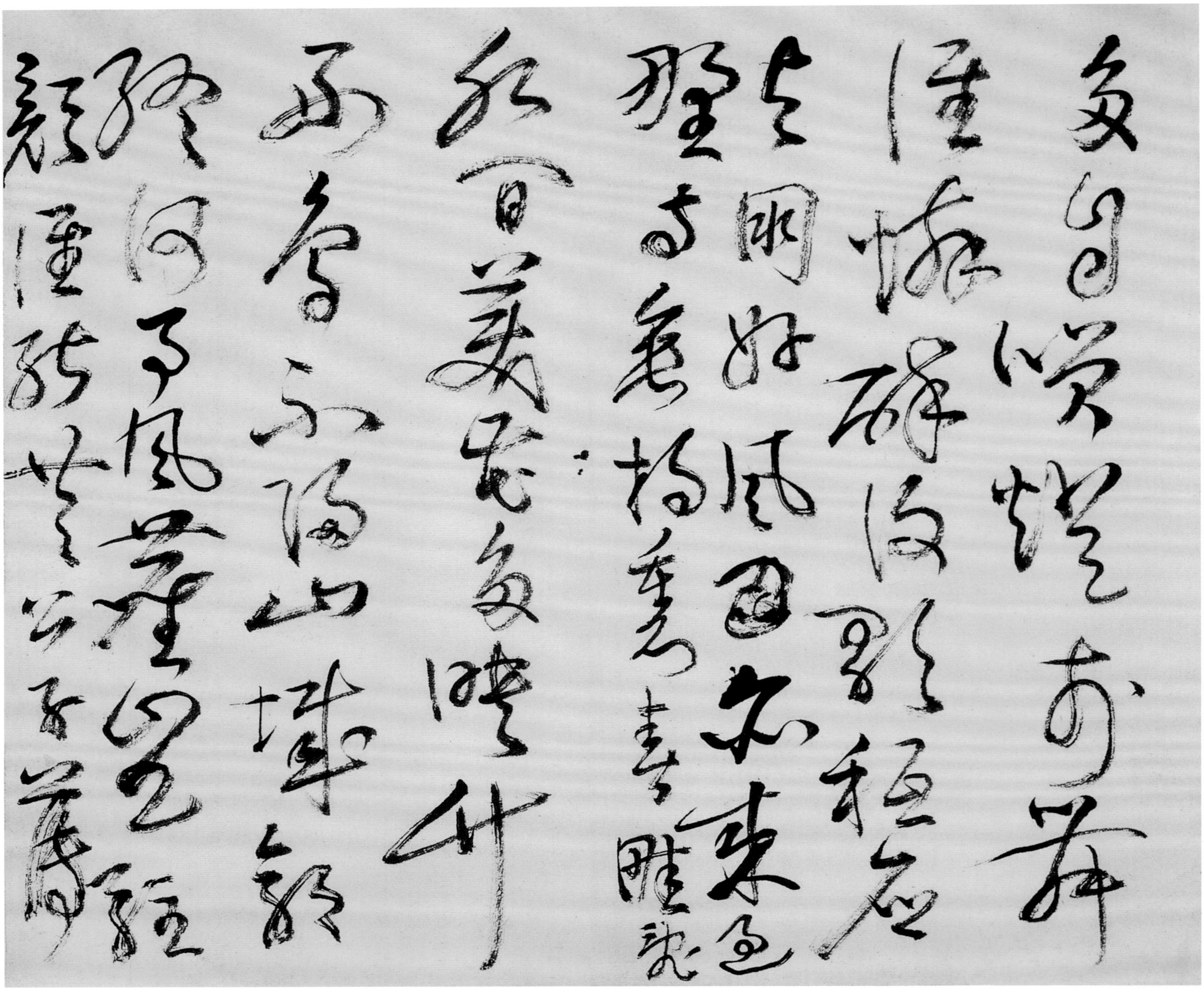

臨朱希賢草書杜甫詩　紙本　縱二四厘米　橫二八厘米　四幅　浙江省博物館藏

之一

釋文：多　自笑燈前舞　誰憐醉後歌　只應與朋好　風雨亦來過　野寺垂楊裹
春畦亂水間　美花多映竹　好鳥不歸山　城郭終何事　風塵豈駐顏　誰能共公子
薄暮欲俱還　細草微風岸　危檣獨夜舟　星垂平野闊　月涌大江流……
年少臨洮子　西來亦自誇　亦知戍不反　秋至拭清砧　已近苦寒月　況經長別心
寧辭搗衣倦　一寄塞垣深　用（盡）閨中力　君聽空外音　客睡何曾着
秋天不肯明　入簾殘月影　烏（高）枕（遠）江聲　計拙無衣食　窮途仗友生
老妻書數紙　應悉未歸情　花飛有底急　老去願春遲　可惜歡娛地　都非少壯時
寬心應是酒　遣興莫過詩　此意陶潛解　吾生後汝期　萬曆丙戌二月初八日
雨坐齋中寫此卷　淡然居士　朱希賢　朱希賢印　明臺　宜宜堂

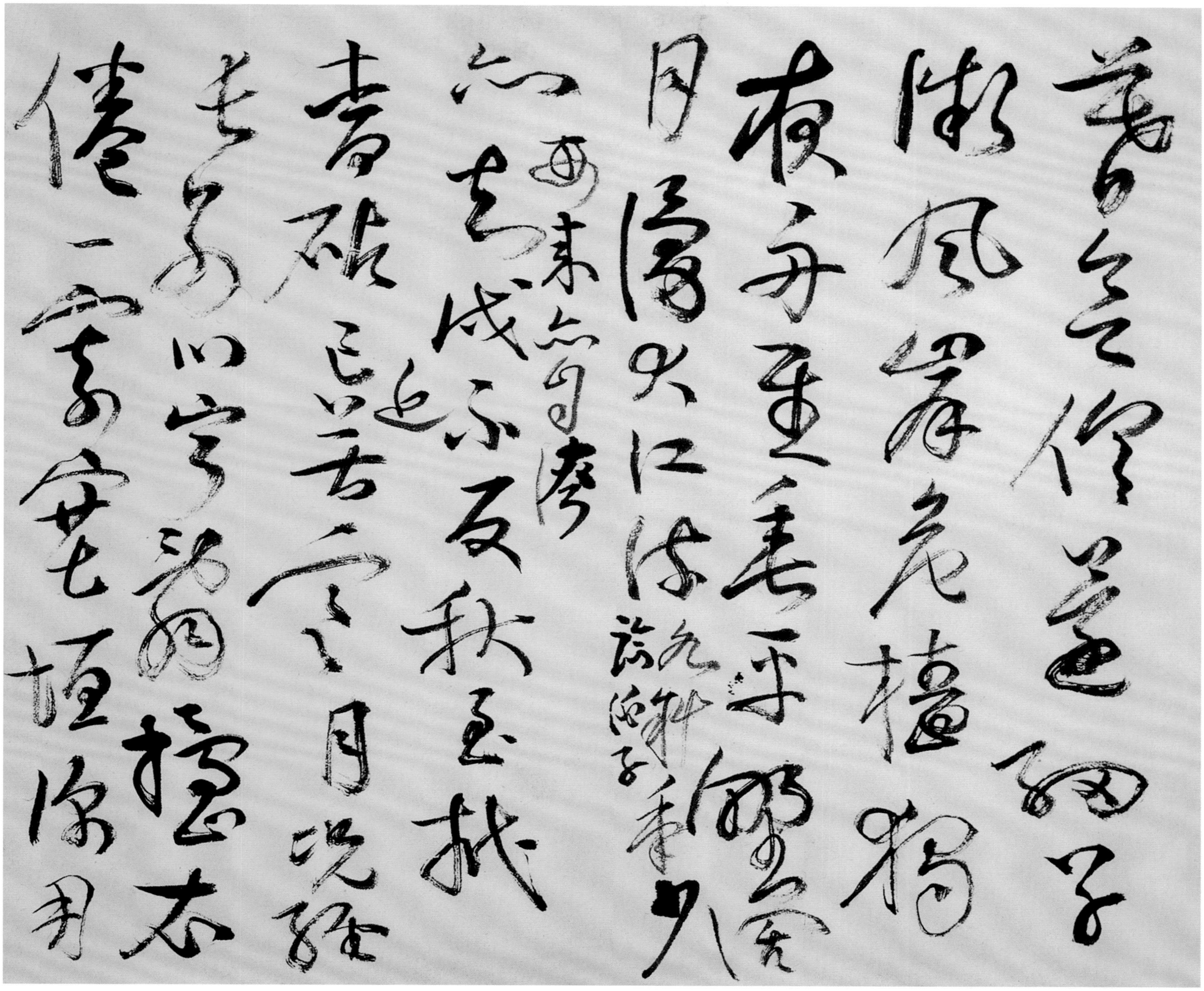

之二

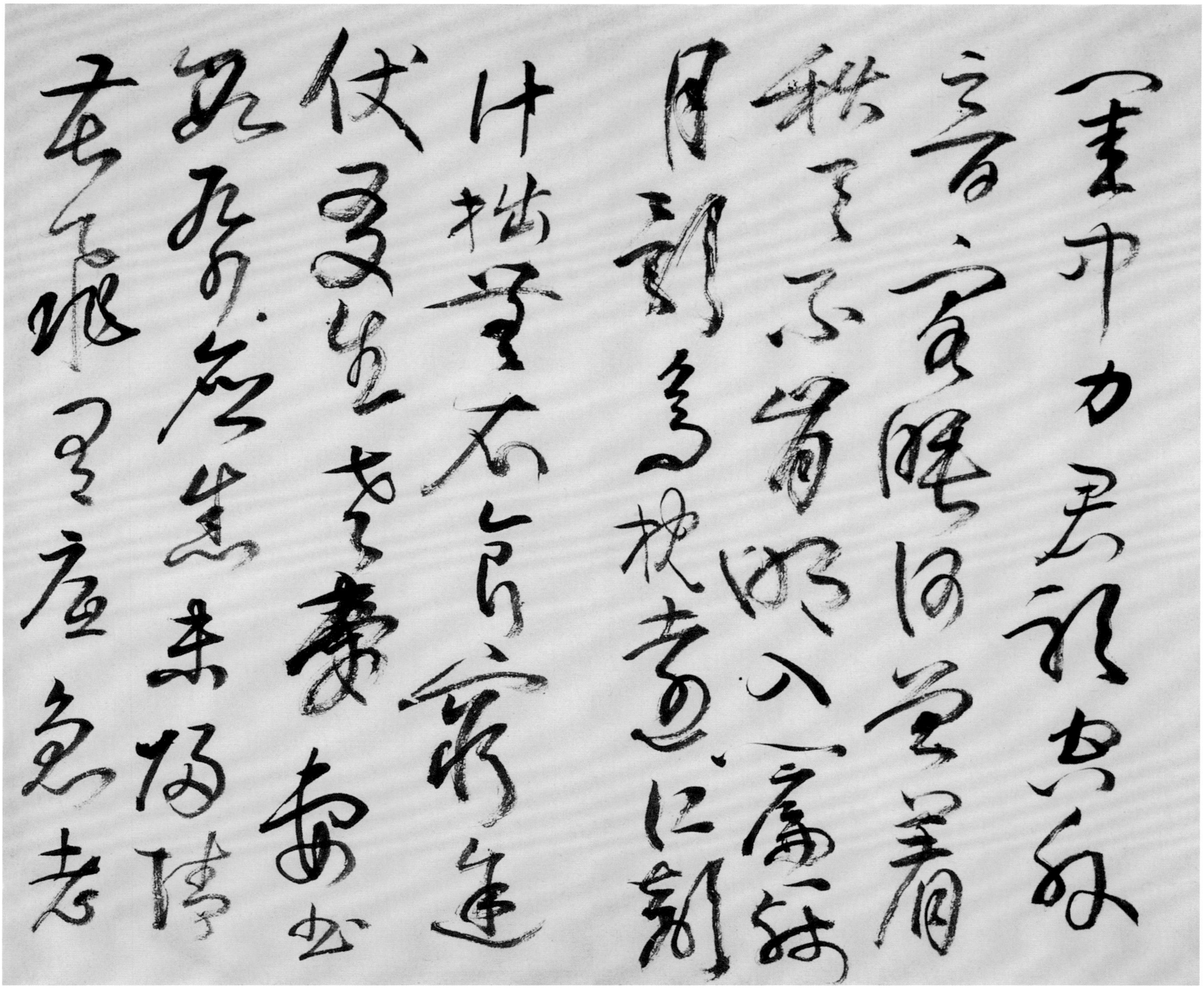

之三

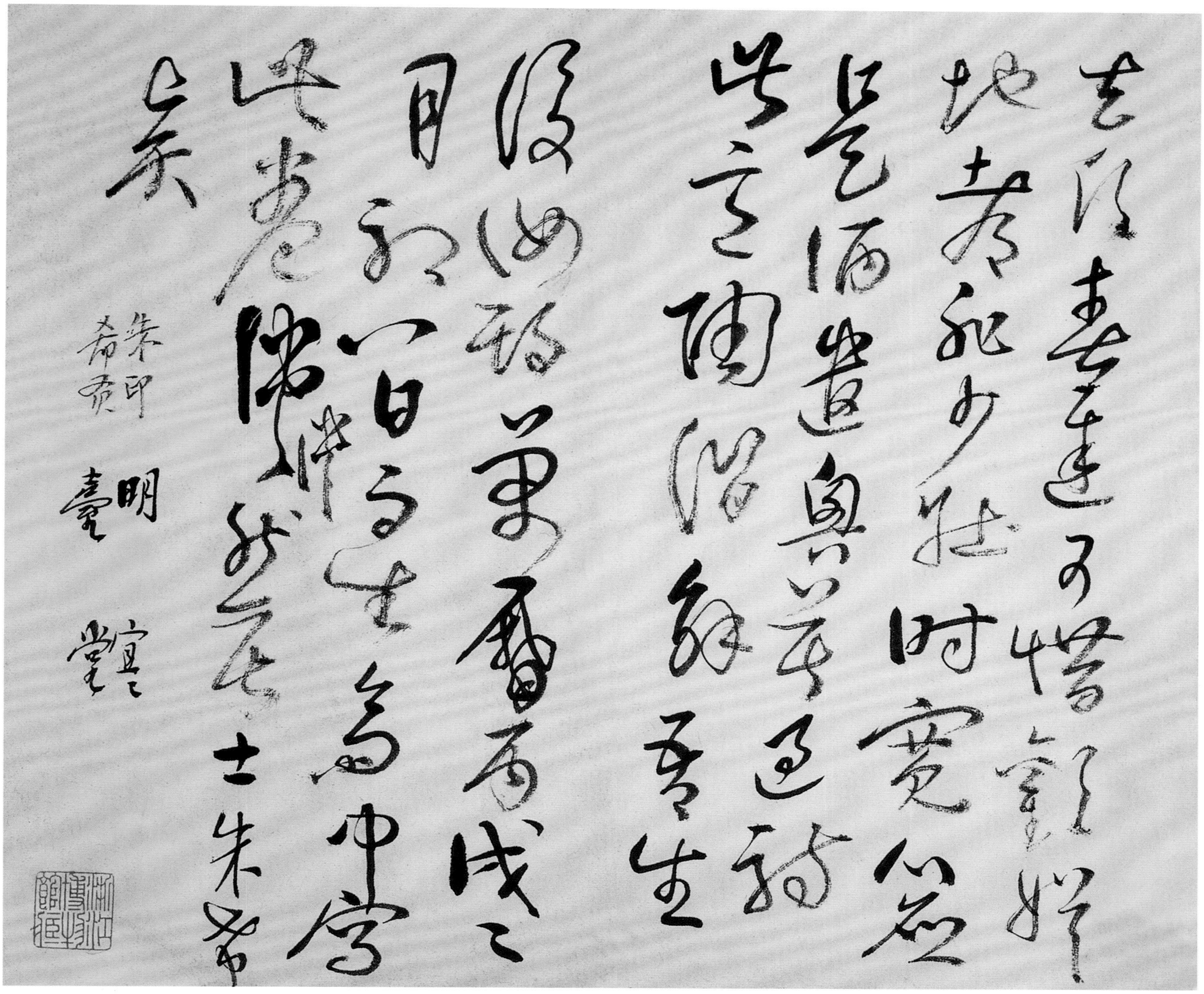

之四

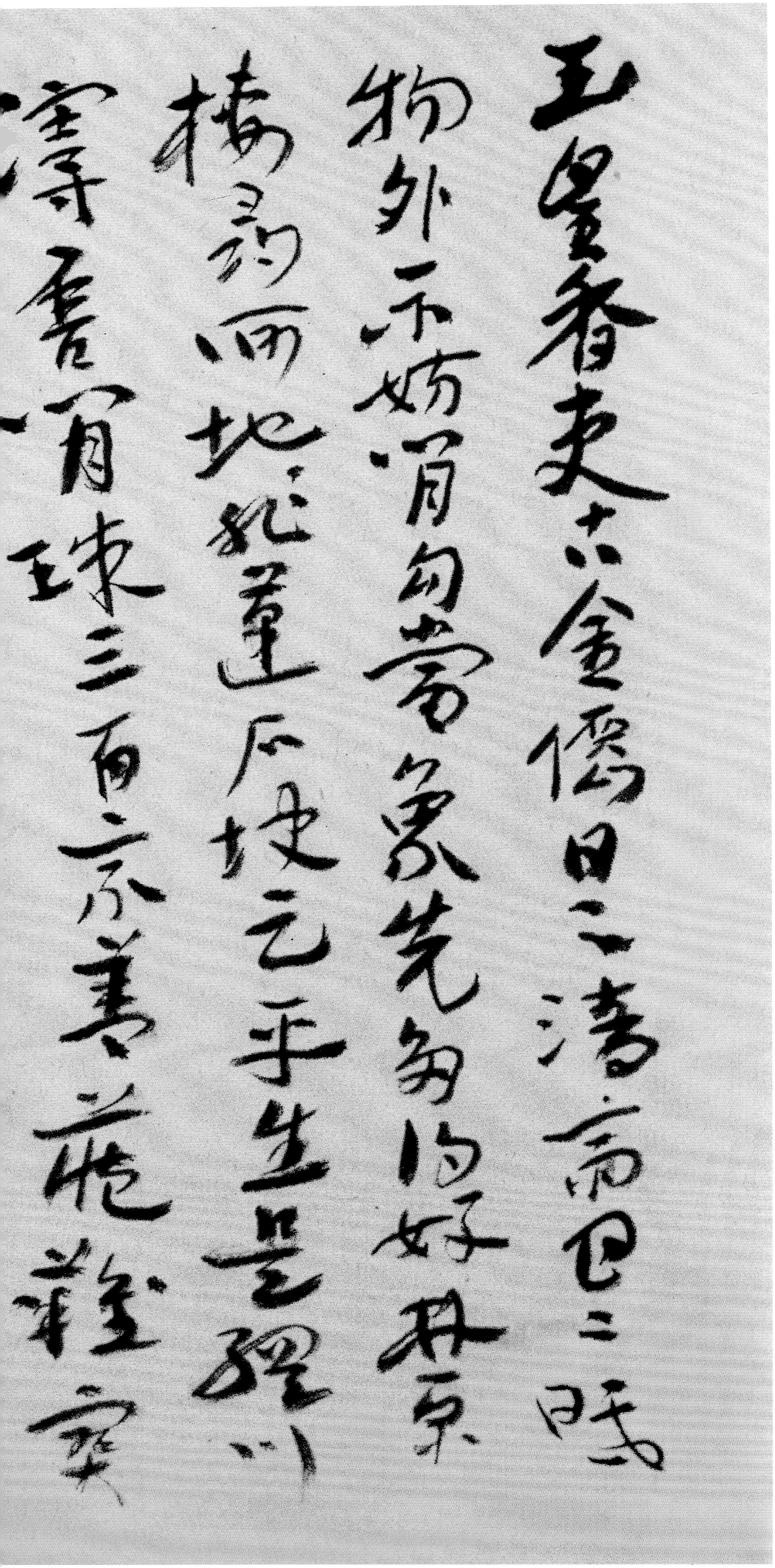

臨劉象先章草七言詩　紙本　縱三〇·五厘米　橫四六厘米

浙江省博物館藏

釋文：玉泉香吏古金仙　日日清齋日日眠　物外不妨閑勾當　象先多得好林泉
栖尋何地非蓬户　快足平生是輞川　漫捨閑珠三百宗　善藏難寶一千年
如新粉本無完地　不落精神化冷烟　信有因緣當適值　末繇呵護豈能傳
看須屏息平心戒　展必焚香拜手虔　四壁無風雲木動　衆山登響瀑花濺
前身我輩呼堪出　裴迪丘爲孟浩然　右震文題輞川圖爲書舊詩見命
劉象先

手筆如霧粉本十一之漢朱之
化後姻緣有因緣黃道值未錄師陵
吳張倩女沃原自直手以成屏必禁
香於手度四壁生風雲木動水山經營
灑筆語牙豪華浮地生紫迴正為丞
洪盤古庵文題經以為西畫前詩充壹
米書翁先

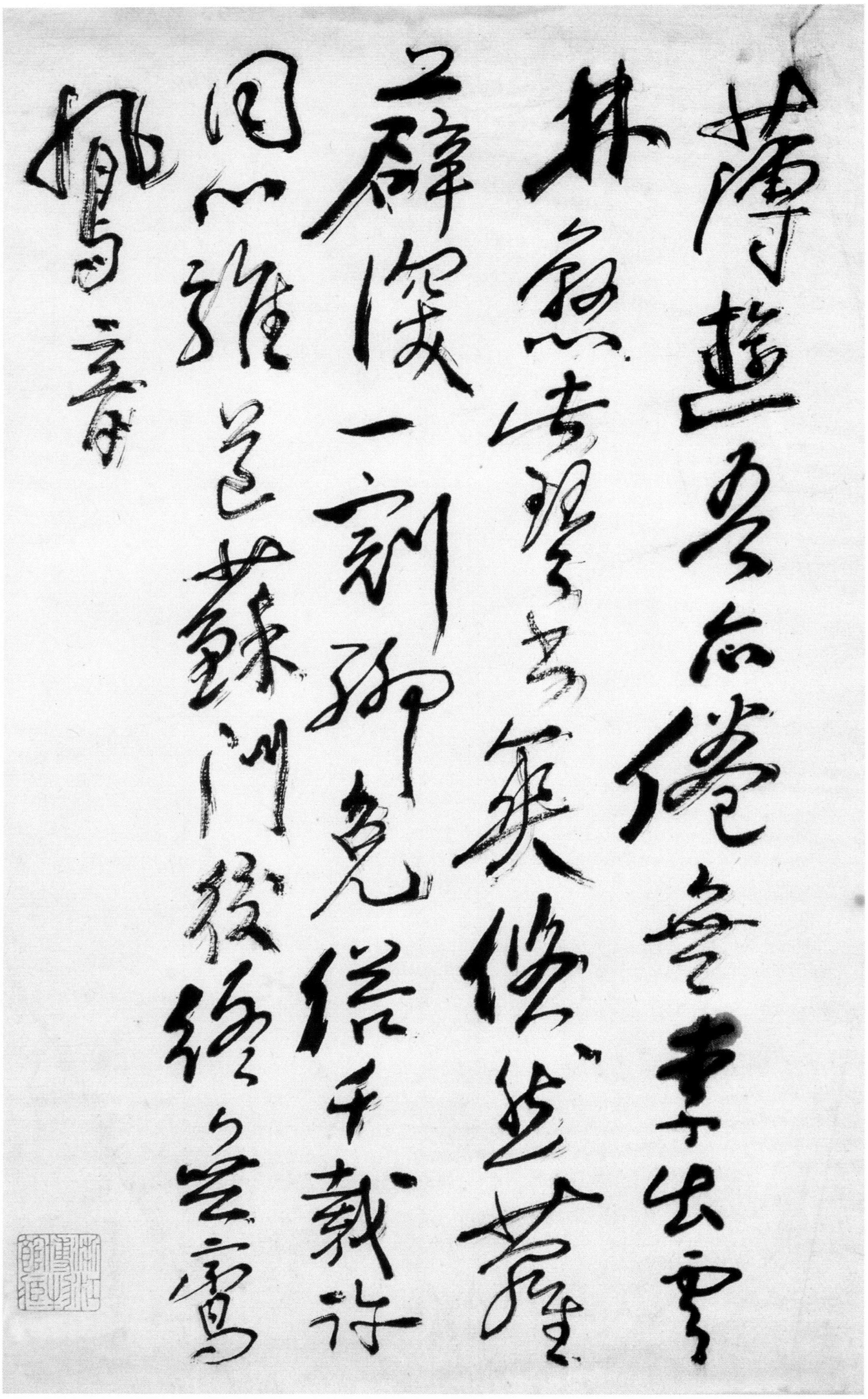

草書五言詩

紙本　縱三二厘米　橫二〇厘米　兩幅

浙江省博物館藏

之一

釋文：

薄游吾亦倦　無奈出雲林　懸此琴書爽　悠然蘿薜深

一冠聊免俗　千載許同心　誰道蘇門後　終無鸞鳳音

分襟燕北去　贈子佩刀宜　是月重爲別　孤雲何所期

疏章多起翦　郡邑遍旌旗　我輩非無事　祁連雜勒碑

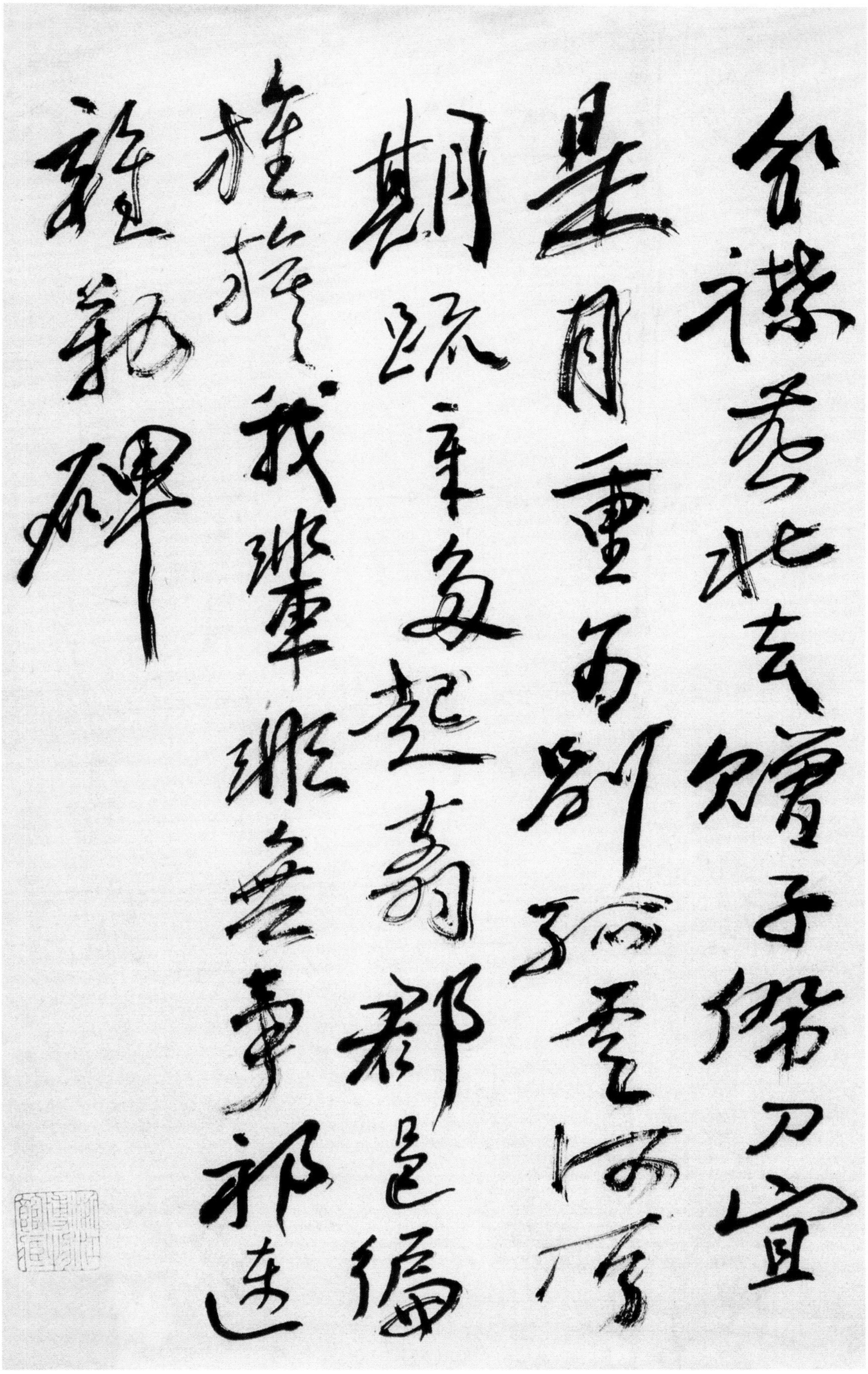

之二

百年遗墨若精神谨当尝

远陶杜老言兮日与俱佳

清眠因笔少懒矢为人所集

读东坡遗稿云论文姑置

此言之最可乎谁亲素俭

去峰革石尤少懒妙为人

郝金法今无先生去盾之

除者也今数笔顷

缔锄堂前木稗黄何人是华昌

天香迁翁胸中青清癖欲扫

绿花归枕晝秋林野晴啬

款写百笔漫庭英都卜居

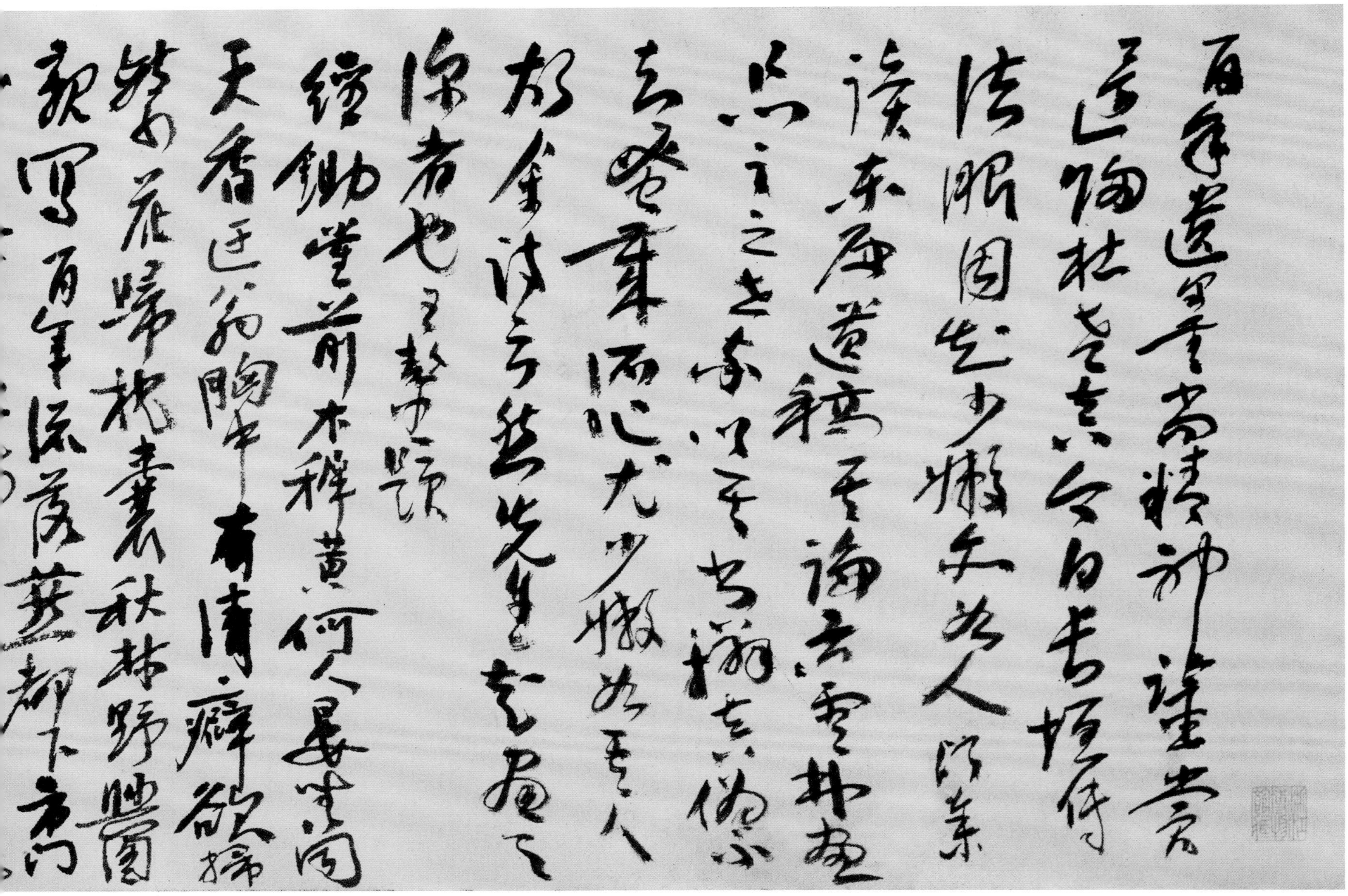

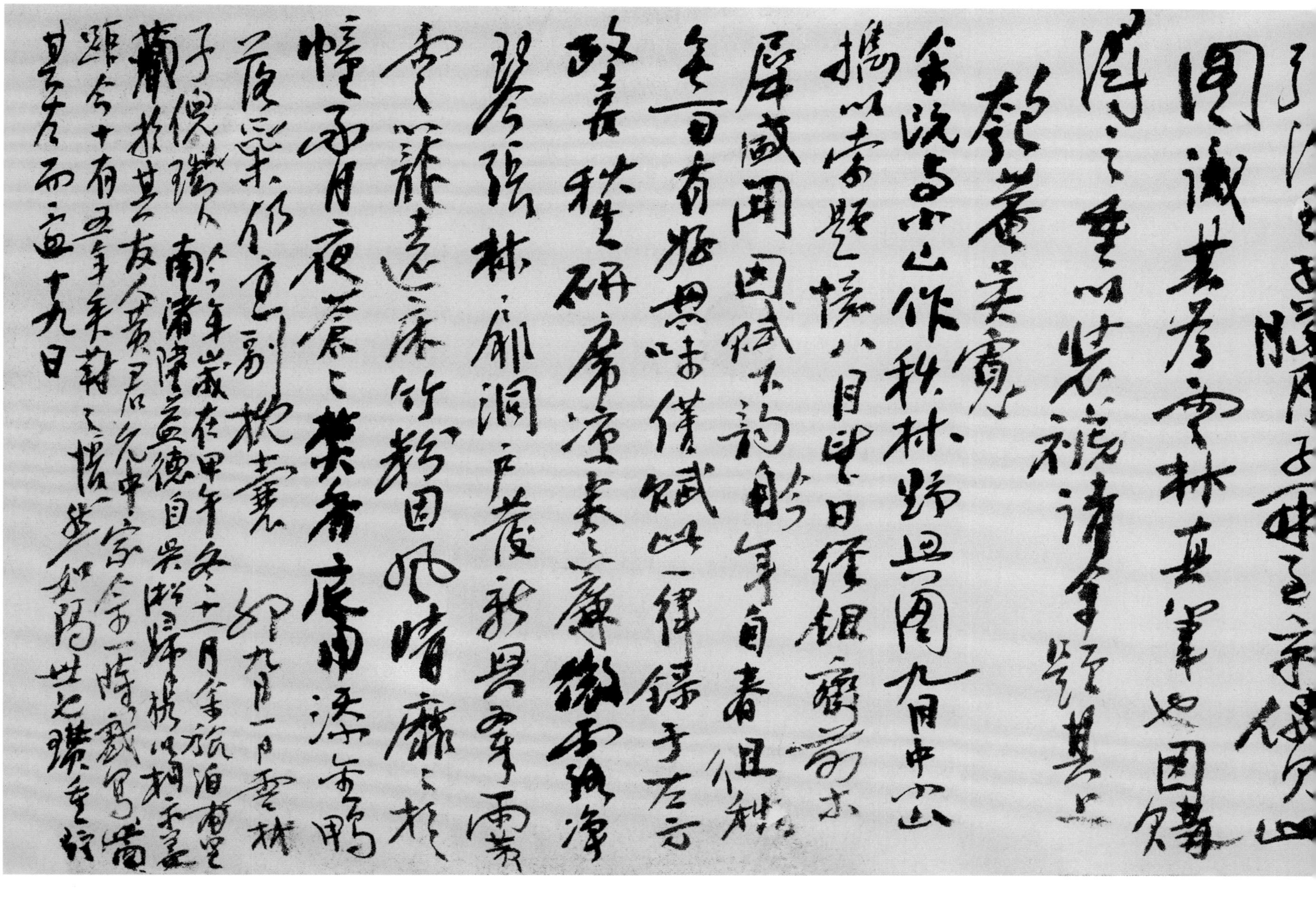

行書倪瓚王鑒吳寬等題畫跋　紙本

縱三〇·五厘米　横九二厘米　兩幅　浙江省博物館藏

釋文：百年遺墨尚精神　鑒賞還歸杜老真　今日長垣傳法眼　因知少嫩亦如人　頃余讀東户遺稿　其論云　雲林書品　今之世率以其書辨真僞不知蚤歲所作　尤少嫩如其人　故余詩云　然先生知畫之深者也　王鑒題

經鋤堂前木樨黄　何人晏坐聞天香　迂翁胸中有清癖　欲掃繁花歸枕囊秋林野興圖親寫　百年流落燕都下　市門不遇杜長垣　殘墨誰將手重把弘治壬子臘月　子開至京偶見此圖　識其爲雲林真筆也　因購得之　重以裝褫　請余題其上　匏庵吳寬

余既與小山作秋林野興圖　九月中小山携以索題　憶八月望日經鋤齋前木樨盛開　因賦下韵　自今年自春徂秋　無一日有好興味　僅賦此一律　録于左方　政喜秋生研席涼　捲簾微露浄琴張　林扉洞户發新興翠雨黄雲籠遠床　竹粉因風晴靡靡　杉幢承月夜蒼蒼　焚香底用添金鴨落蕊仍宜副枕囊　□卯九月一日　雲林子倪瓚　今年歲在甲午冬十一月余旅泊甫里南渚　陸益德自吳淞歸　携以相示　蓋藏于其友人黄君允中家　余一時戲寫此圖　距今十有五年矣　對之悵然如隔世也　瓚重題其左而還　十九日

行書倪瓚王鑒吳寬等題畫跋（後頁局部）

大尊詩云然先生乞為又
係者也王摯頭
經錫瑩前木稱黄何人最安問
天香乎送翁胸中有清癖欲掃
紫花歸根春叢秋林野惯圓
親何有年深處落都下方門
不遇杜老短張果從楊手重妖

孙治生于臘月子，世至今歲已
閒識其居處林麓，如圖畫
爲之無以悲戀，請余寫其
故吞墨寫之
余既爲黑山作秋林歸思圖九日中岂
携以索題，八月望日經鋸癡翁公
居識閒因識不詞能自書且雜

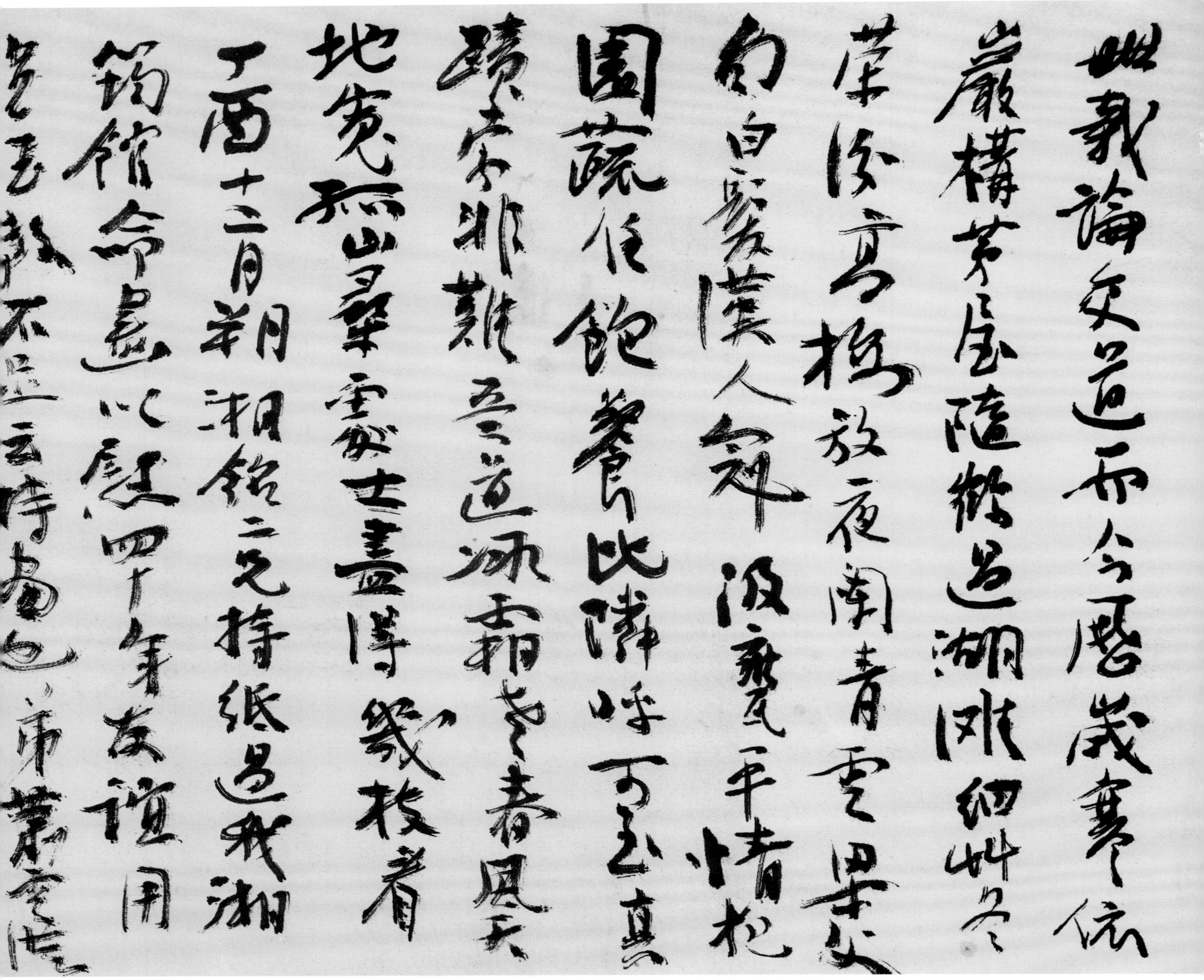

行書蕭雲從題畫詩白玉蟾尺牘并後人題跋（局部）紙本

縱一六厘米 橫二五一厘米 兩幅 浙江省博物館藏

釋文：卅載論交道 而今歷歲寒 依岩構茅屋 隨鶴過湖灘
細草冬榮後 高梅放夜闌 青雲粱父句 白髮漢人冠
汲瓮平情抱 園蔬任飽餐 比鄰呼可至 真迹索非難
吾道冰霜老 春風天地寬 孤山尋處士 盡得幾枝看
丁酉十二月朔 湘銘二兄持紙過我湘筠館命畫 以慰四十年友誼
用呈玉教 不足云詩畫也 弟蕭雲從
節壽 弘仁
玉蟾頓首再拜并覆判縣寶謨郎中 玉蟾記得别時 松間酌酒
柳岸分襟 握手如痴 轉頭似夢 人間又九度鶯花矣
玉蟾常敬之 足下登無塵踪 學有源流 德冠先天
理該太極 點黄變白 宛若金石之精微 吸電呼雷 策設鬼神之造妙
胸中兵甲 遠逾前代之衛公 筆下烟雲 復見今時之李白
世無玄德 孰識孔明 玉蟾當屋梁夜月之時 發才大難爲之嘆
自慚梗迹 徒負葵傾 玆勤軍將之遠來 下諭長生之密旨
文緘别幅 道莫妄傳 第恐功名債重 花柳緣深 未治養思
豈能拔宅 卅三年之蹭蹬 且過壬寅 七返九還之大丹成于乙巳
此去斗牛星裏 利磨匣内之寶刀 他日熊虎幕中 環聽明公之號令
幾多珍重 未盡毫端 風霜手段 屏除天下之鬼群 霖雨心手
行簡日邊之帝聽 不宣 玉蟾頓首再拜上覆

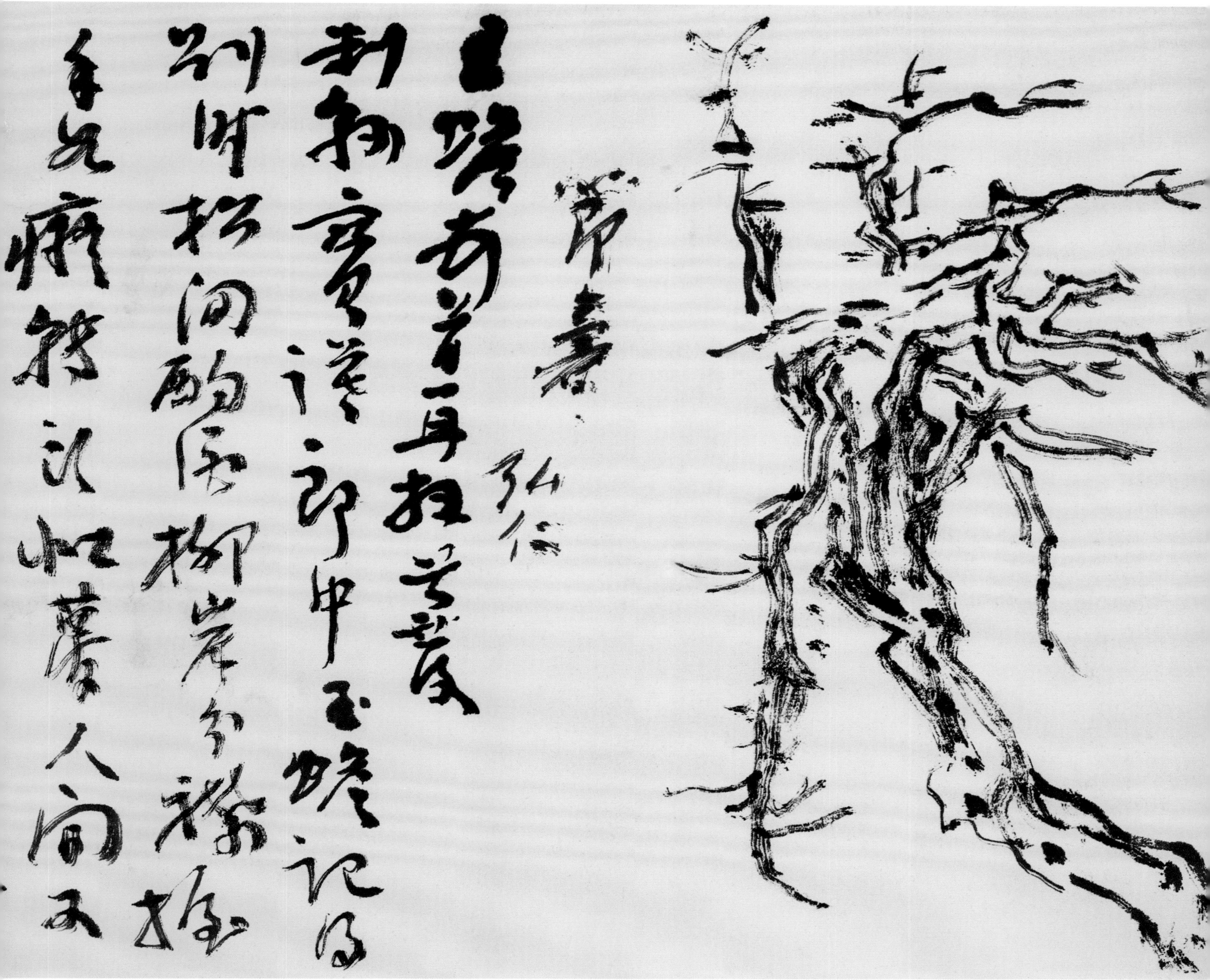

寶謨公以黃白之術　謁神霄吏　吏以屏除天下之鬼群爲勉　問扶遥子　子
以治平天下爲對　孰謂神仙者流　亦關憂于世間民社邪　余開合此書
深□儒□之不如　箕尾叟在雲間舒眉處　試老温鐵心穎　廉夫
白真人號紫清　字仲晦　玉蟾其諱也　人不知　多稱其名　今觀此帖
與平昔眼中所見　如出兩人　得之者故宜珍藏　觀之者亦有所起滌焉
神樂寓所觀并題　白玉蟾少時嘗應童子科　既長　學仙陳泥丸
其所作文字　多爲駢儷體　此札其寄寶謨郎中者　寶謨不知何人
然玉蟾稱其點黄變白　吸電呼雷　蓋亦好奇之士也　夫神仙固自有術
然所以學之　須自忘情世累始　花柳緣深　功名債重　寶謨何人
而欲如玉蟾耶　知州周瑛觀　曾在秋湄山人處　天啓癸亥秋七月十有三日
同季仲訪一航師于筠泉精舍　出書繪玩賞　拜觀白真人手翰　乃中年佳迹
與余藏海雲樓詩相似　無唐宋陋習　瀟澹虚和有魏晋筆外意
信非尋常者流所可知也　相與嘆賞久之　時程子公邁
李君僧筏在坐同觀　西山樵子安紹茂敬識卷末　求是樓珍賞印
古朱林仙婆蔣氏圖書　右安姓跋尾　昔時裝背爲庸工失去
幸向有存録　因得補書　又跋四　亦同時所遺　四跋皆隆萬間僧
辭語鄙俗　乃彼教中糟粕耳　頗不足存　不備録
戊寅六月消暑重裝并識　三希堂精鑒璽　宜子孫

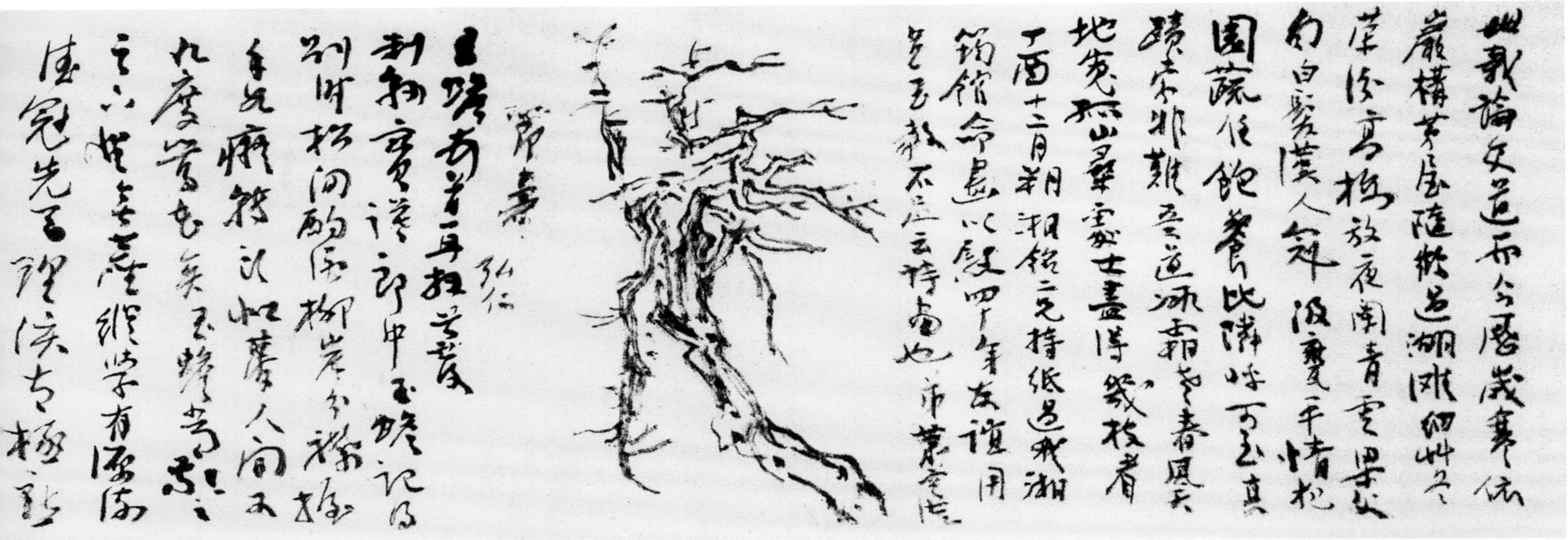

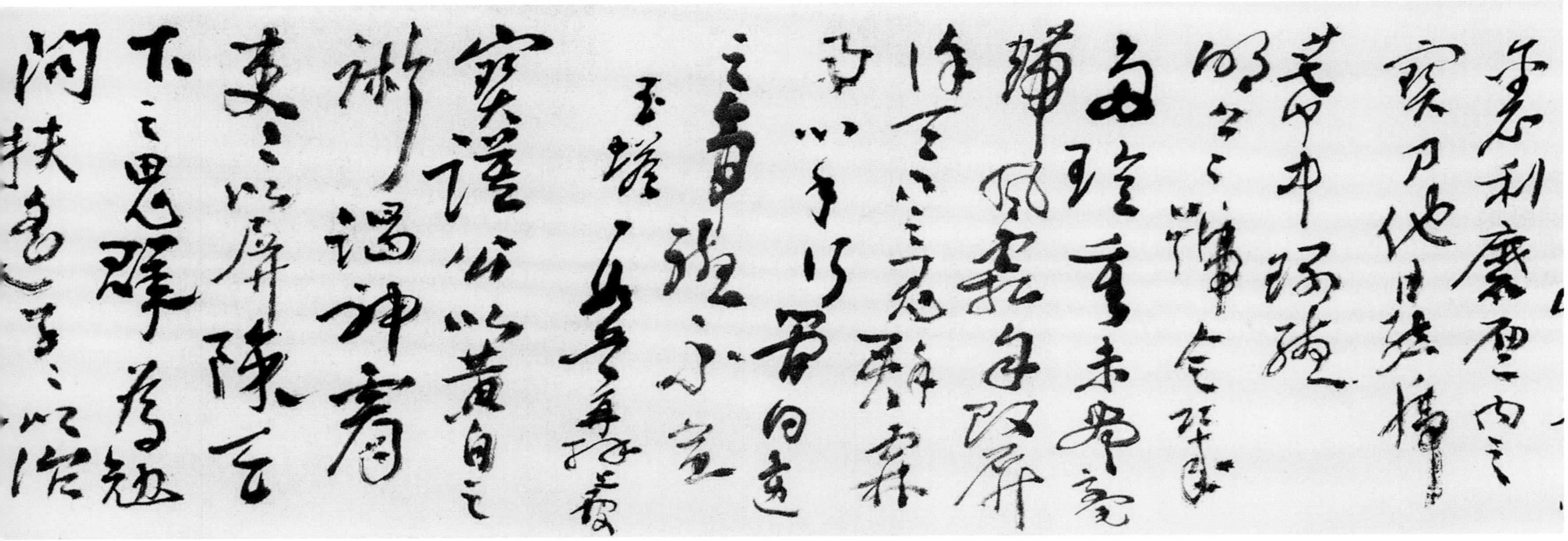

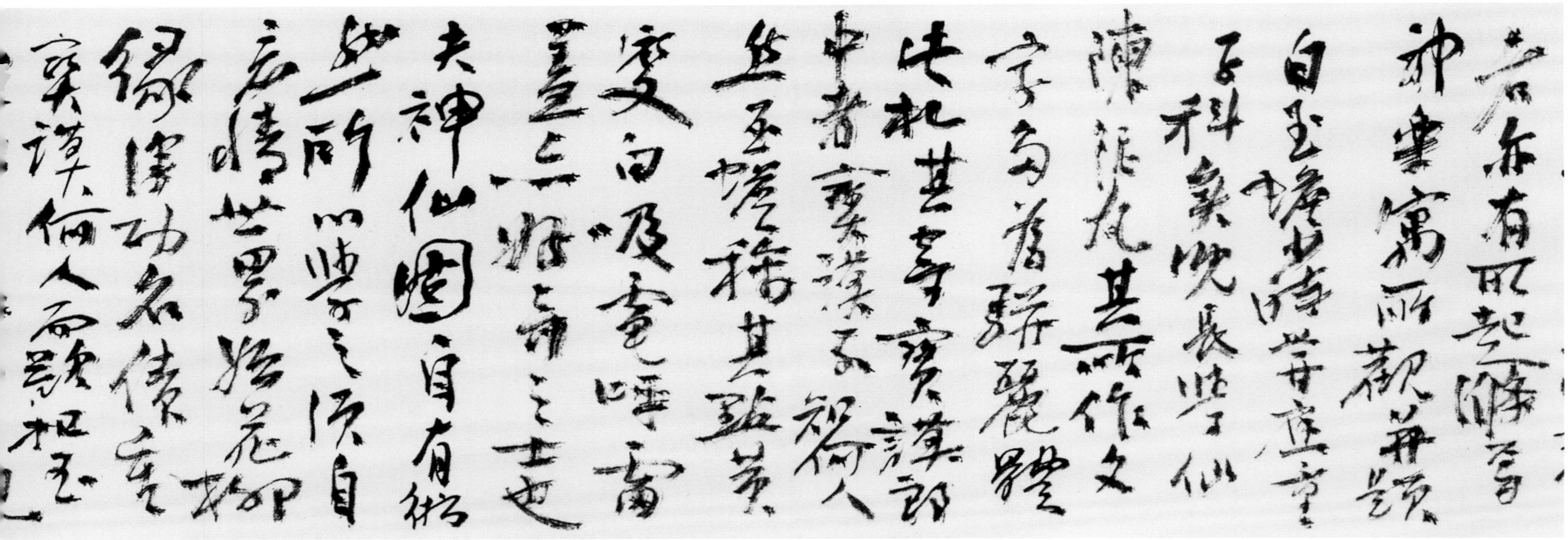

行書蕭雲從題畫詩白玉蟾尺牘并後人題跋

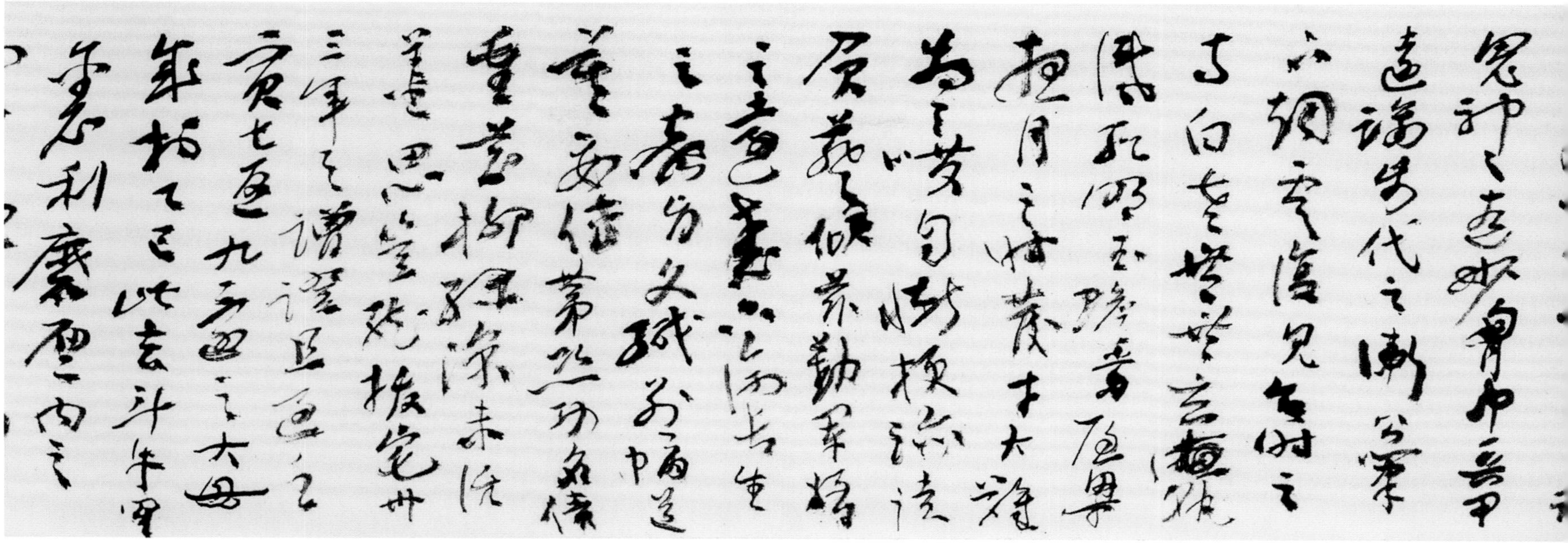

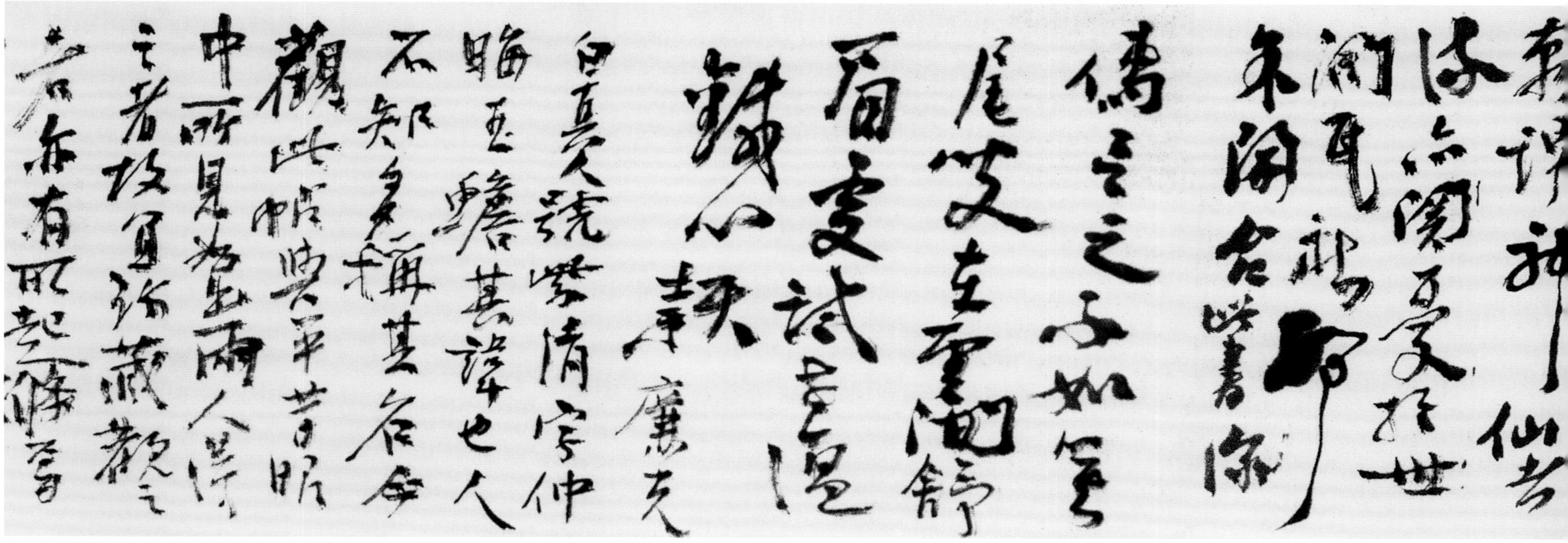

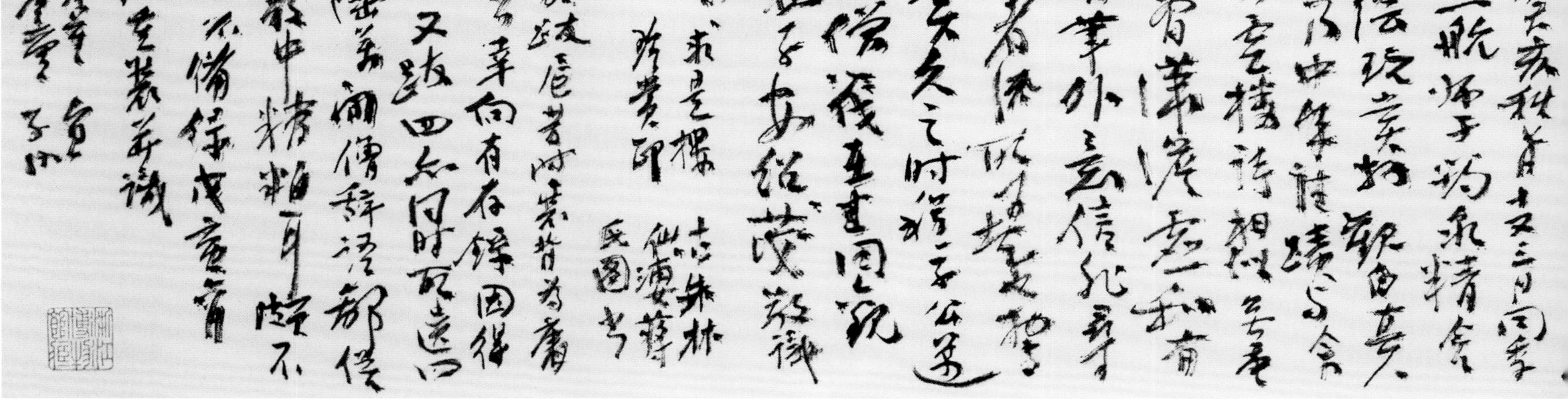

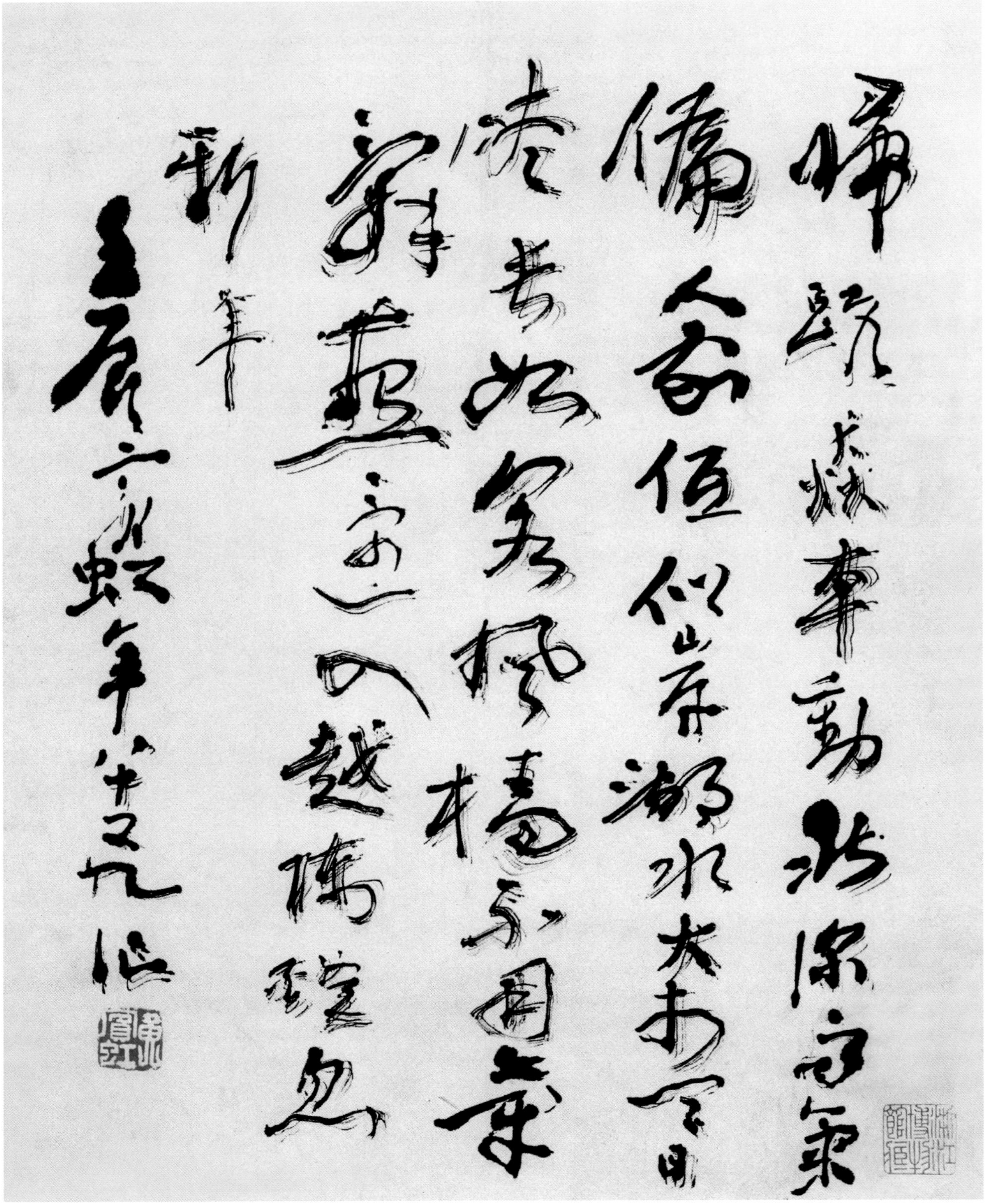

行書五言律詩　紙本　縱三二·五厘米　橫二五·五厘米

一九五二年作　浙江省博物館藏

釋文：歸路飆車動　秋深雨氣偏　人家低似岸　湖水大于天

日晻長如闍　風檣不用牽　辭燕還入越　陳醴忽新年

壬辰　賓虹年八十又九作

鈐印：黃賓虹

行書五言律詩（局部）

蟬躁蟻牽動水深之
偏人每恒似岸湖水未未
清書如氣風橋雲國
寂寺無起亦之的越陳室
衍筆

早筆峰山興玉削成飛泉珠迸作琴鳴
寒生六月不知暑艇過松陰不從行
鱗之低壓浪紋腰脈之撲拖山壁青直上坡坨
閒行之幽棲何處著茅亭
山含煙翠碧雲表解駁晴空吐翠螺行遍石
斜苔蘚潤披衣袖趁雨經過
竹樹蕭疏水一窪鐵舟人去散綺霞盡長日午
閑雞犬谷口或村三兩家

行書黃山雜咏四首　紙本　縱三三厘米　橫三一・五厘米　一九五二年作　浙江省博物館藏

釋文：卓筆峰尖玉削成　飛泉珠迸作琴鳴　寒生六月不知暑　盤過松陰石縫行　鱗鱗低蹙浪紋腥
脉脉橫拖山髻青　直上坡坨閑佇立　幽栖何處着茅亭　山含濕翠活雲多　解駁晴空吐碧螺
行徑石斜苔蘚潤　我來初趁雨經過　竹樹蕭疏水一窪　煉丹人去散餘霞　晝長日午聞鷄犬
谷口成村三兩家　黃山雜咏舊作　録奉士青先生大雅教正　壬辰　賓虹年八十九歲

鈐印：黃賓虹

行書黃山雜咏四首（後頁局部）

平峯峯興起削成飛泉瀦
處處六月不知暑盤過松陰
鐙之低壓浪紋隱脈脈攬摳山騷
閣得之過樓何處著茅亭
山倉磴翠語重多解駁晴空
斜散錄關戲來
文人雨住昌

題畫詩文圖版

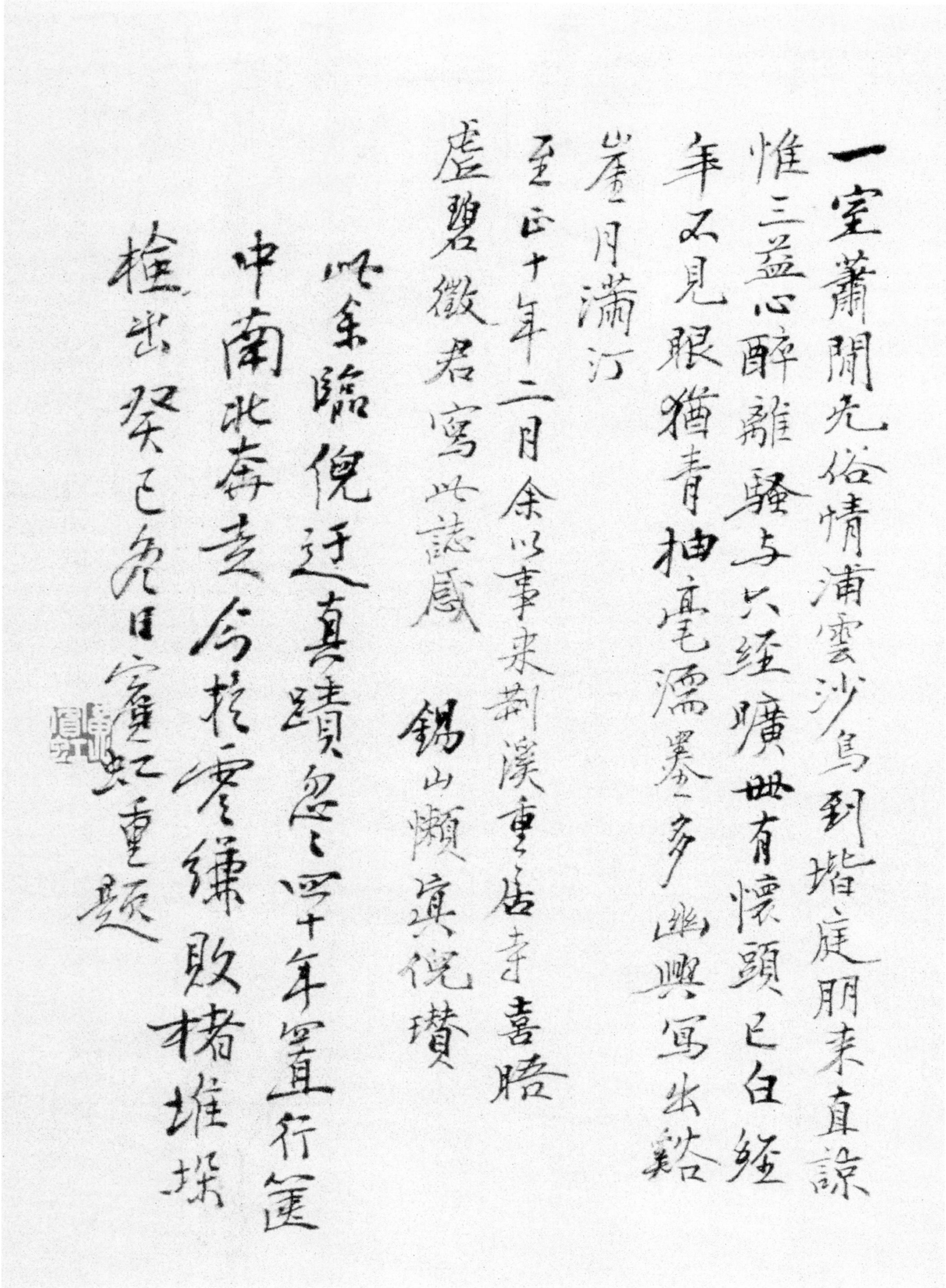

臨倪迂真迹

釋文：一室蕭閑無俗情　浦雲沙鳥到階庭
朋來直諒惟三益　心醉離騷與六經
曠世有懷頭已白　經年不見眼猶青
抽毫濡墨多幽興　寫出溪崖月滿汀
至正十年二月　余以事來荊溪重居寺
喜晤虛碧徵君　寫此志感　錫山懶真倪瓚
此余臨倪迂真迹　忽忽四十年置行篋中
南北奔走　今于零縑敗楮堆垛檢出
癸巳冬日　賓虹重題
鈐印：黃賓虹

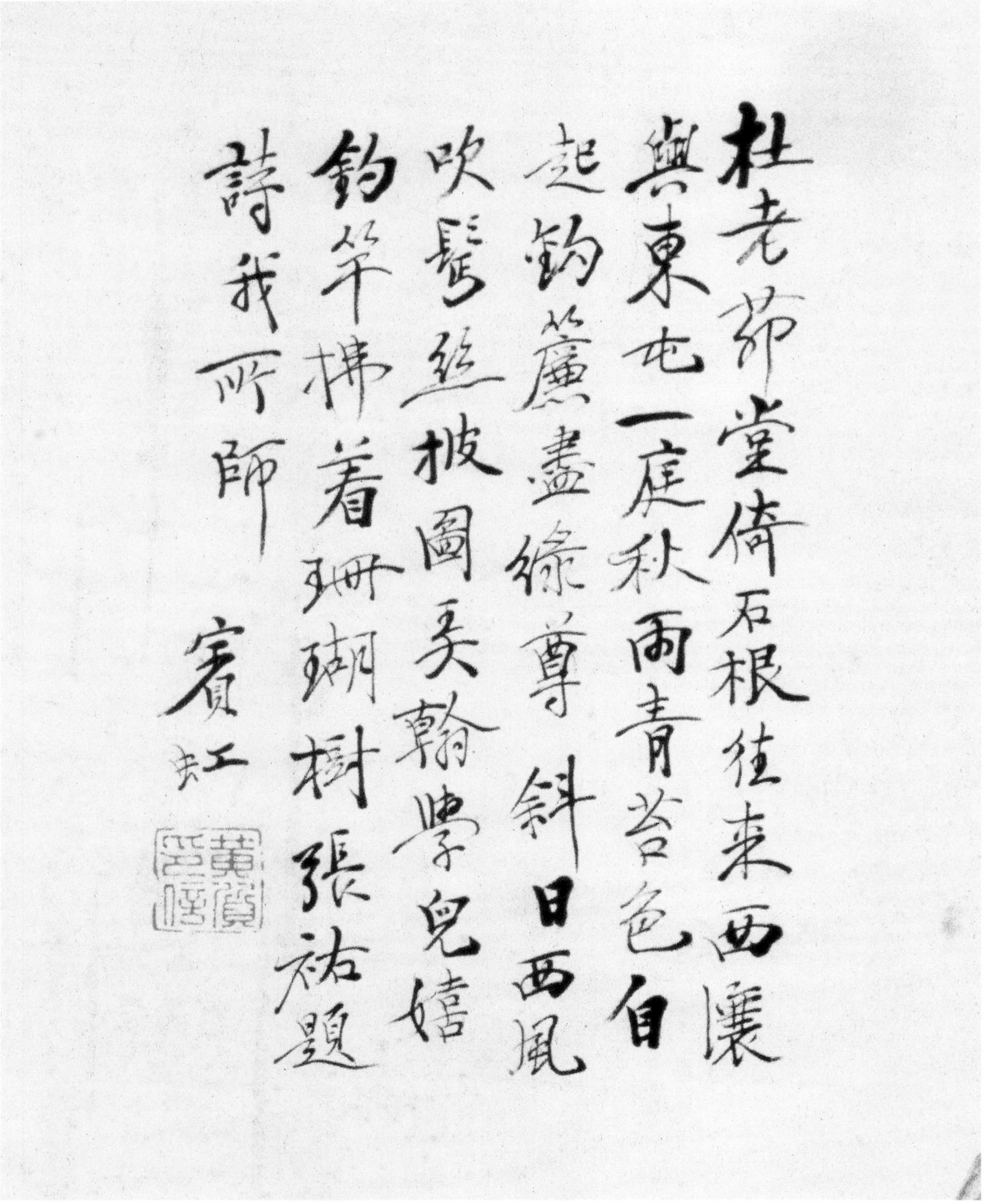

一庭秋雨

釋文：杜老茅堂倚石根　往來西瀼與東屯
一庭秋雨青苔色　自起鈎簾盡緑尊
斜日西風吹鬢絲　披圖弄翰學兒嬉
釣竿拂着珊瑚樹　張祐題詩我所師　賓虹
鈐印：黃質印信

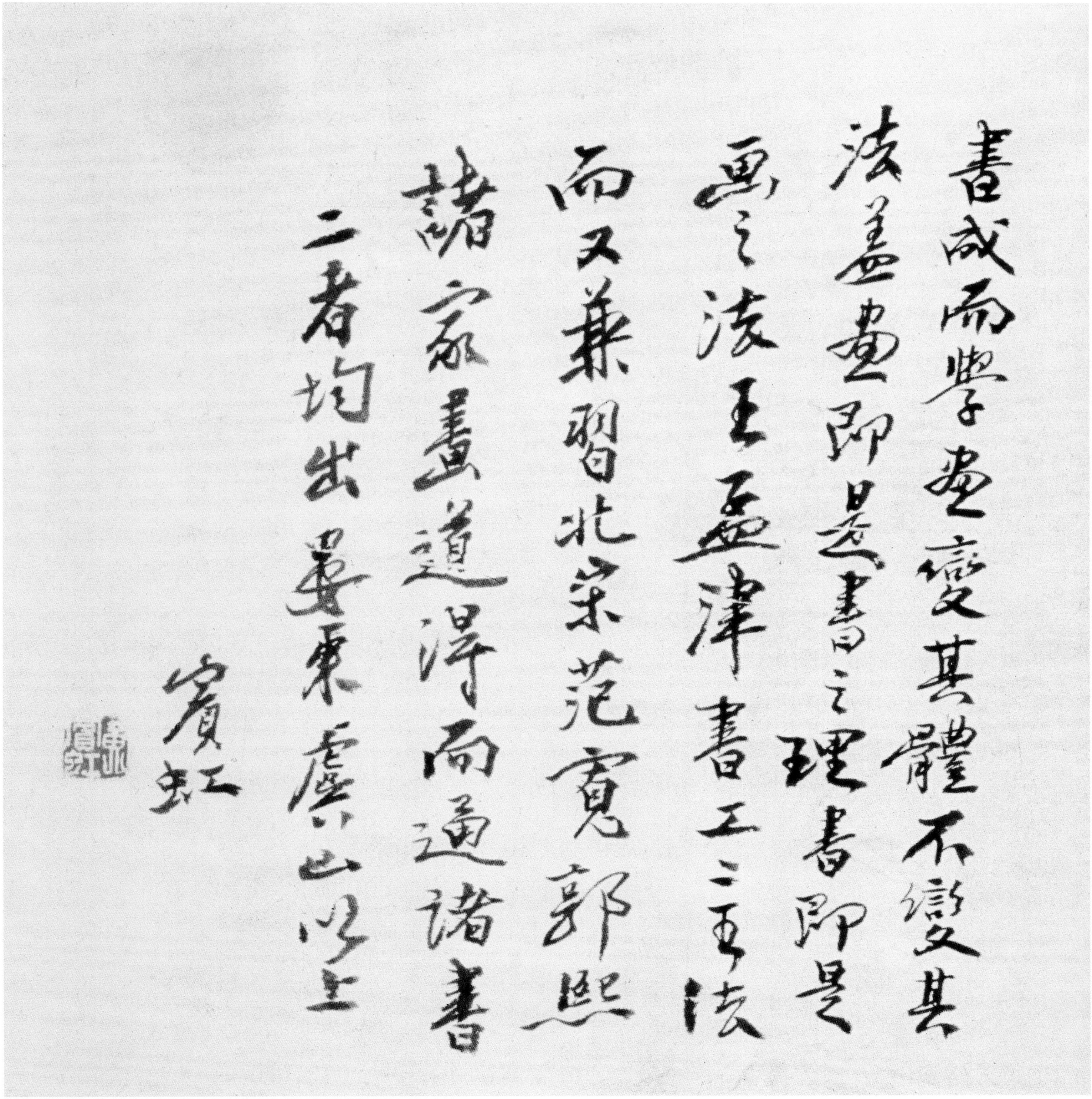

畫即書之理

釋文：書成而學畫　變其體不變其法　蓋畫即
是書之理　書即是畫之法　王孟津書工二王法
而又兼習北宋范寬郭熙諸家　畫道得而通諸書
二者均出婁東虞山以上　賓虹
鈐印：黃賓虹

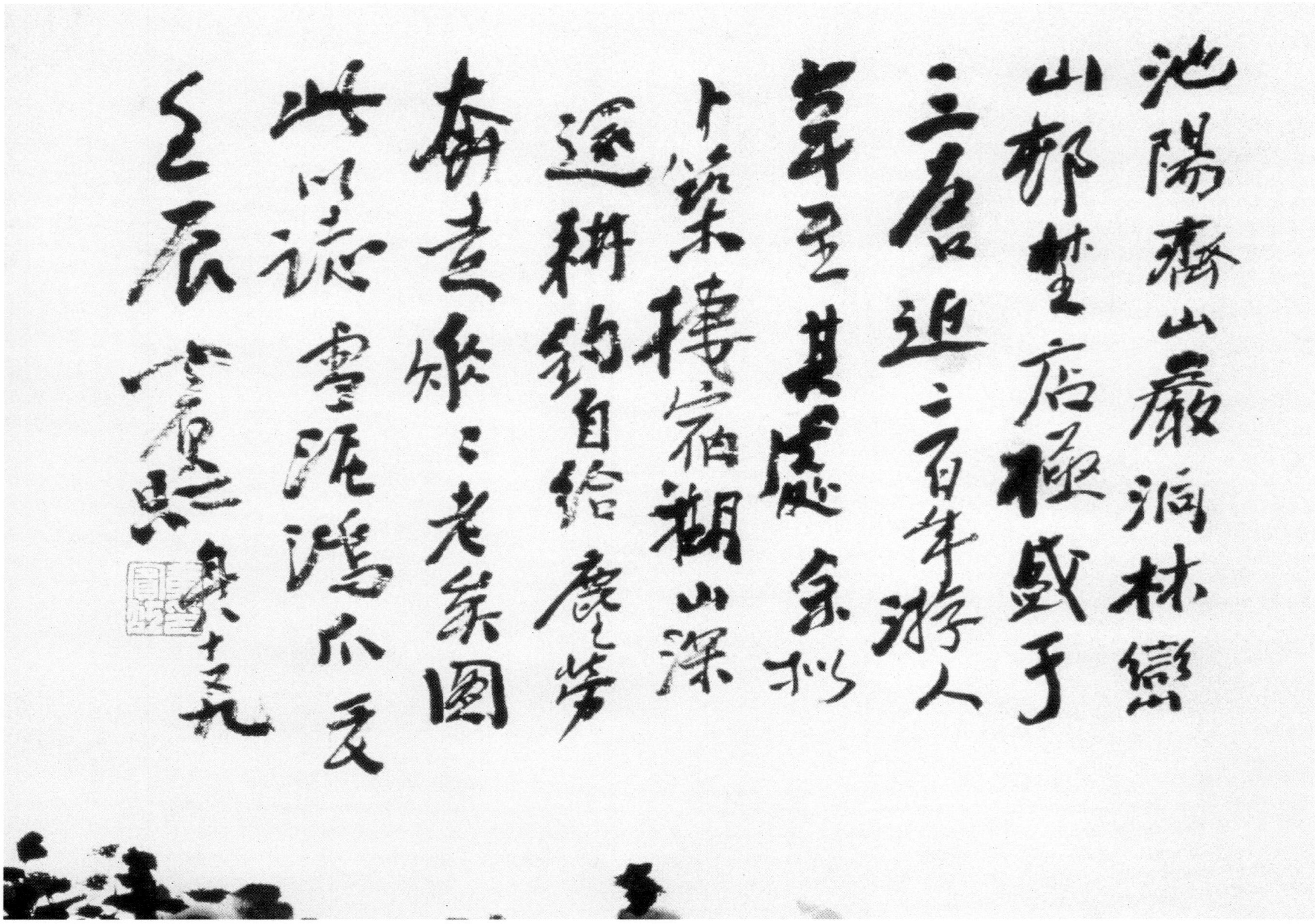

齊山擬居

釋文：池陽齊山　岩洞　林巒　山村　野店　極盛于三唐　近二百年

游人罕至其處　余擬卜築栖宿湖山深邃　耕釣自給　塵勞奔走　垂垂老矣

圖此以志　雪泥鴻爪□　壬辰　賓虹年八十又九

鈐印：黃賓虹印

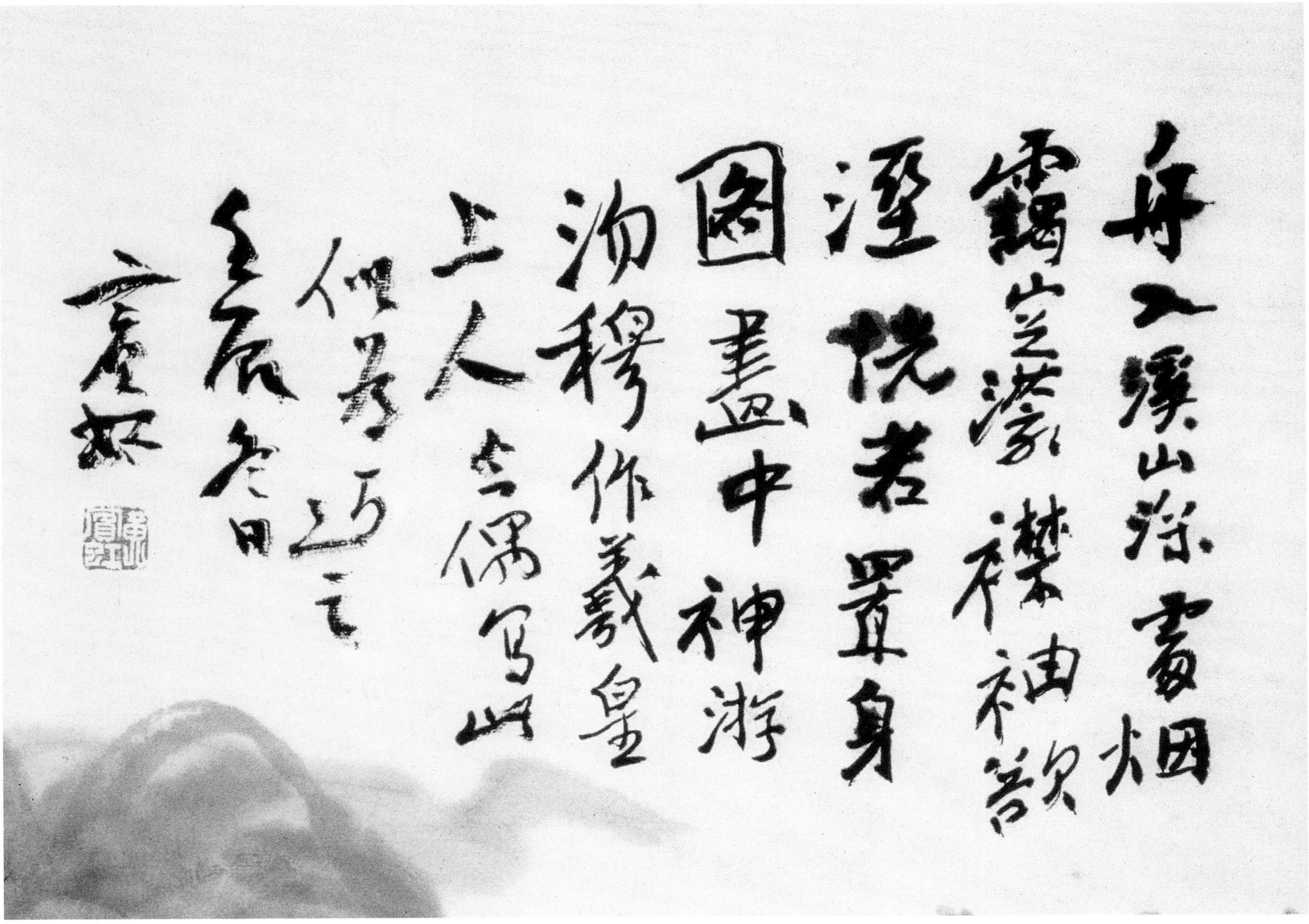

溪山深處

釋文：舟入溪山深處　烟靄空濛　襟袖欲濕　恍若置身圖畫中
神游沕穆作羲皇上人　今偶寫此　似爲近之　壬辰冬日　賓虹

鈐印：黃賓虹

西閣看山

釋文：畫圖粉本札緘開　濠壁天然費剪裁　西閣軒窗虛四面　仙鄉縹緲接蓬萊
春融花木紀南天　四序風光亦變遷　容有貌離神合處　會心琴趣訪成連
挹翠閣主人屬正　壬辰　賓虹年八十又九

鈐印：黃賓虹

峨嵋山水

釋文：余登峨嵋洗象池　下瞰梵宫貝宇　金碧輝煌　林巒青紫　瞬忽狂飆密霧瀰漫　衆壑層層深厚　爲之留連不忍捨去　壬辰　八十九叟賓虹

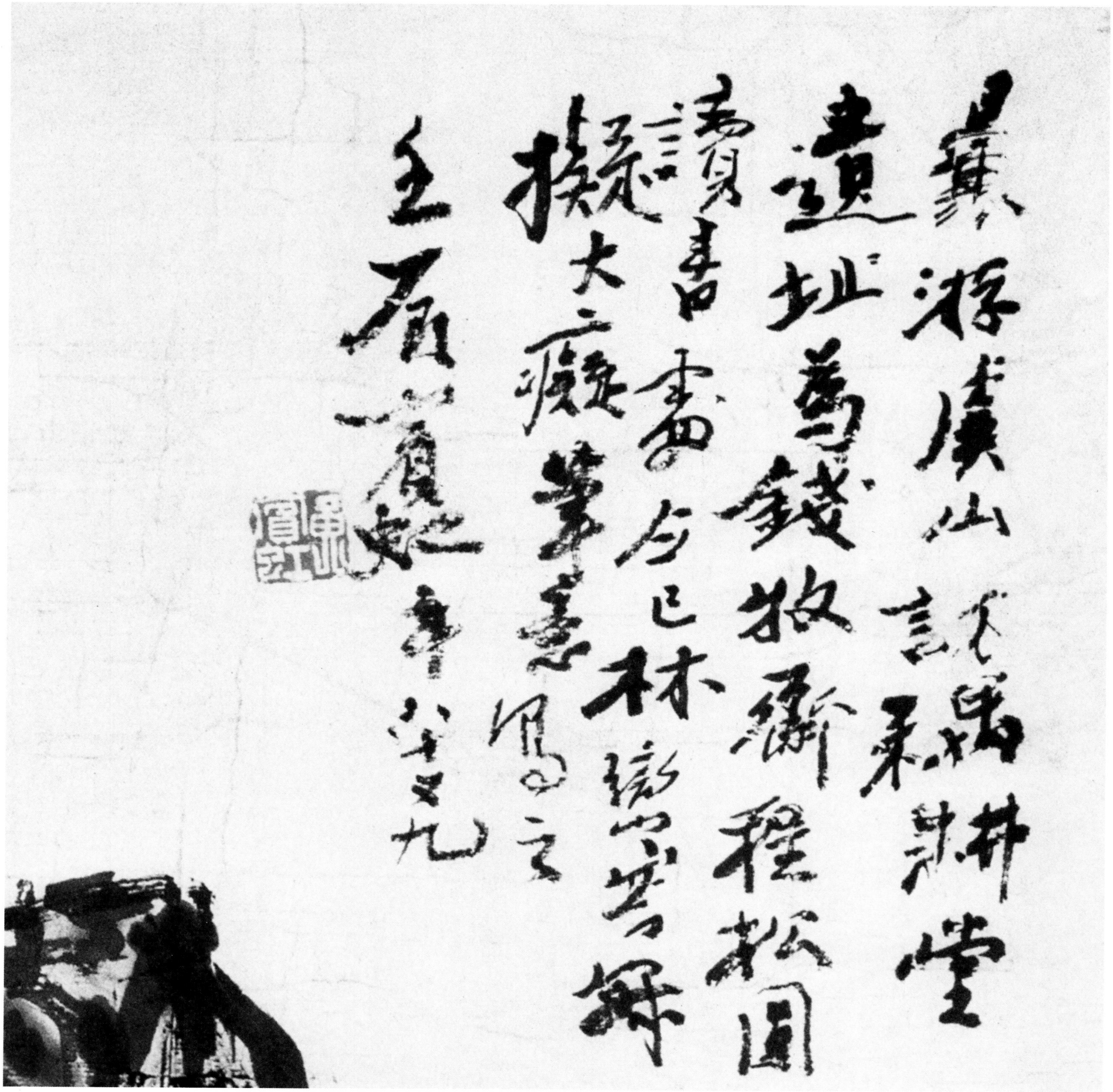

擬黄公望筆意山水

釋文：曩游虞山訪耦耕堂遺址　爲錢牧齋程松圓讀書處

今已林巒岑寂　擬大痴筆意寫之　壬辰　賓虹年八十又九

鈐印：黄賓虹

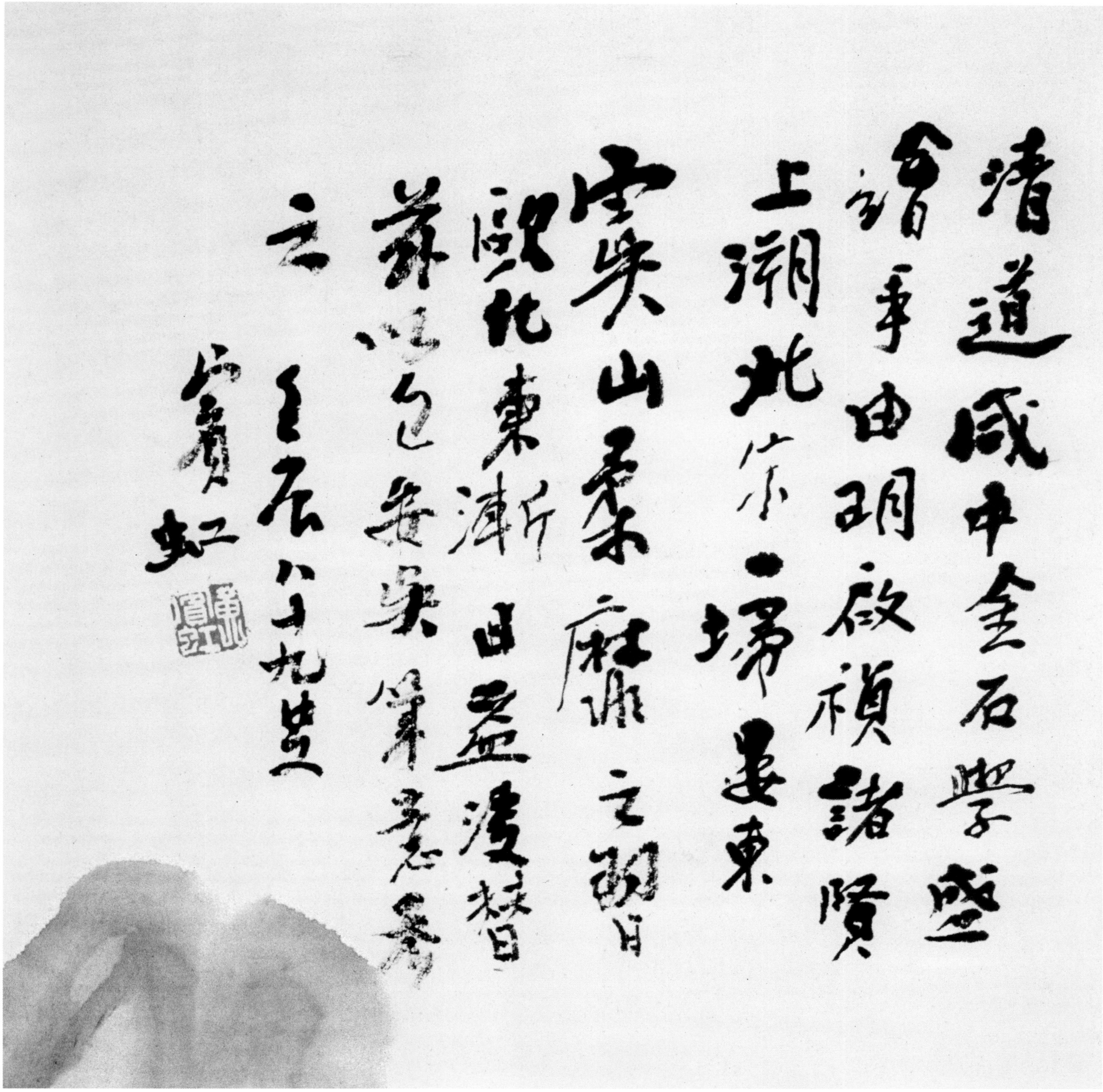

包安吴筆意

釋文：清道咸中　金石學盛　繪事由明啓禎諸賢上溯北宋一掃婁東虞山柔靡之習　歐化東漸　日益凌替　玆以包安吴筆意參之　壬辰　八十九叟賓虹

鈐印：黄賓虹

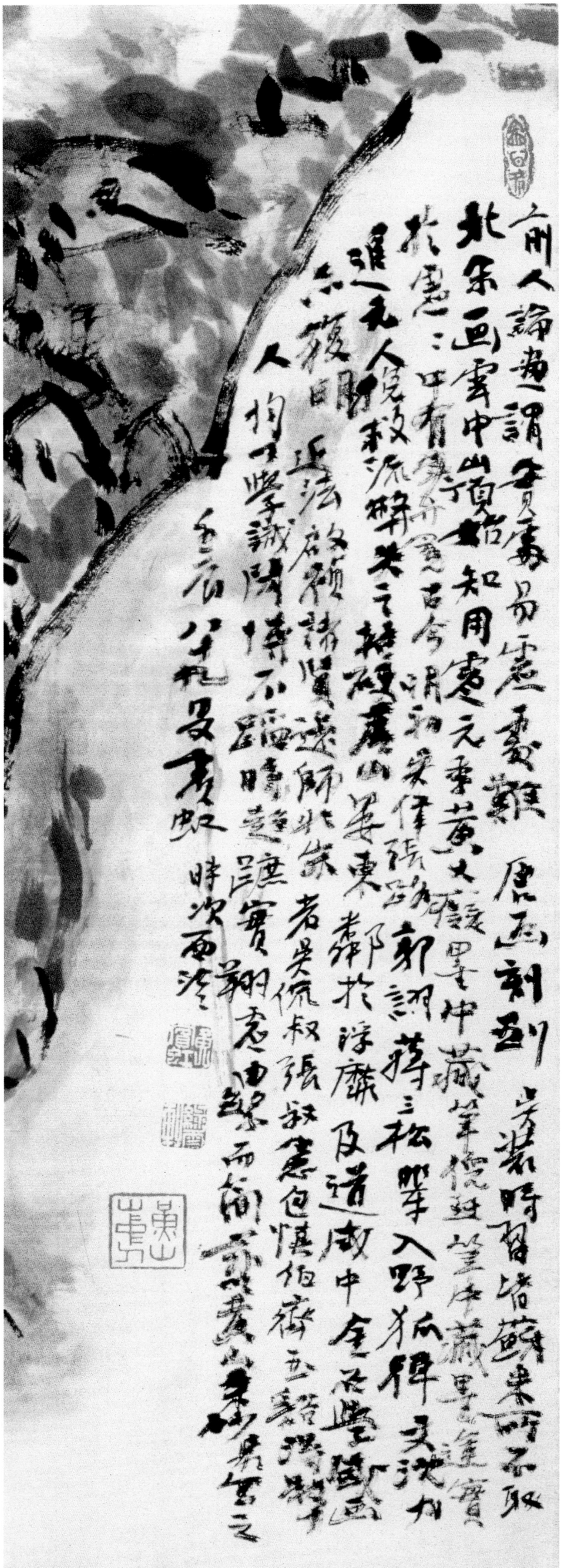

黃山朱砂泉

釋文：前人論畫謂　實處易虛處難　唐畫刻劃　吳裝時習　皆蘇米所不取　北宋畫雲中山頂
始知用虛　元季黃大痴墨中藏筆　倪迂筆中藏墨　運實于虛　虛中有實　冠冕古今
明初吳偉張路郭詡蔣三松輩　入野狐禪　文沈力追元人　挽救流弊　失之枯硬　虞山婁東鄰于浮靡
及道咸中金石學盛　畫亦復明　近法啓禎諸賢　遠師北宋者　吳侃叔張叔憲包慎伯齊玉谿　得數十人
均以學識閎博　不蹈時趨　跖實翔虛　由繁而簡　玆以黃山朱砂泉寫之　壬辰　八十九叟賓虹時次西泠
鈐印：會心處　黃賓虹　綠雪軒　黃山山中人

（局部）

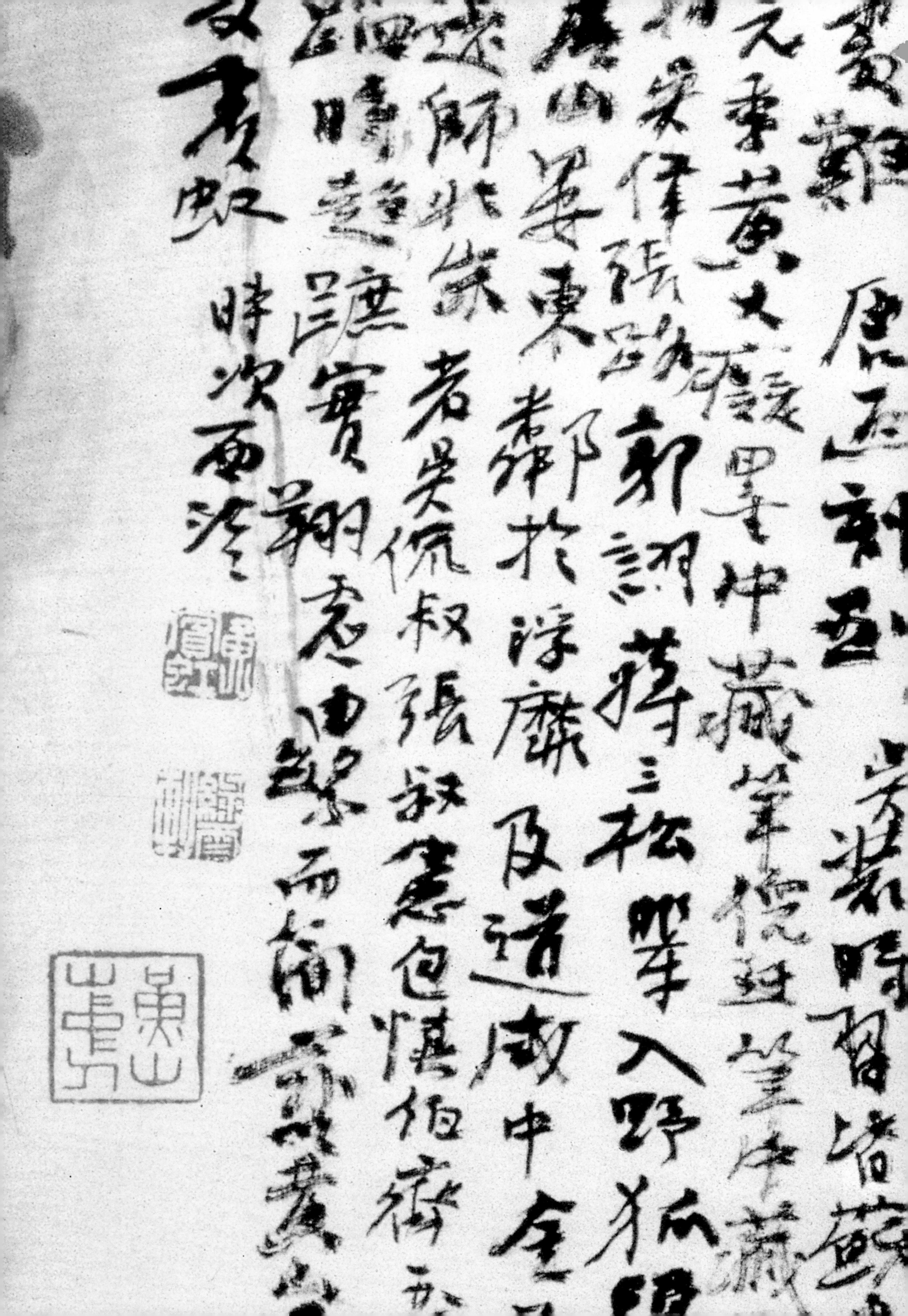

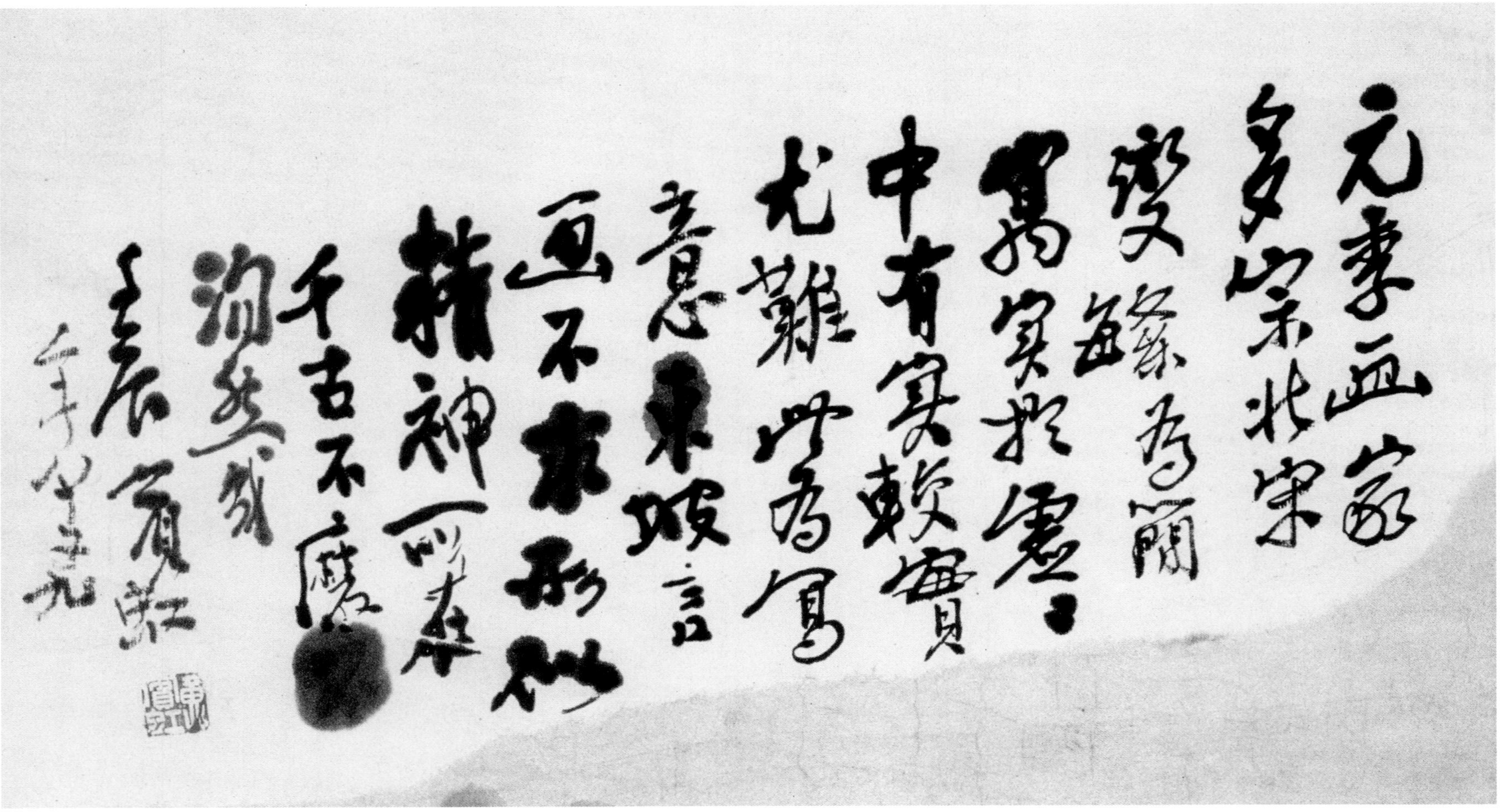

繁簡虛實見精神

釋文：元季畫家多宗北宋　變繁爲簡　寓實于虛　虛中有實　較實尤難　此爲寫意　東坡言　畫不求形似　精神所在　千古不磨　不洵然哉　壬辰　賓虹年八十又九

鈐印：黃賓虹

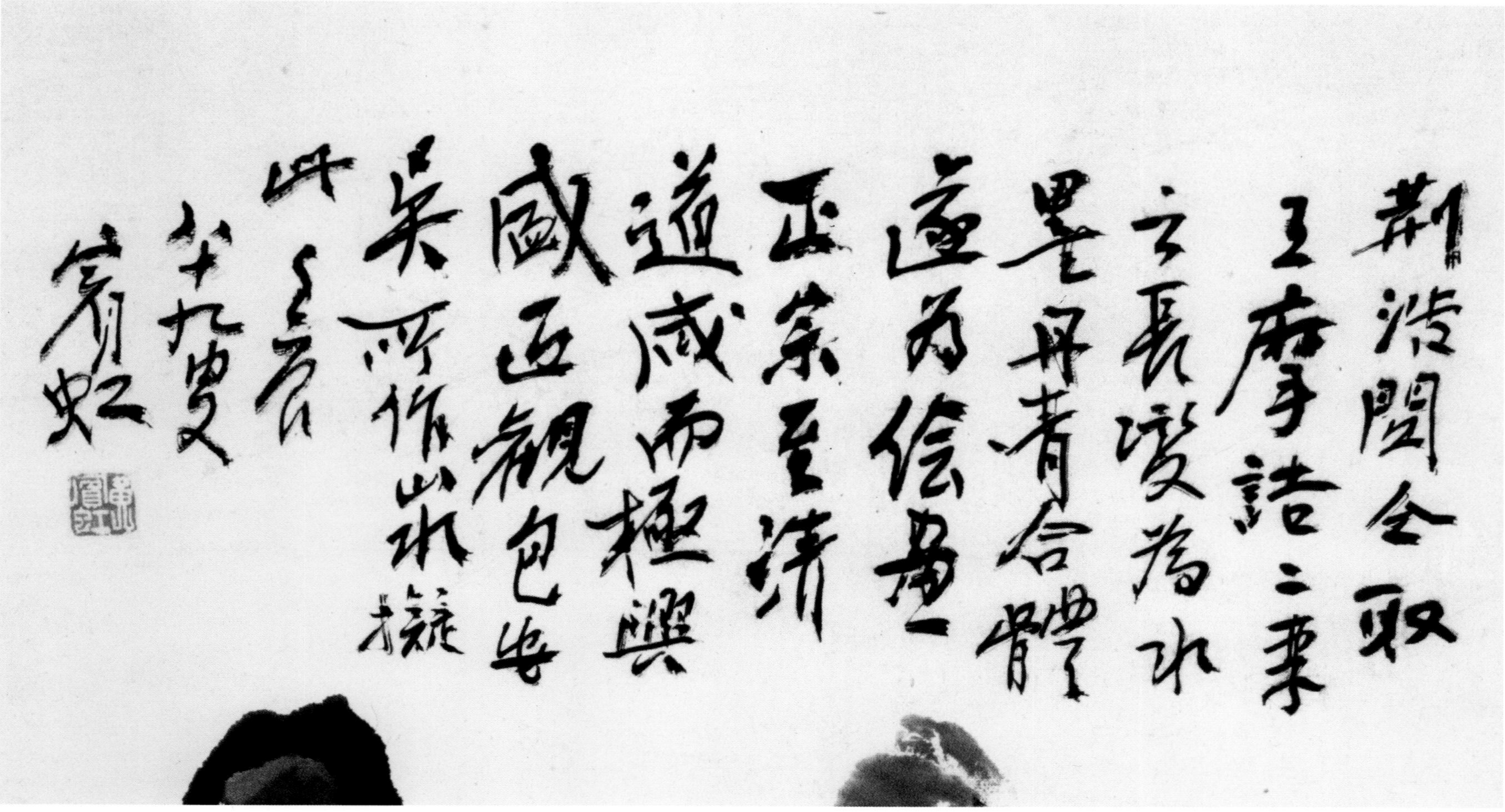

擬包安吴山水

釋文：荆浩闗仝取王摩詰二李之長　變爲水墨丹青合體
遂爲繪畫正宗　至清道咸而極興盛　近觀包安吴所作山水擬此
壬辰　八十九叟賓虹
鈐印：黄賓虹

擬啓禎諸賢筆

釋文：明季啓禎間　畫宗北宋　筆意遒勁　超軼前人　婁東虞山漸即凌替　及清道咸復興而墨法過之　茲擬包安吳意　居素吾兄有道博笑　壬辰　賓虹年八十又九

鈐印：黃賓虹

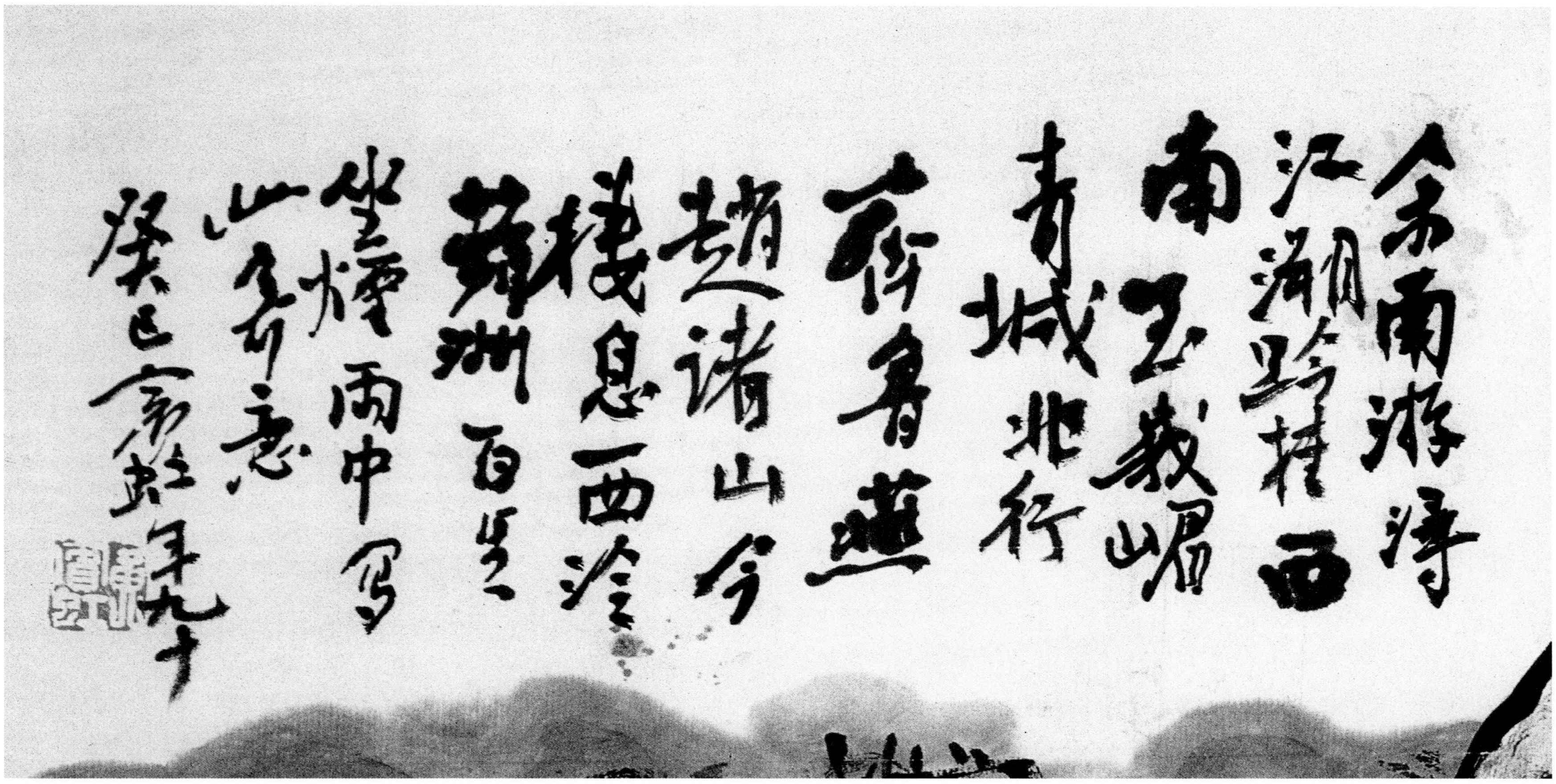

西泠烟雨

釋文：余南游潯江 溯黔桂 西南至峨嵋青城 北行齊魯燕趙諸山 今栖息西泠 蘋洲百步 坐烟雨中寫此寄意 癸巳 賓虹年九十

鈐印：黃賓虹

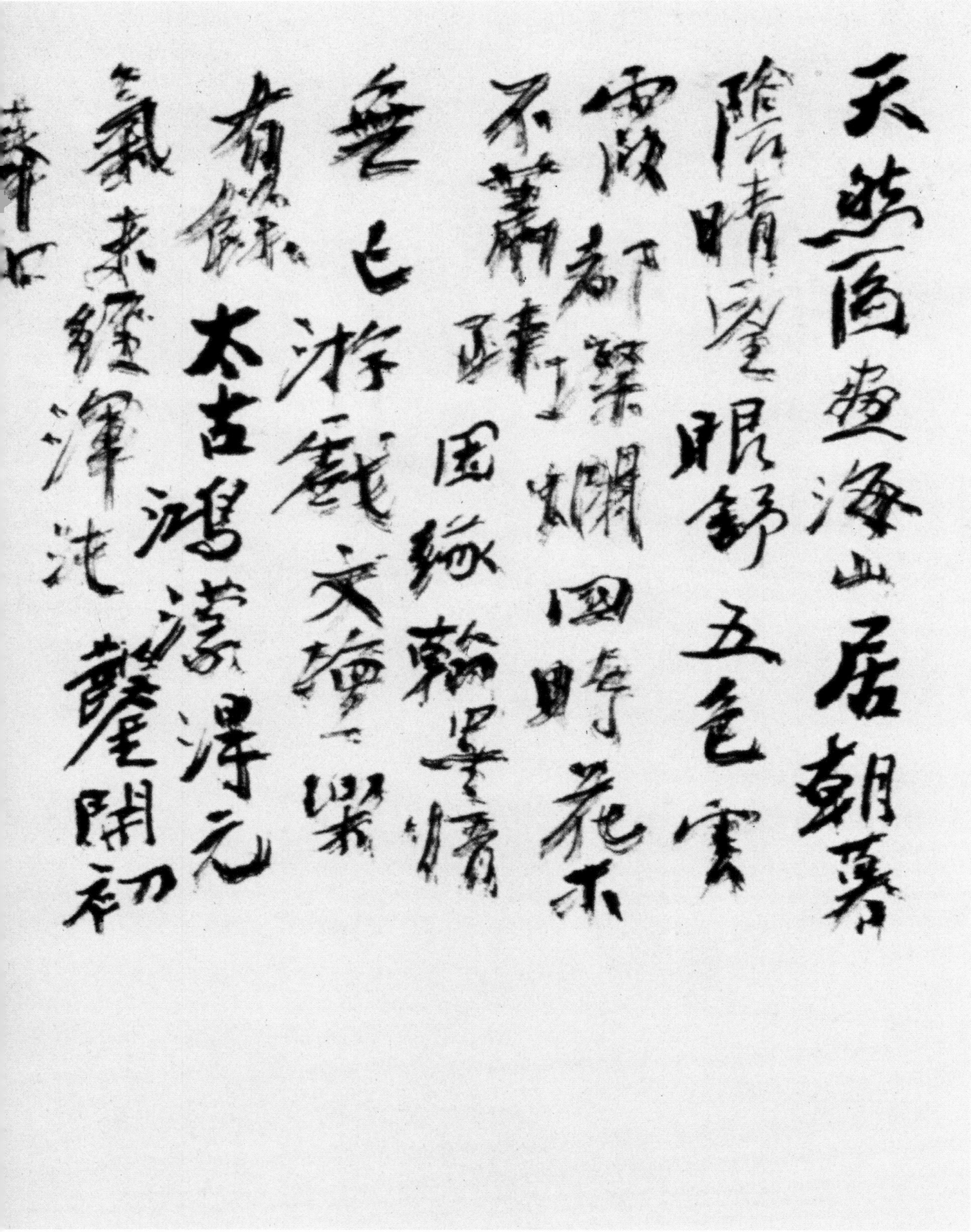

壽仲鳴先生

釋文：天然圖畫海山居　朝暮陰晴望眼舒　五色雲霞都燦爛　四時花木不蕭疏

因緣翰墨情無已　游戲文壇樂有餘　太古鴻濛得元氣　未經混沌鑒開初

奉和挹翠閣主人原韻

輞川詩畫勝仙居　千里封緘一卷舒　求友鶯鳴君鄭重　應聲蟲語我空疏

國風比興倫常始　水墨丹青韻事餘　至性深情托毫素　壽徵懿德稟生初

再步前韻　恭祝仲鳴先生五十初度　笑正是荷　壬辰賓虹　年八十又九

鈐印：黃賓虹

輞川詩興勝仙居
千里封緘一奉貽承友
彎鳥君鄭春應靜
蟲語我望珠國風比
始水墨毋菁
興倫常
韻事餘
豪素壽徵
生初再步前勒恭祝
仲鳴先生五十初度

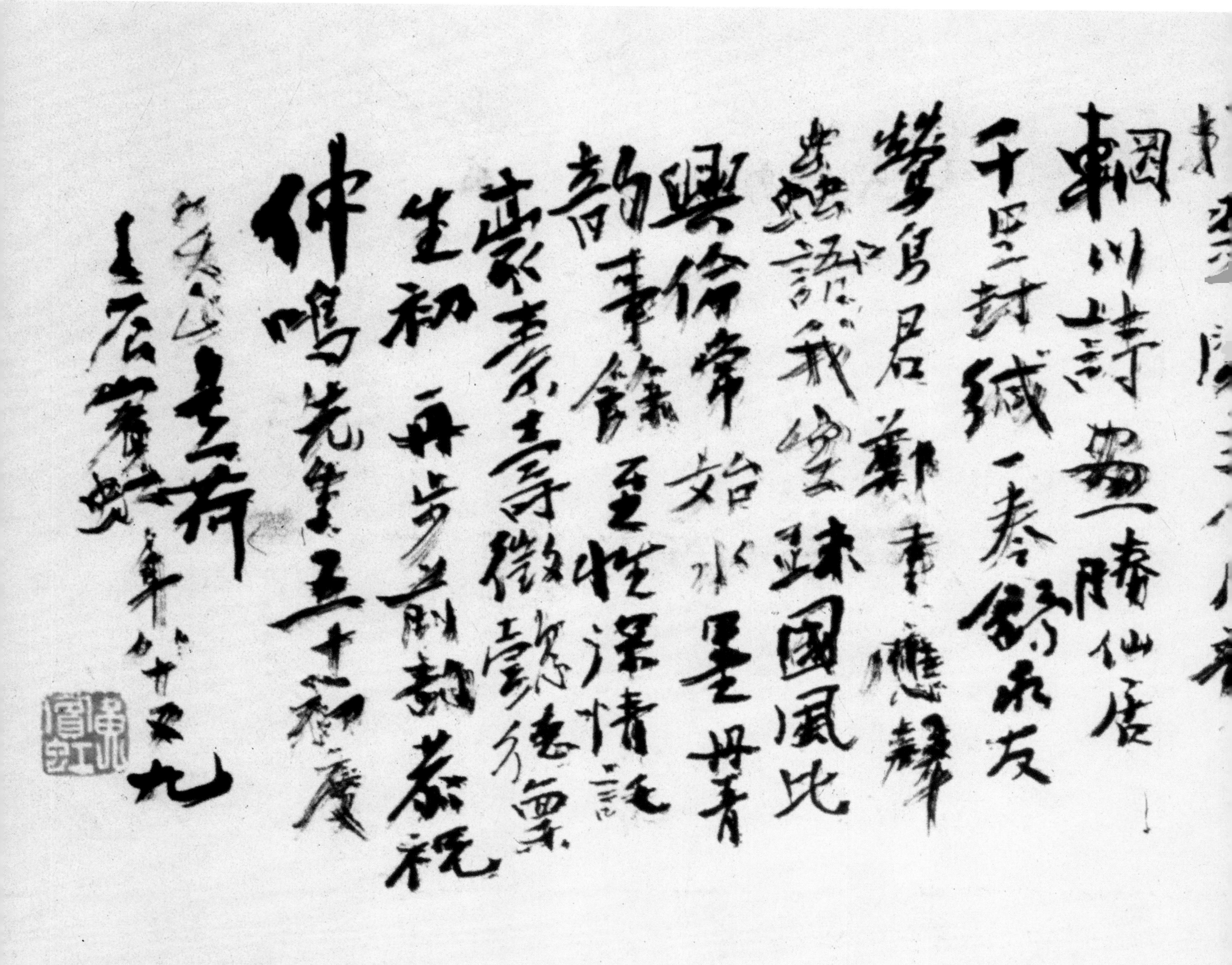

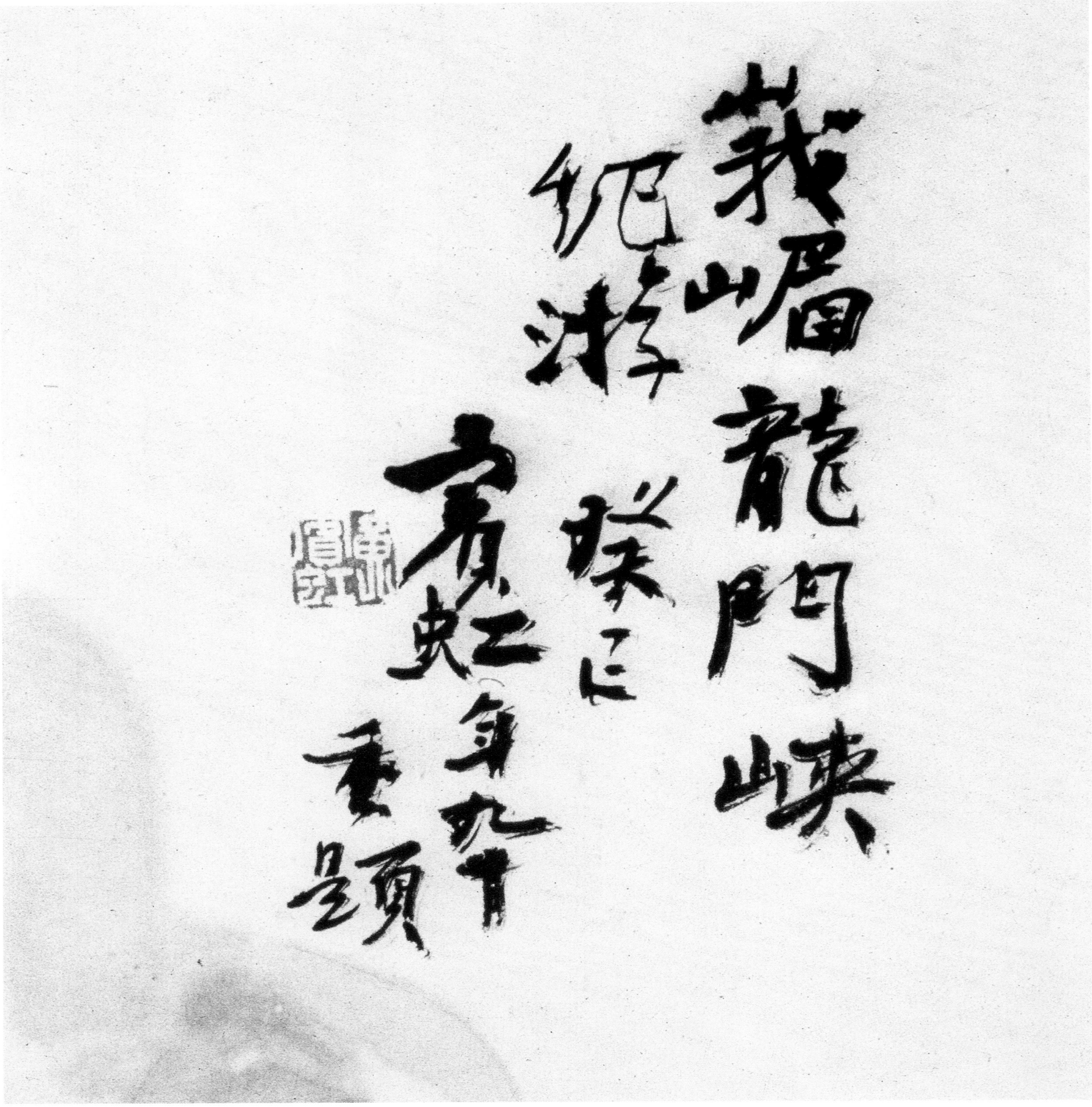

龍門峽紀游

釋文：峨嵋龍門峽紀游　癸巳　賓虹年九十重題

鈐印：黃賓虹

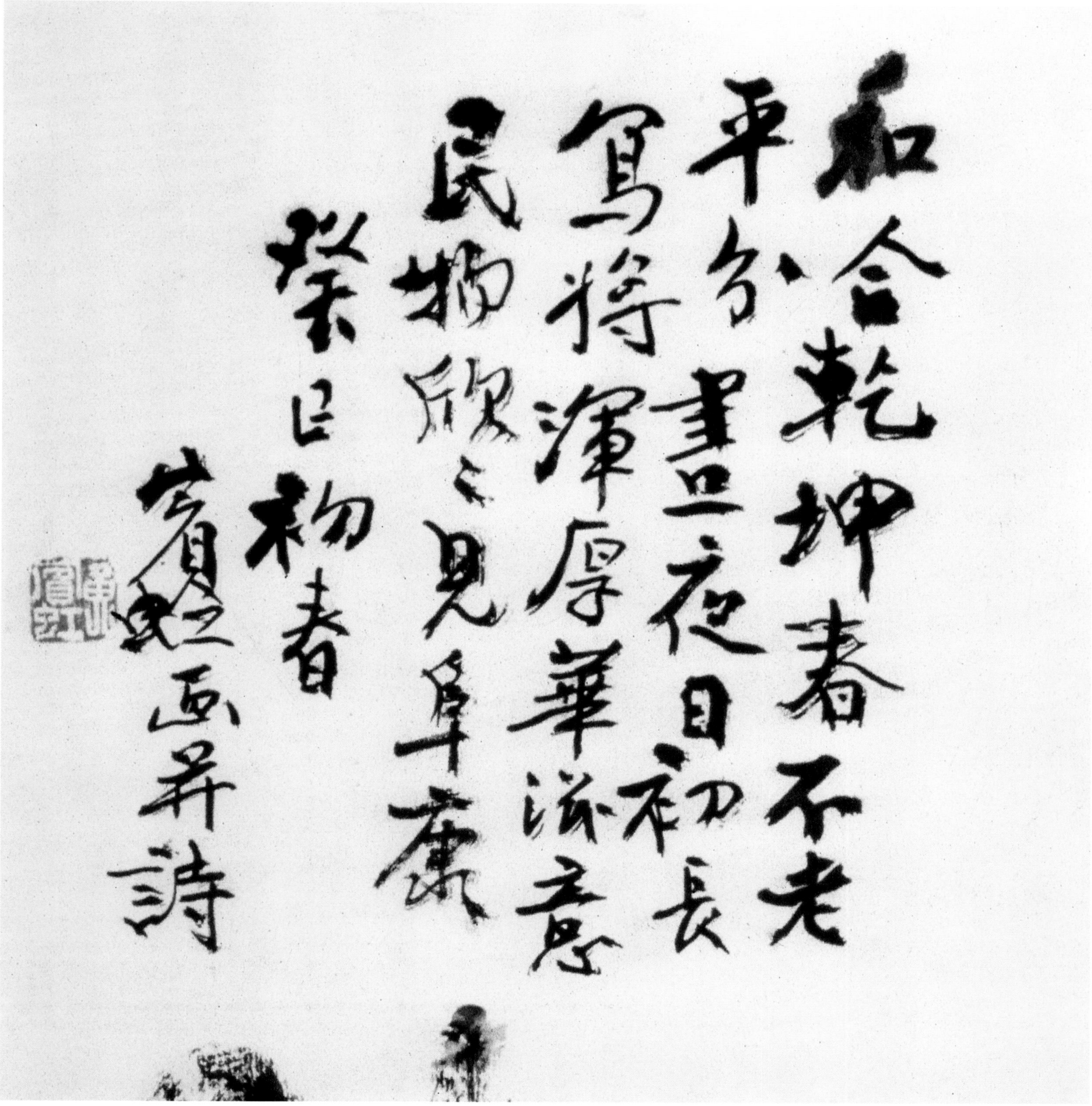

渾厚華滋民物阜康

釋文：和合乾坤春不老　平分晝夜日初長　寫將渾厚華滋意
民物欣欣見阜康　癸日初春　賓虹畫并詩

鈐印：黃賓虹

山水

釋文：中邦繪畫附屬書算餘事　儕伍藝術游戲　萌芽文字　極盛詩歌

老子言　聖人法天　本大自然　孔門設教　分爲四科　天地生人

惟（人）最靈　是爲三才　才德出衆　稱名君子　自强不息

居仁由義　從科學中保存哲學　近今歐洲學者倡言藝術　增進初尚

靈學君學唯心　民學唯物　改造變化

鈐印：會心處　黄賓虹

書信手迹圖版

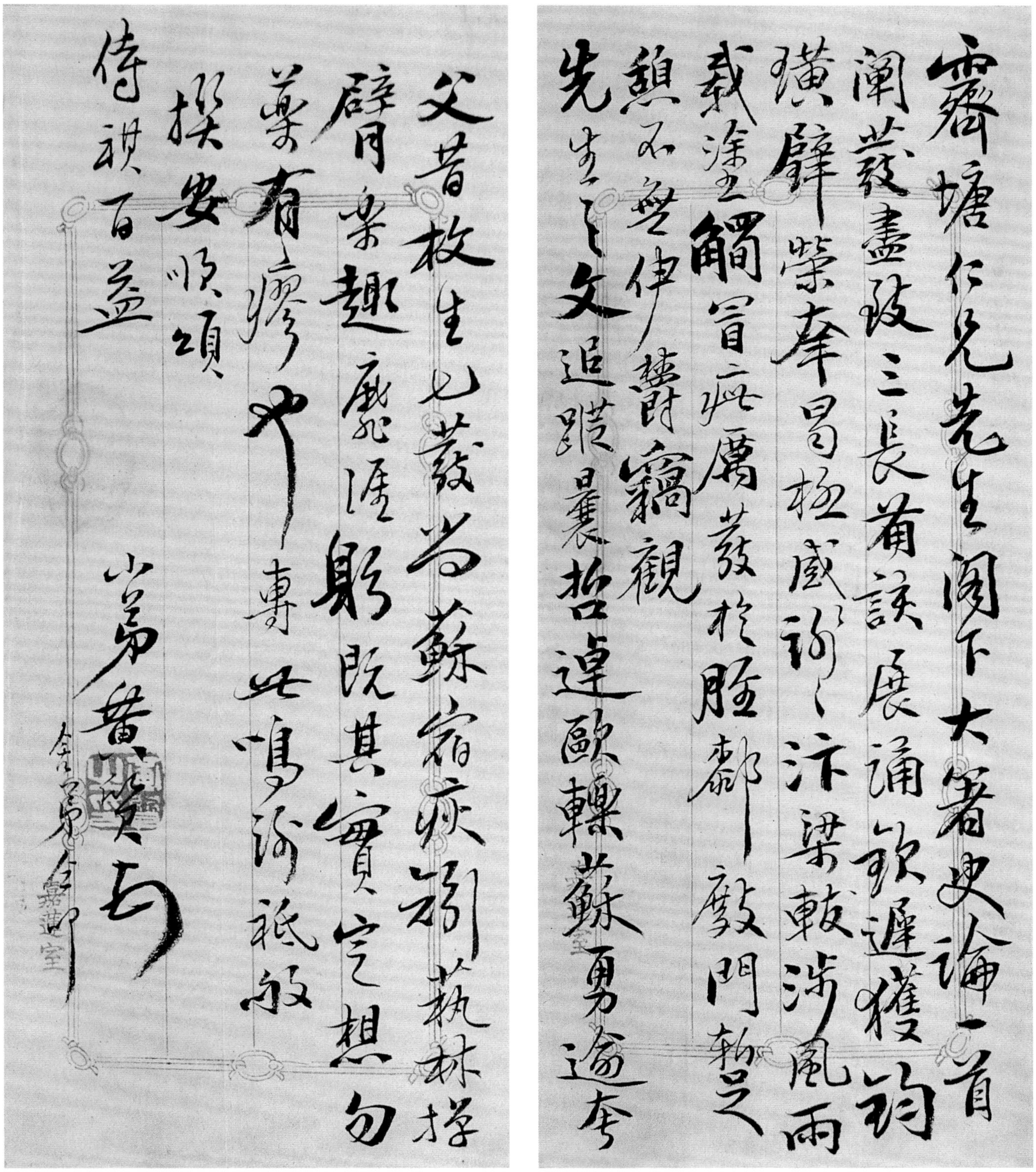

致霽塘書

釋文：霽塘仁兄先生閣下　大著史論一首　闡發盡致　三長備該
展誦欽遲　獲鈞璜璧　榮幸曷極　感謝感謝　汴梁跋涉　風雨載塗
觸冒疵厲　發于脛膝　度門暫憩　不無伊鬱　竊觀先生之文　追踪曩哲
逴歐轢蘇　勇于夸父　昔枚生七發　尚蘇宿疢　矧藝林掉臂　樂趣靡涯
躬既其實　定想勿藥有瘳也　專此鳴謝　祗叩撰安　順頌侍祺百益
小弟黄質頓首　舍弟同叩
鈐印：黄質之印

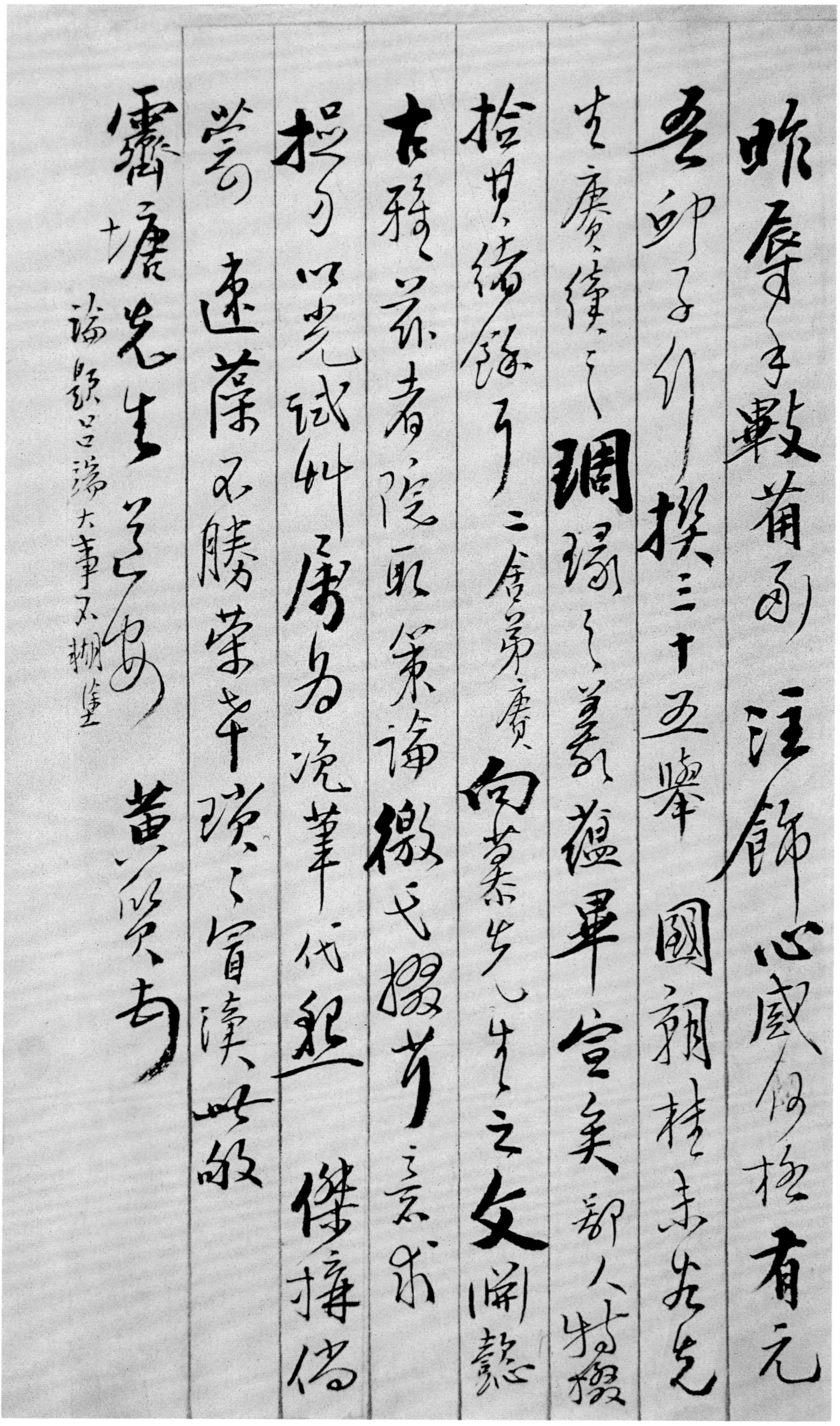

致壽塘書

釋文：昨辱手戰　備承注飾　心感何極　有元吾邱子行　撰三十五舉　國朝桂未谷先生賡續之　雕篆之義蘊畢宣矣　鄙人特掇拾其緒餘耳

二舍弟賡向慕先生之文淵懿古雅　玆者院取策論徵弋掇芹　意求捉刀　以光試草　屬爲浼筆　代懇杰構　倘蒙速藻　不勝榮幸　瑣瑣冒瀆

此叩壽塘先生道安　黃質頓首　論題吕端大事不糊塗

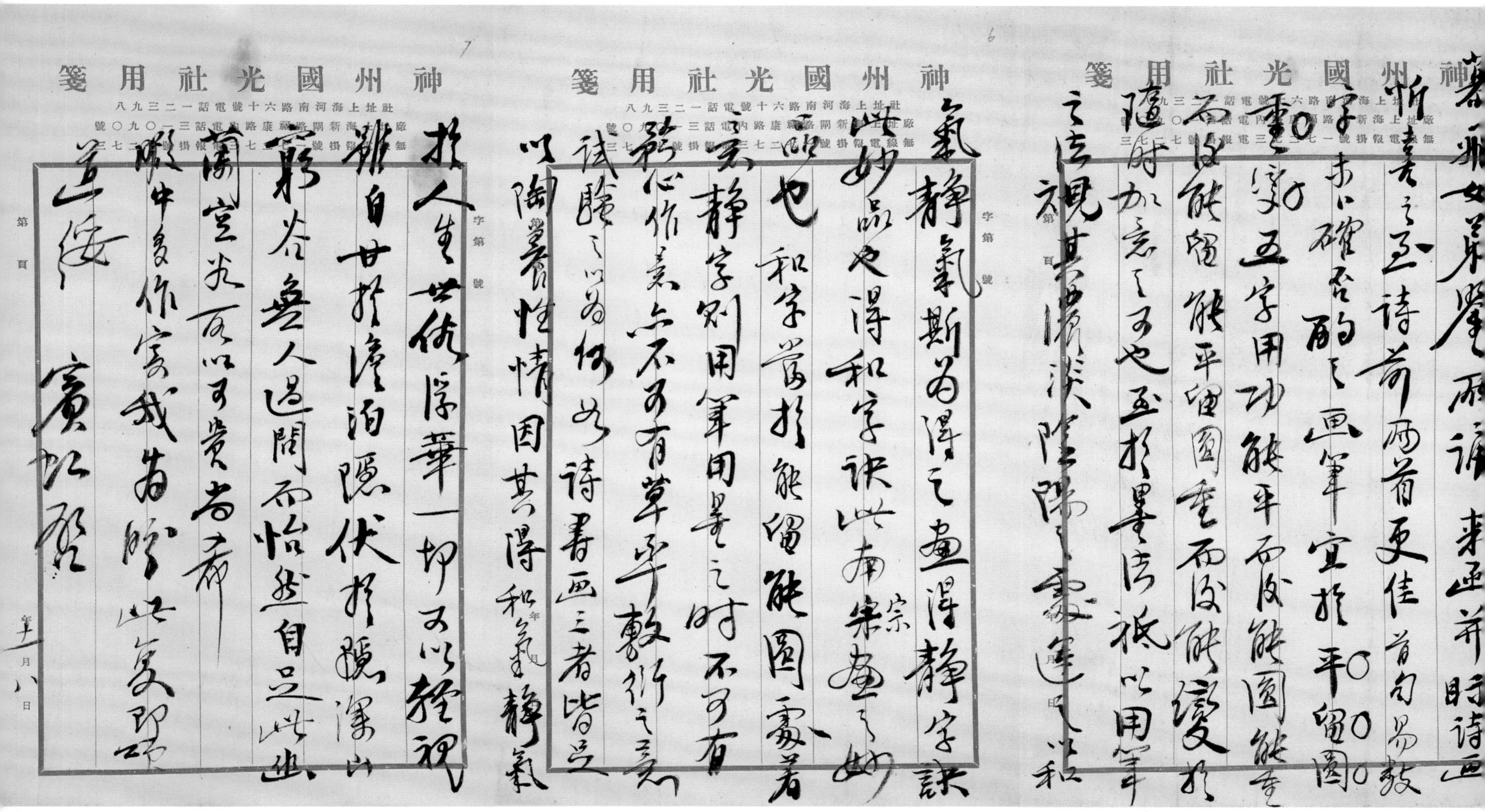

致顧飛書

釋文：顧飛女弟鑒　兩誦來函　并視詩畫　欣喜之至　詩前兩首更佳
首句易數字　未卜確否　酌之　畫筆宜于平留圓重變五字用功　能平而後能圓
能重而後能留　能平留圓重而後能變　于隨時加意之可也　至于墨法　只以用筆之法
視其濃淡陰陽之處　運之以和氣静氣　斯爲得之　畫得静字訣　此妙品也　得和字訣
此南宗畫之妙品也　和字當于能留能圓處着意　静字則用筆用墨之時　不可有矜心作意
亦不可有草率敷衍之意　試驗之以爲何如　詩書畫三者　皆足以陶養性情　因其得和氣静氣
于人生世俗浮華　一切可以輕視　雖自甘于澹泊　隱伏于深山窮谷　無人過問而怡然自足
此幽蘭空谷　所以可貴　尚希暇中多作　寄我爲盼　此復　即頌道綏　賓虹啓　十一月八日

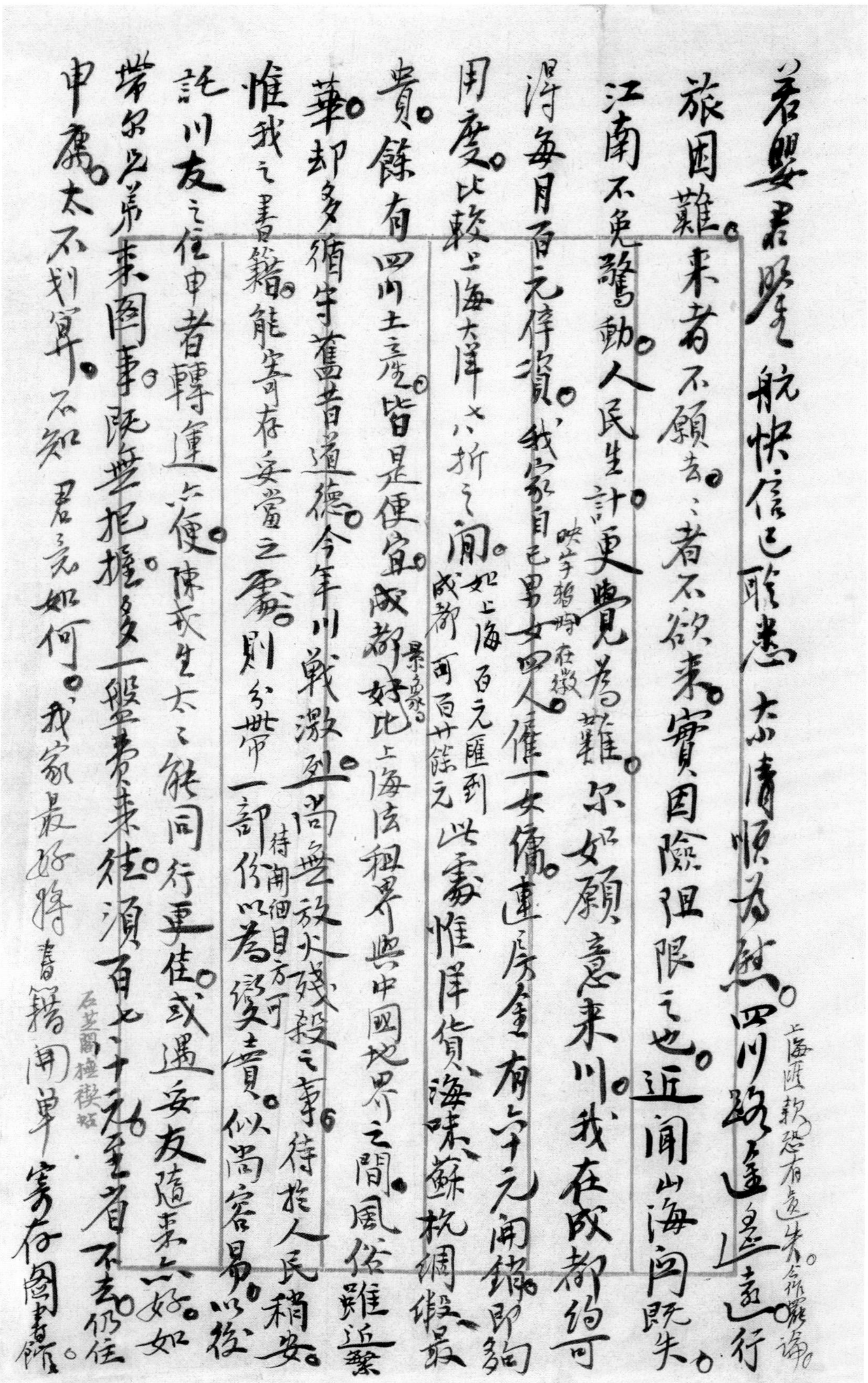

致宋若嬰書

若嬰君鑒　航快信已聆悉　大小清順爲慰　四川路途遥遠　行旅困難　來者不願去　去者不欲來　實因險阻限之也　近聞山海關既失　江南不免驚動　人民生計更覺爲難　爾如願意來川　我在成都約可得每月百圓伴資　我家自己男女四人映宇暫時在徽　雇一女傭連房金有六十圓開銷　即够用度　比較上海大洋七八折之間　如上海百元匯到成都可百廿餘圓　此處惟洋貨海味蘇杭綢緞最貴　餘有四川土産皆是便宜　成都景象好比上海法租界與中國地界之間　風俗雖近繁華　却多循守舊昔道德　今年川戰激烈　尚無放火殘殺之事　待于人民稍安　惟我之書籍能寄存妥當之處　則分帶一部分以爲變賣　待開細目方可　似尚容易　以後托川友之住申者轉運亦便　陳戎生太太能同行更佳　或遇妥友隨來亦好　如帶爾兄弟來圖事　既無把握　多一盤費來往　須百七八十圓　至省不去　仍住申寓　太不劃算　不知君意如何　我家最好將書籍開單寄存圖書館

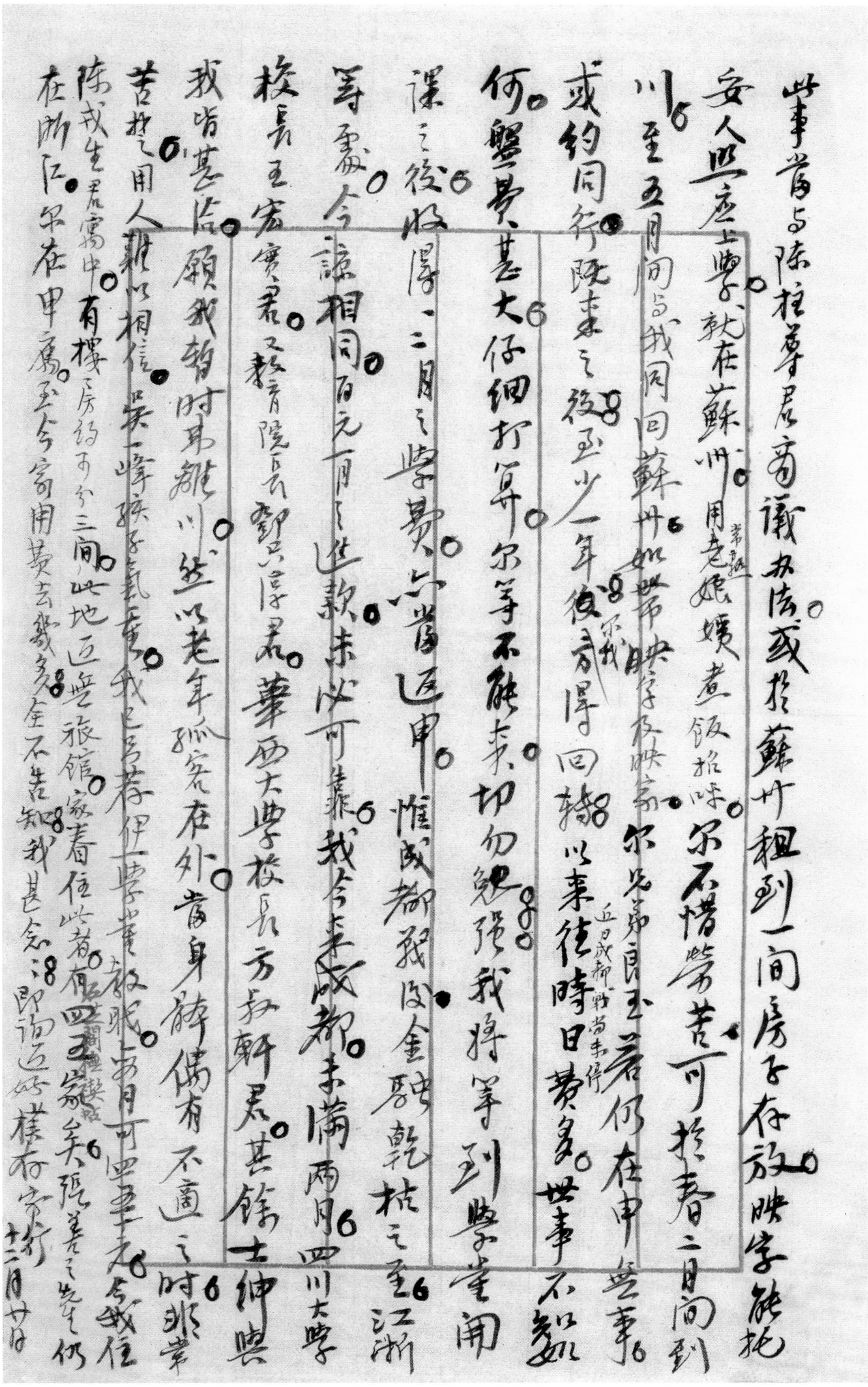

此事當與陳柱尊君商議辦法　或于蘇州租到一間房子存放　映字能托妥人照應上學　就在蘇州　用常熟老娘姨煮飯招呼　爾不惜勞苦　可于春二月間到川　至五月間與我同回蘇州　如帶映字及映家　爾兄弟良玉若仍在申無事　或約同行　既來之後　至少一年爾我方得回轉　以來往時日費多　近日成都戰尚未停　世事不知如何　盤費甚大　仔細打算　爾等不能來　切勿勉强　我將等到學堂開課之後　收得一二月之學費　亦當返申　惟成都戰後金融乾枯之至　江浙等處今諒相同　百圓一月之進款未必可靠　我今來成都未滿兩月　四川大學校長王宏實君　又教育院長鄧只淳君　華西大學校長方叔軒君　其餘士紳與我皆甚洽　願我暫時弗離川　然以老年孤客在外　當身體偶有不適之時　非常苦楚　用人難以相信　吴一峰孩子氣重　我已另薦伊一學堂教職　每月可四五十圓　今我住陳戎生君寓中　有樓房約可分三間　此地近無旅館　家眷住此者有四五家矣　張善之先生仍在浙江　爾在申寓　至今家用費去幾多　全不告知　我甚念念　即詢近好　樸存字行　十二月廿日

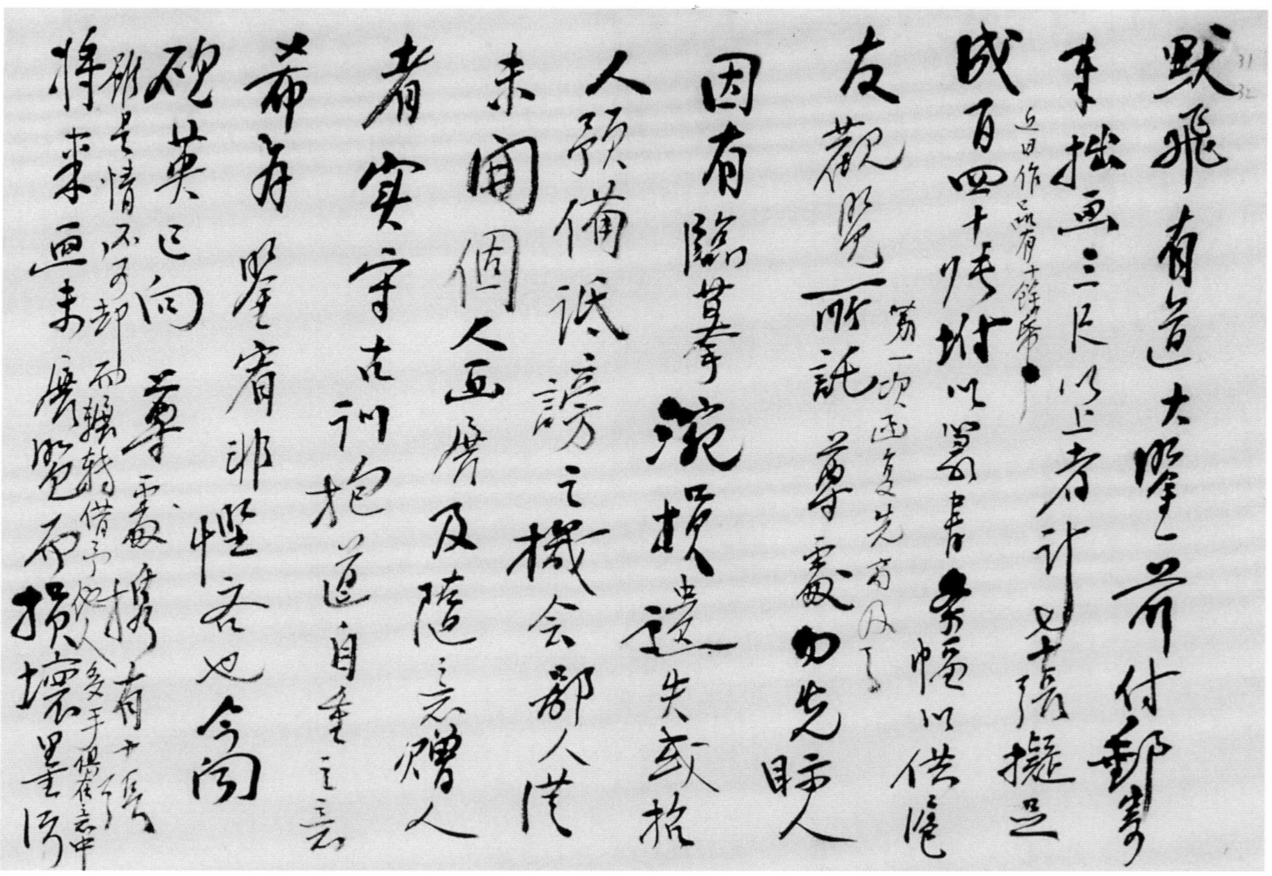

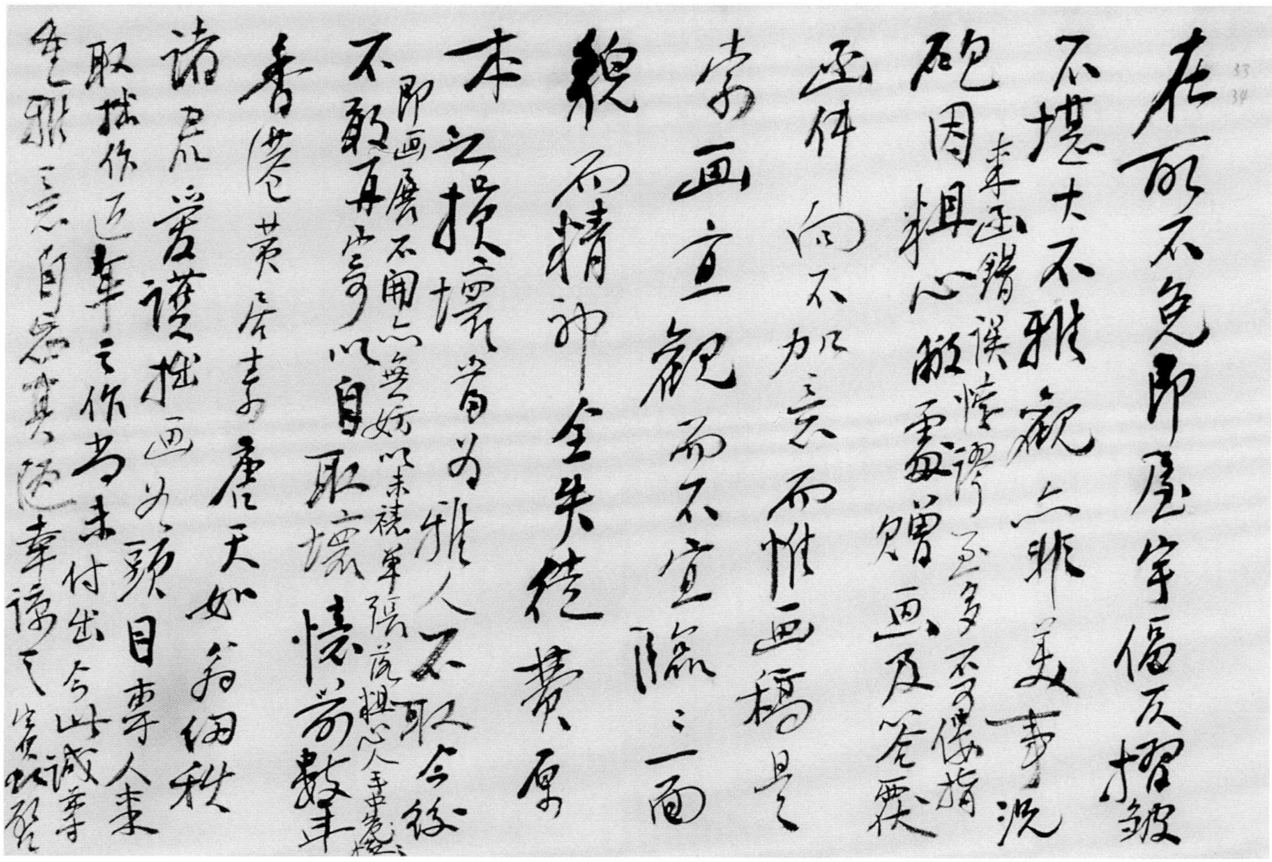

致顧飛書

釋文：默飛有道大鑒　前付郵寄奉拙畫三尺以上者計七十張
擬足成百四十張　近日作品有十餘紙　附以篆書條幅
以供滬友觀覽　第一次函復先商及之　所托尊處
勿先視人　因有臨摹污損遺失　或招人預備詆謗之機會
鄙人從未開個人畫展及隨意贈人者　實守古訓抱道自重之意
希爲鑒宥　非慳吝也　今聞硯英已向尊處携有十張
雖是情不可却　而輾轉借予　他人多手俱在意中
將來畫未展覽而損壞墨污　在所不免　即屋宇逼仄　折皺不堪
大不雅觀　亦非美事　況來函錯誤悖謬至多　不可僂指
硯因粗心　敝處贈畫　及答覆函件　向不加意　而惟畫稿是索
畫宜觀而不宜臨　臨一面貌而精神全失　徒費原本之損壞
當爲雅人不取　今後即畫展不開亦無妨　以未裱單張落粗
心人手中危極　不敢再寄以自取壞　憶前數年　香港黄居素唐
天如翁紉秋諸君　愛護拙畫如頭目　專人來取拙作
近年之作尚未付出　今此誠尊重雅意　自忘其陋
幸諒之　賓虹啓

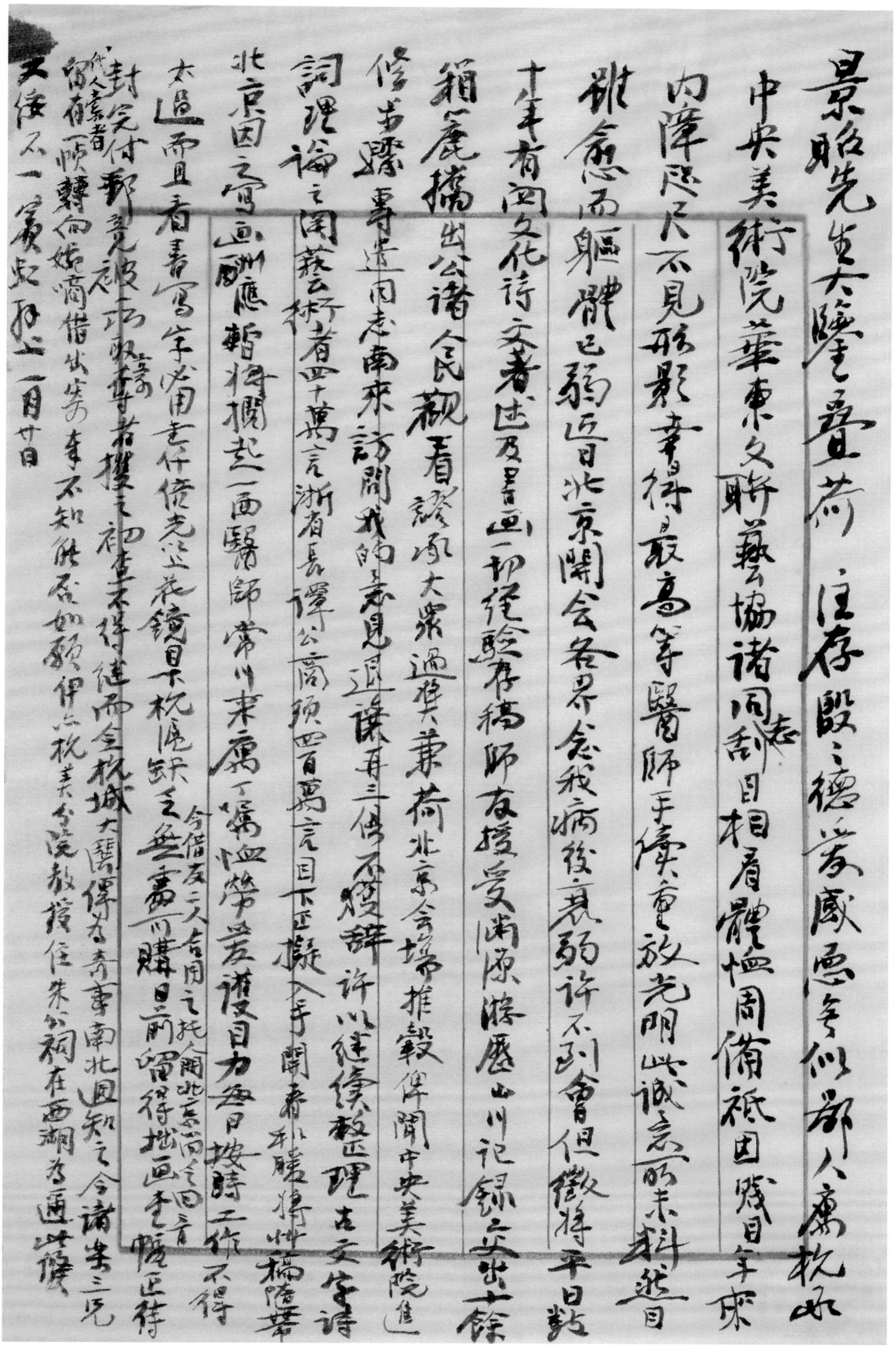

致陳景昭書

釋文：景昭先生大鑒　疊荷注存　殷殷德愛　感恧無似　鄙人寓杭　承中央美術院　華東文聯　藝協諸同志刮目相看　體恤周備　只因賤目年來内障　咫尺不見形影
幸得最高等醫師手續（術）　重放光明　此誠意所未料　然目雖愈而軀體已弱　近日北京開會　各界念我病後衰弱　許不到會　但徵將平日數十年有關文化詩文著述
及書畫及一切經驗存稿　師友授受淵源　游歷山川記録　交出十餘箱簏　携出公諸人民觀看　謬承大衆過奬　兼荷北京會場推轂　俾聞中央美術院進修步驟
專遣同志南來訪問我的意見　退讓再三　俱不獲辭　許以繼續整理古文字詩詞理論之關藝術者四十萬言　浙省長譚公商須四百萬言　目下正擬入手　開春和暖
將草稿隨帶北京　因之寫畫應酬暫將擱起　一面醫師常行來寓　丁囑恤勞　愛護目力　每日按時工作　不得太過　而且看書寫字　必用壹仟倍光以上花鏡
目下杭滬缺乏　無處可購　今借友二人合用之　托人問北京尚乏回音　日前留得拙畫壹幅　正待封完付郵　竟被一巧取豪奪者攫之　初查不得　繼而全杭城大哄
傳爲奇事　南北周知之　今諸樂三兄留有一幀代人索者　轉向婉商借出寄奉　不知能否如願　伊亦杭美分院教授　住朱公祠　在西湖爲邇　此候文綏不一
賓虹拜上　一月廿日

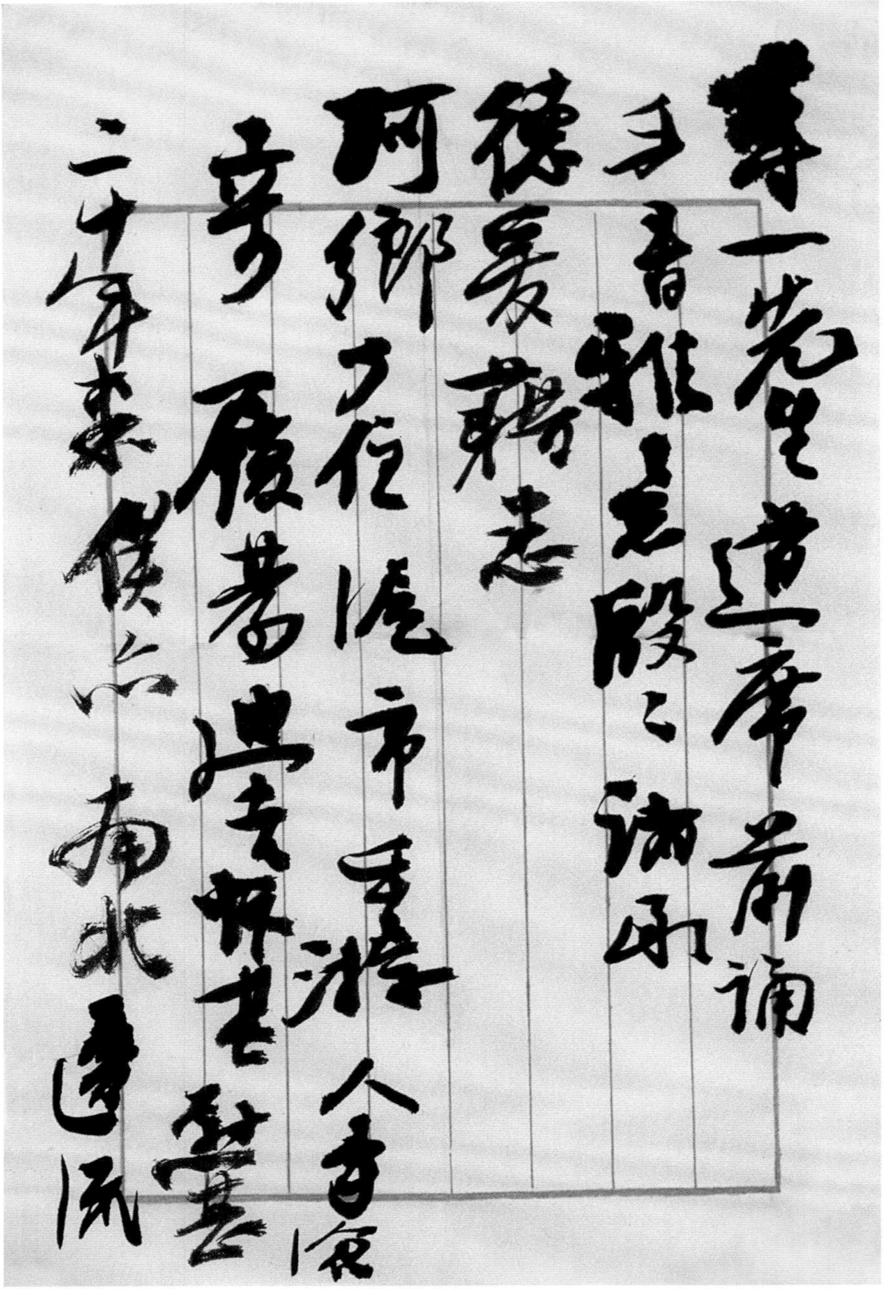

致朱尊一書

釋文：尊一先生道席　前誦手書　雅意殷殷　諸承德愛　藉悉珂鄉少住　滬市重游
人事滄桑　履綦迪吉　忭甚　慰甚　二十年來　僕亦南北遷流　栗碌如舊　于古文字搜集
書畫研求　收拾殘零　尚未懈怠　西北黃河流域出土古物　璽印考釋　良渚夏玉
亦多奇字　近數月中　賤目患生內障　在查醫治　能復元後首招屈臺端來杭　襄助董理草稿
以補孫籀齋羅雪堂王靜安諸君所未言　一創新文藝之作　非徒裨益篆刻參考
將于說文古文讀經傳諸子　亦多糾正　先附近拙刊求正　祇候文綏　賓虹拜上

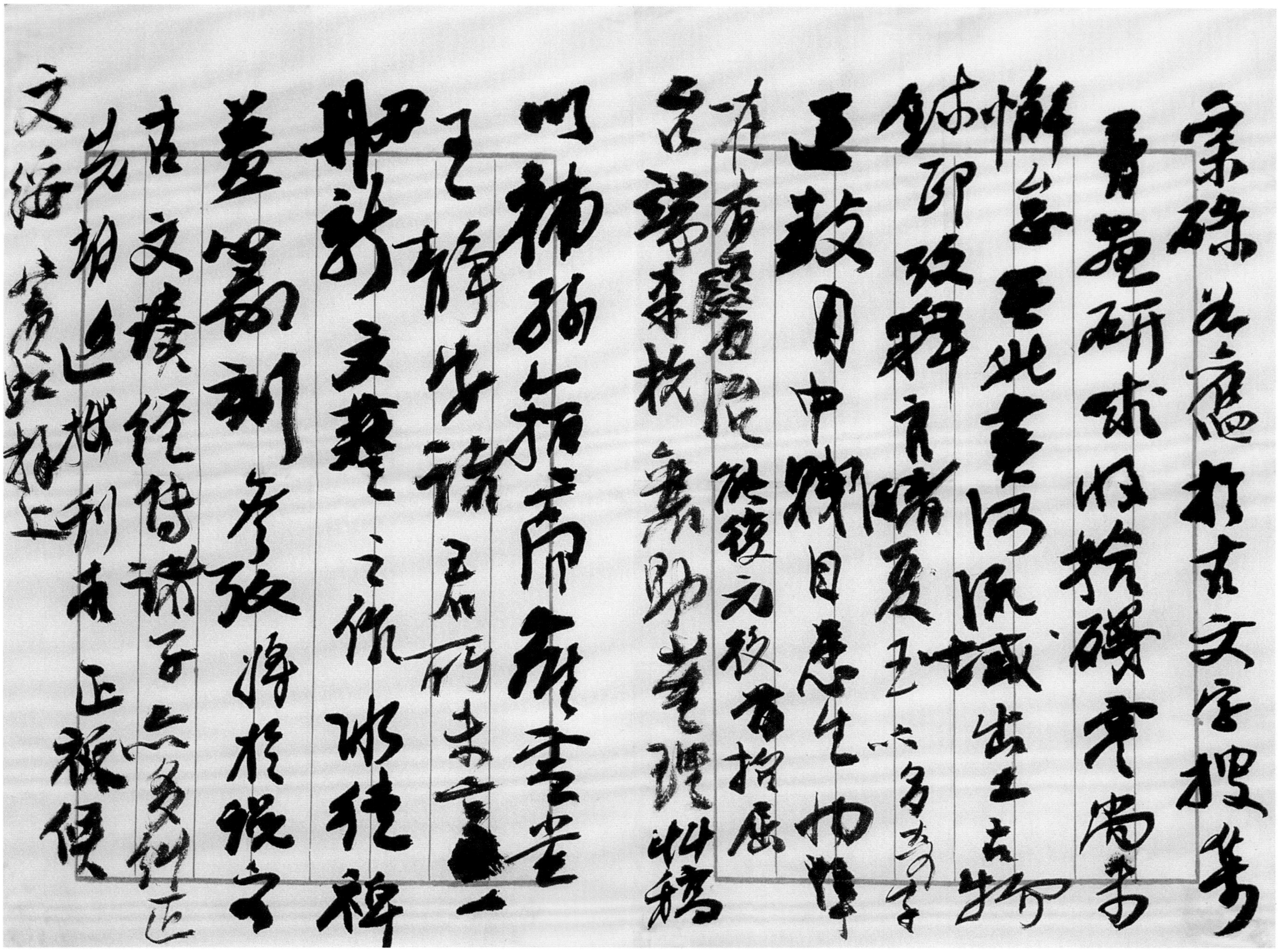

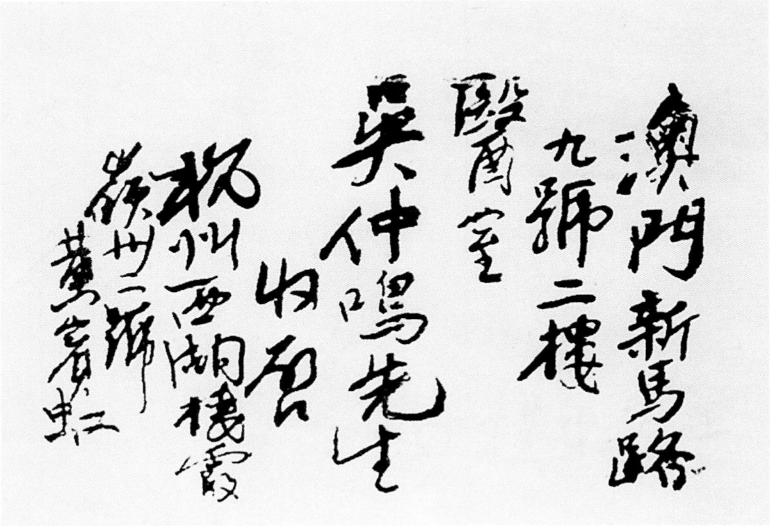

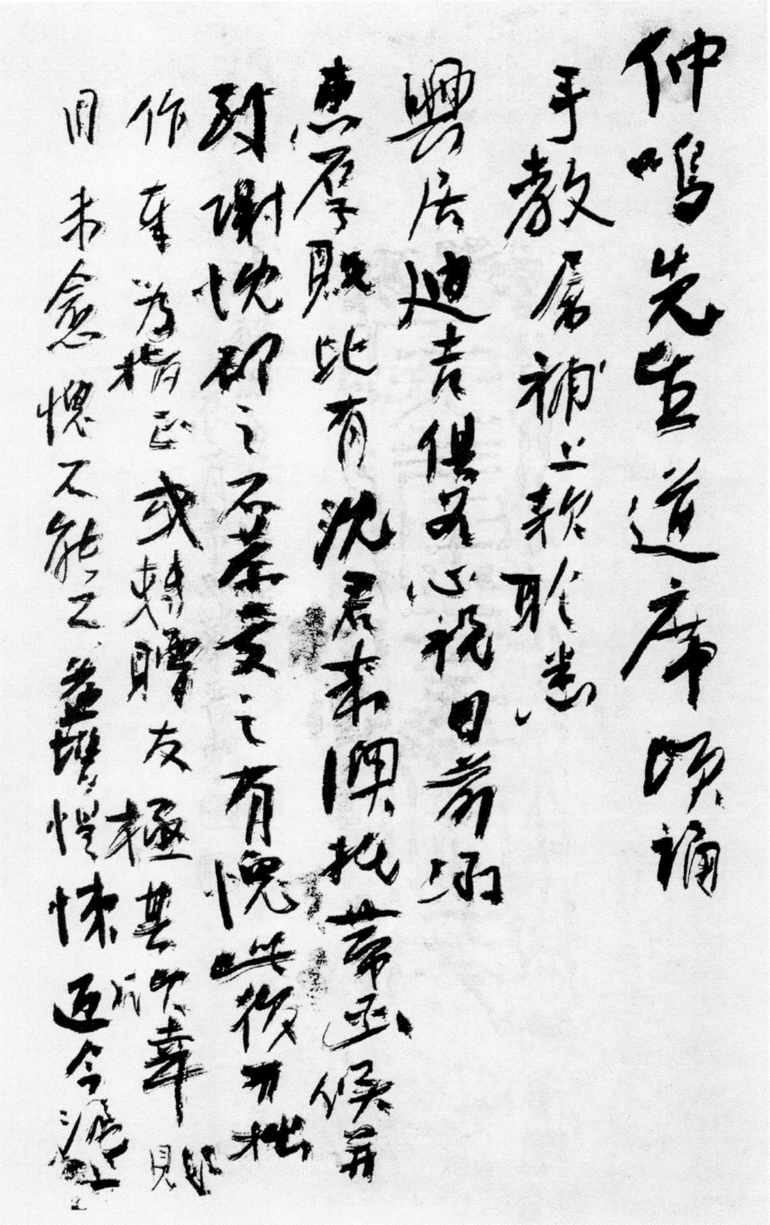

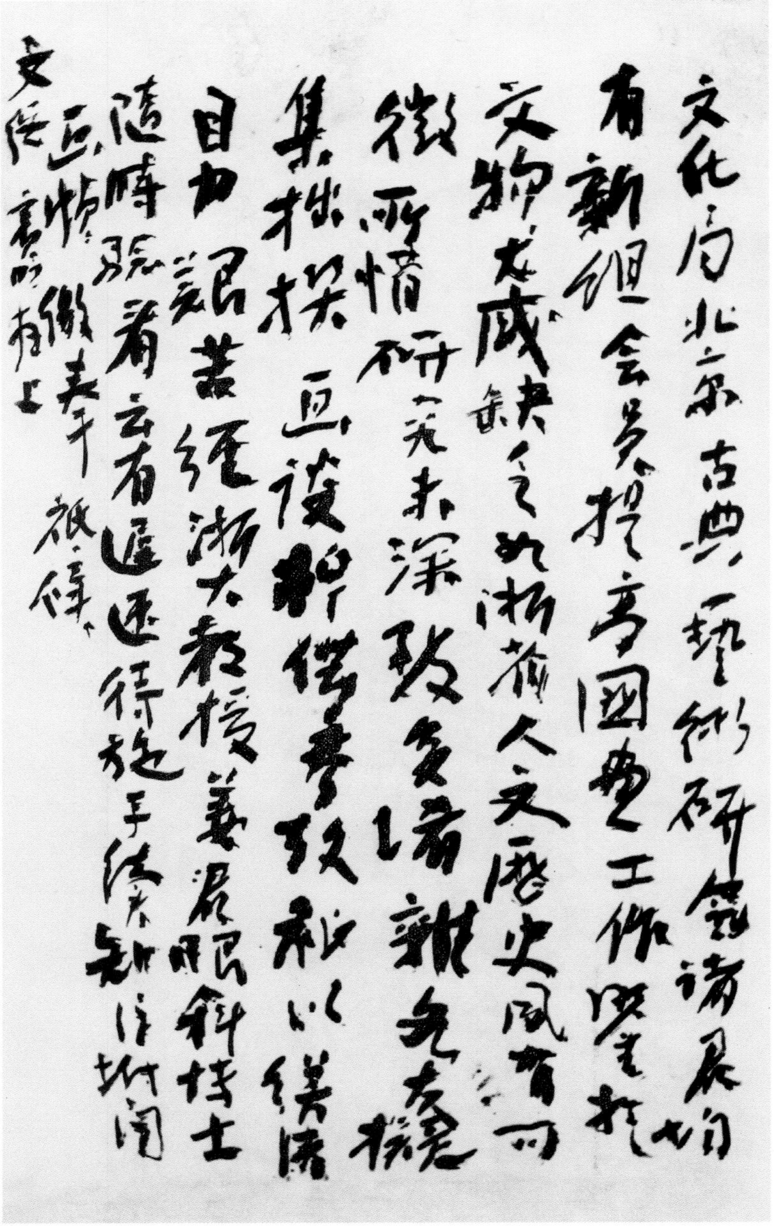

致吳仲鳴書

釋文：仲鳴先生道席　頃誦手教　屬補上款
聆悉興居迪吉　俱如心祝　日前承惠厚貺
比有沈君來澳托帶函候　并致謝忱　却之不恭
受之有愧　此後有拙作　奉爲指正　或轉贈友
極其欣幸　賤目未愈　愧不能工　益增惶悚
近今滬文化局　北京古典藝術研（究）會諸君
均有新組會員提高國畫工作　鑒于文物尤感缺乏
如浙省人文歷史夙有可徵　所惜研究未深　致多淆雜
各友擬集拙撰畫談　俾供參考　只以繕清　目力艱苦
經浙大教授姜君眼科博士隨時驗看　云有遲速待施手
續（術）　知注附問　畫幀繳奉　祇候文綏　賓虹拜上

策　　劃・姜衍波　奚天鷹　王經春
主　　編・王伯敏
執行副主編・王經春
副 主 編・王肇達　趙雁君
分卷主編・王宏理
文字總監・梁　江
導　　語・駱堅群
責任編輯・田林海　王勝華　俞建華　王肇達
釋　　文・俞建華　王宏理
文字審校・俞建華
裝幀設計・毛德寶　俞佳迪　王肇達　田林海　王勝華
責任校對・黄　静
圖片攝影・葛立英　鄭向農

圖書在版編目（CIP）數據

黄賓虹全集.9，書法／《黄賓虹全集》編輯委員會編.—濟南：山東美術出版社；杭州：浙江人民美術出版社，2006.12（2012.4重印）

ISBN 978-7-5330-2340-9

Ⅰ.黄… Ⅱ.黄… Ⅲ.漢字－書法－作品集－中國－現代Ⅳ.J222.7

中國版本圖書館CIP數據核字（2007）第015680號

出品人：姜衍波　奚天鷹

出版發行：山東美術出版社

濟南市勝利大街三十九號（郵編：250001）

http://www.sdmspub.com

電話：（0531）82098268　傳真：（0531）82066185

山東美術出版社發行部

濟南市勝利大街三十九號（郵編：250001）

電話：（0531）86193019　86193028

浙江人民美術出版社

杭州市體育場路三四七號（郵編：310006）

http://mss.zjcb.com

電話：（0571）85176548

浙江人民美術出版社營銷部

杭州市體育場路三四七號十九樓（郵編：310006）

電話：（0571）85176089　傳真：（0571）85102160

製版印刷：深圳華新彩印製版有限公司

開本印張：787×1092毫米　八開　四十印張

版　次：二〇〇六年十二月第一版　二〇一二年四月第二次印刷

印　數：二〇〇一冊—二八〇〇冊

定　價：柒佰捌拾圓